成人高等教育公共课系列教材

新编计算机应用基础教程

（第四版）

主 编 李海燕 沈 玮 卢晓东 黄 蔚

苏州大学出版社

图书在版编目(CIP)数据

新编计算机应用基础教程 / 李海燕等主编. -- 4版
. -- 苏州 : 苏州大学出版社, 2024.9 (2025.1重印)
ISBN 978-7-5672-4659-1

Ⅰ. ①新… Ⅱ. ①李… Ⅲ. ①电子计算机—高等学校
—教材 Ⅳ. ①TP

中国国家版本馆CIP数据核字(2024)第002820号

新编计算机应用基础教程(第四版)
李海燕 沈 玮 卢晓东 黄 蔚 主编
责任编辑 肖 荣
助理编辑 谢 刚

苏州大学出版社出版发行
(地址:苏州市十梓街1号 邮编:215006)
江苏凤凰数码印务有限公司印装
(地址:南京市栖霞区尧新大街399号 邮编:210000)

开本 787 mm×1 092 mm 1/16 印张 23.75 字数 563千
2024年9月第4版 2025年1月第2次印刷
ISBN 978-7-5672-4659-1 定价:69.00元

图书若有印装错误,本社负责调换
苏州大学出版社营销部 电话:0512-67481020
苏州大学出版社网址 http://www.sudapress.com
苏州大学出版社邮箱 sdcbs@suda.edu.cn

前　言

随着社会信息化的发展，计算机已成为人们工作、生活和学习中不可缺少的工具，利用计算机获取信息、解决实际问题的能力也成为衡量一个人基本素质的重要依据之一。因此，计算机基础课程是大学必修的一门公共基础课程。大学计算机基础教学的主要目标是培养学生利用计算思维解决本专业领域问题的能力，为学生在以后的学习和工作中更好地使用计算机解决实际问题建立坚实的基础。

本书以教育部高等学校计算机科学与技术教学指导委员会编制的《关于进一步加强高等学校计算机基础教学的意见暨计算机基础课程教学基本要求（试行）》（简称“白皮书”）为指导，编写时充分考虑大学生的知识结构和学习特点，在内容编排上注重对计算机基础知识的介绍和对学生动手能力的培养。

本书共6章，分别为计算机基础知识、Windows 10的使用、Word 2016的使用、Excel 2016的使用、PowerPoint 2016的使用、计算机网络基础知识。通过对本书的学习，学生能够对计算机的基本概念、计算机的基本原理、多媒体技术的基本概念、计算机网络的基础知识等有一个全面而清晰的认识，并且能够熟练掌握操作系统Windows 10和Microsoft Office 2016所包含的常用办公软件的操作方法。

本书具有以下特点：

内容丰富　本书既介绍了计算机的基本理论知识，也介绍了操作系统Windows 10和Microsoft Office 2016所包含的常用的办公软件的操作方法。

适应面广　本书既可以作为高等学校学生学习计算机的教材，也可以作为全国计算机等级考试及各类计算机培训班的培训教材和自学参考书，同时也是广大计算机爱好者的自学参考书。

易学易用　本书基本概念清晰、透彻、通俗易懂。在操作内容的描述中尽量避免大段的叙述，尽可能地使用序号、项目符号以增强可读性。

参与本书编写的有李海燕、沈玮、卢晓东、黄蔚，全书由李海燕统稿。本书的完成得到了苏州大学成人教育学院与苏州大学出版社的大力支持，在构思与编写过程中得到了苏州大学东吴学院大学计算机系全体教师的帮助，在此一并表示感谢。

计算机及其应用的发展日新月异，对于书中的不妥之处，恳请同行和读者批评指正！

编　者

2024年8月于苏州

目 录

第 1 章　计算机基础知识

现代计算机的产生是 20 世纪最重要且影响最深远的科技成就之一，是人类科学发展史上的重要里程碑。计算机的发明和发展有力地推动了社会生产和科学技术的进步。经过近一个世纪的发展，计算机已进入各行各业，并且具有举足轻重的地位。在当今这个信息时代，计算机更是成为使用最广泛的现代化工具。因此，学习计算机基础知识、掌握计算机基础应用是现代社会人们学习和工作中必须掌握的一项基本技能。

1.1　计算机概述

1.1.1　计算机的诞生与发展

1. 计算机的诞生

在人类文明发展的早期，人们便开始不断寻找和发明各种计算工具来实现快速运算。早在 17 世纪，法国数学家帕斯卡和德国数学家莱布尼兹就分别成功制造了能做加减法运算和可做乘除运算的计算机，但这些都属于机械计算机。到 20 世纪初，随着电子技术的飞速发展，计算机开始由机械时代向电子时代过渡。

第一台电子计算机是在 1946 年 2 月由宾夕法尼亚大学物理学家约翰·莫奇利（John Mauchly）和工程师普雷斯伯·埃克特（J. Presper Eckert）研制成功的 ENIAC（Electronic Numerical Integrator And Computer），如图 1-1 所示。它是在第二次世界大战期间，为了加快马里兰州阿伯丁实验场火力射程表的编制工作而研制的。ENIAC 从 1946 年 2 月 15 日正式交付使用，到 1955 年 10 月最后切断电源，服役近 10 年。

图 1-1　世界上第一台电子计算机 ENIAC

ENIAC 每秒可以进行 5 000 次加减运算，使用了约 18 000 个电子管，占地约 170 m^2，重达 30 t，用电功率 140 kW，耗资 40 万美元。尽管它的计算速度和计算能力不能与现在的计算机相提并论，但是它的计算速度是纯手工计算的 20 万倍。至今人们仍公认，ENIAC 的问世表明了电子数字计算机时代的到来，具有划时代的伟大意义，是科学技术发展史上的重大里程碑。

伴随着第一台电子数字计算机的诞生，计算机的理论也在不断地发展和完善。1937年，阿兰·图灵提出了被后人称为“图灵机”的数学模型。1945年，美籍匈牙利数学家冯·诺依曼提出了计算机存储程序的概念和计算机硬件基本结构的思想，这个基本框架发展成为计算机的经典原理“程序存储和程序控制”，该理论也被人们称为“冯·诺依曼体系结构”，直到今天，计算机的体系结构仍然采用冯·诺依曼体系结构。

2. 计算机的发展历史

随着世界上第一台电子数字计算机的诞生和冯·诺依曼体系结构的提出，现代计算机进入了高速发展时期。

计算机的发展是伴随电子技术发展的，每一次物理元器件的变革都促使计算机性能出现新的飞跃。概括地说，计算机的发展共经历了四代：

（1）第一代：电子管计算机（1946—1958年）

第一代计算机的基本电子元件是电子管，运算速度为每秒几千至几万次。主存储器采用汞延迟线、阴极射线示波管静电存储器，内存为几KB，外存储器主要使用磁带、磁鼓、纸带、卡片等。软件方面，计算机程序设计语言还处于最低阶段，使用机器语言和汇编语言编程，数据表示主要是定点数。

这一时期的计算机造价高、可靠性差、使用与维护困难，但其奠定了以后计算机发展的基础，对计算机的发展产生了深远的影响。第一代计算机主要用于军事和科学研究，进行科学计算工作。

（2）第二代：晶体管计算机（1958—1964年）

第二代计算机的基本电子元件是晶体管，运算速度较第一代计算机明显提高，每秒可以执行几十万次的运算。主存储器大多采用铁氧体磁性材料制成的磁芯存储器，内存容量为几十KB；外存储器开始使用更先进的磁盘，外设种类也有所增加。软件方面也有了较大发展，程序设计使用接近人类自然语言的高级语言及其编译程序编程。

与第一代计算机相比，晶体管计算机体积小、重量轻、成本低、可靠性高、价格便宜。这个时期的计算机不仅用在军事和尖端技术上，还广泛应用于工程设计、数据处理、事务管理等方面。

（3）第三代：中小规模集成电路计算机（1964—1970年）

第三代计算机的基本电子元件是中小规模集成电路，运算速度达到每秒几十万次到几百万次。半导体存储器逐步取代了磁芯存储器的主存储器地位，内存容量大幅度提高，并且普遍开始采用虚拟存储技术。软件方面，操作系统被普遍采用，并且技术更加成熟。高级程序设计语言也有了很大发展，软件开始形成产业，出现了大量面向用户的应用程序，计算机开始广泛应用在各个领域。由于采用了集成电路，计算机体积变小，功耗也随之降低，可靠性进一步提高。

世界上最大的计算机制造商国际商业机器公司（IBM）考虑到用户和产品的继承性，率先推出了系列机。系列机是一个计算机的家族，同一家族中的各种计算机虽然在性能、价格上有差异，但它们的指令是兼容的，从而保证了在低档机上编写的程序在同一系列的高档机上仍然可以运行。系列机的出现标志着计算机设计进入了标准化、模块化、系列化时期。

(4) 第四代：大规模、超大规模集成电路计算机（1971年至今）

第四代计算机的基本电子元件是大规模或超大规模集成电路。1971年，英特尔（Intel）公司成功研制出第一批微处理器4004。这一芯片集成了由2 250个晶体管组成的电路，从此个人计算机应运而生，并得到迅速发展。集成电路的集成度从中、小规模发展到大规模、超大规模的水平，微处理器和微型计算机随之产生，各类计算机的性能迅速提高。金属氧化物半导体电路（Metal Oxide Silicon，简称MOS）的出现，使计算机的主存储器由半导体存储器完全替代了服役达20年之久的磁芯存储器，主存储器的功能和可靠性进一步提高，存储容量向百兆、千兆字节发展。外存储器有软盘、硬盘、光盘等。计算机的运算速度可达每秒几千万到上亿次。软件方面，操作系统不断完善，应用软件种类繁多，软件成为现代工业中的一个重要产业。

自20世纪90年代开始，计算机在提高性能、降低成本、普及和深化应用等方面的发展趋势不仅仍在继续，且节奏进一步加快，市场竞争大大加剧。学术界和工业界大多已不再采用“第×代计算机”的说法，而是统一称为“新一代计算机”（New Generation Computer）。这种计算机的特点是：采用超大规模集成电路或其他新的物理器件作为主要元件；系统结构超过或突破原有的概念，不但能进行数值计算，还能处理声音、文字、图像和其他非数值数据；更主要的是，它能以知识处理为核心，具备推理、学习、智能会话、使用知识库等人工智能方面的功能，可以模拟和代替人类的某些活动。人们普遍认为新一代计算机是一种“智能计算机”。

1.1.2　计算机的特点

计算机具有很强的生命力，并得以飞速发展，是因为计算机本身具有诸多特点。具体体现在如下几个方面：

1. 处理速度快

计算机的处理速度是计算机性能的重要指标，一般用一秒内能够执行加法运算的次数来衡量。目前微型计算机的处理速度大约在亿次级，大型计算机的处理速度可达千万亿次级。利用计算机的快速计算能力，能完成人工无法完成的海量计算，使过去人工计算需要几年甚至几十年才能完成的计算（如天气预报等）能在几小时或更短时间内得到结果。

2. 存储容量大，存储时间长久

计算机能存储大量数字、文字、图像、声音等信息。随着计算机的广泛应用，在计算机中存储的信息越来越多，要求存储的时间也越来越长。近些年来，随着集成电路集成度的不断提高，计算机主存储器的容量越来越大，目前主流微机的内存容量一般为16 GB或32 GB。现代计算机不仅提供了大容量的主存储器，同时还提供了海量辅助存储器，如优盘、移动硬盘等。随着技术的不断发展，存储器的价格越来越低、存储容量越来越大。

3. 计算精确度高

计算机采用二进制数进行运算，计算精度主要由表示数据的二进位长度决定。现代计算机提供多种表示数据的能力，以满足对各种计算精确度的要求。计算机的计算精确度比以往任何计算工具都高很多。例如，利用计算机可以计算出精确到小数点后 200 万位的圆周率值。

4. 逻辑判断能力强

计算机不仅能进行算术运算，也能进行各种逻辑运算。计算机能在程序运行时利用逻辑判断能力，根据当前的运行状态，决定下面程序的执行方向。布尔代数是计算机逻辑判断能力的基础。

5. 自动化程度高

计算机能够对信息进行自动处理，自动完成预定的任务，这是计算机区别于其他工具的本质特点。人们可以预先把处理要求、处理步骤和处理对象等必备元素存储在计算机系统内，在人不参与的情况下，计算机就可以自动完成预定的全部处理任务。自动化工作所需要的必备元素主要是“程序”、“数据” 和“控制信息” 等。

6. 通用性强

由于计算机采用数字化形式表示数与各类信息，并具有逻辑判断与处理能力，因此计算机既能进行数值计算，也能对各类信息做非数值运算（如信息检索、图形图像处理、文字识别与处理、语音识别与处理等），这就使计算机具有极强的通用性。截至目前，几乎人类的所有领域都在使用计算机，这种应用的广泛性是现今任何其他设备都无可比拟的，而且这种广泛性还在不断扩大。

1.1.3 计算机的分类

计算机的种类众多，用途各异，从不同的角度讨论就会有不同的分类方式。

根据计算机中被处理信息的表示和处理方式的不同，可分为数字电子计算机、模拟电子计算机和数字模拟混合式计算机。

根据计算机内部逻辑结构的不同，可分为 16 位机、32 位机和 64 位机等。

根据计算机用途的不同，可分为通用计算机和专用计算机。

现在最普遍的分类方法是根据美国电气及电子工程师学会（IEEE）1989 年 11 月提出的标准，按照计算机的性能、用途和价格将计算机分为五类：巨型机、大型机、小型机、微型机、嵌入式计算机等。

1. 巨型机

巨型机也称超级机、超级计算机。巨型机在所有计算机类型中价格最贵，功能最强。它采用大规模并行处理的体系结构，由数以百计、千计甚至万计的 CPU 组成，具有极强的计算能力，算术或逻辑运算速度可以达到每秒数百万亿次以上。巨型机多用于战略武器（如核武器和反导弹武器）的设计、石油勘探、天气预报、飞机设计模拟、生物信息处理等领域。

巨型机的研制水平、生产能力及应用程度是衡量一个国家经济实力和科技水平的重要标志。近年来，我国自主研制的超级计算机频频出现在全球高性能计算机 TOP500

排行榜中。2023 年上半年的超级计算机排行榜中，我国的“神威 · 太湖之光”（图 1-2）位列第七名。

图 1-2　“神威 · 太湖之光”超级计算机

2. 大型机

大型机也称大型主机，具有运算速度快、存储容量大、可靠性高、通信联网功能完善等特点。大型机使用专用的指令系统和操作系统，擅长非数值计算。大型机具有很高的稳定性和安全性，主要用来为大中型企业的数据提供集中存储、管理和处理，承担主服务器的功能，在信息系统中起核心作用，通常也被称为“企业级”计算机。大型机主要用于银行、电信、大数据等商业领域。

国外生产大型机的企业主要有 IBM 和 UNISYS（优利系统），我国大型计算机系统主要有曙光、神威、深腾等系列。

3. 小型机

小型机规模小、结构简单，对运行环境要求低，易于操作且便于维护。小型机的应用范围广泛，可以用在工业自动控制、大型分析仪器、测量仪器、医疗设备（如数据采集、分析计算等）等领域，也可以用作大型机和巨型机系统的辅助机，被广泛运用于企业管理、高校和研究所的科学计算等。

在我国，小型机习惯上是指 UNIX 服务器。现在生产 UNIX 服务器的厂商主要有 IBM、富士通和甲骨文等。

4. 微型机（个人计算机）

微型机也称个人电脑、PC 或个人计算机，它的出现与发展掀起了计算机快速普及的浪潮，被称为电子计算机的第二次革命。

微型机从出现到现在不过几十年，因其具有小、巧、轻、使用方便、价格便宜等优点，应用范围从太空中的航天器到家庭生活，从工厂的自动控制到办公自动化以及商业、服务业、农业等社会各个领域。它既可用于日常信息处理，又可用于科学研究，并能协助人脑思考问题。

微型机分为台式计算机（Desktop Computer）和便携个人计算机（Portable Computer）。

（1）台式计算机

台式计算机也叫桌面机，体积较大，一般需要放置在电脑桌或者专门的工作台上，因此被称为台式机。台式计算机的性能比笔记本电脑和其他便携式计算机要强，因此它是现在非常流行的微型机，在办公室和家庭中经常使用。

为了解决台式机空间较大的问题，电脑厂商推出了电脑一体机。电脑一体机由一台显示器、一个键盘和一个鼠标组成。芯片、主板与显示器集成在一起，显示器就是一台计算机，只要将键盘和鼠标连接到显示器上，机器就能使用。相对于传统台式机，电脑一体机的散热性较差，升级和维修较难。

（2）便携个人计算机（图 1-3）

便携个人计算机体积小、重量轻，便于外出携带，性能也接近台式机，但价格稍高。

便携个人计算机包括笔记本电脑、平板电脑、智能手机等。

① 笔记本电脑。

笔记本电脑也称手提电脑或膝上型电脑，是一种小型、可携带的个人电脑，通常重 1~3 kg。笔记本电脑和台式机的架构类似，但体积较小，便于携带。笔记本电脑一般分为 6 类：商务型、时尚型、多媒体应用型、上网型、学习型、特殊用途型。

② 平板电脑。

平板电脑是一种小型、方便携带的个人电脑，其构成组件与笔记本电脑基本相同，但它以触摸屏作为基本的输入设备。平板电脑除了拥有笔记本电脑的所有功能外，还支持手写输入或语音输入，移动性和便携性也更胜一筹。

③ 智能手机。

智能手机是一种新型的移动终端，可以像计算机一样随意安装和卸载应用软件，具有独立的操作系统和运行空间。可通过安装应用软件、游戏等程序来扩充功能，并可以通过移动通信网络实现无线网络接入。智能手机具有优秀的操作系统、可自由安装各类软件、全触屏式操作感三大特性。

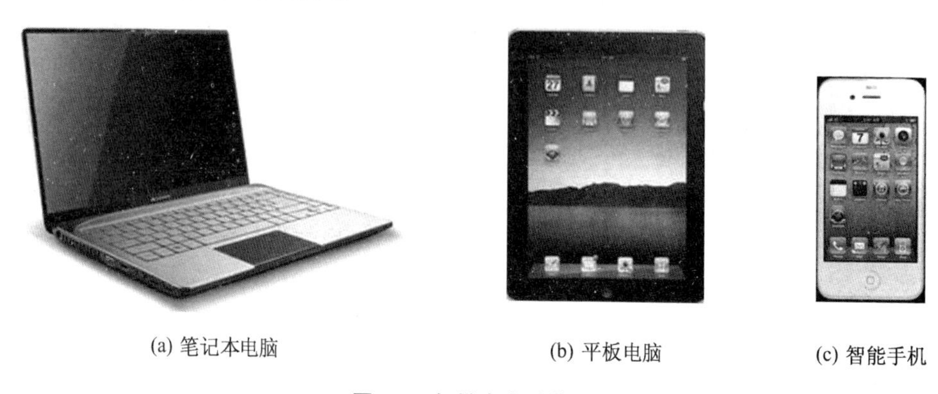

(a) 笔记本电脑　　(b) 平板电脑　　(c) 智能手机

图 1-3　便携个人计算机

5. 嵌入式计算机

20 世纪七八十年代出现了微处理器和个人计算机，这是计算机发展史上最重大的事件之一。微处理器是指使用单片大规模集成电路制成的、具有运算和控制功能的部件。目前不论是巨型机还是微型机，它们的中央处理器基本都由微处理器组成，只是在微处理器的数量和性能上有差别。嵌入式计算机除了把运算器、控制器集成在一起外，还把存储器、输入/输出设备、接口电路等都集成在同一片芯片上，所以嵌入式计算机也叫单片计算机。

嵌入式计算机是内嵌到其他设备中的计算机，与通用计算机在基本原理上没有本质区别，主要区别在于系统和功能软件集成在计算机硬件系统中，即系统的应用软件与硬件一体化，类似于基本输入输出系统（Basic Input Output System，简称 BIOS）的工作方式。由于嵌入式计算机的软件固化在芯片上，所以它们的功能和用途一般不能轻易改变。

嵌入式计算机主要由嵌入式微处理器、外围硬件设备、嵌入式操作系统以及用户的应用程序等四个部分组成。

嵌入式计算机是计算机市场中增长最快的领域，也有着种类繁多、形态多样的计算机系统。嵌入式系统几乎包括了生活中所有的电器设备，如计算器、多媒体播放器、手机、电视机顶盒、数字电视、微波炉、数码相机、电梯、空调、汽车、自动售货机等。这些设备中都包含了嵌入式计算机，只是用户不需要直接与计算机接触，所以它们的存在大多数人并不知道。

1.1.4　计算机的应用

微型计算机的普及，使得计算机开始在各行各业中被广泛应用，渗透到人们生活和工作的方方面面，改变了人们传统的工作、学习和生活方式，推动着社会的发展。目前，计算机的应用主要包括科学计算、数据处理、实时控制、计算机辅助、人工智能、网络与通信、数字娱乐等。

1. 科学计算

科学计算又称数值计算，早期的计算机主要用于科学计算。科学计算是指利用计算机来完成科学研究和工程技术中遇到的数学问题的计算。这类数学问题往往公式复杂、计算量巨大，利用人工不易完成或根本无法完成，而利用计算机则可以快速精确地解决这些科学计算问题，推动诸如高能物理、工程设计、地震预测、气象预报、航天技术、石油勘探等众多学科大步向前发展。目前，科学计算仍是计算机应用的一个重要领域。

2. 数据处理

数据处理是指利用计算机对各种形式的数据进行收集、整理、存储、加工、分析、合并和统计等。其与科学计算的最大区别是数据量大，但计算相对简单。

数据处理是目前计算机应用最广泛的一个领域，据统计，80%以上的计算机主要用于数据处理，如办公自动化、企业管理、物资管理、报表统计、会计电算化、信息情报检索等。这类工作量大面宽，决定了计算机应用的主导方向。

3. 实时控制

实时控制又称过程控制，是指利用计算机对工业生产过程的信号进行检测和采集，利用计算机的快速运算能力，按最优原则对生产过程进行及时的自动调节或自动控制，大大提高自动化水平，而且控制的及时性和准确性可以提高产品质量、降低生产成本和缩短生产周期，在石油、冶金、化工、汽车、纺织、水电、机械、航天等生产企业中被广泛使用。在国防和航空航天事业中计算机实时控制也起着决定性的作用，无人驾驶飞机、导弹、人造卫星和宇宙飞船等飞行器的控制，都靠计算机来实现。

过程控制中需要进行的数值计算量不是太大，精确度要求也比科学计算低。但为了对外部条件变化做出快速响应，要求计算机具有完善的、实时性高的中断系统。另外，生产过程控制中若发生故障，则会生产出废品甚至造成设备损坏或人员伤亡，产生不可挽回的后果，这就要求用于过程控制的计算机具有高度的可靠性。

近年来，随着集成电路集成度的不断提高，用于过程控制的计算机体积不断减小，甚至可以集成在一片芯片上，这为计算机在过程控制中的应用开辟了新的局面，将其推向了一个更高的层次。

4. 计算机辅助

计算机辅助是指在一些专业学科或特殊行业中，利用计算机进行辅助生产、设计和研究等。常见的计算机辅助系统包括以下几个方面：

（1）计算机辅助设计

计算机辅助设计（Computer Aided Design，简称 CAD）可以帮助设计人员进行产品或工程设计，提高设计工作的自动化程度，从而缩短设计周期、节省人力和物力、降低成本，目前被广泛应用于飞机、汽车、船舶、机械、电子、建筑、服装和轻工等领域。例如，在建筑设计过程中，可以利用 CAD 技术进行力学计算、结构计算、绘制建筑图纸等，这样不但提高了设计速度，还可以大大提高设计质量。

（2）计算机辅助制造

计算机辅助制造（Computer Aided Manufacturing，简称 CAM）是指利用计算机进行生产设备的管理、控制与操作，使制造过程实现自动化或半自动化。计算机辅助制造的好处是在硬件不改变或改变不大的情况下，只要改变程序就可以制造出不同的产品。

CAM 特别适用于生产小批量、多品种、更新换代快的产品。

（3）计算机集成制造系统

计算机集成制造系统（Computer Intergrated Manufacturing Systems，简称 CIMS）是从 20 世纪 80 年代初期迅速发展起来的一种新型的生产模式，它是以计算机为中心，集设计、制造、管理三大功能于一体的现代化工厂生产系统。CIMS 将企业生产和经营的各个环节，从市场分析、经营决策、产品开发、加工制造到管理、销售、服务都视为一体，促进制造系统和企业组织的优化运行，以提高企业的竞争力和生存能力。

（4）计算机辅助教学

计算机辅助教学（Computer Aided Instruction，简称 CAI）是利用计算机来辅助教学过程、辅助教师进行知识传授、帮助学生自主学习的一个自动化系统。CAI 综合应用了网络、多媒体、超文本、人工智能和知识库等计算机技术，为教师提供了一个与学生交流的平台，为学生提供了一个良好的个性化学习环境。CAI 克服了传统教学单一、片面的缺点，能与学生互动，能进行个别辅导，能安排个性化教学进程，从而有效地缩短了学习时间，提高了教学质量和教学效率，实现了最优化的教学目标。可以说 CAI 是现代化教育的强有力手段。

（5）计算机辅助测试

计算机辅助测试（Computer Aided Testing，简称 CAT）是指利用计算机对学生的学习能力进行评估，对学习效果进行测试。一般分为脱机测试和联机测试两种方法。CAT 包括测验构成、测验实施、分级及分析、试题分析和题库五部分。计算机能够按要求随机组成试卷，无论是题型的搭配、分值的分配，还是时间的确定，都是十分精确的。

（6）计算机模拟

计算机模拟（Computer Simulation）是指利用计算机程序代替实物模型进行模拟实验。在传统的工业生产中，常使用实物模型对产品或工程进行分析和设计。20 世纪 60

年代以后，人们尝试利用计算机程序代替实物模型进行模拟试验，从而降低成本和风险，提高效率。“波音 777”是世界上第一架不用大型模型制造成功的客机，它的整个设计过程没有使用纸张绘图，而是使用三维计算机辅助设计软件，事先“建造”一架虚拟的 777，让工程师可以及早发现任何误差，并预先判定数以千计的零件是否配合妥当，然后才制作实体模型。

现在，计算机模拟技术日趋成熟，应用领域也十分广泛。除了传统的飞机、汽车制造领域外，一些实物模拟实验有危险的或代价太高的领域，如武器系统的杀伤力、飞船在空间的对接等也可以使用计算机软件进行模拟。另外，计算机模拟也适用于社会科学领域，如城市规划、军事演习、人口控制等项目，可以先在计算机上建立相应的动态模型，然后改变其中的一些参数来观察对计划产生的影响。

5. 人工智能

人工智能（Artificial Intelligence，简称 AI）主要研究如何利用计算机模拟人类的智能活动，如模拟人脑的学习、推理、判断、理解等过程，辅助人类进行决策。

人工智能是计算机科学技术中最前沿的研究领域，不仅涉及计算机科学，还涉及脑科学、神经生理学、心理学、语言学、逻辑学、认知（思维）科学、行为科学和数学以及信息论、控制论和系统论等学科领域。

虽然现有的人工智能产品相对于即将到来的人工智能应用是微不足道的，但是它们预示着人工智能的未来。对人工智能更高层次的需求已经并将继续影响我们的工作、学习和生活。近年来，人工智能已成为计算机科学和技术领域的一门重要学科，也是计算机应用的一个重要方面。

6. 网络与通信

计算机网络是计算机技术与通信技术日益发展并且密切结合的产物。利用计算机网络，广大用户可以共享网络中的硬件、软件和数据等资源。借助网络，可以将分散在不同地区甚至不同国家的计算机互联起来，协同操作，提高可靠性。

现代社会的发展离不开网络。全球信息网络的建设，可以将政府、企业、学校、商店、医院甚至每家每户都联系起来，进行文字、声音、图像、视频的传输和交换，彼此在创造信息的同时也在共享信息。网络拉近了人与人之间的距离，改变了我们的生活。

1.1.5 计算机的发展趋势

近年来，随着计算机应用领域不断扩展，人们对计算机技术提出了更高的要求，对于计算机未来的发展趋势人们也在不断地思考和研究中。目前大家普遍认为未来计算机的发展趋势是多极化、网络化、智能化。

1. 多极化

一方面，大规模、超大规模集成电路的发展使得计算机在保持高性能的前提下，体积变得越来越小，甚至可以渗透到家用电器、仪器仪表等领域，微型化对于计算机的普及起到了很好的推动作用。而另一方面，功能更强的巨型机或超级计算机在尖端科学和国防科技上具有举足轻重的地位和作用，它反映了一个国家的科学技术发展水平。因此，计算机在微型化和巨型化两个方向的发展是同等重要的。

2. 网络化

网络能够把分散在不同区域的计算机互连起来，进行通信和资源共享，已对人们的生活产生了重大影响。

美国政府在1993年提出了国家信息基础设施计划（National Information Infrastructure，简称NII），即信息高速公路，它的本质就是一个高速度、大容量、多媒体的信息传输网络。建立信息高速公路是利用数字化大容量的光纤通信网络，在政府机构、大学、研究机构、企业乃至普通家庭之间建成计算机网络，通过这个网络，随时给用户提供大量信息。开发和实施信息高速公路计划，不仅能加快科技交流，促进信息科学技术的发展，而且将改变人们的生活、工作和相互沟通方式。

最大的计算机网络Internet把整个世界连在了一起，目前还在快速发展。

3. 智能化

智能化是让计算机能够模拟人的思维功能，具有思维、逻辑推理、学习等能力，成为智能计算机。

智能计算机的研究使计算机突破了“计算”这一初级含义，从本质上扩充了计算机的能力，使它可以越来越多地代替或超越人脑的某些功能。

1.1.6 微电子技术

微电子技术是建立在以集成电路为核心的各种半导体器件基础上的高新电子技术，具有体积小、重量轻、可靠性高、工作速度快、适于大规模批量生产等特点。微电子技术实现了电子电路和电子系统的超小型化及微型化，因此它是信息技术领域中的关键技术，是发展电子信息产业的基础。

1. 电子电路中元器件的发展

早期的电子技术以真空电子管为基础元件，在这个阶段产生了广播、电视、无线电通信、电子仪表、自动控制和第一代电子计算机。

1948年，晶体管的发明以及印制电路组装技术的使用，使电子电路在小型化方面前进了一大步。

20世纪50年代出现了集成电路（Integrated Circuit，简称IC）。它是一种微型电子器件或部件，以半导体单晶片作为基片，采用平面工艺，将一个电路中所需的晶体管、电阻、电容和电感等元器件及布线互连在一起，制作在一小块或几小块半导体晶片或介质基片上，然后封装在一个管壳内，构成一个微型化的电路或系统。现代集成电路使用的半导体材料主要是硅或化合物半导体，如砷化镓等。集成电路中所有元件在结构上组成一个整体，这使得电子元件向着微型化、低功耗和高可靠性方面迈进了一大步。

20世纪70年代，随着集成电路集成度的不断提高，出现了大规模和超大规模集成电路。

如图1-4所示是各种电子元器件。

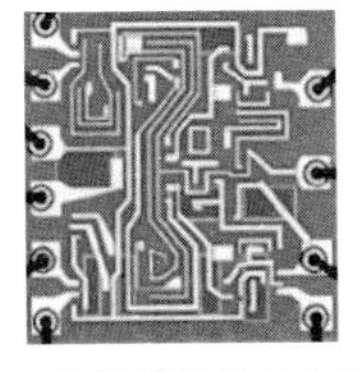

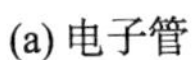

(a) 电子管　(b) 晶体管　(c) 中小规模集成电路　(d) 大规模集成电路

图 1-4　各种电子元器件

2. 集成电路的分类

（1）根据集成度

集成度是指单块芯片上所容纳的元件数目，集成度越高，所容纳的元件数目越多。集成电路按集成度的高低可分为小规模集成电路（Small Scale Integrated circuites，简称 SSI）、中规模集成电路（Medium Scale Integrated circuites，简称 MSI）、大规模集成电路（Large Scale Integrated circuites，简称 LSI）、超大规模集成电路（Very Large-Scale Integrated circuites，简称 VLSI）和极大规模集成电路（Ultra Large Scale Integrated circuites，简称 ULSI）。

通常不严格区分 VLSI 和 ULSI，而将它们统称为超大规模集成电路。

（2）根据用途

按集成电路的用途可分为通用集成电路和专用集成电路。微处理器和存储器芯片等属于通用集成电路，而专用集成电路是按照某种应用的特定要求专门设计和定制的集成电路。

（3）根据电路的功能

按集成电路的功能可分为数字集成电路和模拟集成电路。数字集成电路是将元器件和连线集成于同一个半导体芯片上而制成的数字逻辑电路或系统，如门电路、存储器、微处理器、微控制器、数字信号处理器等。模拟集成电路又称线性电路，是指将电容、电阻、晶体管等组成的模拟电路集成在一起，用来处理模拟信号的集成电路，如信号放大器、功率放大器等。

（4）根据工艺

按集成电路使用的晶体管结构、电路和工艺的不同，可分为双极型集成电路、金属氧化物半导体集成电路、双极-金属氧化物半导体集成电路等。双极型集成电路以双极型晶体管为基础元件，在平面工艺基础上采用埋层工艺和隔离技术，被广泛应用于模拟集成电路和数字集成电路。金属氧化物半导体集成电路也叫 MOS 集成电路，由金属、氧化物和半导体场效应管组成，制作工艺简单、集成度高、功耗低、工作频率低，主要用于数字电路。

3. 摩尔定律

对于集成电路的发展趋势有一个著名的定律——摩尔定律。1965 年，英特尔（Intel）公司的创始人之一戈登·摩尔（Gorden Moore）在美国《电子学》杂志上发表论文。该论文根据 1958 年以来集成电路的发展状况，做出如下预测：当价格不变时，集成电路上可容纳的晶体管数目，每隔约 18～24 个月便会增加一倍，性能也将提升一倍。这就是被信息领域广泛引用的“摩尔定律”。摩尔定律在随后的40多年里产生了巨大影响，许多公司的微处理器的集成度大体都是按照这个规律发展的。

需要特别指出的是，摩尔定律并非数学、物理定律，而是对发展趋势的一种分析和预测。近些年来，围绕着“摩尔定律何时失效”的争论一直没有停止过。据有些专家估计，未来10~15年内，摩尔定律仍将继续有效，只不过发展速度会略微降低。

1.2 信息在计算机中的表示

信息是一种对人有用的消息，它看不见也摸不着，在由计算机处理这些消息时表现为一些由0和1组合的编码，这些不同的编码分别代表了不同的数据值。

1.2.1 信息的基本单位

1. 位（bit）

数字技术的处理对象是“比特”（binary digit，简称bit），中文翻译为“二进位数字”、“二进制位”或简称为“位”。比特只有2种取值：0和1，无大小之分。

比特是组成数字信息的最小单位。计算机中的数值、文字、符号、图像、声音、视频、命令等都可以使用比特来表示，具体的表示方法就称为“编码”或“代码”。每个西文字符用8个比特表示，每个汉字至少用16个比特表示，而图像、声音和视频则需要更多的比特才能表示。

2. 字节（Byte）

字节是计算机处理数据的基本单位，简写为“B”。1个字节由8个二进制位组成，即1 B=8 bit。通常一个ASCII占1个字节，一个汉字国标码占2个字节。

3. 字（Word）

计算机一次存取、处理和传输的数据长度称为“字”。一个字通常由一个或多个字节构成，用来存放一条指令或数据。一个字中包含的二进制位数称为字长。不同的计算机，字长是不同的，常见的有8位、16位、32位或64位等。字长是衡量计算机性能的一个重要指标，一般来说，字长越长，一次处理的二进制数字位数越大，速度也就越快。

4. 存储容量单位

存储容量是存储器的一项重要的性能指标。计算机的内存储器容量通常使用2的幂次方作为单位。经常使用的单位有：

KB（千字节），1 KB=2^{10} B=1 024 B

MB（兆字节），1 MB=2^{20} B=1 024 KB

GB（吉字节、千兆字节），1 GB=2^{30} B=1 024 MB

TB（太字节、兆兆字节），1 TB=2^{40} B=1 024 GB

随着大数据技术的发展，人们所处理的数据越来越大。为了适应新的信息存储及处理需求，出现了比TB还大的新的计量单位，如PB、EB、ZB、YB、BB、NB、DB、CB、XB等。它们的换算规律是：

$$1\ \text{PB} = 1\ 024\ \text{TB}$$
$$1\ \text{EB} = 1\ 024\ \text{PB}$$
$$1\ \text{ZB} = 1\ 024\ \text{EB}$$
$$1\ \text{YB} = 1\ 024\ \text{ZB}$$
$$1\ \text{BB} = 1\ 024\ \text{YB}$$
$$1\ \text{NB} = 1\ 024\ \text{BB}$$
$$1\ \text{DB} = 1\ 024\ \text{NB}$$
$$1\ \text{CB} = 1\ 024\ \text{DB}$$
$$1\ \text{XB} = 1\ 024\ \text{CB}$$

需要注意的是，外存储器容量通常使用 10 的幂次方来计算：

$$1\ \text{KB} = 10^3\ \text{B} = 1\ 000\ \text{B}$$
$$1\ \text{MB} = 10^6\ \text{B} = 1\ 000\ \text{KB}$$
$$1\ \text{GB} = 10^9\ \text{B} = 1\ 000\ \text{MB}$$
$$1\ \text{TB} = 10^{12}\ \text{B} = 1\ 000\ \text{GB}$$

内存和外存容量度量单位的差异可能会产生误解和混淆。例如，硬盘的容量是 160 GB，操作系统显示的却是 149.05 GB，这是因为 Windows 操作系统（其他大部分软件也一样）在显示外存容量、内存容量、Cache 容量、文件及文件夹的大小时，容量的度量单位是以 2 的幂次方作为 K、M、G、T 等符号的定义，而外存生产厂商使用的 K、M、G、T 等符号却是以 10 的幂次方定义的，这就是外存容量在系统中变小的原因。如标明容量是 16 GB 的 U 盘，系统显示出来的是 $(16\times10^9)/(1\ 024\times1\ 024\times1\ 024) = 14.9$ GB。

5. 数据传输速率单位

传输速率表示每秒可传输的二进制位数目，是衡量系统传输能力的主要指标，经常使用比特率来表示，即每秒传输的数据量，以比特/秒为单位，记为 b/s（bit per second）。常用的数据传输速率单位有：

千比特/秒（kb/s），$1\ \text{kb/s} = 10^3$ 比特/秒 $= 1\ 000\ \text{b/s}$

兆比特/秒（Mb/s），$1\ \text{Mb/s} = 10^6$ 比特/秒 $= 1\ 000\ \text{kb/s}$

吉比特/秒（Gb/s），$1\ \text{Gb/s} = 10^9$ 比特/秒 $= 1\ 000\ \text{Mb/s}$

太比特/秒（Tb/s），$1\ \text{Tb/s} = 10^{12}$ 比特/秒 $= 1\ 000\ \text{Gb/s}$

1.2.2　进制的基本概念

人们在生产实践和日常生活中创造了多种表示数的方法，这些数的表示规则就是进位计数制，也称为数制。在日常生活中，人们最熟悉且最常用的是十进制数，也就是采用十进位计数制。当然有时也会采用非十进位的计数制，如时间是 60 秒为 1 分、60 分为 1 小时，这是六十进制；星期是 7 天为一星期，这是七进制；12 个月是一年，这是十二进制。

计算机在处理各种信息时需要先将信息表示成具体的数据形式，选择什么样的数制来表示数，对机器的结构、性能和效率会有很大的影响。计算机内部广泛采用二进位计数制，这是因为：

① 二进制运算简单，运算法则少，使计算机运算器的硬件结构大大简化。

② 物理上容易实现。二进制仅有两个数字符号，特别适合用电子元器件来表示，如电压的高和低、电容的充电和放电等。而制造包含两个稳定状态的元器件一般比制造具有多个稳定状态的元器件容易得多。

③ 可靠性强。只有两个数字符号，在存储、处理和传输的过程中可靠性强，不易出错，同时，也提高了计算机本身的稳定性和可靠性。

④ 二进制数的两个符号“1”和“0”正好与逻辑量“是”和“否”(或“真”和“假”)相对应，便于表示和进行逻辑运算。

有时，在程序的编制和书写中还会用到八进制数和十六进制数。

进位计数制是目前世界上使用最广泛的一种计数方式。以十进制数为例，它有0，1，2，…，9这10个不同的数符，并且逢10进1，即在某一位上满10以后这个单独的一位已经无法表示了，必须往高位进1才能表示下去。

同样的道理，对于R进制来说，计数时只能用R个数符表示，并且“逢R进1”，R是该计数制的“基数”。比如，二进制数的基数为2，它只有0，1两个数符，并且逢二进一，也就是数值2的二进制表示法是“10”，注意该数读作“一零”，而不能读成“十”。

在进位计数制中数符出现的位置非常重要，它决定了数值的大小，我们把数位所代表的大小称为“权”，如十进制中的“个”“十”“百”“千”“万”等就是权。对于R进制数，各位的权依次是：…，R^4，R^3，R^2，R^1，R^0，R^{-1}，R^{-2}，R^{-3}，…

任意R进制数的大小都可以用按权展开式来表示：

$$a_n a_{n-1} \cdots a_2 a_1 a_0 . a_{-1} a_{-2} \cdots a_{-m} = \sum_{i=-m}^{n} a_i \times R^i$$

为了区分不同进制的数，通常在进制数的后面加一个字母以示区分，如二进制用B（Binary）表示；八进制用O（Octal）表示，但也有为防止字母“O”与数字“0”混淆，改用Q表示的；十进制用D（Decimal）表示；十六进制用H（Hexadecimal）表示，如表1-1所示。

表1-1 计算机中常用的进位计数制

进位制	计数规则	基数	权	可用数符	后缀
二进制	逢2进1	2	2^i	0，1	B
八进制	逢8进1	8	8^i	0，1，…，7	O或Q
十进制	逢10进1	10	10^i	0，1，…，9	D
十六进制	逢16进1	16	16^i	0，1，…，9，A，B，C，D，E，F	H

除此之外，还可以用带数字下标的方式表示。如：二进制数11010110.101表示为$(11010110.101)_2$，十进制数135.73表示为$(135.73)_{10}$，十六进制数F4A6表示为$(F4A6)_{16}$等。一般如果没有任何说明，默认为十进制数。

1.2.3　不同进制数之间的转换

1. 非十进制数转换成十进制数

非十进制数转换为十进制数只要以按权展开式求和即可。

【例 1-1】 把二进制数 10110.101 转换为十进制数。

解：$(10110.101)_2 = 1\times2^4+0\times2^3+1\times2^2+1\times2^1+0\times2^0+1\times2^{-1}+0\times2^{-2}+1\times2^{-3}$

$= (22.625)_{10}$

【例 1-2】 把八进制数 64.21 转换为十进制数。

解：$(64.21)_8 = 6\times8^1+4\times8^0+2\times8^{-1}+1\times8^{-2} = (52.265625)_{10}$

【例 1-3】 把十六进制数 A3.E 转换为十进制数。

解：$(A3.E)_{16} = 10\times16^1+3\times16^0+14\times16^{-1} = (163.875)_{10}$

2. 十进制数转换成非十进制数

十进制数转换为非十进制数的通用做法是将十进制数分成整数和小数两部分，采用不同的处理方法分别转换成对应的 *R* 进制数，然后将两部分相连即可。

（1）十进制整数转换为 *R* 进制数

十进制整数转换为 *R* 进制数的转换方法是“除基取余法”，即将十进制数不断除以要转换的数制的基数，直至商为 0，然后把每次相除所得的余数逆序排列，得到所求结果。

【例 1-4】 将十进制数 146 转换为二进制数。

解：

除数	被除数/商		余数	
2	146			
2	73	……	0	↑ 低位
2	36	……	1	
2	18	……	0	
2	9	……	0	
2	4	……	1	
2	2	……	0	
2	1	……	0	高位
	0	……	1	

即 $(146)_{10} = (10010010)_2$。

【例 1-5】 将十进制数 691 转换为八进制数。

解：

除数	被除数/商		余数	
8	691			
8	86	……	3	↑ 低位
8	10	……	6	
8	1	……	2	高位
	0	……	1	

即 $(691)_{10} = (1263)_8$。

【**例 1-6**】将十进制数 142 转换为十六进制数。

解：

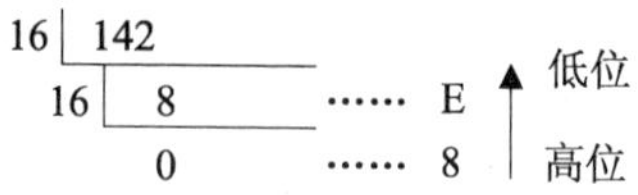

```
16 | 142
   16 | 8   ······ E   ↑ 低位
        0   ······ 8   | 高位
```

即 $(142)_{10}=(8E)_{16}$。

（2）十进制纯小数转换为 *R* 进制数

十进制纯小数转换为 *R* 进制数的转换方法是“乘基取整法”，即将十进制数不断乘以要转换的数制的基数，直至小数部分为 0，或者达到要求保留的小数位数，然后把每次相乘所得的整数按顺序排列，得到所求结果。

【**例 1-7**】将十进制数 0. 675 转换为二进制数（精确到 4 位小数）。

解：

```
  0.675
     ×2
  [1].350 ——→ 1   | 高位
     ×2
  [0].700 ——→ 0   |
     ×2
  [1].400 ——→ 1   |
     ×2
  [0].8   ——→ 0   ↓ 低位
```

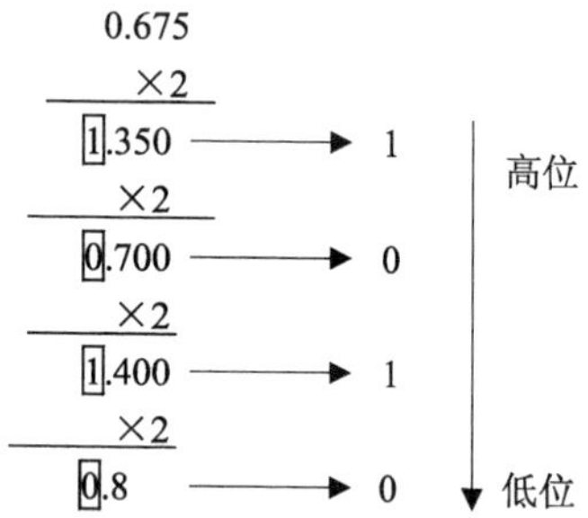

即 $(0.675)_{10}\approx(0.1010)_{2}$。

【**例 1-8**】将十进制数 0. 675 转换为八进制数（精确到 4 位小数）。

解：

```
  0.675
     ×8
  [5].4   ——→ 5   | 高位
     ×8
  [3].200 ——→ 3   |
     ×8
  [1].600 ——→ 1   |
     ×8
  [4].8   ——→ 4   ↓ 低位
```

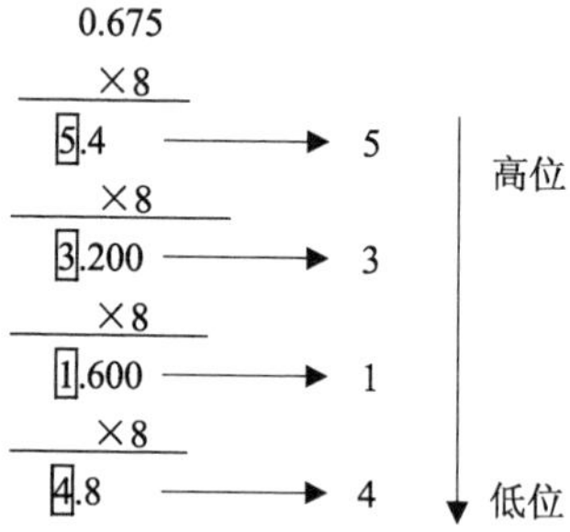

即 $(0.675)_{10}\approx(0.5314)_{8}$。

【**例 1-9**】将十进制数 0. 675 转换为十六进制数（精确到 4 位小数）。

解：

```
  0.675
     ×16
  [10].8   ——→ A   | 高位
     ×16
  [12].800 ——→ C   |
     ×16
  [12].800 ——→ C   |
     ×16
  [12].8   ——→ C   ↓ 低位
```

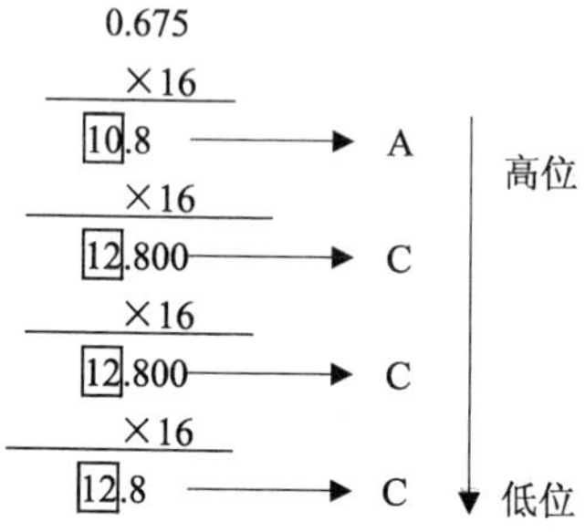

即 $(0.675)_{10} \approx (0.ACCC)_{16}$。

注意：有限位数的十进制纯小数不一定能转换为有限位数的 *R* 进制数，应该按照指定的精度保留小数位数。

3. 二进制数与八进制数、十六进制数之间的相互转换

由于二进制、八进制、十六进制之间存在着特殊的对应关系，即 $2^3=8$，$2^4=16$，就是每 3 位二进制数可以表示成 1 位八进制数，每 4 位二进制数可以表示成 1 位十六进制数，因此二进制数与八进制数、十六进制数之间的转换非常简单。

（1）二进制数与八进制数的相互转换

二进制数转换成八进制数的规则是：以小数点为界，整数部分自右向左，小数部分自左向右，每 3 位为一组，不足 3 位用 0 补足，然后分别将每个 3 位二进制数转换为对应的 1 位八进制数。

八进制数转换成二进制数的规则是：把 1 个八进制数转换成对应的 3 位二进制数。

注意：整数的最高位 0 和小数的最低位 0 可省略不写。

【例 1-10】 把二进制数 1101001010.1011 转换为八进制数。

解：

1	101	001	010.	101	1
001	101	001	010.	101	100
1	5	1	2.	5	4

即 $(1101001010.1011)_2=(1512.54)_8$。

【例 1-11】 把八进制数 356.74 转换为二进制数。

解：

3	5	6.	7	4
011	101	110.	111	100

即 $(356.74)_8=(11101110.1111)_2$。

（2）二进制数与十六进制数的相互转换

二进制数转换成十六进制数的规则是：以小数点为界，整数部分自右向左，小数部分自左向右，每 4 位为一组，不足 4 位用 0 补足，然后分别将每个 4 位二进制数转换为对应的 1 位十六进制数。

十六进制数转换成二进制数的规则是：把 1 个十六进制数转换成对应的 4 位二进制数。

【例 1-12】 把二进制数 1101001010.1011 转换为十六进制数。

解：

11	0100	1010.	1011
0011	0100	1010.	1011
3	4	A.	B

即 $(1101001010.1011)_2=(34A.B)_{16}$。

【例 1-13】把十六进制数 3B6.7 转换成二进制数。

解：

3	B	6.	7
0011	1011	0110.	0111

即 $(3B6.7)_{16}=(1110110110.0111)_2$。

八进制数与十六进制数之间的转换可以借助于二进制数作为过渡，先将欲转换的数转换为二进制数，然后再转换成所需的进制数。

1.2.4 二进制数的运算

二进制数可以进行两种基本运算：算术运算和逻辑运算。

1. 算术运算

与十进制数一样，二进制数也可以进行算术运算，如加、减、乘、除等。二进制数的加法和减法的运算规则如下：

加法：$0+0=0$　　$0+1=1$　　$1+0=1$　　$1+1=0$（向高位进 1）

减法：$0-0=0$　　$0-1=1$（向高位借 1）　　$1-0=1$　　$1-1=0$

2. 逻辑运算

逻辑代数又称布尔代数，由英国数学家布尔（G. Boole）最早提出。逻辑代数中的常量只有两种取值，所以也称为二值代数。

逻辑代数和普通代数一样，也定义了常量、变量和基本运算。基本的逻辑运算有与运算（AND）、或运算（OR）、非运算（NOT）、异或运算（XOR）等。

二进制数只有“0”和“1”两个数字，因此也可以进行逻辑运算。规则如下：

与运算（也称逻辑乘运算）：$0\wedge 0=0$　　$0\wedge 1=0$　　$1\wedge 0=0$　　$1\wedge 1=1$

或运算（也称逻辑加运算）：$0\vee 0=0$　　$0\vee 1=1$　　$1\vee 0=1$　　$1\vee 1=1$

非运算（也称取反运算）：$\bar{0}=1$　　$\bar{1}=0$

异或运算：$0\oplus 0=0$　　$0\oplus 1=1$　　$1\oplus 0=1$　　$1\oplus 1=0$

注意：二进制数的算术运算，可能会存在进位或借位；而二进制数的逻辑运算，位与位之间相互独立，不存在进位或借位。

【例 1-14】分别求 $11001011+10010101$，$11001011-10010101$，$11001011\wedge 10010101$，$11001011\vee 10010101$，$\overline{11001011}$。

解：

11001011+10010101

$$\begin{array}{r} 11001011 \\ +10010101 \\ \hline 101100000 \end{array}$$

11001011－10010101

$$\begin{array}{r}11001011\\ -10010101\\ \hline 00110110\end{array}$$

11001011∧10010101

$$\begin{array}{r}11001011\\ \wedge 10010101\\ \hline 10000001\end{array}$$

11001011∨10010101

$$\begin{array}{r}11001011\\ \vee 10010101\\ \hline 11011111\end{array}$$

$\overline{11001011}$

$$\overline{11001011}=00110100$$

1.2.5　数值在计算机中的表示

计算机中的数值型数据有整数和实数两大类，根据小数点的位置是固定的还是浮动的，分别称为定点数和浮点数。

1. 定点数

整数被认为小数点位置是固定在数值的最右边的，因此它又被称为定点数。数值还可以有正负符号，在计算机中一般将最高位看作符号位，0 表示正数，1 表示负数。

（1）有符号整数

一个数据在计算机中的编码称为机器数，而数据本身的大小称为真值。常见的机器数有原码、反码和补码。

① 原码。

将二进制数的最高位作为符号位，0 表示正数，1 表示负数，其余位数用补足位数的二进制真值表示。例如：37 的二进制真值是 100101，若用 8 位来表示一个整数，则+37 和−37 的原码分别用 00100101 和 10100101 来表示。

原码的表示范围取决于数值的长度，如果用 n 位原码来表示一个整数，则可表示的范围为$-2^{n-1}+1 \sim 2^{n-1}-1$。如一个 8 位原码的表示范围为−127～127。

虽然原码表示法比较符合人们的日常思维方式，但+0 的编码是 00000000，而−0 的编码是 10000000。由于加法和减法的运算规则不同，需要分别使用加法器和减法器来完成，这就增加了运算部件的逻辑复杂程度。

② 反码。

将二进制数的最高位作为符号位，正数的符号位为 0，其余位数用补足位数的二进制真值表示；负数的符号位为 1，其余位数对补足位数的二进制真值取反。例如：48 的二进制真值是 110000，若用 8 位来表示一个整数，则+48 和−48 的反码分别用 00110000

和 11001111 来表示。

反码的表示范围也取决于数值的长度，如果用 n 位反码来表示一个整数，那么可表示的范围为 $-2^{n-1}+1 \sim 2^{n-1}-1$。如一个 8 位反码的表示范围为 $-127 \sim 127$。

与原码表示法类似，+0 的编码是 00000000，而-0 的编码是 11111111，增加了运算部件的逻辑复杂程度。

③ 补码。

将二进制数的最高位作为符号位，正数的符号位为 0，其余位数用补足位数的二进制真值表示；负数的符号位为 1，其余位数取反，然后加 1。例如：37 的二进制真值是 100101，用 8 位来表示一个整数时，+37 和-37 的补码分别用 00100101 和 11011011 来表示。

补码表示法中，+0 的编码是 00000000，而 -0 的编码是 (11111111 + 1) = (100000000)，由于只允许用 8 位来表示，故只取后 8 位，即 00000000，确保了+0 与-0 的编码一致。

由于补码的+0 和-0 只有一种统一的编码，与原码和反码相比，可表示的数据必定要多一个，因此当用 n 位补码来表示一个整数时，可表示的范围为 $-2^{n-1} \sim 2^{n-1}-1$。如一个 8 位补码的表示范围为 $-128 \sim 127$。

补码还有一个特性，不管是正数还是负数，只要把它所有位数取反以后加 1，就得到该数的相反数，这就是变号操作。例如：-37 的补码是 11011011，取反后是 00100100，加 1 得到 00100101，正好就是+37 的补码。反之亦然。使用变号操作可以将加减法统一起来，如 $X-Y$ 可以变成 $X+(-Y)$，降低了运算部件的逻辑复杂程度。

(2) 无符号整数

无符号整数的所有位数都用于表示数值大小，只能表示正整数，实际就是该数的二进制真值，当用 n 位表示时，不足 n 位的在前面补足 0。无符号整数的表示范围取决于数值的长度，如果用 n 位来表示一个无符号整数，那么可表示的范围为 $0 \sim 2^n-1$。如 8 位无符号整数的表示范围为 $0 \sim 255$。

2. 浮点数

实数一般是带有小数点的数，由于可以通过指数运算来改变小数点的位置，因此实数也称为浮点数。如十进制数 437.634 和-0.0069328 分别可以表示为

$$437.634 = 10^3 \times (0.437634)$$

$$-0.0069328 = 10^{-2} \times (-0.69328)$$

同理，二进制数 1011101.101 可以表示为

$$1011101.101 = 2^{111} \times (0.1011101101)$$

注意：指数 111 是二进制数，对应的值是 7，表示二进制数 1011101.101 的小数点右移了 7 位。

浮点数在表示时将二进制编码分成如图 1-5 所示的三部分：

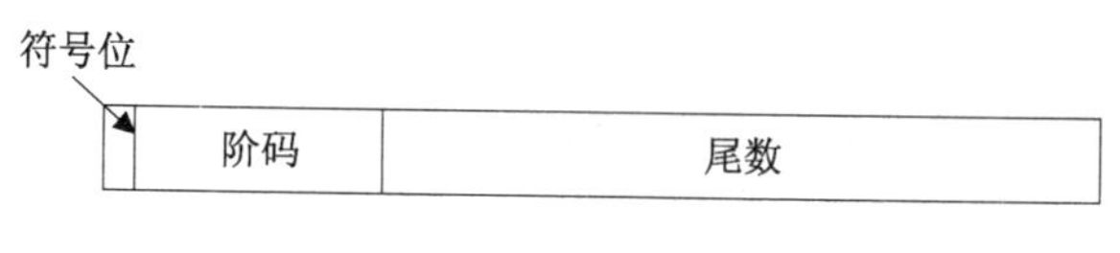

图 1-5　浮点数的表示

① 符号位：0 表示正数，1 表示负数。

② 阶码：表示指数的大小，可以选用原码、补码等不同的编码。

③ 尾数：表示定点小数部分，小数点的位置可以有不同的约定。

早期浮点数的各个部分表示方法互不相同，后来美国电气与电子工程师协会（IEEE）制定了浮点数的工业标准 IEEE 754，被大多数处理器所采用。在实际使用中，根据浮点数的位数分为单精度浮点数（32 位）、双精度浮点数（64 位）、扩充精度浮点数（80 位）。通常位数越多，可表示范围越大，数据精确度也越高。

由于浮点运算涉及阶码、尾数以及规格化处理，运算过程较为复杂，因此一般计算机都配备专门的浮点运算部件，以提高运算的速度和精度。

1.2.6　字符在计算机中的表示

计算机中处理的数据分为数值型数据和非数值型数据两大类。数值型数据是指能进行算术运算（加、减、乘、除等运算）的数据，即我们通常所说的“数”。非数值型数据是指文字、图像、音乐等不能进行算术运算的数据。

文字是最常见的一种数据，由一个个的字符构成。计算机中常用字符的集合被称为“字符集”，以二进制形式存放。

1. 西文字符集

西文字符集由大小写英文字母、数字、标点符号和一些特殊符号组成。目前计算机中使用最广泛的西文字符集是 ASCII 字符集，即美国标准信息交换码（American Standard Code for Information Interchange）。标准 ASCII 采用一个字节（8 位）表示一个字符，但只使用了其中的低 7 位，因此共有 128 个字符，其中 95 个是可打印字符，33 个是控制字符。表 1-2 是标准 ASCII 字符集。

表 1-2　标准 ASCII 字符集

$b_3b_2b_1b_0$		$b_6b_5b_4$							
		000	001	010	011	100	101	110	111
		0	1	2	3	4	5	6	7
0000	0	NUL	DLE	SP	0	@	P	`	p
0001	1	SOH	DC1	!	1	A	Q	a	q
0010	2	STX	DC2	"	2	B	R	b	r
0011	3	ETX	DC3	#	3	C	S	c	s
0100	4	EOT	DC4	$	4	D	T	d	t
0101	5	ENQ	NAK	%	5	E	U	e	u
0110	6	ACK	SYN	&	6	F	V	f	v
0111	7	BEL	ETB	'	7	G	W	g	w
1000	8	BS	CAN	(	8	H	X	h	x

续表

$b_3b_2b_1b_0$		$b_6b_5b_4$							
		000	001	010	011	100	101	110	111
		0	1	2	3	4	5	6	7
1001	9	HT	EM	)	9	I	Y	i	y
1010	A	LF	SUB	*	:	J	Z	j	z
1011	B	VT	ESC	+	;	K	[	k	{
1100	C	FF	FS	,	<	L	\	l	|
1101	D	CR	GS	-	=	M	]	m	}
1110	E	SO	RS	.	>	N	^	n	~
1111	F	SI	US	/	?	O	_	o	DEL

由表1-2可见，标准ASCII字符集可以分为5类：

① 控制字符：有33个，分布于ASCII字符集的最前面，即00H~1FH，以及最后一个7FH。

② 数字：按照数字顺序分布于30H~39H。

③ 大写字母：按照字母顺序分布于41H~5AH。

④ 小写字母：按照字母顺序分布于61H~7AH。

⑤ 标点符号、运算符号和空格，分散在其余部分。

通过对表1-2进行分析，可以看到同一字母的大小写相差20H，即32。另外，空格SP是最小的可打印字符。

由于标准ASCII字符集只有128个字符，在很多应用中无法满足要求，因此国际标准化组织又制定了《七位字符集的代码扩充技术》，将ASCII字符的表示由7位扩充到8位，可表示256个字符，其中前128个字符的编码与原来相同，其最高位为0，后128个字符为扩充字符，包括俄文字符、日文字符、希腊字母、特殊符号等，其最高位为1。

2. 汉字字符集

计算机在处理汉字信息时也要将其转换为二进制代码，因此也需要对汉字进行编码。与西文字符相比，汉字的数量大、字形复杂、同音字多，因此，汉字编码没有西文字符的编码那样简单。在处理汉字的不同环节，需要使用不同的编码方案，如输入汉字时使用输入码，存储汉字时使用机内码，显示、打印汉字时使用字形码等。

（1）GB 2312—80

为了便于计算机处理汉字信息，我国在1980年发布了第一个中文信息处理的国家标准GB 2312—80（2017年转化为推荐性标准，编号改为GB/T 2312—1980），即《信息交换用汉字编码字符集　基本集》。GB/T 2312—1980共收录6 763个简体汉字、682个符号，其中汉字部分有一级汉字3 755个，以拼音排序，二级汉字3 008个，以部首排序。该标准的制定和应用为规范并推动中文信息化进程起了很大的作用。

在GB/T 2312—1980中把汉字和字符分为94个区，每个区94个位，除空白区域每个位上对应一个汉字或字符，区和位都用两位十进制数01～94表示，这样由区号和位号组成的4位数叫作区位码。

为了避免使用到ASCII中的控制符（00～1F），防止产生错误控制，因此在区位码的区号和位号上各自加上20H，得到的编码被称为国标码，国标码一般以十六进制来表示。

在计算机中，西文字符以ASCII表示，它是单字节编码，且最高位为0。对汉字的存储和处理也使用统一的编码，即汉字机内码，简称机内码或内码。为了区分中、西文，汉字机内码使用变形国标码，将国标码的两个字节的最高位都设置为1，即每个字节加上80H。

综上所述，汉字机内码、国标码、区位码之间的关系为

国标码=区位码+2020H

机内码=国标码+8080H=区位码+A0A0H

例如，汉字“学”的区位码是4907（3107H），故它的国标码是5127（3107H+2020H），机内码是D1A7（5127H+8080H或者3107H+A0A0H）。

（2）GBK

GB/T 2312—1980定义的汉字非常有限，不能表示一些冷僻字和繁体字。GBK的全称是《汉字内码扩展规范》，于1995年颁布。该编码标准使用双字节编码方案，完全兼容GB/T 2312—1980，编码范围从8140至FEFE（剔除××7F），共23 940个码位，收录了国际标准ISO/IEC 10646—1和国家标准GB 13000—1中的全部中、日、韩汉字（CJK）和符号，并包含了BIG5编码中的所有汉字。

GBK共收录汉字21 003个、符号883个，并提供1 894个造字码位，将简、繁体字融于一体。

（3）GB 18030

随着国际交流与合作的扩大，对字符集提出了多文种、多用途的要求。1993年国际标准化组织发布了《通用多八位编码字符集》，我国与此对应采用此标准制定了GB 13000—1（现已废止）。该标准采用了全新的多文种编码体系，收录了中、日、韩20 902个汉字，是编码体系未来的发展方向。但由于其编码体系与现有多数操作系统和外部设备不兼容，它的实现仍需要一个过程，因此信息产业部和原国家质量技术监督局于2000年联合发布了GB 18030—2000《信息技术　信息交换用汉字编码字符集　基本集的扩充》（现已废止）。

GB 18030—2000在GBK的基础上进一步扩展了汉字，增加了少数民族的字形，共收录27 484个汉字。GB 18030采用单字节、双字节和四字节三种方式对字符编码，双字节部分与GBK完全兼容；四字节部分是扩充的字形、字位，在字汇上支持GB 13000—1的全部中、日、韩（CJK）统一汉字字符和全部CJK扩充A的字符。

GB 18030是GBK的超集，今后将替代GBK，最新版本为GB 18030—2022《信息技术　中文编码字符集》。

（4）Unicode

Unicode是一种跨语言、跨平台的字符编码，它为每种语言中的每个字符设定了统

一并且唯一的二进制编码，以满足文本转换、处理的要求。

Unicode 的编码方式与 ISO/IEC 10646 的通用字符集 UCS（Universal Character Set）相对应，目前使用的 Unicode 版本对应于 UCS-2，每个字符占用 2 个字节，基本满足各种语言的使用。对于汉字，Unicode 16bit 已经包含了 GB 18030 里面的所有汉字（27 484 个），目前 Unicode 准备把康熙字典中的所有汉字放入 Unicode 32bit 编码中。

实际上，目前版本的 Unicode 尚保留了大量空间作为特殊使用或为将来扩展准备。最新（但未实际广泛使用）的 Unicode 版本定义了 16 个辅助平面，辅助平面字符占用 4 字节编码空间，与 UCS-4 保持一致。UCS-4 是一个更大的尚未填充完全的 4 字节字符集，可以涵盖一切语言所用的符号。

在非 Unicode 环境下，由于不同国家和地区采用的字符集不一致，很可能出现无法正常显示所有字符的情况。微软公司使用了代码页（Codepage）转换表的技术来过渡性地部分解决这一问题。

（5）BIG5 汉字编码

GB/T 2312、GBK 和 GB 18030 标准主要在我国大陆（内地）使用，中国台湾、香港等地区还在使用繁体中文，他们制定了一套表示繁体中文的字符编码，称为“BIG5 汉字编码标准”（简称“大五码”），采用双字节，但不兼容 GB/T 2312 和 GBK。BIG5 使用了与GB/T 2312 大致相同的编码范围来表示繁体汉字，同样的编码在不同标准中可能表示不同的汉字。所以，当我国大陆使用的简体中文操作系统计算机遇到 BIG5 的文字时，会形成乱码。

1.2.7　图像、图形在计算机中的表示

图像是人认识和感知世界最直观的渠道之一，多姿多彩的图像不但能迅速地带给人们所需要的信息，还能给人以美的享受。在计算机技术高速发展的今天，图像的设计和表现也广泛地运用在计算机应用领域，尤其是它直观、表现力强、包含信息量大的特点，使其在多媒体设计中占有重要的地位。通常所说的能够被计算机处理的图像为数字图像。数字图像按生成方式大致分为两类：位图图像和矢量图形。

位图图像是指由扫描仪和数码相机等输入设备捕捉实际的画面产生的数字图像，也称为取样图像或点阵图像，常简称为图像。

矢量图形又称为矢量图像，常称为图形，一般是指通过计算机绘图软件生成的矢量图形。矢量图形文件存储的是描述生成图形的指令，因此不必对图形中每一点进行数字化处理。

1. 图像

（1）图像的获取

图像一般是指由扫描仪和数码相机等输入设备捕捉实际的画面产生的数字图像，由像素点阵构成，在图像文件中以数字形式描述了每个像素点的强度和颜色等信息。

图像获取的过程实质上是模拟信号的数字化过程，具体的处理步骤大致分为以下四步（图 1-6），首先是扫描，就是将画面划分成 $M\times N$ 个形状相同的矩形网格，每个网格称为一个像素；然后是分色，通过一种特殊的棱镜将彩色图像取样点的颜色分解成三个

基色（红、绿、蓝）；接着是采样，通过光电转换元件（如CCD）将每个像素的亮度转换成与其成比例的电压值；最后进行量化，将采样得到的灰度值进行模数转换，一般是用一个正整数来表示。

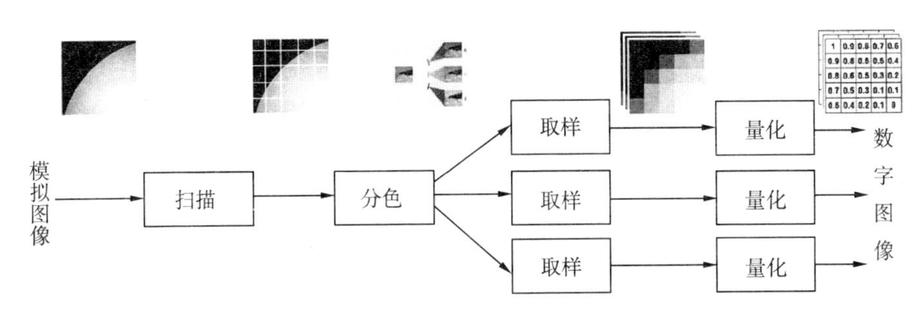

图1-6　图像的数字化过程

（2）描述图像的参数

在描述图像时经常用到这样一些参数，如图像分辨率、位平面数目、颜色模型、像素深度等。

① 分辨率。

一个图像取样后得到的像素数目称为图像分辨率，用于表示图像的大小，一般用“水平分辨率×垂直分辨率”来表示，其中水平分辨率为图像在水平方向的像素数目，垂直分辨率为垂直方向的像素数目，如800×600、1 024×768等。

对于一个相同尺寸的图像，组成该图的像素数量越多，说明图像的分辨率越高，看起来就越逼真，相应地，图像文件占用的存储空间也越大；相反，像素数量越少，图像文件占用的存储空间越少，图像显得越粗糙。

② 颜色模型。

颜色模型指彩色图像所使用的颜色描述方法，也可以称为色彩空间。常用的颜色模型有：RGB（红、绿、蓝）、CMYK（青、洋红、黄、黑）、HSV（色彩、饱和度、亮度）、YUV（亮度、色度）等。

RGB模型是最常见的一种颜色模型，它使用红（Red）、绿（Green）、蓝（Blue）三种基色来生成所有的颜色，每种颜色由红、绿、蓝按不同的强度比例合成，主要用于显示器系统。在计算机中，一般将红、绿、蓝三种颜色分别按颜色的深浅程度不同分为0~255共256个级别，每种颜色可以分别用8位二进制数表示。三种颜色的不同比例可以用来表示不同的颜色，例如，255：0：0表示纯红色，0：255：0表示纯绿色，0：0：255表示纯蓝色，255：255：255表示白色，0：0：0表示黑色。

CMYK模型广泛使用在彩色打印和印刷业上。它使用青蓝色（Cyan）、洋红（Magenta）、黄色（Yellow）和黑色（Black）四种彩色墨水来打印像素点。

彩色电视信号传输时使用的是YUV模型。

③ 位平面数目。

位平面数目也就是彩色分量的数目，如RGB的位平面数是3，而CMYK的位平面数是4。

④ 像素深度。

像素深度即像素的所有颜色分量的二进位数之和，它决定了不同颜色或亮度的最大数目。如 24 bit 真彩色的像素深度是 24，可以表示 2^{24}（16 M）种不同的颜色。

（3）图像的压缩

图像的数据量的计算公式是：

图像的数据量=水平分辨率×垂直分辨率×像素深度/8（单位为字节）

从数据量的计算公式可以看出，如果不进行数据压缩的话，一幅图像的数据量是非常大的。例如，一幅 1 024×768 的图像若采用 24 bit 真彩色存储，需要 2.25 MB。对于动态图像则数据量更大。表 1-3 列出了三种不同分辨率的图像的数据量。

表 1-3 三种不同分辨率的图像的数据量

图像大小	图像的数据量		
	8 位（256 色）	16 位（65 536 色）	24 位（真彩色）
640×480	300 KB	600 KB	900 KB
1 024×768	768 KB	1.5 MB	2.25 MB
1 280×1 024	1.25 MB	2.5 MB	3.75 MB

因此，图像压缩对于图像的存储和传输有重要的意义。图像压缩的方法有两大类：

① 无损压缩。

无损压缩不会引起图像失真，如哈夫曼（Huffman）编码基于统计概率，用较短代码代表出现概率大的符号，用较长代码代表出现概率小的符号，从而实现数据压缩；游程编码（Running Length Coding，简称 RLC）和字典编码（Lempel-Ziv-Welch，简称 LZW）也属于常用的无损压缩编码。

② 有损压缩。

有损压缩利用人眼的视觉特性，丢弃部分细节来近似原始图像，静态图像压缩的国际标准 JPEG 和动态图像压缩标准 MPEG 均属于近似压缩算法。

对图像进行压缩，图像的数据量为

图像数据量=未压缩前的图像数据量/图像压缩的倍数

【例 1-15】 有一架数码相机，其 Flash 存储器容量为 20 MB，它一次可以连续拍摄像素深度为 16 位（65 536 色）的 1 024×1 024 的彩色相片 40 张，计算其图像数据的压缩倍数。

$$(1\,024\times1\,024\times16\times40)/(20\times1\,024\times1\,024\times8)=4$$

判断压缩算法的优劣主要看三个方面：压缩倍数的大小、重建图像的质量（有损压缩时）及压缩算法的复杂程度。

（4）常用图像格式

图像在各个领域内有着广泛的应用，不少公司都开发了自己的图像处理软件，因此出现了多种不同的图像文件格式。常用的图像文件格式有 BMP、TIFF、GIF、JPEG、PCX 以及 TGA 等。

① BMP：Bitmap（位图）的缩写，是微软公司在Windows环境下的一种标准图像文件格式，文件的扩展名为“.bmp”。根据需要可以采用行程长度编码（RLE）的压缩形式，也可以采用非压缩格式。BMP可以有多种彩色模式，如16色、256色、24 bit真彩色等。

② TIFF：Tag Image File Format的缩写，文件的扩展名为“.tif”。TIFF支持从单色模式到32 bit真彩色模式的所有图像，具有多种数据压缩存储方式，解压缩过程较为复杂，被大量应用于扫描仪和桌面印刷。

③ GIF：Graphics Interchange Format的缩写，文件扩展名为“.gif”。GIF支持的颜色数目较少，不超过256色，采用字典编码（LZW）压缩算法。GIF的另外一个特点是允许在一个文件内存储多个图像，从而实现动画功能。GIF文件比较小，适合在Internet上传输。

④ JPEG：Joint Photographic Experts Group（联合图像专家组）的缩写，文件扩展名为“.jpg”或“.jpeg”，是最常用的图像文件格式。一般采用有损压缩格式，将图像中重复或不重要的信息丢弃。目前，各类浏览器均支持JPEG图像格式，在网络和光盘读物上大量使用。

⑤ PNG：PNG（Portable Networf Graphics）的原名为“可移植性网络图像”，是最新的图像文件格式。PNG能够提供长度比GIF小30%的无损压缩图像文件。它同时提供24 bit和48 bit真彩色图像支持以及诸多技术性支持。由于PNG比较新，所以目前并不是所有的程序都可以用它来存储图像文件，但Photoshop可以处理PNG图像文件，也可以用PNG格式存储图像。

2. 图形

与位图图像使用像素来表示图像不同的是，矢量图形利用点、直线或者多边形等基于数学方程的几何图元来表示图像。图形通常是由计算机模拟产生的，可以是各种具体实在的物体，如家具、房屋、机械零件等，也可以是假想的事物，如天气形势、人口分布、经济增长趋势等。

图形一般以数学函数来描述其位置、大小、形状、色彩等属性。很多图形主要由线条和色块组成，如工程图、白描图、卡通漫画等，它们可以分解为线条、文字、圆、矩形、多边形等单个的图形元素，这些图形元素简称为图元对象。图元对象只需要指定较少的信息即能保存它的内容。如：

① 圆：只需存储圆心坐标（x，y）和半径r。

② 矩形：只需指定左上角的坐标（x_1，y_1）和右下角的坐标（x_2，y_2）。

③ 线条：只需存储两个端点的坐标（x_1，y_1）和（x_2，y_2）。

典型的图元对象有直线、曲线、多边形、圆与椭圆、贝塞尔曲线、贝塞尔样条、文本等，另外还有各种用于不同应用程序的曲线，如Catmull-Rom样条、非均匀有理B样条等。除此之外，还需要为每个图元对象保存一些其他属性，如边框线的宽度、线型、填充色等。矢量图形文件就是记录这些图元对象的代数式和对象属性的一类文件。与位图图像相比，它保存了最少的信息，因而文件大小比位图图像文件小，而且文件大小与物体的大小无关。

通过软件，可以把矢量图形轻松地转化为位图图像，而要将位图图像转化为矢量图形则需要经过复杂而庞大的数据处理，而且生成的矢量图形的质量不能和原来的图形相比。

矢量图形的文件格式没有统一的标准，很多图形编辑软件都有自己的图形格式。常见的图形编辑器有 AutoCAD、CorelDraw、Adobe Illustrator、Freehand 等，表 1-4 列出了一些常见的图形编辑软件。

表 1-4　常见图形编辑软件及其文件类型

图形编辑软件	文件类型
Adobe Illustrator	*.ai、*.eps 和 *.svg
AutoCAD	*.dwg 和 *.dxf
CorelDraw	*.cdr
Windows	标准图元文件 *.wmf 和增强型图元文件 *.emf

1.2.8　音频在计算机中的表示

1. 音频

(1) 声音的获取

声音由机械振动产生，通过空气进行传播，空气压力的忽大忽小使耳朵产生听觉印象。音频是人类能够听到的所有声音，它可以是说话声、歌声、乐器声等，也可以是噪声。声音按频率可分为次声（频率低于 20 Hz）、超声（频率高于 20 kHz）和可听声（频率在 20 Hz ~20 kHz），次声和超声是人耳无法听到的，音频信息仅指可听声。

声音的本质是一种波，波幅代表了声音的强弱。因此，波形编码是最常用的一种声音信号数字化的处理方式，它直接对音频信号的时域或频域进行取样、量化、编码，处理过程如图 1-7 所示。

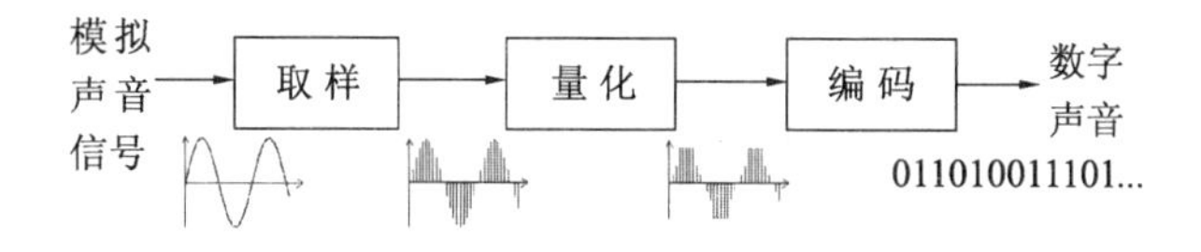

图 1-7　声音信号的数字化

所谓取样，就是从连续变化的模拟信号中取出若干个有代表性的样点，取样频率是衡量声音效果的一个重要指标。根据取样定理，取样频率至少是信号的最高频率的两倍才能重新恢复为原来的模拟信号。20 kHz 是人耳能听到的最高频率，所以 CD 标准的取样频率通常为 44.1 kHz。低于这个值，音质会下降；而高于这个值，则人耳很难分辨。

量化位数是影响声音质量的一个重要指标，它决定了表示声音振幅的精度。通常量化位数取 8 位、12 位或 16 位。量化位数越高，声音的保真度越好。

经过取样和量化后的声音必须按照一定的格式进行编码，便于计算机存储和处理。

音频的编码方式有很多，通常采用脉冲编码调制 PCM（Pulse Code Modulation）。经过编码后的音频数据量仍然非常大，还需要对数据进行压缩以减少数据量。当前数字音频压缩编码有两大系列：一个是 MPEG 音频编码，另一个是 Dolby AC-3 音频编码。

另外，人在接收声音信号时有两个通道（左耳和右耳），因此在模拟自然声音时也至少需要两个声道来表现立体声效果，但立体声并不仅仅表示有两个声源，而是指三维听觉效果，可能有更多的声道数。

声音的获取设备主要包括话筒（麦克风）和声卡。

话筒的作用是将声波信号转换为电信号，然后由声卡进行数字化。声源除了来自话筒输入外，还可以是线路输入，如来自音箱设备或 CD 唱机等。除了利用声卡进行在线声音获取之外，也可以使用数码录音笔离线获取声音，然后再通过 USB 接口直接将已经数字化的声音数据从数码录音笔送入计算机中。

声卡是多媒体技术中最基本的组成部分，是实现声波/数字信号相互转换的硬件。声卡既参与声音的获取，也负责声音的重建，它控制并完成声音的输入与输出。声卡的核心部件是数字信号处理芯片（DSP），它是一种专用的微处理器。声卡的基本功能是把来自话筒、磁带、光盘的原始声音信号加以转换，输出到耳机、扬声器、扩音机、录音机等声响设备，或通过音乐设备数字接口（MIDI）使乐器发出美妙的声音。

声卡的转换工作包括模数转换和数模转换两部分，分别由模数转换电路和数模转换电路完成。模数转换电路负责将麦克风等声音输入设备采集到的模拟声音信号转换为计算机能处理的数字信号；而数模转换电路负责将计算机使用的数字声音信号转换为喇叭等输出设备能使用的模拟信号。

声卡主要有两种：内置独立声卡和内置集成在主板上的软声卡。为了降低成本，现在大多数中低档声卡几乎都已经集成在主板上，只有少数专业的高档声卡才做成独立的插卡形式。

（2）声音的播放

计算机输出声音的过程称为声音的播放，一般分为两步：先把声音从数字信号形式转换为模拟信号形式，这个过程称为声音的重建；然后再将模拟信号经过处理和放大后送到扬声器发出声音。

声音的重建也由声卡完成。声音的重建是声音数字化的逆过程，分为三步，如图 1-8 所示。

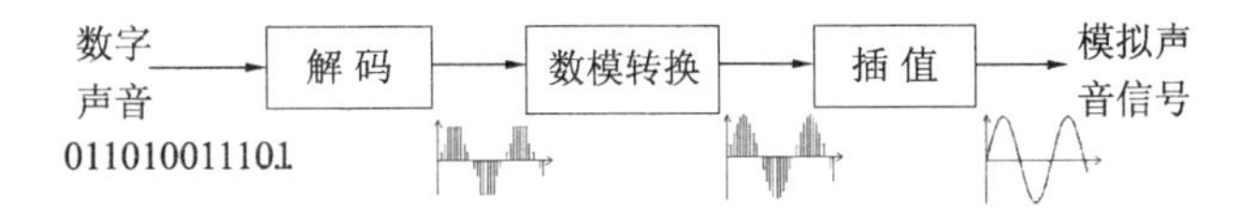

图 1-8　声音信号的重建过程

① 解码：将压缩的数字声音恢复为压缩编码前的状态。

② 数模转换：将数字声音样本转换为模拟信号样本。

③ 插值：将时间上离散的一组样本转换为在连续时间内的模拟信号。

声卡输出的波形信号需送到音箱去发音。音箱是将音频信号还原成声音信号的一种装置，包括箱体、喇叭单元、分频器、吸音材料 4 个部分。音箱有普通音箱和数字音箱之分，普通音箱接收的是重建的模拟声音信号，数字音箱则可以直接接收数字声音信号，由音箱自己完成声音的重建。

（3）声音的码率

码率也称比特率，它指的是每秒钟的数据量。波形声音未被压缩前，其码率计算公式为

波形声音的码率=取样频率（Hz）×量化位数（bit）×声道数

【例 1-16】 用 44. 1 kHz 的取样频率，量化位数为 16，录制 1 秒钟的立体声（双声道）节目，其声音文件的数据量为

44. 1×1 000×16×2 b/s=1 411 200 b/s=1 411. 2 kb/s=(1 411. 2/8)KB/s =176. 4 KB/s

在对声音质量要求不高时，降低采样频率、降低采样精度或利用单声道来录制声音，可减小声音文件的字节。

（4）音频的压缩

波形声音经过数字化之后数据量很大，以 CD 盘片上所存储的立体声高保真的全频带数字音乐为例，1 小时的数据量大约是 635 MB。为了降低存储成本和提高通信效率（降低传输带宽），对数字波形声音进行数据压缩是十分必要的。波形声音的数据压缩也是完全可能的。其依据是声音信号中包含大量的冗余信息，再加上人具有听觉感知特性，因此，产生了许多压缩算法。一个好的声音数据压缩算法通常应做到压缩倍数高、声音失真小、算法简单、编码器/解码器的成本低。表 1-5 列出了几种常见的声音压缩编码标准。

表 1-5 常见声音压缩编码标准

标准名称	压缩后的码率（每个声道）	声道数目	主要应用
MPEG-1 audio 层 1	192 kb/s（压缩 4 倍）	2	数字盒式录音磁带
MPEG-1 audio 层 2	128 kb/s（压缩 6 倍）	2	DAB、VCD
MPEG-1 audio 层 3	64 kb/s（压缩 12 倍）	2	Internet、MP3 音乐
MPEG-2 audio	与 MPEG-1 层 1、层 2、层 3 相同	5. 1、7. 1	同 MPEG-1
Dolby AC-3	64 kb/s	5. 1、7. 1	DVD、DTV、家庭影院

表中的 MPEG-1 声音压缩编码是国际上第一个高保真声音数据压缩的国际标准，它分为 3 个层次：层 1（Layer 1）的编码较简单，主要用于数字盒式录音磁带；层 2（Layer 2）的算法复杂度中等，其应用包括数字音频广播（DAB）和 VCD 等；层 3（Layer 3）的编码最复杂，主要应用于因特网上的高质量声音的传输。

“MP3 音乐”就是一种采用 MPEG-1 层 3 编码的高质量数字音乐，它能以 10 倍左右的压缩比降低高保真数字声音的存储量，使一张普通 CD 光盘上可以存储大约 100 首 MP3 歌曲。

MPEG-2 的声音压缩编码采用与 MPEG-1 相同的编译码器，层 1、层 2 和层 3 的结构也相同，但它能支持 5. 1 声道和 7. 1 声道的环绕立体声。

杜比数字 AC-3（Dolby Digital AC-3）是美国杜比公司开发的多声道全频带声音编码系统，它提供的环绕立体声系统由 5 个全频带声道加 1 个超低音声道组成，6 个声道的信息在制作和还原过程中全部数字化，信息损失很少，细节十分丰富，具有真正的立体声效果，在数字电视、DVD 和家庭影院中被广泛使用。

（5）常见音频文件格式

数字音频在计算机中有多种不同的文件格式，常见的声音文件的类型有：

① WAV：微软公司开发的一种声音文件格式，文件扩展名是“. wav”，几乎所有的音频编辑软件都能识别 wav 格式的文件。它支持多种音频位数、采样频率和声道，当采用 44. 1 kHz 的取样频率、16 位量化位数时能达到 CD 的音质效果。WAV 文件能记录所有的真实声音，但文件数据量较大，只适用于存储简短的声音片段。

② MIDI：是音乐设备数字接口（Musical Instrument Digital Interface），它是一种技术规范，是控制计算机与 MIDI 接口的设备之间进行信息交换的一套规则，包括了电子乐器之间传送数据的协议，已正式成为数字音乐的国际标准。MIDI 文件的扩展名是“. mid”或“. midi”，记录的不是音乐数据本身，而是一系列的弹奏指令。MIDI 文件非常小，主要用于乐器作品，无法记录人的语音，一般用作背景音乐，如电子贺卡、游戏背景音等。

③ MP3：MPEG-1 是一种运动图像的压缩编码标准，用于音频和视频压缩。在 MPEG-1 标准的音频部分，根据压缩质量和编码处理的不同分为 3 层：Layer 1，Layer 2 和 Layer 3，分别对应“. mp1”“. mp2”“. mp3”文件。MP3 采用有损压缩，具有 10∶1~12∶1 的高压缩率，能够基本保持低音部分不失真，但是牺牲了 12~16 kHz 高音部分的质量来换取文件的尺寸。相同长度的音乐文件，用 MP3 格式储存大约只有 WAV 文件的 1/10 大小。

④ WMA：是微软力推的一种音频格式，音频品质相同时比 MP3 文件更小，压缩率可以达到 1∶18 左右。WMA 的另一个优点是内容提供商可以通过 DRM（Digital Rights Management）方案加入防拷贝保护。另外，WMA 还支持音频流（Audio Stream）技术，适合在网络上在线播放。

⑤ RealAudio：主要适用于网络上的在线音乐欣赏。Real 的文件格式有：RA（Real-Audio）、RM（RealMedia，RealAudio G2）、RMX（RealAudio Secured）等。这些格式的特点是可以随网络带宽的不同而改变声音的质量，在保证大多数人听到流畅声音的前提下，令带宽较富裕的听众获得较好的音质。

2. 计算机合成声音

与计算机合成图像一样，计算机也能合成声音。计算机合成声音有两类：一类是计算机合成音乐，另一类是计算机合成语音。

（1）计算机合成音乐

计算机合成音乐是指计算机自动演奏乐曲。生活中的音乐是人们使用乐器演奏出来的，所以计算机生成音乐需要三个要素：乐器、乐谱和演奏人员。

计算机的声卡一般都带有音源，音源也称为“音乐合成器”，相当于乐器，可以模仿几十种乐器的声音。

乐谱在计算机中既不用简谱也不用五线谱表示，而是用一种叫 MIDI 的音乐描述语言来表示。MIDI 是乐谱的二进制编码表示方法，使用 MIDI 描述的音乐称为 MIDI 音乐。一首乐曲对应一个 MIDI 文件，扩展名为“. mid”或“. midi”。

计算机中支持 MIDI 音乐播放的软件就相当于演奏人员，如 Windows Media Player、Real Player 等。

MIDI 音乐与波形音频相比，音质稍差，但是数据量小（比 CD 少 3 个数量级，比 MP3 少 2 个数量级），适用于手机铃声、游戏音效等方面。

（2）计算机合成语音

计算机合成语音就是利用计算机模仿人把一段文字朗读出来，这个过程称为文语转换（TTS）。计算机合成语音有很多方面的应用。例如，股票交易、航班动态查询、电话报税等；又如有声 E-mail 服务、CAI 课件或游戏解说词的自动配音、文稿校对、语言学习、语音秘书、自动报警、残疾人服务等。

1.2.9 视频在计算机中的表示

1. 基本概念

视频技术是将一幅幅独立的图像组成的序列按一定的速度连续播放，利用人眼的视觉停留的生理特点在眼前形成连续运动的画面。在视频技术中，每幅独立的图像称为一帧，帧是构成视频信息的基本单元。为了形成连续不断的画面，通常每秒钟播放 20 帧以上。伴随着视频图像还配有同步的声音，所以视频信息需要巨大的存储容量。

视频信号可以分为模拟视频信号和数字视频信号。早期的电视等视频信号都属于模拟视频信号，而现在的 VCD、DVD、DVB 等都属于数字视频信号。当模拟视频信号数字化后，便得到了数字视频或数字序列图像。

获取数字视频信号的主要工具是数字视频摄像机（DV），如图 1-9 所示。它通过将 CCD 转换光信号得到的视频信号进行 A/D 转换，得到数字视频信号，然后经过数字信号处理、数据压缩，最终输出压缩的数字视频信号。这种数字摄像机输出的图像质量较好，高清晰度的 DV 可达 720 线，是高清晰度数字电视（DTV）标准中最高级的一种。

图 1-9 数字摄像机

摄像头（图 1-10）也是一种常用的视频输入设备，被广泛运用于视频会议、远程医疗及实时监控等。数字摄像头通过光学镜头和 CCD 器件采集图像，然后直接将图像转换成数字信号并输入计算机中，不再需要使用专门的视频采集卡。数字摄像头有分辨率、镜头视角、帧率等主要技术参数。大多数数字摄像头采用 CCD 传感器，有些产品采用 CMOS 类型的光传感器，虽然分辨率不高，但功耗低、速度快。数字摄像头的接口大多采用 USB 接口，有些采用高速的 IEEE 1394 接口。

图 1-10 数字摄像头

2. 视频压缩编码

数字视频信息如果不压缩，数据量将非常庞大，1 GB 容量仅能存储不到 10 s 的视频图像，而且实时传送视频信号也几乎是不可能的，因此视频编码在数字视频处理、传输、存储中有十分重要的意义。

不同的应用对视频带宽有不同的要求，如用固定电话线传输视频可分配的视频带宽为 20 kb/s，电视会议使用的视频码率一般在 384 kb/s，通过卫星通信的标准数字电视的视频码率大约为 6 Mb/s，VCD 应用的视频码率为 1.2 Mb/s，DVD、SDTV 应用的视频码率为 4~8 Mb/s 等。为了能在给定的信道上实时传输视频信息，或在给定容量的存储器中存放更多的视频序列，对不同的应用制定了许多不同的视频编码标准。MPEG（Moving Pictures Experts Group）是由 ISO 和 IEC 组成的一个工作组，专门负责建立视频和音频、数据的压缩标准。

（1）MPEG-1

MPEG-1 是第一个 MPEG 标准，适用于不同带宽的设备，传输速率为 1.5 Mb/s，每秒播放 30 帧，质量级别基本与家用录像机相当，具有 CD 音质。MPEG-1 主要适用于 VCD、数码相机、数字摄像机等，也可用于数字电话网络上的视频传输，如视频点播（VOD）等。有些人误以为 MP3 的压缩标准是 MPEG-3，其实 MPEG-3 是一种被放弃了的压缩技术，MP3 实际是采用 MPEG-1 Layer 3 的音频数据压缩技术。

（2）MPEG-2

MPEG-2 的设计目标是提供高级工业标准的图像质量以及更高的传输速率。它能提供的传输速率为 3~10 Mb/s，能提供广播级的视像和 CD 级的音质。其音频编码可提供 5.1 和 7.1 声道，而且大多数 MPEG-2 解码器也可播放 MPEG-1 格式的数据，如 VCD。MPEG-2 具有出色的性能表现，已能用于高清晰度电视（HDTV），使得原打算为 HDTV 设计的 MPEG-3，还没问世就被抛弃了。MPEG-2 还可用于有线电视网、电缆网络以及卫星直播提供的数字视频。

（3）MPEG-4

与 MPEG-1 和 MPEG-2 相比，MPEG-4 更注重多媒体系统的交互性和灵活性。它对数据传输速率的要求较低，仅在 4 800~6 400 b/s 之间，利用很窄的带宽，通过帧重建技术和数据压缩技术，以求用最少的数据获得最佳的图像质量。MPEG-4 主要应用于可视电话、可视电子邮件以及远程监视和控制等。另外，MPEG-4 也可用于家庭摄影录像、网络实时影像播放等领域。

（4）MPEG-7

继 MPEG-4 之后，将会进入更先进的 MPEG-7 时代。确切来讲，MPEG-7 并不是一种压缩编码方法，而是一种多媒体内容描述接口，它不针对某个具体的应用。建立 MPEG-7 标准的出发点是依靠众多的参数对图像与声音实现分类，并对它们的数据库实现查询功能。MPEG-7 可应用于数字图书馆、多媒体查询服务、广播媒体选择、多媒体编辑等。

（5）MPEG-21

MPEG-21 的正式名称是“多媒体框架”或“数字视听框架”，其目的是为所有使用多媒体信息的用户提供透明而有效的电子交易和使用环境，使得用户能以各种方式使用分布在全球不同设备上的各种各样的多媒体信息。

1.3 计算机的硬件组成

一个完整的计算机系统由硬件系统和软件系统两大部分组成，硬件系统是构成计算机系统的各种物理设备的总称，也就是由机械、电子器件构成的具有输入、存储、计算、控制和输出功能的实体部件，各种物理设备按照一定的逻辑关系连接组合成一台完整的计算机。

1.3.1 计算机的工作原理

1. 冯·诺依曼体系结构

1946 年美籍匈牙利数学家冯·诺依曼提出“存储程序控制”理论，确立了现代计算机的基本组成和工作方式。直到现在，各类计算机的工作原理仍然采用冯·诺依曼思想，这一原理在计算机的发展过程中始终具有重要影响。“存储程序控制”理论的基本内容可以归纳为三点：

① 计算机由运算器、控制器、存储器、输入设备和输出设备五个基本部分组成，它们各自具有不同的功能，相互配合来完成相应的工作。

② 计算机中的程序和数据采用二进制来表示。二进制只有“0”和“1”两个数字符号，既便于硬件的物理实现，又具有简单的运算规则。因此，可以简化计算机结构，提高可靠性和运算速度。

③ 采用存储程序与程序控制的方式工作。存储程序是把程序和处理问题所需的数据以二进制编码形式预先按一定的顺序存放在计算机的存储器里。程序控制是指计算机工作时能自动高速地从存储器中逐一取出程序中的指令，并按指令执行规定的操作。不同的问题可以用不同的程序来解决，实现了计算机的通用计算。

2. 指令和指令系统

指令是能被计算机识别并由计算机执行一定操作的二进制代码，它规定了计算机应该执行的操作和操作对象所在的存储位置。指令一般由操作码和操作数两个部分组成。

① 操作码：指明计算机应该进行何种操作。例如，加、减法操作，移动操作，存取数据等。

② 操作数：指明被操作对象的内容或被操作对象所在的存储单元地址。指令中操作对象的指定非常灵活，有的可以直接给出，但大多数情况下是给出操作对象的地址码，地址码可以有 0~3 个，地址码的多少由操作码决定。

一台计算机所能执行的全部指令的集合，称为该计算机的指令系统。不同种类的计算机，其指令系统的指令数目与格式也不同。由于每种 CPU 都有自己独特的指令系统，因此在某一类计算机上可以执行的机器语言程序难以在其他不同类型的计算机上使用。通常，同一 CPU 生产厂家在开发新的 CPU 产品时，既要增加一些高效的新指令，又要“向下兼容”，使新的处理器可以正确执行老处理器中的所有指令。“向下兼容”的开发方式使用户在升级计算机硬件的时候不必担心原有的软件会被作废，但这也使得采用“向下兼容”方式开发的 CPU 指令系统越来越庞大和复杂。

3. 指令的执行过程

一条指令的执行是非常复杂的，需要由 CPU 包含的各部件相互配合、协调一致才能完成。CPU 中参与指令操作的部件有指令计数器、指令寄存器、指令译码器、通用寄存器、运算器等。在指令执行的过程中有两种信息在流动：一种信息是数据流，包括原始数据、中间结果、结果数据和指令等，它们在程序运行前以二进制编码形式预先送至主存中。在运行程序时，数据被送往运算器参与运算，而指令则被送往控制器。另一种信息是控制流（控制信号），它是由控制器对指令进行分析、解释后向各部件发出的控制命令，用于指挥计算机中的各部件执行指令规定的各种操作或运算，并协调它们的工作，如图 1-11 所示。

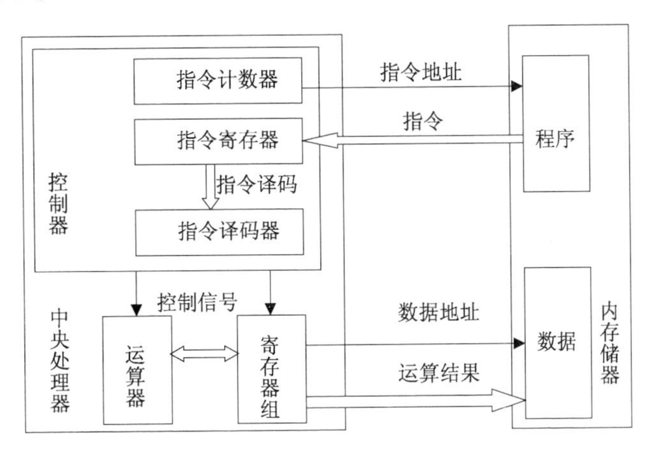

图 1-11　CPU 的部件和指令的执行

CPU 中各相关部件及其功能如下：

① 指令计数器：用来存放即将要执行的机器指令在内存中的地址，CPU 将按该地址从内存中读取所要执行的指令。

② 指令寄存器：用于在指令执行期间暂时保存正在执行的指令，通过译码器解释该指令的含义，控制运算器的操作，记录 CPU 的内部状态等。

③ 指令译码器：对指令进行分析，确定指令类型及指令所要完成的操作，并确定指令的操作对象（包括操作数的地址和操作结果的存放地址）。

④ 通用寄存器：CPU 中通常有若干个通用寄存器，用于临时存放当前操作要使用的数据。

⑤ 控制器：根据译码器的分析，按照指令的要求，向 CPU 的各个部件或计算机的其他组成部件（如内存等）发送控制信号，使整个计算机按照机器指令的要求进行工作。

通常，一条指令的执行包括以下几个步骤：

（1）取指令

当某个程序开始执行时，控制器根据指令计数器中的内容，向内存的相应存储单元发出读请求，内存将该存储单元的指令读取后，通过总线送到指令寄存器中。

（2）分析指令及取操作数

取出指令后，机器进入分析指令及取数阶段，指令译码器根据指令的内容分析出对应的操作类型，并产生相应的控制电信号。如果当前指令中的操作数需要从通用寄存器或内存获取，则控制器先向相关部件发送读数据的请求，取到操作数后，再向该部件发送与完成指令操作有关的控制电信号。由于各种指令功能不同，寻址方式也不同，所以分析指令及取数阶段的操作是不同的，甚至会有很大的区别。

（3）指令执行

由控制器发出完成该操作所需要的一系列控制信息，相关部件根据控制信号，完成当前指令所要求的操作。

（4）写回数据及转下条指令

当前指令操作完成后，可能会有运算结果。控制器根据指令中操作结果的存放位置（如通用寄存器或内存），向相关部件发送“写数据”的请求，写回结果数据。一条指令执行完毕后，指令计数器加 1 或将转移地址码送入指令计数器，然后又回到步骤（1），开始执行下一条指令。

总之，计算机的基本工作过程就是不断地重复取指令、分析指令及取数、执行指令的过程，如此周而复始，直到遇到停机指令或外来事件的干预为止。图 1-12 就是计算机执行指令的过程。

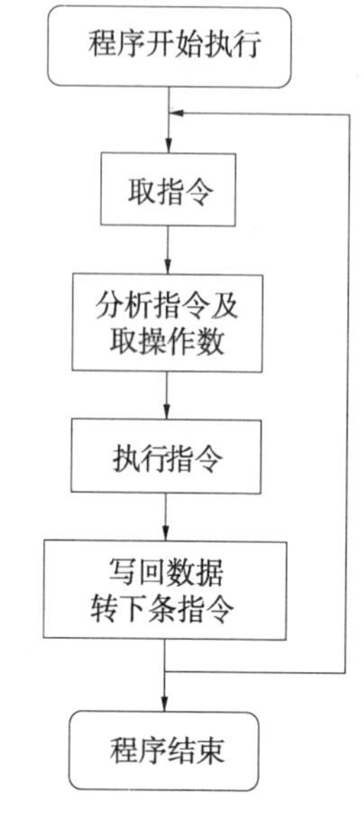

图 1-12　指令执行过程

1.3.2　计算机硬件系统组成

根据冯·诺依曼的“存储程序控制”理论，组成计算机的五大基本部件是运算器、控制器、存储器、输入设备和输出设备。

1. 运算器

计算机最主要的工作是运算，大量数据的运算任务都是在运算器中进行的。因此，运算器的主要功能就是对二进制数据进行算术运算（如加、减、乘、除等）和逻辑运算（如与、或、非等），所以运算器也被称为算术逻辑单元（Arithmetic and Logical Unit，简称 ALU）。运算器只能做最基本的算术运算和逻辑运算，复杂的运算需要通过基本运算一步步实现。计算机内的各种复杂操作最终都可归结为相加和移位这两个基本操作，所以，运算器的核心是加法器。为了加快运算速度，运算器中的算术逻辑部件可能有多个，有的负责整数运算，有的负责实数运算，有的还能进行一些特殊的运算。参与运算的数称为操作数，它们来自寄存器，运算结果也送回寄存器。

2. 控制器

控制器是整个计算机系统的指挥中心。存储器进行信息的存取、运算器进行各种运算、信息的输入和输出等都是在控制器的统一指挥下协调进行的。

控制器的主要特点是采用程序控制方式，即在使用计算机时，必须预先编写（或由编译程序自动生成）由计算机指令组成的程序并存入内存储器中，由控制器依次读出并执行。

控制器主要由指令计数器、指令寄存器、指令译码器、时序控制电路以及微操作控制电路等组成。

运算器和控制器是计算机的核心部件，现在它们被做在一块集成电路芯片中，称为中央处理器 CPU。CPU 是整个计算机系统的中枢，它控制各个部件协同工作，实现数据的分析、判断和计算等操作，完成程序所指定的任务。

3. 存储器

存储器是一种“记忆”部件，负责存储程序和数据（包括原始数据、中间运算结果和最终运算结果等）。存储器的基本功能就是按照指定位置存进（写入）或取出（读出）二进制信息，也就是在运算之前接收外界送来的程序和数据；在运算过程中，向计算机提供指令和数据信息、保存中间结果；运算结束后，保存运算结果。

一个计算机系统中存在多种不同类型的存储设备，它们的存储容量大小、存取速度快慢、成本高低是各不相同的。为了使整个计算机系统的存储器的性能/价格比达到最优，计算机往往采用塔式存储体系结构（图 1-13），各种存储器之间相互取长补短、协调工作。

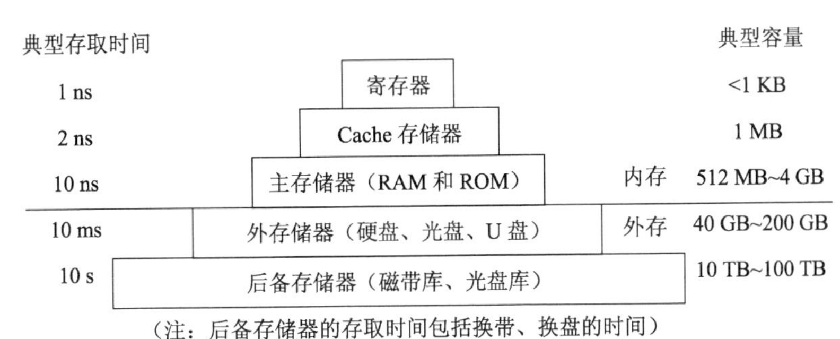

图 1-13　塔式存储体系结构

根据存储器在计算机中所处的不同位置，存储器可分为内存储器和外存储器。

（1）内存储器

内存储器也称主存储器、主存或内存，用来存放现行程序的指令和数据，可以直接与运算器和控制器交换信息。目前，内存以半导体存储器为主，由于价格和技术方面的原因，一般内存的容量相对较小，但存取速度快。

内存被划分为很多个单元，称为“存储单元”，每个存储单元可以存放一定数量的二进制数据。为了能按指定的位置进行存取，每个存储单元都有一个唯一的编号，称为存储单元地址，存储单元从 0 开始按顺序编号。例如，一个存储器有 256 个单元，地址的编号可以从 0 到 255。当计算机要把一个数据代码存入某存储单元或从某存储单元取出时，首先要提供存储单元的地址，然后由存储器查找出与该地址对应的存储单元才能进行信息的存取。

（2）外存储器

外存储器又称辅助存储器、辅存或外存，其存储容量很大，能长期存放计算机系统中几乎所有的信息。通常外存不直接和计算机的其他部件交换数据，在必须交换数据时需要通过内存进行交换。例如，计算机执行程序时需要使用外存中的数据，则外存中的数据必须先传送到内存，然后再传送给 CPU，由 CPU 进行处理。目前，常见的外存有磁盘、光盘、硬盘、U 盘等。

4. 输入设备

输入设备是指将各种数据（可以是数值型数据，也可以是各种非数值型数据，如图形、图像、声音等）输入计算机中的设备，并将其转换为计算机可以识别的二进制编码存放在存储器中。

常用的输入设备有键盘、鼠标、扫描仪、光笔、数字化仪、麦克风等。

5. 输出设备

输出设备是将计算机处理数据的中间过程和最终结果，以人们能够识别的字符、表格、图形或图像等形式表现出来。

常见的输出设备有显示器、打印机、音箱等。显示器是目前每台计算机必配的输出设备。

输入设备和输出设备统称为 I/O（Input/Output）设备，这些设备是计算机与外界（人、环境或其他设备）联系和沟通的桥梁，用户和外部世界通过 I/O 设备与计算机相互通信。

计算机硬件的五大部件是通过被称作总线的一组电子线路连接起来的，逻辑结构如图 1-14 所示。

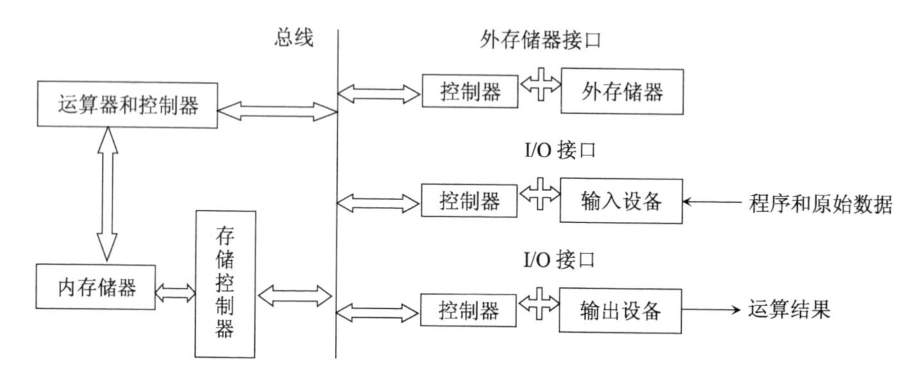

图 1-14　计算机硬件逻辑结构图

1.3.3　中央处理器 CPU

1. CPU 组成

中央处理器又称 CPU（Central Processing Unit），是整个计算机的核心部分，在微型计算机系统中，中央处理器也叫微处理器。CPU 主要由运算器、控制器和寄存器组三个部分组成。运算器主要用来对数据进行加、减、乘、除等算术运算和与、或、非等逻辑运算；控制器负责执行指令并按指令要求控制计算机各部件协调一致地工作，控制器并不输入、输出、处理或存储数据，而是启动和控制这些操作的顺序；寄存器组由十几个甚至几十个寄存器组成，它们包含在 CPU 中，由控制器控制。寄存器用来临时存放参加运算的数据和运算得到的中间结果或最后结果。在运算时，从存储器中取得的数据先送到寄存器中，然后再进行运算。运算结束后，则需要把结果数据从寄存器中送回存储器，然后释放寄存器，以便下一条指令的执行和使用寄存器。增加 CPU 中寄存器的数目可以提高计算机的运算速度。

2. CPU 的性能指标

计算机的性能很大程度上是由 CPU 决定的，衡量 CPU 的性能指标有：

（1）字长

字长是指 CPU 中整数寄存器和定点运算器的宽度，即 CPU 一次能处理的二进制整数的位数。对于不同的 CPU，字长可能是不一样的。字长越长，一次可处理的二进制位数越多，运算能力就越强，计算精度也越高。按 CPU 的字长可将计算机分为 8 位、16 位、32 位、64 位计算机等。目前，CPU 的字长大多为 64 位。

（2）主频

主频也叫时钟频率，单位是 MHz，是 CPU 内核（整数和浮点运算器）电路的实际运行频率，也叫 CPU 内频。在其他因素相同的情况下，主频越高，CPU 运算速度越快，但 CPU 的运算速度还要看 CPU 的流水线、总线等各方面的性能指标。主频仅仅是 CPU 性能表现的一个方面，而不代表 CPU 的整体性能。目前，CPU 的主频大都在 3.0 GHz 以上。

（3）缓存

高速缓冲存储器（Cache），简称缓存。缓存大小也是 CPU 的重要指标之一，而且缓存的结构和大小对 CPU 运算速度的影响非常大，CPU 内的缓存工作效率远远大于系统内存和硬盘。缓存容量的增大，可以大幅度提升 CPU 读取数据的命中率，不用频繁与内存交换数据，以此提高系统性能。通常，缓存容量越大、级数越多，其提速效果越显著，但考虑到 CPU 芯片面积和成本的因素，缓存的容量和级数都很小。

（4）CPU 指令集

CPU 依靠指令来计算数据和控制系统，每款 CPU 在设计时就规定了一系列与其硬件电路相配合的指令系统。指令的强弱也是衡量 CPU 性能的重要指标。指令集是提高微处理器效率的最有效的工具之一。现阶段主流体系结构的指令集可分为复杂指令集 CISC 和精简指令集 RISC 两大类。

（5）多核芯

多核芯也指单芯片多处理器（Chip multiprocessors，简称 CMP），是由美国斯坦福大学提出的。其主导思想是将大规模并行处理器中的 SMP（对称多处理器）集成到同一芯片内，各个处理器并行执行不同的进程。多核处理器可以在处理器内部共享缓存，提高缓存利用率，同时简化多处理器系统设计的复杂度。多核芯带来的最大好处就是同时运行多个任务时速度更快、效率更高、运行更流畅。

（6）CPU 前端总线

前端总线（Front Side Bus，简称 FSB）是将 CPU 连接到北桥芯片的总线，是 CPU 和外界交换数据的唯一通道。前端总线的数据传输能力对计算机整体性能影响很大，没有足够快的前端总线，性能再好的 CPU 也不能明显提高整机速度。同等条件下，前端总线越快，系统性能越好。

计算机的前端总线频率由 CPU 和北桥芯片共同决定。目前，微型计算机的前端总线频率有 266 MHz、333 MHz、400 MHz、533 MHz、800 MHz、1 066 MHz、1 333 MHz

等几种。

(7) 逻辑结构

目前，CPU 芯片的集成度越来越高，但半导体的制造工艺正在趋于极限。为了提高 CPU 的总体性能，出现了许多改变 CPU 逻辑结构的新技术，这些技术包括超流水线与超标量技术、多线程技术、对称多处理结构、非一致访问分布共享存储 NUMA 技术、乱序执行技术、CPU 内置的内存控制器等。

3. CPU 产品

目前生产 CPU 的公司主要有 Intel 和 AMD。

Intel 公司是全球最大的半导体芯片制造商，成立于 1968 年，它引领了 PC 微处理器的发展。Intel 的微处理器主要有奔腾（Pentium）、赛扬（Celeron）、酷睿（Core）三个系列。

Intel 公司的最大竞争对手是 AMD 公司，AMD 系列中的各个 CPU 在 Intel 中都能找到对应的产品，而且性能基本一致。AMD 的芯片有 Athlon 64（速龙）、Athlon II、Sempron（闪龙）、Turion（锐龙）、Opteron（皓龙）、Phenom（羿龙）和 Phenom Ⅱ等系列产品。它们与 Intel 保持二进制兼容，实际运行性能也不差，价格比较实惠。

1.3.4 存储器

存储器是计算机系统的记忆部件，用来存放程序和数据，它是计算机的重要组成部分。存储器分为内存和外存两大类。内存的存取速度快而容量相对较小，能与 CPU 直接交换数据；外存的存取速度慢而容量相对较大，不能与 CPU 直接交换数据，用于永久性地存放计算机中几乎所有的信息。

1. 内存储器

微型计算机的内存储器由半导体器件构成，也被称作半导体存储器。内存按照工作方式，即是否能随机存取，分为随机存储器和只读存储器两大类。

(1) 随机存储器

随机存储器（Random Access Memory，简称 RAM）大多由 MOS 型半导体集成电路芯片制成。它的特点是既可以从 RAM 中读出数据，也可以向 RAM 中写入数据。通常 RAM 用作计算机的主存储器等要求快速存储的系统。

根据 RAM 的工作机理可细分为动态随机存储器（Dynamic RAM）和静态随机存储器（Static RAM）两大类。

① 动态随机存储器（DRAM）。

DRAM 的电路简单、集成度高、功耗小、成本较低，但存取速度较慢，主要用于内存储器的主体部分，通常称为主存储器或主存。

主存储器的主要性能指标有两个：存储容量和存取速度。

主存中包含大量的存储单元，每个存储单元可以存放 1 个字节（8 个二进位）。存储器的存储容量就是它所包含的存储单元的总和，单位是 MB（$1\ MB = 2^{20}$字节）或 GB（$1\ GB = 2^{30}$字节）。

衡量主存储器存取速度的指标是存取时间，存取时间是指从 CPU 给出主存储器的地址开始到主存储器读出数据并送到 CPU（或把 CPU 数据写入主存储器）所需的时间。主存储器存取时间的单位是 ns（$1\ ns=10^{-9}\ s$）。随着 CPU 性能的不断提高，由 DRAM 芯片组成的主存储器速度无法与其匹配，从主存储器取数或存数时，CPU 必须停下来等待，这大大降低了 CPU 的性能。为了解决这个矛盾，一方面可以采用 Cache 存储器，另一方面就是改进存储器芯片的电路和工艺，并对 DRAM 的存储控制技术进行改进。

随着技术的进步，动态随机存储器可以细分为简单的 DRAM、SDRAM、DDR SDRAM、DDR2 SDRAM 等技术。

DRAM 的结构简单、存储高效，存储每一个 bit 只需要一个晶体管加一个电容，利用电容内存储电荷的多少来代表 0 和 1，但是电容必须周期性地刷新才能保持内部的信息不会丢失。DRAM 的电路简单、集成度高、功耗小、成本较低，但存取速度较慢，主要用于大容量内存储器。

SDRAM（Synchronous Dynamic Random Access Memory）是同步动态随机访问存储器。从技术角度来讲，SDRAM 是在 DRAM 中加入了同步控制逻辑，利用一个单一的系统时钟同步所有的地址数据和控制信号。使用 SDRAM 不但能提高系统表现，还能简化设计、提供高速的数据传输。

DDR SDRAM（Double Data Rate Synchronous Dynamic Random Access Memory）是双倍数据速率同步动态随机访问存储器，它利用时钟信号的上升沿和下降沿来传输数据，相对于普通 SDRAM 而言，它能够提供更高的带宽，在不需要提高前端总线工作频率的情况下可以提供接近两倍的数据传输速率。

DDR2 SDRAM（Double Data Rate Two Synchronous Dynamic Random Access Memory）是第二代双倍数据速率同步动态随机访问存储器。它与上一代 DDR SDRAM 技术标准最大的不同就是拥有两倍于上一代 DDR SDRAM 的预读取能力。换句话说，DDR2 SDRAM 每个时钟能够以 4 倍外部总线的速度读/写数据，并且能够以内部控制总线 4 倍的速度运行。

② 静态随机存储器（SRAM）。

SRAM 的存储单元电路是触发器，存入的信息在规定的电源电压下不会改变或消失。SRAM 的电路复杂、集成度低、功耗较大、制作成本高、价格昂贵，但存取速度快，主要用于高速缓冲存储器。

采用 Cache 存储器是由于 CPU 与 DRAM 交换数据时往往需要大量的等待时间，难以发挥 CPU 的高速优势。如果直接以 SRAM 作为主存储器，虽然可以解决速度问题，但 SRAM 价格高，而且体积大，集成度低。为解决这个问题，用少量的 SRAM 作为 CPU 与 DRAM 存储系统之间的缓冲区。目前的 Cache 系统往往包含多级缓存。

无论是 DRAM 还是 SRAM，当关机或断电时，其中的信息都将随之丢失，这是 RAM 和 ROM 之间最大的区别。

（2）只读存储器

只读存储器（Read Only Memory，简称 ROM），顾名思义，它的特点是用户只能读出存储器内原有的内容，而不能再写入新内容。ROM 一般用来存放固定的程序和数据，这些信息不会因断电而丢失。大部分只读存储器用金属氧化物半导体（MOS）场效应管做成。

最早的 ROM 是掩模 ROM（Mask ROM），厂家做好后 ROM 的内容便不能更改。随后为了便于使用和大批量生产，出现了可编程只读存储器（PROM）、可擦写可编程只读存储器（EPROM）、电可擦写可编程只读存储器（EEPROM）和快闪存储器（Flash Memory）。

PROM 在出厂时，存储的内容全为 1 或 0，用户可以根据需要将其中的某些单元改写为数据 0 或 1，以实现对其“编程”的目的，但是只允许写入一次。

EPROM 在通常工作时只能读取信息，但可以用紫外光长时间照射来擦除其中的信息，擦除后可再编程。

20 世纪 80 年代出现的 EEPROM，可直接用电信号进行擦除和写入。但 EEPROM 的生产工艺复杂，耗费的门电路过多，集成度不高，价格较贵，重编程时间比较长，并且有效重写次数较少。

Flash Memory 属于 EEPROM 的升级产品，其集成度高、功耗低、体积小，又能在线快速擦除，因而获得飞速发展。Flash Memory 是按块（Block）擦除（每个块的大小不定，不同厂家的产品有不同规格），而 EEPROM 则可以一次只擦除一个字节（Byte）。目前，闪存被广泛应用在 PC 的主板上，用来保存 BIOS 程序。闪存的另一个应用领域是作为硬盘和软盘的替代品，如固态硬盘、移动存储器等，它们具有抗震、速度快、无噪声、耗电低等优点。闪存还被广泛地应用于数码产品中，如数码相机的图像存储器。现在 Flash Memory 还不能取代 RAM，因为 RAM 需要能够按字节改写，而 Flash Memory 则做不到。

2. 外存储器

计算机中需要有能永久性地保存大量数据的存储器，这种存储器就是外存储器。按照存储原理，外存储器主要包括硬盘、光盘、U 盘等。

（1）硬盘

硬盘是计算机主要的存储介质之一，分为机械硬盘、固态硬盘和固态混合硬盘。

① 机械硬盘。

机械硬盘（Hard Disc Drive，简称 HDD）是传统的普通硬盘，因其记录介质为硬质圆形盘片，故被称为硬盘。机械硬盘具有存储容量大、数据传输速率高、存储数据可长期保存等特点。最常用的是温彻斯特硬盘，简称温盘，它将盘片、磁头、电机驱动设备以及读写电路等做成一个不可随意拆卸的整体，并密封起来，所以防尘性能好，可靠性高，对环境要求不高。

机械硬盘由磁性盘片（存储介质）、主轴与电机、控制电路、伸缩臂以及伸缩臂上的磁头等组成。磁性盘片由一个甚至多个铝制或者玻璃制的碟片组成，这些碟片的上下两面都覆盖有铁磁性材料，通过磁性材料粒子的磁化来记录数据。磁性材料粒子有两种不同的磁化方向，分别用来表示“0”或“1”。

一般一块硬盘由 1~5 张盘片组成，盘片表面由外向内被分为若干个同心圆，每个圆称为一个磁道，盘面上一般有几千个磁道。每个磁道又被分为几千个扇区，每个扇区的容量一般为 512 字节。由于硬盘由一组重叠的盘片构成，每个盘面都被划分为数目相等的磁道，并且都是从外缘的“0”开始编号，具有相同编号的磁道就形成一个圆柱，称为磁盘的柱面。磁盘的柱面数实际上与一个盘面上的磁道数是相等的。硬盘的所有盘片都固定在同一个主轴上，当硬盘工作时，主轴底部的电机带动主轴，主轴再带动盘片以每分钟几千转甚至上万转的速度高速旋转，高速旋转产生的气流将盘片上的磁头托起，磁头在伸缩臂的带动下高速移动并定位到指定的磁道，然后进行读盘或写盘操作。磁盘的每个盘面都有自己的磁头，磁盘有多少面，就有多少个读写磁头。由此可见，硬盘上定位数据需要根据 3 个参数：磁头号、柱面号、扇区号。图 1-15 是机械硬盘的结构示意图。

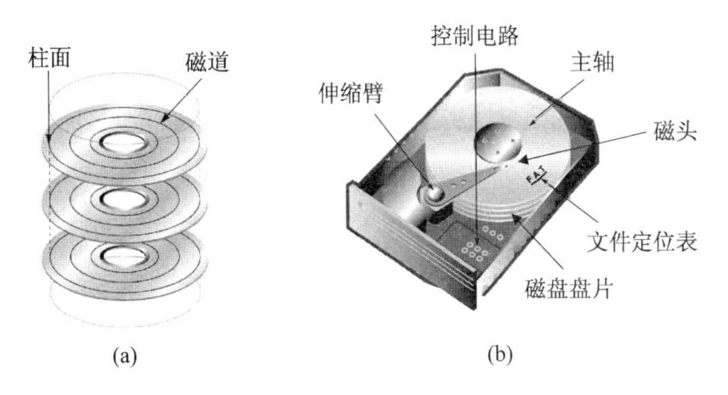

图 1-15　机械硬盘的结构示意图

② 固态硬盘。

固态硬盘（Solid State Drive，SSD）简称固盘，是用固态电子存储芯片阵列制成的硬盘，由控制单元和存储单元组成。固态硬盘在接口的规范、定义、功能及使用方法上与普通硬盘完全相同，在产品外形和尺寸上也与普通硬盘一致，如图 1-16 所示。

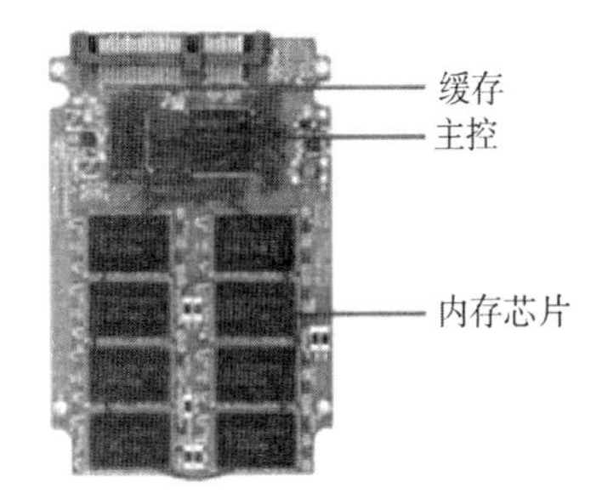

图 1-16　固态硬盘

固态硬盘的存储介质分为两种：一种是闪存；另一种是 DRAM。

基于闪存的固态硬盘是固态硬盘的主要类别，也是通常所说的 SSD，其内部构造十分简单。固态硬盘的主体其实就是一块 PCB 板，这块 PCB 板上最基本的配件就是控制芯片、缓存芯片（部分低端硬盘无缓存芯片）和用于存储数据的闪存芯片。控制芯片是固态硬盘的大脑，其作用是合理调配数据在各个闪存芯片上的负荷，承担整个数据中转、连接闪存芯片和外部 SATA 接口等功能。不同的控制芯片能力相差非常大，在数据处理能力、算法、对闪存芯片的读取写入控制上会有很大的不同，直接导致固态硬盘产品在性能上的差距高达数十倍。固态硬盘的外观可以被制作成多种样式，如笔记本硬盘、微硬盘、存储卡、U 盘等，最大的优点就是可以移动，而且数据保护不受电源控制，能适应各种环境，适合个人用户使用。

基于 DRAM 的固态硬盘采用 DRAM 作为存储介质，应用范围较窄。它仿效传统硬盘的设计，可被绝大部分操作系统的文件系统工具进行卷设置和管理，并提供工业标准的 PCI 接口，用于连接主机或者服务器。应用方式可分为 SSD 和 SSD 阵列两种。它是一种高性能的存储器，而且使用寿命很长，美中不足的是需要独立电源来保护数据安全。基于 DRAM 的固态硬盘属于非主流的设备。

③ 固态混合硬盘。

固态混合硬盘（Solid State Hybrid Drive，简称 SSHD）是把磁性硬盘和闪存集成到一起的一种硬盘。也就是说，固态混合硬盘是一块由传统机械硬盘衍生出来的新硬盘，除了机械硬盘必备的碟片、电动机、磁头等外，还内置了 NAND 闪存颗粒，这些颗粒将用户经常访问的数据进行存储，有如 SSD 效果的读取性能，如图 1-17 所示。

图 1-17　固态混合硬盘

固态混合硬盘通过增加高速闪存来进行数据预读取，以减少从硬盘读取数据的次数，从而提高性能，还可减少硬盘的读写次数，使硬盘耗电量降低，提高计算机特别是笔记本电脑的电池续航能力。另外，由于一般固态混合硬盘仅内置 8 GB 的 MLC（Multi-Level Cell，多层单元）闪存，因此成本不会大幅提高。同时固态混合硬盘采用传统磁性硬盘的设计，没有固态硬盘容量小的不足，所以固态混合硬盘是处于磁性硬盘和固态硬盘中间的一种解决方案。

衡量硬盘存储器性能的主要技术指标有以下几个：

- 容量。

目前，硬盘的容量以 GB 或 TB 为单位。以机械硬盘为例，影响机械硬盘容量的因素有单碟容量和碟片数量。磁盘的单碟容量取决于盘片的光滑程度、盘片表面磁性物质质量和磁头类型。一般情况下，盘片表面越光滑，表面磁性物质的质量就越好，单碟容量就越大。

机械硬盘容量的计算公式为

机械硬盘容量=柱面数×磁头数×扇区数×每扇区字节数（512 B）

常见机械硬盘的容量有 500 GB、1 TB、2 TB、4 TB、10 TB 等，固态硬盘容量有 120 GB、250 GB、500 GB 等。

- 转速。

转速指硬盘盘片每分钟转动的圈数，单位为 rpm（rotation per minute）。硬盘的转速越快，硬盘读取数据的速度也就越快，硬盘的传输速度也就得到了提高，因此转速在很大程度上决定了硬盘的速度。但是速度的提升将产生更大的噪声和热量，所以硬盘的转速必须有一定的限制。

- 平均存取时间。

平均存取时间（Average Access Time）是指磁头从起始位置到达目标磁道位置，并且从目标磁道上找到要读写的扇区所需的时间，通常它是硬盘平均寻道时间和平均等待时间之和。平均存取时间最能代表硬盘找到某一数据所用的时间，数值越小越好。硬盘存储器的平均存取时间由硬盘的转速、磁头寻道时间和数据传输速率决定。目前主流的硬盘产品的寻道时间都在 9 ms 左右。

- 缓存。

缓存是硬盘控制器上的一块 DRAM 内存芯片，具有极快的存取速度。在硬盘上使用缓存主要是为了提高硬盘与主机交换数据的速度。硬盘上的数据读写是机械运动，速度相对较慢，因此可以将数据暂存在存取速度很快的缓存中。在读硬盘数据时，磁盘控制器首先检查硬盘缓存中是否有所需数据，如果有，就由缓存送出，这样就不需要再访问硬盘。只有当缓存中没有所需数据时，才查找硬盘。由于 DRAM 的速度比磁介质快很多，因此也加快了数据传输的速度。

目前，常见的硬盘缓存容量多为 128 MB、64 MB、32 MB 和 16 MB。

- 数据传输速率（Data Transfer Rate）。

硬盘的数据传输速率是指硬盘读写数据的速度，单位为兆字节每秒（MB/s）。硬盘数据传输速率包括内部数据传输速率和外部数据传输速率。内部传输速率（Internal Transfer Rate）也称为持续传输速率（Sustained Transfer Rate），反映了未用硬盘缓冲区时的性能，主要依赖于硬盘的旋转速度。外部传输速率（External Transfer Rate）也称为突发数据传输速率（Burst Data Transfer Rate）或接口传输速率，指的是系统总线与硬盘缓冲区之间的数据传输速率，与硬盘接口类型和硬盘缓存的大小有关。

（2）光盘

光盘存储器是一种重要的计算机辅助存储器，具有容量大、易保存、携带方便等特点，在计算机领域得到了广泛的应用。

读取光盘数据的设备称为光盘驱动器（简称光驱，如图 1-18 所示）。光驱通常由激光头、主轴电机、伺服电机、系统控制器等几个部分组成。激光头由一组透镜和一个发光二极管组成，它发出的激光经过聚焦后照在凹凸不平的盘片上，并通过反射光的强度来读取信号。主轴电机负责为光盘运行提供动力，并提供快速的数据定位功能。伺服电机是一个小型的由计算机控制的电机，用来移动和定位激光头到正确的位置读取数据。系统控制器主要协调各部分的工作，是光驱的控制中心。

图 1-18　光盘及光驱

光驱的主要技术指标是数据的传输速率（倍速）。1985 年索尼（SONY）和飞利浦（Philips）联合推出了第 1 款光驱，速率为 150 KB/s，人们将这个速率定义为单速，以后的光驱均以这个速率为单位，如 2 倍速、4 倍速、8 倍速以及现在的 40 倍速、50 倍速等光驱。以 50 倍速光驱为例，其传输速率为 50×150 KB/s。

目前我们所能接触到的常见光盘有：

① 只读式光盘存储器 CD-ROM。

CD 由光轨（Optical Track）组成，光轨是光盘上记录资料的一种单位，光盘上存储的信息资料按一定规则排列存储在光轨上，光轨由内至外呈螺旋线形状。每张直径 12 cm CD-ROM 盘片的存储容量大约在 650 MB，能存储 74 min 的数字音乐或电影。

② 一次写光盘存储器 CD-R。

由于 CD-ROM 是只读式光盘，因此用户自己无法利用 CD-ROM 来对数据进行备份和交换。CD-R 的出现适时地解决了上述问题。CD-R 只允许写一次，写完以后，记录在 CD-R 盘上的信息无法再被改写，但可以像 CD-ROM 盘片一样，在 CD-ROM 驱动器和 CD-R 驱动器上被反复地读取多次。

③ 可擦写光盘存储器 CD-RW。

CD-RW（CD-ReWritable）是一种可重复擦写型光盘存储器，它与 CD-R 在结构、工艺和成本方面均差别不大，且与 CD-ROM 和 CD-R 兼容。

④ DVD。

DVD 的英文全名是 Digital Video Disk，即数字视频光盘或数字影盘，它利用 MPEG-2 的压缩技术来储存影像。也有人称 DVD 是 Digital Versatile Disk，即数字多用途光盘，它集计算机技术、光学记录技术和影视技术等为一体，目的是满足人们对大容量存储、高性能存储媒体的需求。DVD 光盘不仅已在音/视频领域内得到了广泛应用，而且带动了出版、广播、通信、互联网等行业的发展。

DVD 的基本类型有 DVD-ROM、DVD-R、DVD-RW、DVD-RAM 等。DVD-ROM 是只读 DVD，共有四种容量，分别为 4.7 GB、8.5 GB、9.4 GB、17 GB；DVD-R（DVD-Recorder）同 CD-R 一样，允许用户写一次，此后就只能读取；DVD-RAM 和 DVD-RW 都属于一种可重复读写数字信息的 DVD 规格，两者的擦写方式不同，应用的领域也不相同。DVD-RAM（可多次读写的光盘）的记录格式采用 CD-R 中常见的相变技术，容量为 3.0 GB，它和 DVD-R 都能与 DVD-ROM 兼容，但是 DVD-RW 不能与 DVD-ROM 兼容。

⑤ 蓝光光盘。

蓝光光盘（Blu-ray Disc，简称 BD）是由索尼及松下电器等企业组成的“蓝光光盘联盟”（Blu-ray Disc Association，简称 BDA）策划的光盘规格，是目前最先进的大容量光盘。它利用波长较短（405 nm）的蓝色激光写入和读取数据，并因此而得名。传统 DVD 需要光头发出红色激光（波长为 650 nm）来写入或读取数据。通常来说，波长越短的激光，能够在单位面积上记录或读取更多的信息，因此，蓝光极大地提高了光盘的存储容量。目前，单层蓝光盘片的存储容量为 25 GB，读写速度可达 4.5~9 MB/s。

（3）U 盘

U 盘（图 1-19）即 USB 闪存盘的简称，优盘是对 U 盘的谐音称呼。U 盘是闪存的一种，因此也叫闪盘。最大的特点就是小巧便于携带、存储容量大、价格便宜，是移动存储设备之一。目前 U 盘容量可以从 GB 级到 TB 级，有些容量更大，价格也逐年下降。

图 1-19　U 盘

闪存技术是计算机领域新兴的存储技术，它与传统的电磁存储技术相比有许多优点，如在存储过程中没有机械运动，使得它的运行非常稳定，成为所有存储设备中最不怕震动的设备；它的体积可以做得很小，一般采用 USB 接口，能够支持即插即用。

U 盘采用 USB 接口与主机相连，它的数据传输速率主要与 USB 接口的类型有关，USB 接口有 USB 1.1、USB 2.0 和 USB 3.0 等标准。

（4）移动硬盘

移动硬盘顾名思义是以硬盘为存储介质，强调便携性的存储产品（图 1-20）。移动硬盘由硬盘和硬盘盒组成，体积小、重量轻、容量大。

图 1-20　移动硬盘

移动硬盘的尺寸分为 1.8 英寸[①]、2.5 英寸和 3.5 英寸三种。一些超薄型的移动硬盘，厚度仅有 1 cm，重量只有 200~300 g，但存储容量可达几百 GB 甚至更高（可至 TB 级）。另外，移动硬盘大多采用 USB 接口和 IEEE 1394 接口，可以支持热插拔，能提供较高的数据传输速率。但要注意的是，必须确保移动硬盘停止使用以后才能拔下 USB 连线，否则处于高速运转的硬盘突然断电可能会导致硬盘损坏。

USB 2.0 接口的传输速率是 60 MB/s，IEEE 1394 接口的传输速率是 50~100 MB/s。在与主机交换数据时，即使是读写 GB 数量级的大型文件也只需几分钟。

（5）存储卡

存储卡也是采用闪存做成的，一般是卡片的形态（图 1-21），所以称为“存储卡”，也叫“数码存储卡”“数字存储卡”“储存卡”等，是用于手机、数码相机、便携式电脑等数码产品上的独立存储介质。存储卡具有体积小、携带方便、使用简单的优点。大多数存储卡都具有良好的兼容性，便于在不同的数码产品之间交换数据。存储卡根据形状、体积和接口的不同可分为 SD 卡、CF 卡、MMC 卡、XD 卡、T-Flash 卡、Mini-SD 卡等。

图 1-21 存储卡

1.3.5 PC 主板

主板又叫主机板（mainboard）、系统板（systemboard）或母板（motherboard），它安装在主机箱内，是 PC 最基本、最重要的部件之一。主板一般为矩形印刷电路板，包含或连接着组成计算机的主要电路系统，一般有 CPU 插槽、高速缓存、内存插槽、控制芯片组、BIOS 芯片、各种不同类型的扩充插槽、I/O 接口控制芯片、键盘和面板控制开关接口、指示灯插接件、主板及插卡的直流电源等部件。图 1-22 为台式 PC 主板示意图。

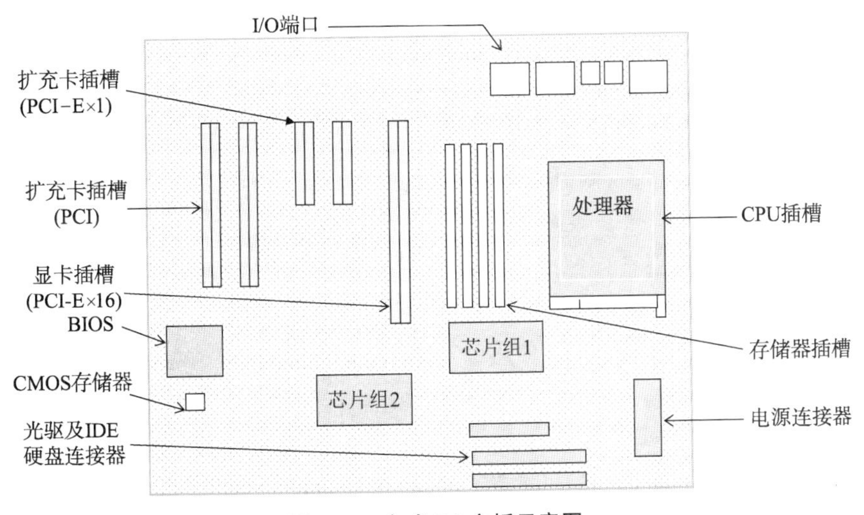

图 1-22 台式 PC 主板示意图

① 英制长度单位，1 英寸为 2.54 cm。

主板是计算机中各个部件相互连接的枢纽通道，所有的计算机部件都直接或间接地挂接到主板，并通过主板的电路相互连通。主板采用了开放式结构，主板上大多有6~15个扩展插槽，供PC外围设备的控制卡（适配器）插接。通过更换这些插卡，可以对PC的相应子系统进行局部升级，使厂家和用户在配置机型方面有更大的灵活性。

为了便于不同PC的主板能够互换，主板的物理尺寸已经被标准化，也就是我们常说的主板规格。目前常见的主板规格为ATX和Micro ATX两种。ATX是目前市场上最常见的主板结构，扩展插槽较多，PCI插槽数量在4~6个，大多数主板都采用此结构；Micro ATX是ATX结构的简化版，就是常说的“小板”，可安装于大部分ATX机箱，但它使用较小的电源供应器，扩充槽数目也比ATX少，PCI插槽数量在3个或3个以下，多用于品牌机并配备小型机箱。

总之，主板在整个PC系统中扮演着举足轻重的角色。可以说，主板的型号和档次决定着整个PC系统的类型和档次，主板的性能影响着整个PC系统的性能。

1. 主板的重要芯片

（1）BIOS芯片

BIOS（Basic Input Output System）是“基本输入输出系统”，它的全称是ROM-BIOS，是一组固化在计算机主板上的ROM（当前以Flash ROM为主）芯片中的程序，突然断电或关机时，它的内容也不会丢失。BIOS中的这些程序能让主板识别各种硬件，负责对基本I/O系统进行控制和管理，还可以设置引导系统的设备、调整CPU外频等。BIOS主要包括以下四种程序：

① 开机加电自检程序。

计算机接通电源后，首先将对内部的各个设备进行检测，如果发现问题，系统将给出提示信息或鸣笛警告。这一过程是由一个被称为POST（Power On Self Test）的加电自检程序来完成的。完整的POST包括对CPU、内存、扩展内存、ROM、主板、CMOS芯片、串并口、显示卡、软硬盘子系统及键盘等设备的测试。

自检中如果发现严重故障则停机，此时由于各种初始化操作还没完成，不能给出任何提示或信号；如果发现非严重故障，则给出提示或声音报警信号，等待用户处理。

② 系统主引导记录的装入程序。

POST自检通过后，CPU将执行BIOS中的引导装入程序，按照CMOS中预先设定的启动顺序，依次搜寻硬盘、光盘或U盘，如果硬盘中已安装了操作系统，则将其第一个扇区的内容（主引导记录）读出并装入内存，然后将控制权交给其中的操作系统引导程序，由引导程序将操作系统装入内存。操作系统装入内存后，整个计算机就处于操作系统的控制下，用户就可以正常使用计算机了。

③ CMOS设置程序。

CMOS设置程序主要是对CPU、软硬盘驱动器、显示器、键盘等部件进行管理和设置，也可以排除系统故障或者诊断系统问题。开机时用特殊热键（一个或一组键）启动可进入CMOS设置界面。这个设置CMOS参数的过程，习惯上也称为“CMOS设置”。

④ 外设驱动程序。

外设驱动程序包含了计算机中所有可用外设的驱动程序，如果BIOS中不包含某种

I/O 设备的驱动程序，系统就不支持该设备。

（2）CMOS 芯片

CMOS 是主板上一块可读写的 RAM 芯片，存储了由 CMOS 设置程序所设置的计算机系统的硬件配置信息和时钟信息等。系统在引导计算机时，要读取 CMOS 中的信息，初始化各个部件的状态。由于 CMOS 是一种 RAM 芯片，一旦断电，里面存放的重要信息丢失后将导致系统无法正常运行，甚至根本无法启动，因此需要靠后备电池（CMOS 电池）来供电，使信息不会丢失。

BIOS 与 CMOS 既相关又有不同：BIOS 中的系统设置程序是完成 CMOS 参数设置的手段；而 CMOS 本身只是一块存储器，仅仅用来保存数据，对 CMOS 中各项参数的设定和修改需要通过 BIOS 的设定程序来实现。因此，日常生活中我们经常听说的 CMOS 设置，完整的说法应该是“通过 BIOS 设置程序对 CMOS 参数进行设置”。

（3）南北桥芯片组

我们常说的主板芯片组就是南北桥芯片组，一般包括两块芯片——南桥芯片和北桥芯片。其中北桥芯片起着主导作用，也称为主桥（Host Bridge）。南桥芯片多位于 PCI 插槽的边上，北桥芯片位于 CPU 插槽旁，通常被散热片盖住。北桥芯片提供对 CPU 的类型和主频、内存的类型和最大容量、ISA/PCI/AGP 插槽、ECC 纠错等的支持，它的发热量较大，因而需要散热片散热。南桥芯片则提供对 KBC（键盘控制器）、RTC（实时时钟控制器）、USB（通用串行总线）、Ultra DMA/33（66）EIDE 数据传输方式和 ACPI（高级能源管理）等的支持。

芯片组是构成主板电路的核心，它决定了主板的功能和性能。CPU 的类型、主板的系统总线频率、内存类型、容量和性能、显卡插槽规格等都是由芯片组中的北桥芯片决定的。扩展槽的种类和数量、扩展接口的类型和数量（如 USB 2.0/1.1、IEEE 1394、串口、并口、笔记本的 VGA 输出接口）等，是由芯片组的南桥决定的。另外，PC 各组成部分的相互连接和通信也都通过芯片组，没有芯片组，CPU 就无法与内存、扩充卡、外设等交换信息。现在，有些芯片组还加入了 3D 加速显示（集成显示芯片）、AC′97 声音解码等功能，这些功能的好坏决定了计算机系统的显示性能和音频播放性能等。可以说，主板芯片组决定了整个计算机系统的性能和功能。

2. CPU 插槽

CPU 需要通过接口与主板连接才能进行工作。CPU 常用的接口方式有引脚式、卡式、触点式、针脚式等。CPU 类型不同，在插孔数、体积和形状等方面均有变化，不能互相接插。选择了何种 CPU，就必须选择与之对应的主板。

CPU 插槽主要分为 Socket、LGA 两种，每种又有不同的型号。目前常见的 CPU 插槽类型有 LGA 1155、LGA 1700、Socket AM3+等。

3. 内存插槽

内存插槽一般位于 CPU 插槽的下方，用来安装内存条，主板能够支持的内存种类和容量都由内存插槽决定。由于不同内存条的针脚数不同，对应的内存插槽的类型也各不相同。台式机主板上的内存插槽主要有 SIMM（Single Inline Memory Module，单列直插内存模块）、DIMM（Dual Inline Memory Module，双列直插内存模块）和 RIMM

（Rambus Inline Memory Module，直插式内存模块）三种类型。

金手指（connecting finger）是内存条与内存插槽之间的连接部件，即内存条上众多金色导电触片，因其排列如手指状，故被形象地称为“金手指”。SIMM 是一种两侧金手指提供相同信号的内存结构，而 DIMM 则不像 SIMM 那样通过两侧的金手指互通，它们能各自独立传输信号，可以满足更多数据信号的传送需要。早期的 EDO 和 SDRAM 内存，使用过 SIMM 和 DIMM 两种插槽，但从 SDRAM 开始，就以 DIMM 插槽为主，SIMM 插槽很少见了。RIMM 是 Rambus 公司生产的 RDRAM 内存所采用的接口类型，与 DIMM 的外形尺寸差不多，性能更好，但价格较高。

4. 总线扩展槽

扩展槽是主板上用于固定扩展卡并将其连接到系统总线的插槽，任何扩展卡（如显示卡、声卡、网卡等）都要安装在扩展槽内才能正常工作。目前，扩展槽的种类主要有 ISA、PCI、AGP、CNR、AMR、ACR、PCI Express 和比较少见的 Wi-Fi、VXB，以及笔记本电脑用的 PC 卡、Mini PCI 等。

5. I/O 接口

各种外部设备通过接口与计算机主机相连。与存储器相连的接口称为存储器接口，与外部设备相连的接口称为 I/O 接口。我们通常说的“接口”是指 I/O 接口。

输入/输出设备是计算机系统中非常重要的组成部分，通过它们，计算机才能与外界交换信息。由于 I/O 设备的种类繁多，每种 I/O 设备的工作方式也不相同，因此，每个 I/O 设备都有各自专用的控制电路，即 I/O 控制器，它的任务是接收 CPU 启动 I/O 操作的命令后，独立地控制 I/O 设备的操作，直到 I/O 操作完成。由 I/O 控制器上的控制电路延伸出来的插头或插座就是 I/O 接口。通过 I/O 接口，可以把打印机、扫描仪、U 盘、移动硬盘、数码相机等外部设备连接到主机上。

计算机系统中有很多不同种类的 I/O 设备，因此 I/O 接口也有很多，目前比较常见的有 SATA、IDE、串行接口、并行接口、PS/2 接口、USB 接口、SCSI 接口、IEEE 1394 接口等。

（1）SATA

SATA 是 Serial ATA 的缩写，采用串行方式传输数据。SATA 的数据传输速率较高，最高可达 300 MB/s。另外，SATA 总线使用嵌入式时钟信号，具备了更强的纠错能力，如果发现错误会自动矫正，这在很大程度上提高了数据传输的可靠性。SATA 还保留了多种向后兼容方式，在使用上不存在兼容性问题。此外，SATA 还具有结构简单、支持热插拔的优点。采用 SATA 接口的设备有硬盘、光驱等。

（2）IDE

IDE 是 Integrated Drive Electronics 即电子集成驱动器的缩写，采用 16 位数据并行传输方式，通常也被称为并行 ATA 接口。IDE 的传输速率不高，从 33～133 MB/s 不等，按照速率可分为 DM33、DM66、DM100 和 DM133。IDE 接口的优点是价格低廉、兼容性强、性价比高。缺点是数据传输速度慢、线缆长度过短、连接设备少。可以连接的设备有硬盘、光驱、软驱等。在许多新型主板上，IDE 接口大多被缩减，甚至没有，取而代之的是 SATA 接口。

（3）串行口（COM接口）

目前，大多数主板都提供了两个COM接口（图1-23），分别为COM1和COM2，作用是连接串行鼠标和外置Modem等设备。标准的串口能够提供最高115 kb/s的数据传输速率，而一些增强型串口能提供高达460 kb/s的数据传输速率。

（4）并行口（LPT接口）

并行接口（图1-24）将8位数据位同时并行传送，数据传送速率比串行接口快，但传送距离较短。当传输距离较远、位数较多时，会导致通信线路复杂且成本提高。并行接口主要用于连接打印机、扫描仪和绘图仪等，因此这种接口一般被称为打印接口或LPT接口。

（5）PS/2接口

PS/2接口（图1-25）的功能比较单一，仅能用于连接键盘和鼠标。在PS/2接口出现以前，键盘和鼠标都是使用COM口。由于键盘和鼠标的接口不能混插，所以PS/2接口会按照颜色来区分。一般情况下，鼠标的接口为绿色，键盘的接口为紫色。

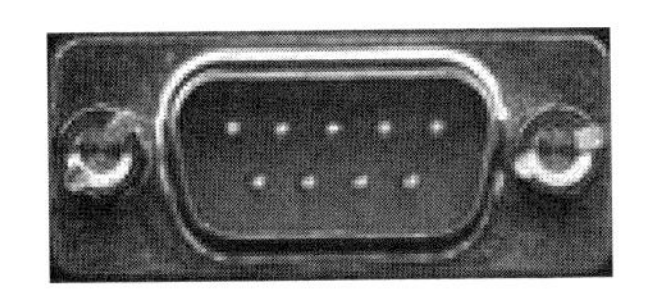

图1-23　9针串行口

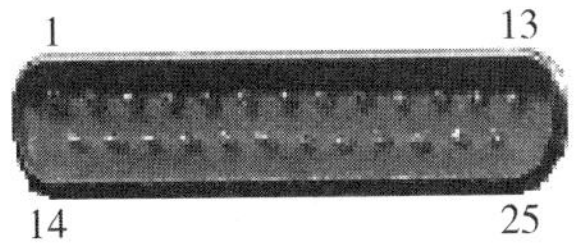

1　13　14　25

图1-24　并行接口

图1-25　PS/2接口

目前，PS/2接口已经逐渐被USB接口取代，但大部分台式机仍然提供PS/2接口。PS/2接口和USB接口的一个重要区别是PS/2接口不支持热插拔。

（6）USB接口

USB（Universal Serial Bus，通用串行总线，如图1-26所示）接口是现在最流行的接口，几乎所有的外设都有USB接口，如USB鼠标、USB键盘、USB扫描仪、USB打印机等，连硬盘和声卡都有USB接口，可见USB接口使用之广泛。

图1-26　USB接口

按照不同的规范将USB分为USB 1.0、USB 1.1、USB 2.0和USB 3.1几种，它们的传输速率不同。USB 1.0只能提供1.5 Mb/s的传输速率，USB 1.1可提供12 Mb/s的传输速率，由于传输速率较低，仅用于连接中低速设备，现在已经很少使用。USB 2.0是由USB 1.1规范演变而来的，传输速率可达480 Mb/s，能够满足大多数外设的要求。USB 3.1是目前主流的USB规范，传输速率为10 Gb/s，有三段式电压5 V/12 V/20 V，最大供电为100 W，而且新型Type C插型不再分正反面。USB设备主要具有以下优点：

① 可以热插拔。用户在使用外接设备时，不需要执行关机再开机等动作，而是在计算机工作时，直接将USB插上使用。

② 携带方便。USB设备大多以小、轻、薄见长，对用户来说，随身携带大量数据时，使用USB设备很方便，如USB硬盘就是首选。

③ 标准统一。过去大家常见的设备是 IDE 接口的硬盘、串口的鼠标和键盘、并口的打印机和扫描仪。有了 USB 之后，这些外设统统可以用同样的标准与 PC 连接，这就有了 USB 硬盘、USB 鼠标、USB 打印机等。

④ 可以连接多个设备。USB 在 PC 上往往具有多个接口，可以同时连接几个设备，如果接上一个有 4 个端口的 USB Hub，就可以再连上 4 个 USB 设备，以此类推，这样连下去，将家里的设备同时连在一台 PC 上也不会有任何问题（注：最多可连接 127 个设备）。

（7）SCSI 接口

SCSI（Small Computer System Interface，小型计算机系统接口，如图 1-27 所示）是一种智能的通用接口标准，能与多种类型的外设进行通信，如硬盘驱动器、扫描仪、光盘、打印机等。

图 1-27　SCSI 接口

SCSI 卡本身带有一块相当于 CPU 的芯片，可以处理一切 SCSI 设备的事务。在工作时主机 CPU 只要向 SCSI 卡发出工作指令，SCSI 卡就会对 CPU 指令进行排队，邻近的任务先完成，然后再逐一进行处理，工作结束后将工作结果返回给 CPU。因此，SCSI 占用 CPU 极低，在多任务系统中具有明显的优势。另外，SCSI 接口还具有应用范围广、多任务、带宽大及支持热插拔等优点。

（8）IEEE 1394 接口

IEEE 1394 接口（图 1-28）也称 1394、Firewire 或 i. Link，是高速串行接口标准，主要用于连接需要高速传输大量数据的音频和视频设备，如打印机、扫描仪、数码相机、DVD 播放机、视频电话等。

IEEE 1394 目前有两种类型：6 针的大口和 4 针的小口。区别是 6 针的接口中有 2 针用于提供电源，而 4 针的则不提供电源。

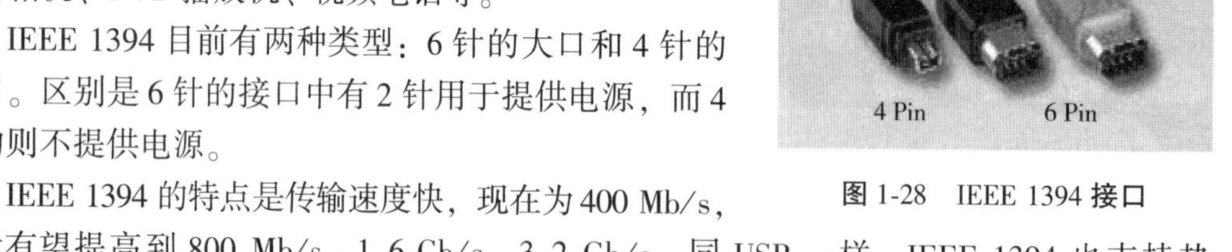

图 1-28　IEEE 1394 接口

IEEE 1394 的特点是传输速度快，现在为 400 Mb/s，以后有望提高到 800 Mb/s、1. 6 Gb/s、3. 2 Gb/s。同 USB 一样，IEEE 1394 也支持热插拔。

1. 3. 6　常用输入输出设备

人与计算机的交流必须依赖输入与输出设备。

1. 输入设备

输入设备可以把人们所能理解的数据转换成计算机能够处理的形式，如输入设备将人们习惯阅读和书写的字母、数字及其他自然语言符号转换为计算机能够处理的二进制数 0 和 1。输入设备还能够用来输入其他类型的数据，如图像、语音和视频等。最常用的输入设备是键盘和鼠标，其他的输入设备还有扫描仪、光电笔、手写输入板、游戏操纵杆、滚动球、触摸板、数码相机、数码摄像机、麦克风、摄像头等。

（1）键盘

键盘是计算机必备的输入设备，通过键盘，可以将英文字母、数字、标点符号等字符输入计算机中，完成向计算机发出命令、输入数据等功能。

键盘中自带一个微处理器，用来对键盘进行扫描，当键盘上的某个按键被按下时，微处理器可以生成对应的键盘扫描码，并通过键盘接口电路将键盘扫描码传送到主机，主机即可识别出被按下的是哪个按键。

用户看到的键盘上有一组按键矩阵（图 1-29），这些按键主要包括字符键、功能键、控制键和数字键等。不同类型的键盘按键数量不等，从 83~106 键都有，目前 Windows 操作系统中主要使用 104 键。键盘上不管有多少按键，一般都分为四个区：主键盘区、功能键区、控制键区和小键盘区。

图 1-29　键盘

传统的键盘是机械式键盘，通过按键使机械开关闭合，产生一个信号，由键盘电路编码后输入计算机中进行处理。机械式键盘具有工艺简单、噪声大、易维护等特点。

现在常用的键盘是电容式键盘，通过按键改变电极间的距离，引起电容容量改变，从而驱动编码器。电容式键盘具有击键声音小、无磨损、寿命长、密封性好、手感好等特点。

键盘的接口有 AT 接口、PS/2 接口和 USB 接口。台式机的主板上大多提供了 PS/2 键盘接口，过去也曾经出现过 AT 接口（也称为“大口”）的键盘，但现在已经不常见了，现在大部分生产厂家推出的都是 USB 接口的键盘。

还有一种新型的键盘是无线键盘，它与主机之间不直接物理连线，而是通过无线电波将输入信息传递给主机上安装的专用接收器，使用起来比较灵活。

（2）鼠标

鼠标（图 1-30）是一种适合图形用户界面软件所使用的快速输入设备。

鼠标的工作原理是：当用户移动鼠标时，借助于机电或光学原理，把鼠标移动的距离和方向分别转换成脉冲信号输入计算机，计算机中运行的鼠标驱动程序再把接收到的脉冲信号转换为鼠标水平和垂直方向的位移量，从而控制屏幕上鼠标的移动。

图 1-30　鼠标

根据鼠标的结构可分为机械式鼠标、光机式鼠标和光电式鼠标。机械式鼠标内有一个滚动球，在普通桌面上移动就可以使用。光电式鼠标内有光学探测器，早期需要专门的鼠标垫配合才能正常使用，目前的光电式鼠标也可以在普通的桌面上使用。

按外形，鼠标还可分为两键鼠标、三键鼠标、滚轴鼠标和感应鼠标等。两键鼠标和三键鼠标的左右按键是最常用的，一般较少用到三键鼠标的中间按键，至于鼠标的左右键的功能由具体的软件来决定。而滚轴鼠标和感应鼠标一般都用于笔记本电脑。

目前，常见的鼠标接口有 PS/2 和 USB 两种，无线鼠标的使用也正逐渐增多。

（3）数码相机

数码相机（Digital Camera，简称 DC）是一种非常重要的图像输入设备，如图 1-31

所示。它与传统照相机的区别是：所拍摄的图像以数字形式记录存储下来，而不使用胶片。用户在拍摄的同时可以看到拍摄效果，也能进一步传输到计算机中进行存储、处理和显示，或通过打印机打印出来，或与电视机连接进行观看。

图 1-31　数码相机

数码相机与普通照相机在胶卷上靠溴化银的化学变化来记录图像的原理不同，它是利用电子元件把光学影像转换成数字信号。当光线通过镜头进入相机，首先通过成像芯片，成像芯片是一种光感应式的电荷耦合器件（CCD）或互补金属氧化物半导体（CMOS），能把光线转化为电信号。电信号经过模数转换（A/D 转换）变成数字信号，然后通过影像运算芯片储存在存储设备中。

CCD 像素的数目是数码相机的一个非常重要的性能指标。在采用 CCD 芯片成像时，若干 CCD 芯片纵横排列成宽高比为 4∶3 或 3∶2 的矩形成像区。在 CCD 芯片中含有大量的 CCD 像素，每一个像素可以记录图像中的一个点。因此，CCD 像素越多，影像分解的点越多，图像的分辨率（清晰度）越高，图像的质量就越好。

目前，数码相机制造技术日趋完善，功能也越来越多。数码相机大多配备了用于取景的彩色液晶显示屏、用于连接计算机的 USB 接口、用于连接电视机的模拟视频信号。一般数码相机具有自动聚焦、数字变焦、自动曝光、自动白平衡调整、影像浏览、影像删除等功能，大多数码相机还能拍摄视频、进行录音。

（4）扫描仪

扫描仪（图 1-32）是将待扫描的原稿，如图片、照片、底片、书稿等作为图形资料输入计算机的一种输入设备。

按照扫描原理，可以将扫描仪分为平板式扫描仪、手持式扫描仪和滚筒式扫描仪。目前一般办公用的扫描仪多为平板式、A4 幅面（或 A4 幅面加长型）扫描仪。

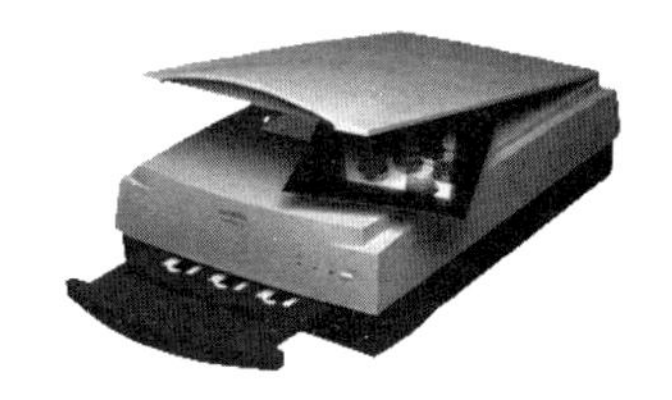

图 1-32　扫描仪

平板扫描仪的工作原理是：先将光线照射到被扫描的材料上，光线反射回来后由 CCD 光敏元件接收并通过光电转换，转换为计算机可以处理的数字信号并传送到计算机中。若在扫描仪内配置有透射适配器，扫描仪就可以扫描透明材质上的图像。

扫描仪的常用接口有以下几种：SCSI 接口、USB 接口或 IEEE 1394 接口。

扫描仪的主要性能指标包括：

① 分辨率。

扫描分辨率决定了扫描仪记录图像的细腻度，单位为 dpi（dots per inch）。dpi 是指每英寸扫描图像上含有像素点的个数。dpi 值越大，扫描的分辨率就越高，扫描图像的品质也越好。

② 色彩位数。

色彩位数也叫色彩深度，用来表示每个像素点颜色所占用的数据位数，它反映了扫描仪对图像色彩的辨析能力。

对黑白扫描仪而言，色彩位数即灰度级。目前，多数扫描仪的灰度为 256 级，已足够真实呈现出肉眼所能辨识的灰阶层次。

对彩色扫描仪而言，色彩位数表示扫描仪所能产生颜色的范围，可以是 24 位、30 位、36 位、42 位、48 位等，表示每个像素点颜色所占用的数据位数，通常位数越多就可以表现越复杂的图像信息。

③ 扫描幅面。

扫描幅面是指被扫描原稿的最大尺寸。常见的有 A4、A3、A0 幅面等，目前以 A4 幅面为主流。

（5）触摸屏

触摸屏（图 1-33）又称“触控屏”或“触控面板”，由触摸检测部件和触摸屏控制器组成。触摸检测部件安装在屏幕前面，用于检测用户触摸位置，然后送给触摸屏控制器；触摸屏控制器的主要作用是从触摸点检测装置上接收的触摸信息，并将它转换成触点坐标，再送给 CPU，同时它也能接收 CPU 发来的命令并加以执行。

图 1-33　触摸屏

长期以来触摸屏多为单点触控式。所谓单点触控，就是在触摸屏上只能进行一个点的操作，无法在屏幕上多个区域或者点阵上进行操作，比如早期的智能手机、电子书、电子词典等使用的就是单点触控式触摸屏。近几年开始流行多点触控式触摸屏。所谓多点触控，就是可以在触摸屏的多个区域同时进行操作。它的工作原理是在导电层上划分出了许多独立的触控单元，触控单元呈矩阵形排布，每个单元通过独立的引线连接到外部电路，无论接触到哪一个部分，系统都能够对相应动作产生反应。多点触控式触摸屏多用在智能手机、平板电脑中。

目前，触摸屏的使用十分广泛，它可以应用在个人便携式数字设备，如平板电脑、智能手机、GPS 等，也可应用在公共场所的多媒体电脑或查询终端，如银行、邮局、火车站等。

（6）手写板

手写板一般包括一个电子板和一支专用笔，如图 1-34 所示。当笔在电子板上移动时，其运动轨迹被记录下来，然后被识别成文字。对于不喜欢使用键盘或者不习惯使用中文输入法的用户来说，手写板非常有用。手写板还可用于精确制图，例如可用于电路设计、CAD 设计、图形设计、自由绘画以及文本和数据的输入等。

图 1-34　手写板

手写板主要分为电阻压力板、电容板以及电磁压感板等几种。电阻压力板技术最为古老，工艺简单、成本较低、价格也比较便宜，但由于它是通过感应材料的变形来判断位置，感应材料易疲劳，使用寿命较短。电容板通过人体的电容来感知手指的位置，多应用于便携式产品。电磁压感式手写板通过在手写板下方的布线电路通电后，在一定空间范围内形成电磁场，来感应带有线圈的笔尖的位置，应用最为广泛。

目前，手写板多采用 USB 接口与主机进行连接。

（7）条形码读入器

条形码是将线条和线条之间按照一定的规则进行间隔排列来表示数据的条形符号。

条形码读入器是一种能识别条形码的扫描装置，一般连接在计算机上使用，如图 1-35 所示。当条形码读入器扫描条形码时，会把不同窄宽的黑白条纹翻译成相应的编码，然后输入计算机中。条形码读入器按照外形可分为笔式和卡槽式两种。商场和图书馆多用条形码来管理商品和图书。

图 1-35　条形码读入器

(8) 其他输入设备

其他输入设备有游戏操纵杆、数码摄像机、麦克风、摄像头等。

2. 输出设备

输出设备可以将计算机处理得到的 0 和 1 还原为人们能够理解的形式，一般用于把输出结果显示在屏幕上或者打印在纸上。

常用的输出设备是显示器和打印机，其他的输出设备有绘图仪、声卡和音箱等。

(1) 显示器

显示器通常也被称为监视器或屏幕，是计算机必不可少的一种图文输出设备，用来将系统信息、计算机处理结果、用户程序及文档等信息显示在屏幕上，是人机对话的一个重要工具，分为阴极射线管显示器（Cathode Ray Tube，简称 CRT）和液晶显示器（Liquid Crystal Display，简称 LCD）两种类型。

① CRT 显示器。

CRT 显示器（图 1-36）是一种使用阴极射线管的显示器。阴极射线管由电子枪、偏转线圈、荫罩、荧光粉层和玻璃外壳五部分组成，主要部件是电子枪。在彩色显示器中，通常有三个电子枪。工作时，电子枪发射出来的电子射线激发屏幕上的荧光粉，从而呈现彩色的光点，大量的光点组成一帧图像。

图 1-36　CRT 显示器

由于 CRT 显示器比较笨重、耗电量较大，并且还有一定的辐射性，目前已基本被淘汰。

② LCD 显示器。

LCD 显示器即液晶显示屏（图 1-37）。

液晶的物理特性是在正常情况下，其分子排列很有秩序，显得清澈透明，光线很容易通过，而一旦加上直流电场后，分子的排列被打乱，一部分液晶变得不透明，阻止了光线通过。从技术上来说，液晶面板就是在两片精致的无钠玻璃素材中间夹一层液晶。在彩色 LCD 面板中，每一个像素都是由三个液晶单元格构成，这三个单元格前面分别有红色、绿色或蓝色的过滤器。通过对不同区域的液晶施加不同的电荷，使得液晶的排列呈规则或不规则状，从而允许或阻隔了各种光线的通过，因此屏幕上可以显示出不同的颜色。

图 1-37　LCD 显示器

与笨重的 CRT 显示器相比，LCD 显示器机身比较薄，只有不到前者三分之一的体积；同时 LCD 显示器属于低耗电产品，基本能做到无辐射，画面也更柔和，不会闪烁，可以减少对眼睛的伤害。但是 LCD 显示器在显示效果上和 CRT 比还有一定差距，而且

LCD显示器的响应速度较慢，可能会产生拖影现象。从可视角度来看，当使用者直视液晶显示器时，其显示效果最佳；但当使用者侧视液晶显示器超过一定角度后，显示画面将变得暗淡、模糊。

虽然LCD显示器有以上诸多缺点，但因其出色的环保性，同时LCD的相关技术也在飞速发展，与CRT显示器之间的差距越来越小，现在已取代了CRT显示器。

单独的显示器是无法正常工作的，它必须和显示控制器配合起来才能使计算机的文字或图像在屏幕上显示输出。在PC中显示控制器一般被做成插卡的形式，因此，显示控制器也被称为显示卡或显卡，如图1-38所示。当然目前也有主板厂商直接将显示控制器集成到芯片组中。

图1-38　显示卡

显示卡包括显示芯片、显示内存、RAMDAC等组件，这些组件决定了计算机屏幕上的输出，包括屏幕画面显示的速度、颜色，以及显示分辨率等。

独立的显卡必须插在主板上才能与内存交换数据，因而必须有相应的接口，该接口由芯片组中的北桥芯片提供。目前，显卡有AGP接口和PCI Express接口两大接口技术。

（2）打印机

打印机是计算机的输出设备之一，用于将计算机的处理结果打印在相关介质上。

按照打印机的工作原理，可分为击打式和非击打式两大类。目前，市面上较常见的打印机有针式打印机、激光打印机和喷墨打印机。

① 针式打印机。

针式打印机是击打式打印机，也称撞击式打印机，如图1-39所示，是利用打印钢针按字符的点阵打出文字和图形。打印头的钢针有9针、16针、24针等。打印时，通过打印头中电磁铁的吸合或释放来驱动打印针向前击打色带，将墨点印在打印纸上，从而完成打印动作。

图1-39　针式打印机

通常针式打印机所使用的色带都是单色的，而且打印速度较慢，精度较低，噪声也较大，因此，针式打印机在家用打印机市场上已遭到淘汰。然而针式打印机的耗材成本极低，并且能多层套打，特别是平推打印机，因其独特的平推式进纸技术，在打印票据和存折等方面具有其他类型打印机所不具备的优势，因此在银行、证券等领域被广泛使用。

② 激光打印机。

在商用领域一般选用激光打印机（图1-40），它是非击打式打印机。

激光打印机是激光技术与复印技术相结合的产物，核心部件是可以感光的硒鼓。打印时，先利用激光扫描主机送来的信息，然后把要输出的信息在硒鼓上形成静电潜像，并转换成磁信号，使碳粉吸附在纸上，经加热定影后输出。

图1-40　激光打印机

激光打印机有黑白和彩色两种。低速黑白激光打印机比较普及，彩色激光打印机的价格较高，适合专业用户使用。

激光打印机的主要优点是打印速度快、打印质量好、噪声小，可采用普通纸，也可以直接输出在用于印刷制版的透明胶片上。

③ 喷墨打印机。

目前的家用打印机一般以低档的彩色喷墨打印机为主。喷墨打印机（图 1-41）也是非击打式打印机。打印时，通过喷嘴将墨滴喷射到打印介质上形成文字或图像。

图 1-41　喷墨打印机

喷墨打印机的关键部位是喷嘴。要使墨水从喷嘴中以每秒近万次的频率喷射到纸上，这对喷嘴的制造材料和工艺要求很高。喷嘴的工作方式有压电喷墨技术和热喷墨技术两种。压电喷墨技术是将许多小的压电陶瓷放置到喷墨打印机的打印头喷嘴附近，利用它在电压作用下会发生形变的原理，适时地把电压加到它的上面，压电陶瓷随之产生伸缩使喷嘴中的墨汁喷出，在输出介质表面形成图案或字符；热喷墨技术是让墨水通过细喷嘴，在强电场的作用下，将喷头管道中的一部分墨汁气化，形成一个气泡，并将喷嘴处的墨水顶出喷到输出介质表面，形成图案或字符。

喷墨打印机是目前家庭中使用最广泛的打印机。打印时噪声小，打印速度较快，而且分辨率高，打印的字符更清晰，印刷质量较好。在彩色图像输出设备中，喷墨打印机占绝对优势，但喷墨打印机的墨水消耗快，且墨水成本较高。

打印机的性能指标主要有打印精度、打印速度、色彩数目、打印成本、噪声、打印幅面大小、可打印字体的数目及种类、功耗及节能效率等。针对不同类型打印机的工作原理，还有一些只适用于某一类型打印机的性能指标。打印机与计算机之间的接口类型也可以间接反映出打印机输出速度的快慢。目前，市场主流的打印机都兼具并行和 USB 两种打印接口。

（3）声卡及音箱

声卡，也叫音频卡，它是计算机进行声音处理的适配器，是实现声波/数字信号相互转换的硬件，如图 1-42 所示。

图 1-42　声卡

声卡的核心部件是数字信号处理芯片（DSP），它是一种专用的微处理器。

声卡有三个基本功能：一是音乐合成发音功能；二是混音器（Mixer）功能和数字声音效果处理器（DSP）功能；三是模拟声音信号的输入和输出功能。声卡既参与声音的获取，也负责声音的重建，它控制并完成声音的输入与输出。

声卡主要有两种：内置独立声卡和内置集成在主板上的软声卡。为了降低成本，现在大多数中低档声卡几乎都已经集成在主板上，只有少数专业用的高档声卡才做成独立的插卡形式。

音箱有普通音箱和数字音箱之分，是将音频信号还原成声音信号的一种装置，主要由箱体、喇叭单元、分频器和吸音材料四个部分构成。

通过声卡与音箱的配合，可以将声音信号播放出来。

1.4 计算机软件

计算机的硬件系统和软件系统是密切相关、相互依存的，硬件是一切运算的物质基础，没有硬件，就没有计算机；软件是计算机的灵魂，决定了计算机的处理能力，软件是人与硬件的接口，软件指挥和控制着硬件的整个工作过程。没有软件，计算机系统就无法工作；没有软件，硬件将无所作为。

1.4.1 计算机软件概述

计算机完成特定任务是由程序来控制的，程序并不等同于软件，它只是软件的一个重要组成部分。

1. 软件的定义

从不同的角度去描述，就会有关于软件的不同定义。人们经常将“软件”与程序、数据等概念相混淆，一般认为软件不仅仅包含程序，连同与程序相关的数据和文档一起统称为软件。软件的主体是程序，程序是人们为了解决某一特定问题而编写的有序的指令代码的集合，它是告诉计算机做什么和如何做的一组指令（语句）。单独的数据和文档一般不能被认定为软件。数据是指程序运行过程中需要处理的对象和必须使用的一些参数；文档是指与程序开发、维护和操作有关的一些资料，如程序设计说明书、流程图、用户手册等。

2. 软件的特性

在计算机系统中，软件和硬件是两种不同的产品。硬件是有形的物理实体，软件是人们解决信息处理问题的原理、规则与方法的体现，往往是看不见、摸不着的，与硬件相比具有许多不同的特性：

① 不可见性：软件不是一个可见的物理实体，它以二进制编码的形式被存储在一定的物理介质上，必须由计算机硬件执行后才能发挥作用，所以它的价值也不是以物理载体的成本来衡量的。

② 适用性：一个软件往往不只是用来解决一个问题的，而是用来解决一类问题的。

③ 依附性：软件不能独立存在和运行，必须依附在一定的环境中。这里的环境是指由特定的计算机硬件、网络和其他软件组成的计算机系统。

④ 复杂性：好的软件不仅仅要求在功能上满足应用的需求，还要求响应速度快、操作灵活、使用方便、安全可靠、适应性强、方便维护和升级等，诸多的要求势必使得软件的复杂性增加。

⑤ 无磨损性：软件在使用过程中，不会出现损耗或老化现象。如果软件所依附的环境不发生改变，软件将可以永远被使用下去。

⑥ 易复制性：目前，软件的盗版现象比比皆是，其原因就是易复制性。软件开发者除了依靠法律保护外，还经常在自己的软件中使用一些防拷贝技术来降低软件的易复

制性。

⑦ 不断演变性：计算机的硬件在不断发展，人们的需求也在不断发展，一个软件在开发出来后，往往只能适用一段时间，然后就会慢慢被淘汰。因此，软件开发者需要根据硬件的发展情况和人们的需求，不断推出新版本来更改和提升原有软件的功能，以适应市场的需求。

⑧ 有限责任：由于目前没有任何一种方法来证明某个软件的绝对正确性，因此，软件开发者只能承担有限的责任，商用软件中经常能看到类似这样的“有限保证”的声明：“本软件不做任何保证。程序运行的风险由用户自己承担。这个程序可能会有一些错误，你需要自己承担所有服务、维护和纠正软件错误的费用。另外，生产厂商不对软件使用的正确性、精确性、可靠性和通用性做任何承诺。”

⑨ 脆弱性：虽然软件开发者竭尽所能地发现和改正软件中的错误，但无法保证软件的绝对正确性，黑客攻击、病毒入侵、信息盗用、邮件轰炸、网络木马等往往都是利用软件中的某些错误来损害软件使用者的利益，这些非法的行为使得我们的计算机系统非常的脆弱，容易被修改和破坏。

3. 软件的分类

通常计算机软件被分为系统软件和应用软件两大类，图 1-43 给出了计算机软件的分类。

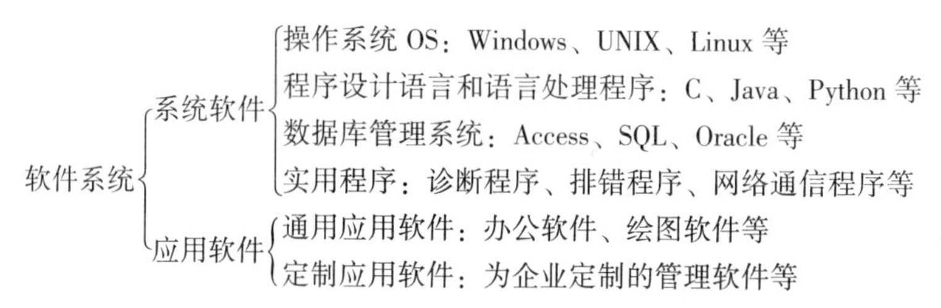

图 1-43 计算机软件的分类

（1）系统软件

系统软件是指控制和协调计算机及外部设备，支持应用软件的开发和运行，或者为用户管理和使用计算机提供方便的一类软件。它的主要功能有：启动计算机；存储、加载和执行应用程序；对文件进行排序、检索；将汇编语言或高级语言翻译成机器语言等。

系统软件是最靠近硬件层次的一类软件，它是计算机系统的管家。对硬件而言，它既受到硬件的支持，又能控制硬件各部分的协调运行；对软件而言，它是各种应用软件的依托，既为应用软件提供支持和服务，又对应用软件进行管理和调度。

在计算机系统中，系统软件是必不可少的。如果缺少了这些基本的系统软件，计算机将无法工作。常见的系统软件有：基本输入/输出系统（BIOS）、操作系统（如 Windows、UNIX）、程序设计语言处理程序、数据库管理系统、常用的实用程序等。

（2）应用软件

应用软件，是指在不同的应用领域中，为解决各类问题而编写的程序，它是直接面向用户需求的一类软件。应用软件比系统软件更加丰富多彩，它进一步扩充了计算机的功能，使计算机具有更强的通用性和广泛性。

按照应用软件的开发方式和适用范围，可将其分为通用应用软件和定制应用软件两类。通用应用软件是一些几乎人人都需要使用的，但是为了某一特定目的服务的一类软件，如文字处理软件、信息检索软件、游戏软件、媒体播放软件等，这类软件设计精巧，易学易用。定制应用软件是按照特定领域用户的特定应用要求而专门设计开发的软件，这类软件专用性强，设计和开发成本相对较高，主要是一些专门的机构或用户购买，价格比通用应用软件贵。

表1-6　通用应用软件的主要类别和功能

类别	功能	主流软件
文字处理软件	文本编辑、处理、图文混排等	WPS、Word、WordPerfect、FrontPage等
电子表格软件	表格定义、数值计算、绘制图表等	Excel等
演示软件	幻灯片制作与播放	PowerPoint等
图形图像软件	图像处理、图形绘制、动画制作等	AutoCAD、Photoshop、CorelDraw、3DS MAX等
网络通信软件	电子邮件、聊天、IP电话等	Outlook Express、QQ等
媒体播放软件	播放各种数字音频和视频文件	Windows Media Player、RealPlayer、暴风影音、Itunes、Winamp等
信息检索软件	在网络中查找信息	百度、谷歌（Google）等

4. 软件的保护

（1）软件的授权方式

不同的软件一般都有对应的软件授权，这样可以保护软件开发者的利益。依据授权方式的不同，大致可将软件分为以下几种：

① 商品软件。

商品软件的源码通常被所有者视为私有财产而予以严密的保护，用户必须付费才能得到它的使用权，而且也不允许用户随意复制、研究、修改或散布该软件。商品软件除了受版权保护之外，还受到软件许可证的保护，违反者将要承担严重的法律责任。传统的商业软件公司会采用此类授权，例如微软的一系列操作系统软件和办公软件。

② 自由软件。

自由软件正好与商品软件相反，它的源代码是公开的，供用户自由下载使用，且允许用户随意复制、研究、修改和散布软件，但要求对软件源代码的任何修改都必须向所有用户公开，还必须允许以后的用户享有进一步拷贝和修改的自由。

自由软件的创始人是理查德·马修·斯托曼（Richard Matthew Stallman）。理查德认为一个好的软件应该自由自在地让人取用，而不应该作为相互倾轧、剥削的工具。他于1984年启动了开发“类UNIX系统”的自由软件工程（名为GNU），创办了自由软件基金会（FSF），拟定了通用公共许可证（GPL）来贯彻自由软件的非版权理念。

自由软件有利于软件共享和技术创新，它的出现促使了一大批精品软件的产生。Linux、Firefox、TCP/IP协议、PHP、MySQL、BSD等都是自由软件的代表。

③ 免费软件。

免费软件是不用付费就可取得的软件，但不提供源码，也无法修改。免费软件可拷贝给他人，而且不必支付任何费用给软件的开发者，使用上也不会出现任何日期的限制或是软件使用上的限制。但当拷贝给他人时，必须将完整的软件档案一起拷贝，且不得收取任何费用或转为其他商业用途。在未经软件开发者同意时，不能擅自修改该软件的程序代码，否则视同侵权。Adobe Reader、360 杀毒软件、腾讯 QQ 等都是免费软件。

注意：大多数自由软件都是免费软件，但免费软件并不全是自由软件。

④ 共享软件。

共享软件是一种“买前免费试用”的具有版权的软件，通常可免费取得并使用其试用版，但在功能或使用期限上受到限制。开发者会鼓励用户付费以取得功能完整的商业版本。

⑤ 公共软件。

公共软件是没有版权的软件。没有版权的原因可能是原开发者放弃权利、著作权过期或开发者已经不可考究等。

（2）软件的保护条例

人们为了开发软件，必然要投入大量的人力、物力和财力。软件是一种智力活动的成果，它的价值已经被人们接受，而且越来越受到社会的重视，如何用法律手段来保护软件开发者的权益，已成为社会普遍关注的问题。为此，国内外都已制定了计算机软件的法律保护手段，主要有：《中华人民共和国专利法》（以下简称《专利法》）、《中华人民共和国著作权法》（以下简称《著作权法》）、《中华人民共和国反不当竞争法》和《计算机软件保护条例》。

①《专利法》。

《专利法》中规定，一旦某个软件获得了专利，即使是独立开发出来的其他类似软件，也不能销售。

②《著作权法》。

《著作权法》中规定，计算机软件与书籍、音乐、论文、电影等一样受到知识产权（版权）法的保护。版权是授予软件开发者的某种独占权利的一种合法的保护形式，版权所有者唯一地享有该软件的拷贝、发布、修改、署名、出售等多项权利。作为软件使用者购买了一个软件之后，仅仅只得到了该软件的使用权，并没有获得对该软件的其他权利，因此，随意进行软件的拷贝和分发是一种违法行为。

③ 商业秘密法。

商业秘密法中规定，禁止泄露行为和窃取行为以及不合法的使用行为。

④《计算机软件保护条例》。

我国于 2002 年 1 月 1 日起施行的《计算机软件保护条例》中明确了软件著作权人的权利：发表权、署名权、修改权、复制权、发行权、出租权、信息网络传播权、翻译权等，指明了软件著作权的许可使用和转让应遵循的规定，阐明了违反相关规定的侵权行为应承担的法律责任。

1.4.2　操作系统概述

操作系统（Operating System，简称OS）是一组管理计算机硬件与软件资源的程序，它对硬件系统进行了第一次扩充，把硬件裸机改造成为功能完善的一台虚拟机。

1. 操作系统的概念

操作系统是计算机系统最重要的一种系统软件，也是计算机系统的内核与基石。操作系统是一些程序模块的集合。它们能以尽量有效、合理的方式管理和控制计算机系统中的硬件及软件资源，合理地组织计算机工作流程，为应用程序的开发和运行提供一个高效的平台，同时为用户提供一个功能完善、使用方便、可扩展、安全和可管理的工作环境与友好的接口。

从图1-44中可以看出，裸机在最底层，其上层为操作系统。操作系统是计算机必须配置的最基本和最重要的系统软件，是硬件的第一级扩充。经过操作系统提供的资源管理功能和方便用户的各种服务手段把裸机改造成为功能更强、使用更为方便的机器，通常称为“虚拟机”。而其他系统软件和应用软件则运行在操作系统之上，需要操作系统支撑。

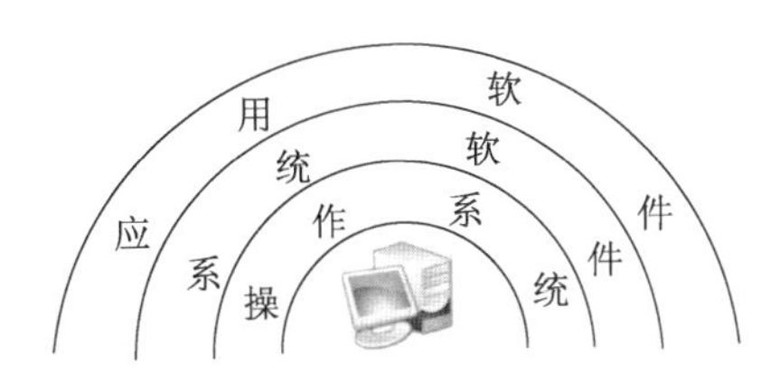

图1-44　硬件和软件

2. 操作系统的作用

操作系统主要有以下三个方面的作用：

（1）为计算机中运行的程序管理和分配各种软、硬件资源

计算机系统的资源可分为硬件资源和软件资源两大类。硬件资源指的是组成计算机的硬件设备，如中央处理器、主存储器、磁盘存储器、打印机、磁带存储器、显示器、键盘和鼠标等；软件资源指的是存放于计算机内的各种数据和程序，如文件、程序库、知识库、系统软件和应用软件等。

系统的硬件资源和软件资源都由操作系统根据用户需求按一定的策略来进行分配和调度。一般情况下，计算机中总是有多个程序在同时运行，它们要求根据需要使用系统中的各种资源，而操作系统就承担着资源的调度和分配任务，避免程序之间发生冲突，使所有程序都能正常有序地运行。

操作系统的存储管理负责把内存单元分配给需要内存的程序以便让它执行，在程序执行结束后将它占用的内存单元收回以便再利用；处理器管理（或称处理器调度）是操作系统资源管理功能的另一个重要内容。在一个允许多个程序同时执行的系统里，操作系统会根据一定的策略将处理器交替地分配给等待运行的程序，使各种程序能够有序运行；操作系统的设备管理功能主要是分配和回收外部设备，以及控制外部设备按用户程序的要求进行操作等；文件管理主要是操作系统向用户提供一个文件系统，通过文件系统向用户提供创建文件、删除文件、读写文件、打开和关闭文件等功能。

（2）为用户提供友善的人机界面

人机界面（Human Machine Interaction，简称 HMI），是用户与计算机之间传递、交换信息的媒介和对话接口，是计算机系统的重要组成部分。人机界面主要通过可输入输出的外设及相应的软件来实现相关功能。

目前，操作系统向用户提供的人机界面的主要形式为图形用户界面或图形用户接口（Graphical User Interface，简称 GUI），它采用图形方式显示计算机操作环境，通过多个窗口分别显示正在运行的各程序的状态，采用“图标”来形象地表示系统中的文件、程序等对象，并将系统命令和程序功能集成在“菜单”中。与早期计算机使用的命令行界面相比，图形界面对于用户来说更简便易用。用户不再需要死记硬背大量的命令，而是通过窗口、菜单、鼠标按键等方式来进行操作，可以更直观、灵活、方便、有效地使用计算机。

（3）为应用程序的开发和运行提供一个高效率的平台

没有安装操作系统的裸机是无法工作的，安装了操作系统后的虚拟机可以屏蔽物理设备的具体技术细节，以规范、高效的方式（例如系统调用、库函数等）为开发和运行其他系统软件及各种应用程序提供了一个平台。

3. 操作系统的启动

在计算机中安装了操作系统后，操作系统大多驻留在计算机的硬盘存储器中，其引导过程是指打开电源启动计算机后，操作系统内核文件如何从外存进入内存并形成一个用户能使用计算机的环境的过程。操作系统的引导过程涉及计算机硬件的底层功能，主要有如下几个启动步骤：

① 系统加电，处理器复位，查找计算机启动指令的 ROM BIOS。

② 执行 BIOS 中的加电自检程序（Power-On Self Test，简称 POST），检测系统中的一些关键设备是否存在以及能否正常工作，例如内存和显卡等设备，并显示检测信息。

③ 若自检无异常情况，CPU 将继续执行 BIOS 中的引导装入程序，即自举程序，根据用户在 CMOS 中设置的启动顺序从软盘、硬盘、光盘等启动，读出主引导记录并装入内存，然后将系统控制权交给其中的引导程序。

④ 由引导程序装入操作系统。操作系统成功装入后，整个计算机的控制权就交给了操作系统，用户就可以正常使用计算机了。

4. 常见操作系统

随着计算机软硬件技术的发展，操作系统也在不断地发展，出现了许多不同版本的操作系统。其中最典型的操作系统有 DOS、Windows、UNIX、Linux、OS/2 等，下面简要介绍 PC 上常见的几种操作系统。

（1）DOS 操作系统

DOS 是磁盘操作系统的简称，是一个单用户单任务操作系统，用于个人计算机。它最初是在 1981 年由美国微软公司和 IBM 公司联合开发而成，从 1981 年直到 1995 年的 15 年间，DOS 操作系统在 IBM PC 兼容机市场中占有举足轻重的地位，连续推出了十几个版本，典型的有 DOS 3. x 和 DOS 6. x。

DOS 操作系统为用户操作 PC 及应用软件开发提供了良好的外部环境。首先，用户可以非常方便地使用几十个 DOS 命令，通常以命令行的方式直接输入或在 DOS 4.0 以上版本以 DOS Shell 菜单驱动，完成对 PC 的一切操作；其次，用户可用汇编语言或 C 语言来调用 DOS 支持的十多个中断功能和上百个系统功能。用户通过这些服务功能开发的应用程序具有代码清晰、简洁和实用性强等特点。

在 Windows 95 出现之前，DOS 是 PC 中最基本的配置，是个人计算机中使用最普遍的操作系统。但是，随着 Windows 95 的出现，DOS 操作系统已经逐渐退出了历史舞台。现在，只有在 Windows 的“附件”所包含的“命令提示符”功能中，还可以看到 DOS 的身影。

（2）Windows 操作系统

Windows 操作系统是美国微软公司在 DOS 基础上发展起来的一种采用图形用户界面的操作系统。与 DOS 操作系统相比，Windows 功能更强大，用户界面更直观，操作方便灵活，是目前个人计算机使用最普遍的操作系统。

自 1985 年微软推出 Windows 1.0 以来，Windows 操作系统经历了 30 多年的发展，形成了一系列产品。从最初运行于 DOS 操作系统上的 Windows 3.1 及以前版本，到现在风靡全球的 Windows 9x、Windows 2000、Windows XP、Windows 7、Windows 8、Windows 10 等，Windows 在发展过程中推出了多种不同的版本。

Windows 3.1 及以前的版本均为 16 位系统，只能在 MS-DOS 上运行，必须与 MS-DOS 共同管理系统资源，所以它们不是独立的、完整的操作系统。

1995 年推出的 Windows 95 是一个完整的集成化的 32 位操作系统，它摆脱了 MS-DOS 的控制，提供了强大的功能并简化了用户操作，因而一上市就震撼全球。同时，它对 MS-DOS 的应用程序和 Windows 应用程序具有良好的兼容性。1998 年推出的 Windows 98，则全面增强了 Windows 95 的功能，提高了稳定性，使运行速度更快，增强了管理能力，扩大了网络功能，具有高效的多媒体数据处理技术。

在开发 Windows 9x 操作系统的同时，微软公司还开发了一个新的操作系统系列——Windows NT，它是纯 32 位操作系统，使用先进的 NT 核心技术，非常稳定。

Windows NT 进一步发展后诞生了 Windows 2000。它被誉为迄今为止最稳定的操作系统，是一个面向商务应用的操作系统，具有高可靠性和高可用性。

2001 年，微软公司发布了 Windows XP 操作系统。它简化了 Windows 2000 的用户安全特性，并整合了防火墙，以解决长期以来一直困扰微软的安全问题。

2006 年 11 月，微软又推出了 Windows Vista。与 Windows XP 相比，Windows Vista 在界面、安全性和软件驱动集成性上有了较大的改进。

2009 年，微软公司发布了 Windows 7 操作系统。它更注重人性化设计，在易用性、安全性、降低成本、网络连接、软件兼容等方面都得到加强。

2012 年，微软公司发布了 Windows 8 操作系统。这个版本在 Windows 系统的所有版本中地位比较特殊。市场占有率不高，用的人不多，主要是 Windows 8 的稳定性和兼容性比较差，开始界面和 Windows 7 有较大差别，用户一时难以从 Windows 7 过渡过来，所以造成使用 Windows 8 的人很少。

2015 年，微软公司发布了 Windows 10 操作系统，这是一个跨平台的操作系统，可应用于计算机和平板电脑等设备。

综上所述，Windows 系列操作系统的发展非常迅速，功能也越来越完善，在市场上也保持着很高的占有率，其取得成功的关键在于其具有以下优点：界面图形化、多用户及多任务、承载了丰富的应用程序、支持网络和多媒体技术、硬件支持良好。

（3）UNIX 操作系统

UNIX 是一个强大的多用户、多任务操作系统，它支持多种处理器架构，最早于 1969 年在 AT&T 的贝尔实验室中被开发。经过长期的开发和完善，现在已经发展为一种主流的操作系统技术和基于这种技术的产品大家族。由于 UNIX 技术成熟、可靠性高、网络和数据库功能强、短小精悍、简捷有效、易移植、可扩充、伸缩性突出和具有良好的开放性等特点，可满足各行各业的实际需要，因此成为主要的工作站平台和重要的企业操作平台。直到 GNU/Linux 开始流行前，UNIX 一直是科学计算、大型机、超级计算机等使用操作系统的主流。

（4）Linux 操作系统

Linux 操作系统是 UNIX 操作系统的一种克隆系统，也是一种多用户多任务分时操作系统。最早由芬兰人林纳斯·本纳第克特·托瓦兹（Linus Benedict Torvalds）编写，于 1991 年 10 月第一次正式对外公布。随后借助于 Internet 网络，并经过世界各地计算机爱好者的共同努力，现已成为世界上使用最多的一种类 UNIX 操作系统，并且使用人数还在迅猛增长。

Linux 是最受欢迎的自由电脑操作系统内核。它是一个用 C 语言和汇编语言写成的符合 POSIX 标准的类 UNIX 操作系统，具有 UNIX 操作系统的全部功能。Linux 对硬件的要求很低，功能强大而且架构开放，能很好地支持虚拟内存、虚拟文件系统和 TCP/IP 协议。

Linux 受到广大计算机爱好者喜爱的主要原因是它属于自由软件，用户不用支付任何费用就可以获得该软件及其源代码，并可以根据自己的需要进行必要的修改、无偿使用和无约束地继续传播。

Linux 可安装在各种计算机硬件设备中，从手机、平板电脑、路由器和视频游戏控制台，到台式计算机、大型机和超级计算机。Linux 是一个领先的操作系统，世界上运算最快的 10 台超级计算机运行的都是 Linux 操作系统。目前，Linux 已成为最受瞩目的操作系统之一，在市场占有的份额也越来越高。

（5）手机操作系统

手机操作系统一般只应用在智能手机上，是智能手机最重要的组成部分。

手机所有的功能要依靠操作系统来实现，而用户的感知也基本来自与操作系统之间的互动。目前，在智能手机市场上，中国市场仍以个人信息管理型手机为主，随着更多厂商的加入，整体市场的竞争已经开始呈现分散化的态势。从市场容量、竞争状态和应用状况上来看，整个市场仍处于启动阶段。

应用在手机上的操作系统的种类很多，以下简要介绍几种目前市场上比较主流的智能操作系统。

① iOS。

iOS 是由苹果公司开发的手持设备操作系统，主要供 iPhone、iPod touch 以及 iPad 使用，最早于 2007 年 6 月发布。这个系统原本名为 iPhone OS，直到 2010 年 6 月 7 日于 WWDC（全球开发者大会）上宣布改名为 iOS。

iOS 最大的特点是“封闭”，苹果公司要求所有对系统做出更改的行为（包括下载音乐、安装软件等）都要经由苹果自有的软件来操作，这种做法虽然提高了系统的安全性，但也限制了用户的个性化需求。正因为如此，能够突破苹果限制的软件应运而生，通过这些软件，用户可以不经苹果的自有软件而任意将下载的音乐、破解的软件等装入 iPhone，这一过程称为“越狱”。

iOS 系统打破了原有操作系统的概念，开创性地内置了两个关键的应用程序：Itunes 和 App Store，用户可以通过手机中的 Itunes 购买歌曲和视频，可以通过 App Store 购买软件。

② Android。

Android 中文音译为安卓、安致，是由美国 Google 公司于 2007 年 11 月发布的基于 Linux 平台的开源手机操作系统，主要用于便携设备，如智能手机和平板电脑。

与 iOS 正好相反，Android 系统最大的特点是“开放”，它采用了软件堆层的架构，主要分为三部分，底层 Linux 内核只提供基本功能，其他的应用软件则由各公司自行开发，这就给内置该系统的设备厂商很大的自由空间，同时也使得为该系统开发软件的门槛变得极低，这也促进了软件数量的增长。

Android 系统的另一大特色是实现了与 Google 各类应用的无缝连接，使得用户可以十分便捷地使用搜索、地图、邮箱等 Google 的优秀服务。

③ Symbian。

Symbian 中文音译为塞班，是一个曾经统治智能手机市场数年的操作系统。它是一个实时性、多任务的纯 32 位操作系统，具有功耗低、内存占用少等特点，非常适合手机等移动设备使用，经过不断完善，可以支持 GPRS、蓝牙、SyncML 等技术。最重要的是它是一个标准化的开放式平台，任何人都可以为支持 Symbian 的设备开发软件。

Symbian 系统的优势是其具有易用性，即使是在触屏手机发展得如火如荼的今天，搭配该系统的实体按键手机仍然是很多用户的最爱，尤其对于仅将手机用于打电话和发短信的用户来说，Symbian 系统依然是最易用的。但受制于系统自身的原因，Symbian 系统对多媒体的支持是其最主要的软肋，也正是由于这个原因使得该系统在移动多媒体需求日益旺盛的今天逐渐被市场冷落。由于 iOS、Android 等操作系统的崛起，Symbian 系统的市场逐渐被蚕食。

1.4.3　程序设计语言及语言处理程序

1. 程序和程序设计语言

计算机是一种具有存储程序、执行程序能力的电子设备，计算机的所有功能都是通过执行程序实现的。程序就是人们把需要做的工作写成一定形式的指令序列，并把它存储在计算机的存储器中，当人们给出命令之后，计算机就按照指令的执行顺序自动进行相应操作，从而完成相应的工作。人们把这种可以连续执行的一条条指令的序列称为“程序”。编写程序的过程就称为“程序设计”。

人们编写的指令序列是为了使计算机能够正确识别和执行，不能随意编写，必须有一定的规则。这些规则的定义包含了一系列的文法和语法的要求，按照这些规则编写的程序能够被计算机理解并执行，所以它是人和计算机之间的交流语言。这种语言类似于人与人之间交流的语言，虽然没有人类语言那么复杂，但逻辑上要求更加严格，符合这些规则的“语言”也被称为“程序设计语言”。

2. 程序设计过程

程序设计是程序员根据程序设计语言的语法规则，编写指令用于指示计算机完成指定工作的过程。这些指令也称作代码，指令代码的集合则被称为源代码，或者源程序。

计算机程序设计的过程一般由四个步骤组成：

（1）分析问题

分析要解决的问题，充分理解问题的内容，明确问题所涉及的原始数据、解题要求和正确的处理结果等。

（2）算法设计

算法是对问题求解步骤的一种描述。在分析完要解决的问题后，就要考虑解决问题需要哪些步骤，即设计算法。算法设计可以采用由粗到细、自上而下、逐步细化的设计方法，即先设计出解题的大步骤，再对大步骤细分，设计出解题的小步骤，直到最后把整个问题具体化为可用程序语句表达的详细算法。

（3）编码

根据所设计的算法，选择某种具体的程序设计语言来完成编写相应的源代码，这个过程就是编码。程序就是一个用程序设计语言通过编码实现的算法。

（4）调试程序

利用程序设计语言的语言处理系统，对程序员编写的源程序进行检查，发现和修正程序中的各种错误，如语法错误、编译错误和逻辑错误等，使程序能够正常运行并得到正确的结果。

3. 程序设计语言的分类

程序设计语言是标准化的用于定义计算机程序的一组语法规则和记号，用来向计算机发出指令。一种计算机语言应当能够让程序员准确地定义计算机所需要使用的数据，以及在不同情况下采取的行动。

程序设计语言有几百种之多，但常用的不过十几种，按照程序设计语言发展的过程大概被分为三大类：

（1）机器语言

机器语言［图 1-45（a）］是一种面向机器的语言，它是最底层的计算机语言。用机器语言编写的程序，计算机硬件可以直接识别。机器语言程序中的每条指令都是二进制形式的指令代码。对于不同的计算机硬件（主要指 CPU），其机器语言是不同的，因此，针对某一种计算机所编写的机器语言程序多数不能在另一种计算机上运行。

由于机器语言程序是直接针对计算机硬件所编写的，因此它的执行效率比较高，能充分发挥计算机的高速性能。但是，用机器语言编写程序的难度比较大，首先是程序的直观性差，容易出错，其次是一般不能轻易移植。

（2）汇编语言

汇编语言[图1-45（b）]也是一种面向机器的语言。为了便于理解与记忆，人们采用能帮助记忆的英文缩写符号（称为指令助记符）来代替机器语言指令代码中的操作码，用地址符号来代替地址码。

由于汇编语言与机器语言是一一对应的，因此汇编语言也与具体使用的计算机有关。由于汇编语言采用了助记符，它比机器语言要直观，容易理解和记忆，但是计算机不能直接识别用汇编语言编写的程序。

（3）高级语言

高级语言[图1-45（c）]是一类面向问题或面向对象的语言，它并不面向机器，不依赖于具体机器，在不同的平台上高级语言会被编译成不同的机器语言，而不是直接被机器执行。

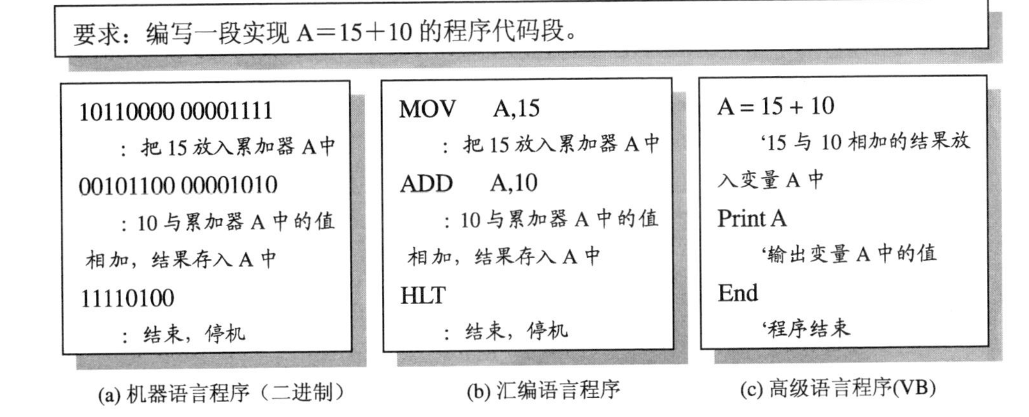

图1-45　三种语言解决同一问题的程序

高级语言的表达方式接近于被描述的问题，由于它类似于自然语言和数学语言，从而更易于被人们接受和掌握。高级语言的特点是易学、易用、易维护，人们可以更有效、方便地利用它来编写各种用途的计算机程序，并且独立于具体的计算机硬件，通用性和可移植性更好。

4. 语言处理系统

用机器语言编写的程序可以被计算机识别，即可以直接在计算机上执行，而用其他两类语言编写的源程序则无法在计算机上直接运行，这时需要由相应的语言处理系统来完成从源程序转换到机器语言程序的过程。转换后的机器语言程序被称为可执行程序，它能够被计算机识别，并可以在计算机上运行。

（1）汇编语言的处理系统

用汇编语言编写的程序称为汇编语言源程序，而汇编语言源程序无法在计算机上直接运行，它需要由一种“翻译”程序将该源程序转换为机器语言程序后才能运行，这种翻译程序就是汇编程序。经汇编程序翻译后得到的机器语言程序称为目标程序。

（2）高级语言的处理系统

用高级语言编写的程序称为高级语言源程序，高级语言源程序必须翻译成机器语言程序后才能被计算机执行，否则计算机无法直接执行用高级语言编写的源程序。经语言处理系统翻译后得到的机器语言程序称为目标程序。

高级语言处理系统的翻译方式有两种：一种是编译方式，另一种是解释方式。相应的语言处理系统分别被称为编译程序和解释程序。

① 编译方式。

在编译方式下，由编译程序将源程序整个地“翻译”成用机器语言表示的等价的目标程序，该目标程序可以被计算机执行，完成需要的运算并获得相应的结果。C/C++、Pascal、Fortran、COBOL 等高级语言都是采用编译方式。

② 解释方式。

在解释方式下，如同生活中的“同声翻译”一样，讲一句立即翻译一句。解释程序按照高级语言源程序中语句的顺序，逐句解释成机器语言的代码，解释一句执行一句，立即产生运行结果，并不产生目标代码。

解释程序这种边解释边执行的方式，特别适合人机对话，对初学者有利，便于程序员查找错误的语句行，但是解释程序的执行速度慢，执行效率低。早期的 Basic 和 LISP 等语言都是采用解释方式。

5. 常用程序设计语言简介

（1）Basic、Visual Basic 和 Visual Basic .NET

Basic 的英文含义是“初学者通用符号指令代码”，是 1965 年由美国科学家托马斯·库尔兹开发出来的。10 多年后，比尔·盖茨把它移植到 PC 上。多年来，因其简单易学的特点，Basic 语言一直是计算机语言初学者使用最广泛的一种高级语言。它能够进行数值计算、画图、演奏音乐等，功能十分强大。

Visual Basic（简称 VB）是微软（Microsoft）公司推出的一种 Windows 应用程序开发工具，它源于 Basic 编程语言，是当今世界上使用最广泛的编程语言之一。VB 拥有图形用户界面和快速应用程序开发（RAD）系统，可以轻易地使用 DAO、RDO、ADO 等来连接数据库，或者轻松地创建 ActiveX 控件。程序员能够轻松地使用 VB 提供的组件来快速建立一个应用程序。

Visual Basic .NET 是基于微软 .NET Framework 之上的面向对象的中间解释性语言，可以看作是 Visual Basic 在 .NET Framework 平台上的升级版本，支持许多新的或改进的面向对象语言功能。

（2）C、C++和 C#

1972 年，美国贝尔实验室设计开发了 C 语言，最初的 C 语言只是为描述和实现 UNIX 操作系统而设计，后来美国国家标准化协会（ANSI）和国际标准化组织（ISO）对其进行了扩充。C 语言有 Microsoft C、Turbo C、Borland C 等多个版本，是目前世界流行的、使用最广泛的高级程序设计语言之一。

C 语言既有高级语言的特点，可以用来编写应用软件，同时它也提供了指针类型，能够直接对指定内存进行操作，并且有各种位运算，可以更加方便地控制系统硬件，因此它可以用来编写系统软件，如 UNIX 就是用 C 语言编写的。

C++是在 C 语言的基础上发展而来的，它是一种优秀的面向对象的程序设计语言，在计算机科学的各个领域得到了广泛的应用。

C#（读作 C sharp）是微软公司发布的一种面向对象的、运行于 .NET Framework 之上、主要从 C 和 C++继承而来的高级程序设计语言。

（3）Java

Java 包含一种计算机编程语言和一个平台，由太阳计算机系统（Sun）公司发布，并作为一种开放的标准对外发布。

Java 平台包括 Java 虚拟机（Java Virtual Machine，简称 JVM）和 Java 应用程序接口（API）。Java 将源程序编译成字节码（bytecode），并通过 Java 虚拟机解释字节码的方式来执行。因为这种运行方式只要针对不同的计算机平台准备相应的 Java 虚拟机，就可以很方便地实现 Java 语言的跨平台性。因此，Java 非常适合于企业网络和 Internet 环境，已成为 Internet 中最受欢迎、最有影响力的编程语言之一。

Java 有许多值得称道的优点，如简单、面向对象、分布式、解释性、安全、可靠、结构中立性、可移植性、高性能、多线程、动态性等。

（4）Python

Python 是一种被广泛使用的解释型、通用的高级编程语言，由荷兰国家数学与计算机科学研究中心的吉多·范罗苏姆（Guido van Rossum）开发，第一版发布于 1991 年。

Python 提供了高效的高级数据结构，能简单有效地面向对象编程。Python 支持多种编程范型，包括函数式、指令式、结构化、面向对象和反射式编程。Python 解释器易于扩展，可以使用 C 或 C++（或者其他可以通过 C 调用的语言）扩展新的功能和数据类型。Python 可用于可定制化软件中的扩展程序语言。Python 拥有动态类型系统和垃圾回收功能，能够自动管理内存。其本身拥有一个巨大而广泛的标准库，提供了适用于各个主要系统平台的源码或机器码。Python 语法和动态类型，以及解释型语言的本质，使它成为多数平台上写脚本和快速开发应用的编程语言。随着版本的不断更新和语言新功能的增加，Python 逐渐被用于独立的大型项目的开发。

（5）Pascal 和 Delphi

Pascal 是一种计算机通用的高级程序设计语言，具有简明化和结构化的特点，适用于教学和科学计算，以及系统软件的开发。它具有丰富的数据类型并且允许用户自己定义数据类型，可以方便地描述各种算法与数据结构。

Delphi 是 Borland 公司推出的可视化编程软件，它使用了 Microsoft Windows 图形用户界面的许多先进特性和设计思想。Delphi 实际上是 Pascal 语言的升级版本，但它与传统的 Pascal 语言有天壤之别，Delphi 是完全面向对象的，同时兼备了 VC 功能强大和 VB 简单易学的特点，因而具有强大的吸引力。

（6）FORTRAN

FORTRAN 是英文“FORmula TRANslator”的缩写，意为“公式翻译器”，它是世界上最早出现的计算机高级程序设计语言，被广泛应用于科学和工程计算领域。

FORTRAN 语言具有精度高、能处理复杂数据、强大的指数运算能力等特点，更适合在数值、科学和工程计算领域发挥作用。

1.5 多媒体技术简介

自 20 世纪 80 年代以来，多媒体及多媒体技术得到了空前的发展。多媒体技术是当今信息技术领域发展最快、最活跃的技术，它促进了通信、娱乐、计算机等领域的融合，被广泛应用在教育、通信、娱乐、新闻等行业，正悄悄地改变着我们的生活。

1.5.1 多媒体的概念与特点

1. 多媒体的基本概念

多媒体涉及的技术范围很广，是多种学科和多种技术交叉的领域。

媒体，也称媒介或媒质，它是信息的载体。根据国际电报电话咨询委员会 CCITT 建议的定义，媒体有感觉媒体、表示媒体、表现媒体、存储媒体和传输媒体五种。

（1）感觉媒体（Perception Medium）

感觉媒体是指直接作用于人的感觉器官，使人产生直接感觉的媒体，如引起视觉反应的图像、视频，引起听觉反应的声音等。感觉媒体一般包括自然界的各种声音、人类的各种语言、文字、音乐、图像、图形、动画等。

（2）表示媒体（Representation Medium）

表示媒体是为了加工、处理和传输感觉媒体而对信息进行编码。根据各类信息的特性，表示媒体有多种编码方式，如语音的 PCM 编码、文本的 ASCII 编码、静止图像的 JPEG 编码和运动图像的 MPEG 编码等。

（3）表现媒体（Presentation Medium）

表现媒体是指获取和显示的设备，也称为显示媒体。表现媒体可分为输入显示媒体和输出显示媒体。输入显示媒体有键盘、鼠标、光笔、数字化仪、扫描仪、麦克风、摄像机等；输出显示媒体有显示器、音箱、打印机、投影仪等。

（4）存储媒体（Storage Medium）

存储媒体又称存储介质，指存储数据的物理设备，如硬盘、软盘、U 盘、光盘、磁带、半导体芯片等。

（5）传输媒体（Transmission Medium）

传输媒体指的是传输数据的物理设备，如各种电缆、导线、光缆等。

我们通常所说的多媒体，是指融合两种或两种以上媒体的一种人机交互式信息交流和传播媒体。在现实生活中，人们经常将多媒体与多媒体技术等同起来。多媒体技术实际上是将多种媒体形式集成起来，以更加自然、方便的方式使信息与计算机进行交互，使得信息表现得更加图、文、声并茂。

多媒体技术是数字化信息处理技术，计算机软硬件技术，音频、视频、图像压缩技术，文字处理技术和通信与网络技术等多种技术的结合。概括地说，多媒体技术就是利用计算机技术把文本、声音、视频、动画、图形、图像等多种媒体进行综合处理，使多种信息之间建立逻辑连接，集成为一个完整的系统，并能对它们进行获取、压缩编码、编辑、处理、存储和展示等操作。

2. 多媒体技术的特点

（1）多样性

多样性是多媒体及其技术的主要特征。

早期的计算机只能处理数值、文字等单一的信息，而多媒体计算机能综合处理文本、图形、图像、声音、动画和视频等多种形式的信息。多媒体技术就是要把机器处理的信息多样化或多维化。多维化不仅仅指捕获或输入，还包括回放或输出。通过对多维化信息进行变换、组合和加工，大大丰富信息的表现力。

（2）集成性

集成性是指将多种媒体信息有机地组织在一起，共同表达一个完整的多媒体信息，使这些媒体成为密切联系的一体化系统。

多媒体的集成性主要体现在两个方面：多种信息媒体的集成和处理这些媒体的设备集成。前者是指各种信息媒体按照一定的数据模型和组织结构集成为一个有机的整体；后者是指计算机系统、存储设备、音箱设备、视频设备等硬件的集成，以及软件的集成，为多媒体系统的开发和实现建立一个理想的集成环境和开发平台，从而实现图、文、声的一体化处理。

（3）交互性

交互性是多媒体技术的关键特性。

信息的传递不仅仅是单向的和被动的，而且具有双向性。在传统的媒体系统中，例如广播、电视，人们只能被动地接收播放的节目，不能自由选择自己感兴趣的内容。而在多媒体系统中，用户可以通过多种渠道来控制媒体的播放，实现了从“你播放我接收”的单向传输到“我点播你播放”的交互方式的转变。

（4）实时性

实时性是指多媒体技术中涉及的一些媒体，例如音频和视频信息等是和时间密切相关的。多媒体技术要求对它们进行处理以及人机交互、显示、检索等操作都必须实时完成，特别是在多媒体网络和多媒体通信中，实时传播和同步支持将是一个重要的指标。

（5）非线性

一般而言，用户对非线性信息的存取需求比对线性信息的存取需求大得多，这种现象在流媒体的编辑与合成时尤为突出。而在查询系统中，传统的查询系统都是按线性方式检索信息，这不符合人类的联想记忆方式。多媒体信息克服了这个缺点，它用非线性的结构构成表达特定内容的信息网络，使人们可以有选择地查询自己感兴趣的多媒体信息。

总之，多媒体有许多特点，但其最显著的特点是具有媒体的多样性、集成性和交互性。

1.5.2　多媒体系统的组成

多媒体系统是指能够提供交互式处理文本、声音、图像、视频等多种媒体信息的计算机系统，主要由四个部分组成：多媒体硬件系统、多媒体操作系统、媒体系统处理工具和用户应用软件。

1. 多媒体硬件系统

多媒体硬件系统包括计算机硬件、声音/视频处理器、多种媒体输入/输出设备及信号转换装置、通信传输设备及接口装置等。其中，最重要的是根据多媒体技术标准研制而成的多媒体信息处理芯片和板卡、光盘驱动器等。

2. 多媒体操作系统

多媒体操作系统是多媒体的核心系统，除了具有操作系统的基本功能外，还必须具备对多媒体数据和多媒体设备的管理与控制功能，负责多媒体环境下多任务的调度，保证音频、视频同步控制以及多媒体信息处理的实时性，提供对多媒体信息的各种基本操作和管理功能，使多媒体硬件和软件协调工作。

目前，流行的操作系统 Windows 10 等均具备多媒体功能。

3. 媒体系统处理工具

媒体系统处理工具也称为多媒体系统开发工具软件，是多媒体系统的重要组成部分，主要分为媒体制作工具和多媒体应用系统的编辑环境。例如，图像处理软件 Photoshop、Corel Draw 和视频处理软件 Director 等。

4. 用户应用软件

用户应用软件是指根据多媒体系统终端用户的要求而开发的应用软件或面向某一领域的用户应用软件系统，它是面向大规模用户的软件产品。例如，多媒体教学系统、游戏软件、学习软件、各种电子图书等。

1.5.3 多媒体处理的关键技术

得益于计算机技术的超速发展，多媒体技术也随之蓬勃发展。多媒体处理的关键技术有数据压缩和数据通信等。

1. 数据压缩

数据压缩的好处是节省存储空间、减少对网络带宽的占用。数据时代把模拟信号数字化后，所有的多媒体存储都是以二进制即 0 和 1 的形式进行的，这就导致了数据量特别庞大，对媒介的存储容量、信道的传输速率以及计算机的速度都造成了很大的压力。如果不先对多媒体信息进行压缩后再存储和传输，会导致计算机和网络不堪重负。

数据压缩分为无损压缩和有损压缩。无损压缩利用数据的冗余特性进行压缩，压缩过程丢弃的是数据中的冗余部分，在解压缩恢复原始数据时不会引起失真，但存在压缩比不高的缺点；有损压缩则利用了人类的眼睛或者耳朵等感官的局限性进行压缩，压缩过程丢弃的是人类对图像或声音中不敏感的部分，在解压缩恢复原始数据时虽然会引起失真，但这部分失真是可以忽略不计的。有损压缩压缩比高，常用于压缩图像、视频及音频。

2. 数据通信

根据传输介质的不同，数据通信可分为有线通信和无线通信两种，用于同时传输文本、图形、图像、音频、视频等，从而实现对数字信息的接收、处理。现如今视频会议、在线教育等能顺利实现，高速的数据通信是前提和基础，更是整个现代数字世界发展的关键。

1.5.4　多媒体技术的应用

随着5G甚至6G技术的日渐成熟，借助日益普及的高速、低延迟网络，在AI技术的大力支持下，目前，多媒体技术的应用几乎涉及人们生活的各个领域，如在娱乐、商业、教育、电视会议、声像演示等方面都得到了充分应用。下面对此做简单的介绍。

1. 娱乐

（1）家庭信息中心

家庭是未来人们生活、活动，尤其是工作的主要场所，借助家庭信息中心，可以在家中工作、娱乐。人们可以以家庭作为信息中心拨打廉价或免费的网络电话，收发传真和电子邮件，通过视频通信与亲属或同事面对面地交谈，处理工作事宜，还可以进行娱乐和休闲。

（2）视频点播系统

交互式电视会成为电视传播的主要方式。通过增加机顶盒和铺设高速光缆，将有线电视改造成交互式电视系统，从而实现视频点播、交互式电视以及家庭购物、多人网络游戏等功能。

（3）影视娱乐业

多媒体技术在影视作品的制作与处理上被运用得淋漓尽致，将影视娱乐业推向了新的高度。使用先进的多媒体技术，将大量的特效注入影视作品中，从而增加艺术感染力和商业卖点。

2. 教育与培训

教育与培训领域是应用多媒体技术最早也是进步最快的领域。多媒体技术的图、文、声并茂，使得教学过程变得生动有趣，不但扩展了信息量，提高了知识的趣味性，还增强了用户的学习主动性。

3. 电子出版物

多媒体光盘可以把软件、游戏、电影、书籍、杂志等以电子出版物的形式出版和发行，这类出版物不仅可以静态阅读，而且可以动态演示出活动的效果，比传统出版物具有更加丰富和生动的表现力，效果更好。

4. 咨询、信息服务和广告

由于多媒体信息具有易于理解、直观、生动、表现力强等诸多优点，使得它更加适合制作信息咨询系统，运用在如道路查询、航班查询、业务咨询等方面。

（1）平面设计与广告业

将多媒体技术应用于广告业，如影视广告、招贴广告、市场广告、企业广告等，其绚丽的色彩、变化多端的形态、特殊的创意效果，不但能使人们了解广告的意图，而且能获得艺术的享受。

（2）网络信息

Internet的兴起与发展，在很大程度上推动了多媒体技术的进一步发展，人们在任何时间、任何地点都可以通过网络传递多媒体信息，以多种形式互相交流，享受虚拟世界带来的高等教育、教学实践、图书、音乐、绘画、实验等。

（3）旅游业

将多媒体技术应用于旅游业，大量的信息以逼真的图片、动听的解说，真实地反映了各地的风土人情和文化背景，全方位地展现了当地的自然生活与社会活动，通过Internet可以将旅游信息快速传播到世界各地。

5. 工业控制与科学计算

（1）工业控制

现代化企业的综合信息管理和生产过程的自动化控制，都离不开对多媒体信息的采集、监视、存储、传输以及综合分析。应用多媒体技术可以提高工业生产和管理的自动化水平，如在生产现场对设备故障进行诊断，在生产过程中对参数进行监测等，尤其是在危险环境中，多媒体实时监控系统将起到越来越重要的作用。

（2）科学计算可视化

将多媒体技术应用于科学计算可视化，可以把抽象的、枯燥的数据用三维图形动态显示，使研究对象的内在特性与其外形变化同步显示。将多媒体技术用于模拟实验和仿真研究，可以大大促进科研与设计工作的发展。

（3）过程模拟领域

在设备运行、化学反应、火山喷发、海洋洋流、天气预报、人体演化、生物进化等自然现象的诸多方面，采用多媒体技术模拟其发生的过程，使人们能够轻松、形象地了解事物变化的原理和关键环节，并建立必要的感性认识，使复杂、难以用语言准确描述的变化过程变得形象而具体。

6. 医疗影像与远程诊断

通过多媒体通信网络，可以建立远程学习系统和远程医疗保健系统。远程医疗保健系统可以使处于偏远地区的病人同中心城市的病人一样及时得到专家的诊治。新一代的具有多媒体处理功能的医疗诊断系统，在诊断信息的直观性和实时性方面都使传统诊断技术相形见绌，引起了医疗领域的重大变革。

7. 多媒体办公系统

多媒体办公系统是视听一体化的办公信息处理和通信系统，它可以将各种信息，包括文件、档案、报表、数据、图形、音像等资料加工、整理、存储，形成可共享的信息资源，可以进行多媒体邮件的传递，可以召开可视的电话会议、电视会议等，真正实现办公自动化。

8. 通信系统

多媒体通信是20世纪90年代迅速发展起来的一项技术。多媒体技术与网络通信技术的结合，把计算机的交互性、通信的分布性和电视的实效性有机地融为一体，成为当前信息社会的一个重要标志。目前，多媒体通信主要应用于可视电话、视频会议、远程文件传输、浏览与检索多媒体信息资源、多媒体邮件、远程教学等方面。

练习题

一、选择题

1. 目前个人计算机中使用的电子电路主要是________。

A. 电子管电路　　B. 中小规模集成电路

C. 大规模或超大规模集成电路　　D. 光电路

2. 冯·诺依曼式计算机的基本工作原理是________。

A. 程序存储和程序控制　　B. 电子线路控制

C. 集成电路控制　　D. 操作系统控制

3. 下列英文缩写和中文名字的对照错误的是________。

A. CAD——计算机辅助设计　　B. CAM——计算机辅助制造

C. CIMS——计算机集成制造系统　　D. CAT——计算机辅助教育

4. 无符号二进制整数 111110 转换成十进制数是________。

A. 62　　B. 60　　C. 58　　D. 56

5. 已知 8 位机器码 10101100，它是补码时，表示的十进制真值是________。

A. −84　　B. −86　　C. −80　　D. −82

6. “a” 的 ASCII 值为 61H，“B” 的 ASCII 值是________。

A. 62H　　B. 41H　　C. 42H　　D. 60H

7. 某汉字的区位码是 3127H，其国标码是________。

A. 3147H　　B. 5147H　　C. 5127H　　D. 3327H

8. 一幅 1 024×768 的图像如果采用 24 bit 真彩色存储，大约需要________。

A. 2 MB　　B. 4 MB　　C. 15 MB　　D. 30 MB

9. 下列关于计算机组成及功能的说法正确的是________。

A. 一台计算机内只能有一个 CPU

B. 外存中的数据是直接传送给 CPU 处理的

C. 多数输出设备的功能是将计算机中用“0”和“1”表示的信息转换成人可直接识别的形式

D. I/O 设备是用来连接 CPU、内存、外存和各种输入输出设备并协调它们工作的一个控制部件

10. CPU 的性能与________无关。

A. 缓存　　B. CPU 主频　　C. 指令系统　　D. CMOS 的容量

11. 计算机中对数据进行加工和处理的部件是________。

A. 运算器　　B. 控制器　　C. 显示器　　D. 存储器

12. 下列关于液晶显示器的叙述错误的是________。

A. 它的英文缩写是 LCD

B. 它的功耗小

C. 它几乎没有辐射

D. 它与 CRT 显示器不同，不需要使用显示卡

13. 下列关于打印机的叙述错误的是________。

A. 激光打印机使用 PS/2 接口和计算机相连

B. 喷墨打印机的喷嘴是整个打印机的关键

C. 喷墨打印机属于非击打式打印机，它能输出彩色图像

D. 针式打印机独特的平推式进纸技术，在打印存折和票据方面具有不可替代的优势

14. 下列关于机器语言与高级语言的说法正确的是________。

A. 机器语言程序比高级语言程序执行得慢

B. 机器语言程序比高级语言程序可移植性强

C. 机器语言程序比高级语言程序可移植性差

D. 有了高级语言，机器语言就没有存在的必要了

15. 如果你购买了一个商品软件，通常就意味着得到了它的________。

A. 修改权　　B. 拷贝权　　C. 使用权　　D. 版权

16. ________运行在计算机系统的底层，并负责实现对计算机各类资源管理的功能。

A. 操作系统　　B. 应用软件　　C. 绘图软件　　D. 数据库系统

17. 以下文件类型不是常见的声音文件类型的是________。

A. WAV　　B. GIF　　C. MIDI　　D. MP3

18. ________是现在最流行的一种接口，几乎所有的外设都有该接口。

A. USB　　B. 串口　　C. 并口　　D. PS/2

19. 应用软件是指专门用于解决各种不同具体应用问题的软件，可分为通用应用软件和定制应用软件两类。下列软件中，全部属于通用应用软件的是________。

A. Excel、Windows、Word　　B. PowerPoint、SPSS、UNIX

C. UNIX、Photoshop、Excel　　D. PowerPoint、Excel、Word

20. 根据国际电报电话咨询委员会 CCITT 建议的定义，媒体分为五种，以下不属于媒体分类的是________。

A. 表现媒体　　B. 表示媒体　　C. 传输媒体　　D. 多媒体

二、判断题

1. 不同公司生产的 CPU 都采用相同的指令系统，可以保证软件的通用性。（　　）

2. 现代计算机的存储体系结构由内存和外存构成，内存包括寄存器、Cache、主存储器和硬盘，它们读写速度快，生产成本较高。（　　）

3. DVD-ROM 驱动器可以读取 CD 光盘上的数据。（　　）

4. 硬盘安装在主机箱内，因此它是主存储器。（　　）

5. 软件产品的设计报告、维护手册和用户使用指南等不属于计算机软件的组成部分。（　　）

三、填空题

1. 计算机系统中所有实际物理装置的总称是计算机________件。

2. 半导体存储器按照是否能随机存取，分为________和 ROM（只读存储器）两大类。

3. CPU 主要由运算器和控制器组成，其中运算器用来对数据进行各种________运算和逻辑运算。

4. 计算机使用的显示器主要有两类：CRT 显示器和________显示器。

5. 能把汇编语言源程序翻译成目标程序的程序，称为________。

第 2 章　Windows 10 的使用

2.1　Windows 10 概述

2.1.1　Windows 操作系统简介

计算机发展到今天，从微型机到高性能计算机，无一例外都配置了一种或多种操作系统。操作系统已经成为现代计算机不可分割的重要组成部分，用户在使用计算机前必须先学会使用所安装的操作系统。

Windows 是指微软公司开发的“视窗”操作系统，它是基于图形界面的多任务的操作系统，因其生动、形象的用户界面，十分简便的操作方法，吸引了大量的用户，最新数据显示，Windows 操作系统全球用户已突破 10 亿，成为目前装机普及率最高的一种操作系统。自 1983 年微软公司推出 Windows 以来，该系统就受到了广大用户的普遍欢迎。迄今，Windows 操作系统已历经 Windows 1. 0—Windows 2. 0—Windows 3. 0—Windows 3. 1—Windows NT—Windows 95—Windows 98—Windows 2000—Windows XP—Windows Vista—Windows 7—Windows 8—Windows 10—Windows 11。目前，主流的 Windows 操作系统为Windows 10 和 Windows 11，本书主要以 Windows 10 为介绍对象。

Windows 10 是微软公司于 2015 年推出的一款操作系统，也是微软首个跨平台操作系统，可支持 PC、平板计算机、智能手机、游戏主机等多类设备。

1. Windows 10 的版本

Windows 10 有 7 个版本：家庭版、专业版、企业版、教育版、移动版、移动企业版、物联网核心版。

（1）Windows 10 家庭版

家庭版功能最少，有 Windows 10 应用商店、Edge 浏览器、平板模式、语音数字助理（Cortana、小娜）、虚拟桌面等。它是主要面向 PC 的系统版本，主要用于游戏、影音、娱乐等方面。

（2）Windows 10 专业版

专业版比家庭版增加了安全类和办公类的功能，让用户能够管理设备和应用，保护敏感的企业数据。支持远程和移动办公，使用云计算技术。面向大屏平板电脑、笔记本、PC 平板二合一变形本等桌面设备，适用于计算机重度使用者。技术爱好者和企业技术人员可以选择 Windows 10 专业版。

（3）Windows 10 企业版

在专业版基础上，增添了专门为大中型企业的需求开发的高级功能，以及用来防范针对设备、身份、应用和敏感企业信息的现代安全威胁的先进功能。适用于企业用户。

（4）Windows 10 教育版

基于企业版进行开发，主要是为了满足学校职工、教师、管理人员和学生的需求。通过将面向教育机构批量许可计划提供给客户，可将学校的家庭版和专业版升级成教育版。适用于学校和学术机构。

（5）Windows 10 移动版

面向配置触控屏的小尺寸移动设备，支持通用应用，例如智能手机和小尺寸的平板电脑等移动设备，包含与 Windows 10 家庭版相同的针对触控操作优化的 Office。部分新设备在连接外置大尺寸显示屏时，用户可以把智能手机当作 PC 使用。适用于小型移动设备。

（6）Windows 10 移动企业版

与移动版不同的是，它可以通过批量许可方式授权，主要面向使用智能手机和小尺寸平板的企业用户，提供最佳的操作体验并且增加了新的安全管理选项，允许用户控制系统更新过程。适用于需要管理大量 Windows 10 移动设备的企业。

（7）Windows 10 物联网核心版

主要面向低成本的物联网设备。物联网是物物相连的互联网。这有两层意思：其一，物联网的核心和基础仍然是互联网，是在互联网基础上的延伸和扩展的网络；其二，其用户端延伸和扩展到了任何物品与物品之间，进行信息交换和通信，也就是物物相息。

2. Windows 10 的功能特点

Windows 10 的内部实现机制是很复杂的，但其基本操作又是很简单的。从用户操作的角度来看，Windows 10 主要有以下功能特点：

（1）更稳定的系统

Windows 10 采用了全新的内核架构，使得系统更加稳定可靠，不易出现崩溃和死机的情况。同时，它也经过大量的测试和优化，更加兼容各式各样的应用程序和硬件设备。

（2）更便捷的操作

在 Windows 10 的界面设计方面，微软也做了很多改进。创新的“开始”菜单、新的任务管理器、桌面虚拟化以及多桌面管理等，都让操作变得更加快捷方便。此外，微软还大力推广了语音、手势和触控等多种交互方式，进一步提升了用户体验。

（3）更高效的性能

Windows 10 对于硬件资源的利用也更加高效。通过对系统进行优化和严格管控，Windows 10 比旧版本系统的启动速度更快，运行速度更稳定。并且，它支持 DirectX 12，可以在游戏和图形处理等方面发挥更强的性能。

（4）更高的安全性

Windows 10 在安全方面也做出了重大改进，给用户带来了更高的保障。它采用了更先进的加密技术，从而进一步提升了数据安全性。同时，Windows 10 还新增了 Windows

Hello 功能，支持指纹、人脸等多种生物识别方式登录，为用户提供了更为便捷和安全的登录方式。

（5）更智能的应用

Windows 10 拥有许多智能应用，使得工作和生活更加方便。Cortana 语音助手可以通过语音识别和智能运算，实现智能提醒、日程安排、播放音乐等多种操作。Microsoft Edge 浏览器则支持 Sticky Notes、Ink Workspace 等多种新的功能，为用户提供了更为智能的浏览体验。

总的来说，Windows 10 系统的出现让我们的工作和生活变得更加便捷、高效、安全和智能化，是一个颇受欢迎的操作系统。

本章对 Windows 10 的介绍和操作均基于专业版。

2.1.2 Windows 10 的运行环境

Windows 10 对硬件的最低配置要求：要求 CPU 为 1 GHz、32 位或 64 位 CPU 处理器，内存为 1 GB（基于 32 位）或 2 GB（基于 64 位），硬盘为 16 GB（基于 32 位）或 20 GB（基于 64 位），显卡支持 DirectX 9（WDDM1.1 或更高版本的驱动程序）。

推荐配置要求：要求 CPU 为 2 GHz、32 位或 64 位 CPU 处理器，内存为 2 GB DDR 及以上，硬盘为 40 GB 以上，显卡支持 DirectX 10（WDDM1.1 或更高版本的驱动程序）。

2.1.3 Windows 10 的桌面

Windows 10 启动后呈现在用户面前的是桌面，如图 2-1 所示。所谓“桌面”，是指 Windows 所占据的屏幕空间，即整个屏幕背景。桌面上包含图标、背景、“开始”按钮、任务栏等。用户使用计算机就是从桌面开始进入各种具体的应用。

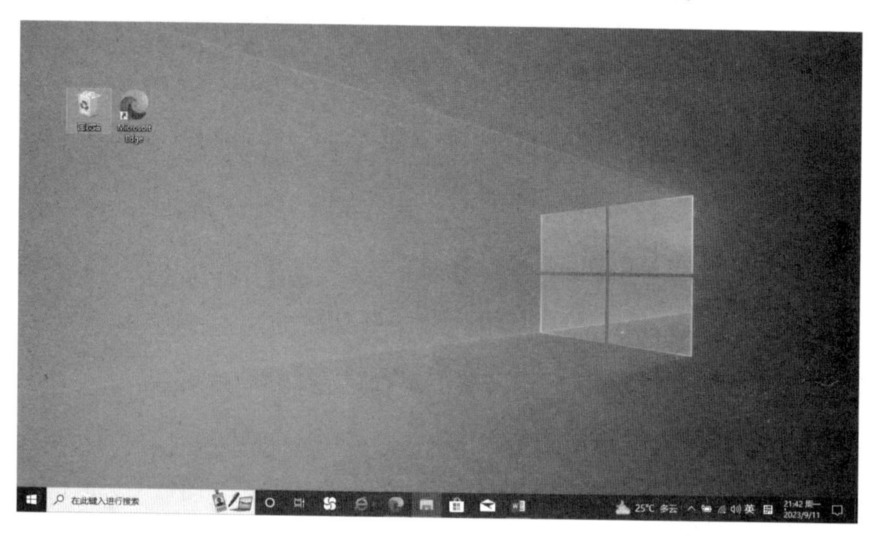

图 2-1 Windows 10 的桌面

Windows 10 不仅恢复了“开始”菜单，还增强了“开始”菜单的功能。最大的变化就是新增加了一栏，这一栏加入了原来在 Windows 8 开始屏幕中才能放置的动态磁贴，用户可以灵活地调整、增加、删除动态磁贴，甚至删除所有磁贴，让“开始”菜单回归经典样式。

1. “开始”菜单

Windows 10 恢复了被 Windows 8 去掉的“开始”菜单，并且和 Metro 界面整合。单击“开始”按钮会弹出“开始”菜单。“开始”菜单的左侧是系统内置的所有应用程序和用户安装的应用程序；左下角是几个固定的命令，用于控制计算机睡眠、关机、重启的命令内置于“电源”菜单中；“开始”菜单的右侧是 Metro 界面的磁贴，用户可以改变磁贴的大小和位置，也可以删除默认的磁贴或添加自定义磁贴，还可以添加常用的应用程序图标。右击“开始”菜单，弹出如图 2-2 所示的快捷菜单，与 Windows 7 相比增加了许多内容，包括传统控制面板中一些常用的系统设置功能，这更有利于用户快速使用这些功能。

图 2-2　“开始”按钮快捷菜单

(1) 程序和文件列表

“开始”菜单中的“程序和文件列表”栏按字母顺序列出计算机中安装的所有程序和文件。

(2) 最近常用列表

“开始”菜单中的“最近常用列表”自动为用户显示近期经常使用的应用程序。

(3) 磁贴

磁贴是 Windows 10 独具特色的一个功能，可以直接将常用应用程序、文件和文件夹拖放到这里并重命名，主要目的是方便用户快速访问这些内容。

磁贴的操作方法是：在左边的“程序和文件列表”栏选择需要添加的对象，按住鼠标左键将其拖至个性化磁贴面板上。

磁贴可以分组进行管理，磁贴的大小也可以根据需要进行调整。操作方法是：选中需要调整大小的磁贴并右击鼠标，弹出快捷菜单，如图 2-3 所示，选择“调整大小”，在弹出的下一级子菜单中选择“小”“中”“宽”等选项。

如果要取消磁贴，选中相应磁贴并右击鼠标，在快捷菜单中选择“从‘开始’屏幕取消固定”命令。

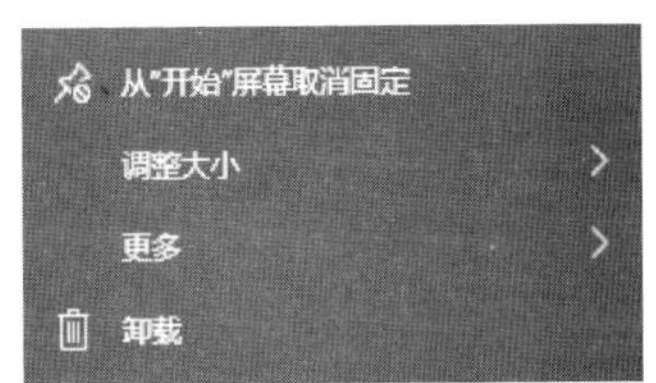

图 2-3　磁贴快捷菜单

2. 任务栏

任务栏在缺省的情况下，出现在桌面的底部，而且不被其他窗口覆盖。任务栏包括“开始”按钮、快速启动区、任务按钮和任务托盘等几部分，如图 2-4 所示。

图 2-4　任务栏

将鼠标指向任务栏空白处，按住鼠标左键并拖动，可以把任务栏拖至桌面的四个边缘位置上；移动鼠标到任务栏的边线处，将出现调整垂直大小尺寸的鼠标形状，此时拖动鼠标可以调整任务栏的大小。

（1）快速启动区

快速启动区用于快速启动应用程序。其添加方法是拖曳要添加的应用程序图标至快速启动区。如果右击鼠标，在弹出的快捷菜单中执行“将此程序从任务栏解锁”，则可从快速启动区中删除该图标。快速启动区中常用的图标有：

① 搜索框。

在“搜索框”中输入文件名、应用程序名或其他内容，系统能够智能查找本机和网络的相关资源，获得相应搜索结果。例如，在“搜索框”中输入“控制面板”，系统将显示搜索到的本机和网络上的相关程序与应用，如图 2-5 所示。对于只知程序名而不知应用程序位置的情况，使用“搜索框”很便捷。

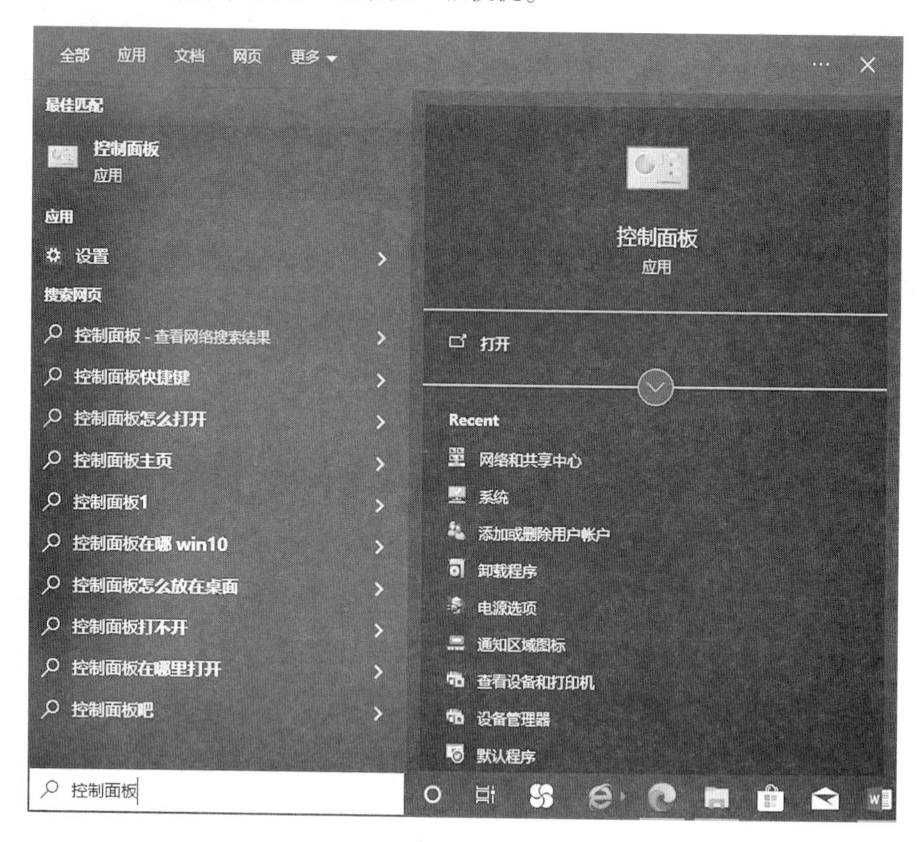

图 2-5　搜索“控制面板”示例

“搜索框”可以显示成搜索按钮或者搜索框的形式，甚至可以隐藏。在任务栏空白处右击，弹出快捷菜单，单击“搜索”命令，在弹出的列表中选择需要的显示方式。

② 任务视图按钮。

这是 Windows 10 中增加的新图标，紧贴在搜索框右边。单击该按钮可以看到所有的活动窗口，即使某些窗口被最小化。

③ Edge 浏览器。

Edge 浏览器看起来很像曾经的 IE 浏览器，但它是微软为了取代 IE 浏览器而开发的新一代浏览器。它采用了全新的渲染引擎，使整体内存占用及浏览速度大幅度提升。Edge 浏览器包含 IE 浏览器所不具备的功能，如直接在网页上为内容添加注释、设置突出显示（Web 笔记）、去广告干扰的阅读视图，以及借助 Cortana 实现强大的搜索功能等。

（2）任务按钮

显示系统打开的各个应用程序和文档，单击图标可切换相应程序。

（3）任务托盘

通常情况下显示后台应用程序、时间和日期管理程序图标，以及 Windows 的一些突发事件等。

（4）任务栏的个性化设置

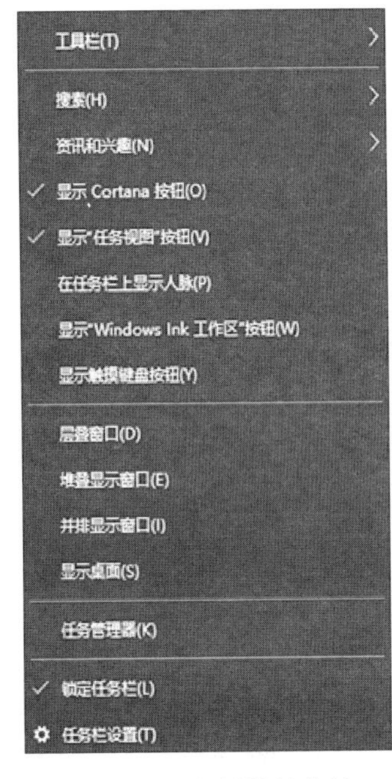

图 2-6 任务栏快捷菜单

右击任务栏的空白处，在弹出的快捷菜单中单击“属性”命令，弹出如图 2-6 所示的任务栏快捷菜单。单击“工具栏”“搜索”“显示 Cortana 按钮”将在任务栏中隐藏或显示相应按钮；依次单击“层叠窗口”“堆叠显示窗口”等命令将以不同的方式显示窗口；单击“任务栏设置”命令，打开“任务栏设置”窗口，如图 2-7 所示，可以设置任务栏在屏幕上的位置、自动隐藏任务栏等。

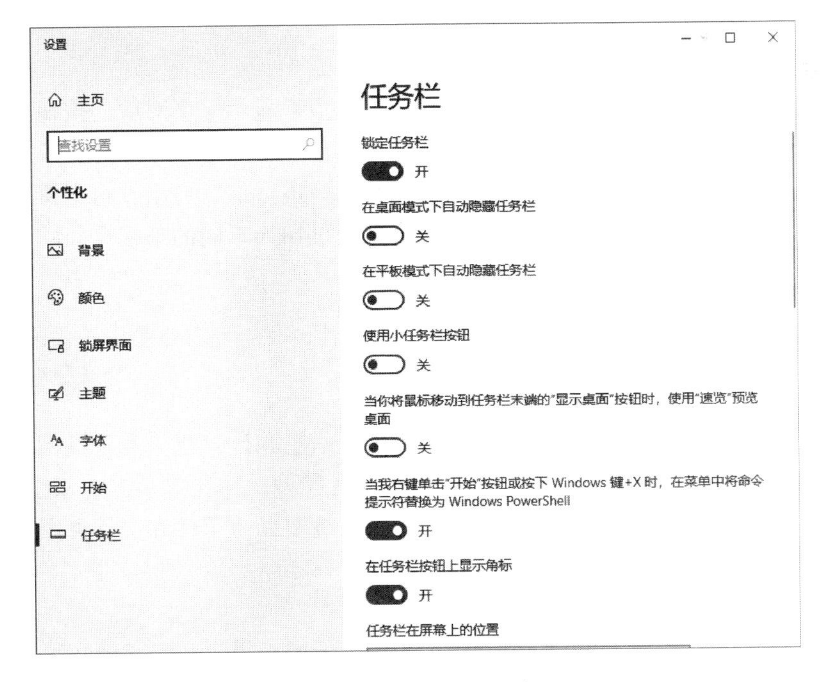

图 2-7 “任务栏设置”窗口

2.1.4 Windows 10 的新功能

1. Cortana 智能助理

Contana 中文译名为“小娜”，该功能是 Windows 10 最引人注目的新功能。“小娜”能够了解用户的喜好和习惯，为用户的衣食住行、工作娱乐等各方面提供有用的建议和帮助。“小娜”通过云计算、必应（Bing）搜索等分析用户的行为，不断记录用户的习惯和爱好。使用“小娜”的次数越多，用户的体验就越好。“小娜”就像是用户的私人助理，可以为用户安排日程、提醒事件、查询天气、播报新闻，甚至进行语音聊天、游戏互动。

2. Windows Hello

Windows 10 新增“Windows Hello”功能，通过生物识别技术为用户带来指纹、人脸、虹膜等多种身份验证识别，相比传统的手动输入密码的保护方式，新的身份验证模式更加安全、快速。该功能必须配套相应的硬件设备使用，如指纹收集器、摄像头、智能手表等。

3. Microsoft Print to PDF

Windows 10 在这一代操作系统中加入了原生“打印成 PDF”的功能，用户不需要再费心下载第三方打印软件，就可以轻松地将其他文件格式转换为 PDF 格式，进行高质量的文件打印。

4. 搜索功能

在 Windows 10 中，搜索功能被放置在任务栏的第二项，可见微软对它的重视程度。该搜索功能不仅可以通过 Bing 技术实现全网搜索，还支持使用语法、调校索引状态来缩小和精准结果范围。

5. 虚拟桌面

用户打开一个窗口后，系统会在任务栏为每个窗口显示一个对应的按钮，打开的窗口越多，按钮越多。用户可以使用【Alt】+【Tab】组合键在所有打开的窗口之间轮流切换。通过虚拟桌面功能，用户可以对打开的所有窗口进行逻辑分组，每组窗口分别放入不同的虚拟桌面中，各虚拟桌面互不干扰。用户通过切换不同的虚拟桌面就可以快速访问不同的窗口。

2.1.5 Windows 10 的桌面元素

1. 桌面图标

桌面图标是代表程序、文件、文件夹、打印机信息和计算机信息等的图形，如“回收站”等。用户可以根据需要对桌面上的图标进行各种操作，如单击、双击、拖动等，不同的操作将会实现不同的功能。桌面图标包括系统图标、文件和文件夹图标、快捷方式图标等。

（1）系统图标

系统图标就是系统安装完成后自动出现的图标，由系统自动定义，还可以添加其他系统图标，操作步骤如下：

第 1 步：右击桌面空白处，在弹出的快捷菜单中选择“个性化”命令，单击“个性化”窗口左侧的“主题”选项，打开“主题”设置界面，如图 2-8 所示。

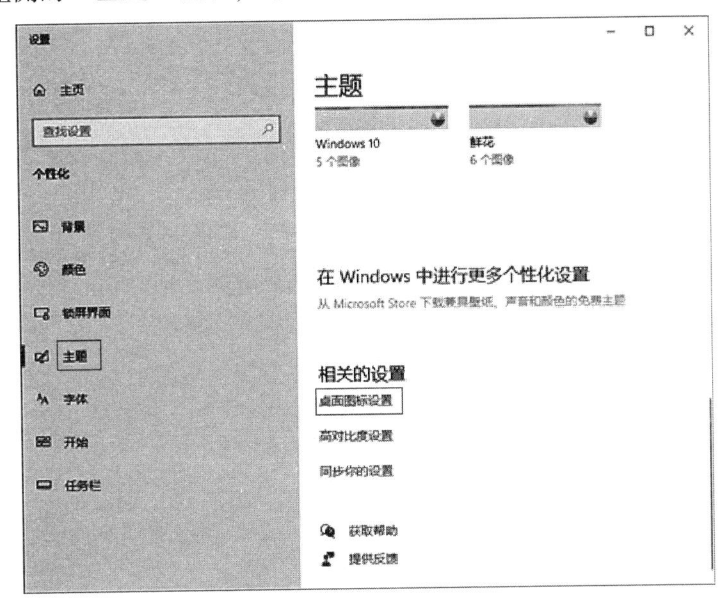

图 2-8　“个性化”窗口中的“主题”设置界面

第 2 步：在图 2-8 所示窗口右侧的“主题”窗格中单击“桌面图标设置”选项，弹出“桌面图标设置”对话框，如图 2-9 所示。

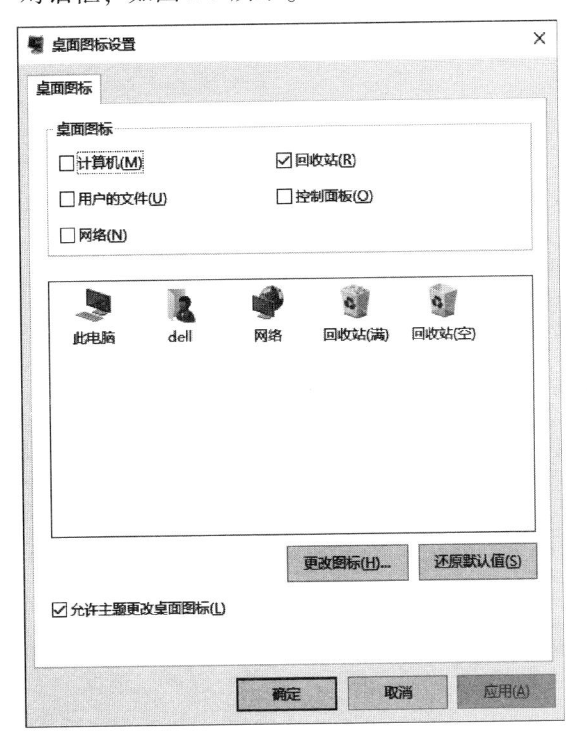

图 2-9　“桌面图标设置”对话框

第3步：在“桌面图标”栏中勾选要显示在桌面上的图标所对应的复选框，然后单击“确定”按钮即可。

若要更改图标，可以单击“更改图标”按钮进行设置；删除系统图标只需要按照前面的操作，在“桌面图标”栏中取消勾选对应的复选框，单击“确定”按钮即可。

2. 文件和文件夹图标

文件图标就是显示一个具体文件的图标，如图片、文本、音乐等。文件和文件夹图标都可以放置在桌面上，方便用户进行选择、打开、删除、移动等操作。

3. 快捷方式图标

有些图标的左下角带有一个小箭头，该图标就是快捷方式图标。快捷方式不是原文件，是Windows提供的一种快速启动程序、打开文件或文件夹的方法，是应用程序的快速链接。快捷方式删除后不会影响其指向的原文件或原程序。

快捷方式一般存放在桌面上、“开始”菜单里和任务栏上的“快速启动”这三个地方，用户可以在开机后立刻看到，以达到方便操作的目的。

在桌面上添加快捷方式图标的操作方法是：选中目标文件或程序后右击，执行“发送到”→“桌面快捷方式”命令，就可以将快捷方式图标添加到桌面上。

删除桌面上的快捷方式图标的方法是：右击该快捷方式图标，在弹出的快捷菜单中选择“删除”命令，或者选取对象后按【Delete】键或【Shift】+【Delete】组合键彻底删除。

4. 桌面图标的显示方式

如果桌面上的图标较多，用户希望它们以某种方式进行排列，可以进行如下操作：在桌面空白处右击，在弹出的快捷菜单中选择“查看”命令子菜单，可以选择改变图标的大小、是否自动排列图标、是否将图标与网格对齐、是否显示桌面图标；如果选择“排序方式”子菜单，如图2-10所示，则可以将图标按照名称、大小、项目类型或者修改日期等进行排列。

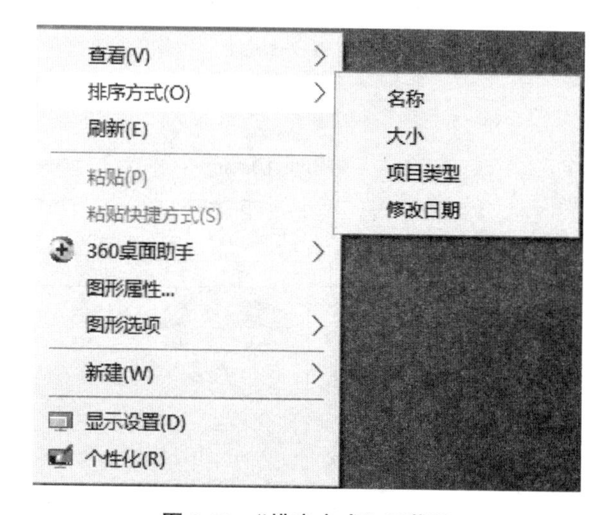

图2-10 “排序方式”子菜单

5. 桌面背景

桌面背景俗称墙纸，就是占据整个屏幕的背景图案。用户可以选择一幅图片作为桌面背景，也可以选择一种纯色（如Windows 10操作系统默认的浅蓝色背景），还可以选择多张图片作为动态背景，效果类似于幻灯片放映的换片。

Windows 10的默认桌面为Hero（英雄），用户也可以根据个人喜好进行设置，其操作步骤如下：

第1步：在桌面空白处右击，在弹出的快捷菜单中选择“个性化”命令，打开

“个性化”窗口，单击页面左侧的“背景”选项，打开“背景”设置界面，如图 2-11 所示。

第 2 步：在列表中选择相应的背景图片，或者单击“浏览”按钮选择其他图片作为背景。

除了可以设置背景外，单击窗口左侧的“颜色”“锁屏界面”“主题”“字体”“开始”“任务栏”，还可以分别设置窗口的颜色、屏幕保护程序、主题、字体、开始菜单和任务栏，使得桌面更具个人风格。

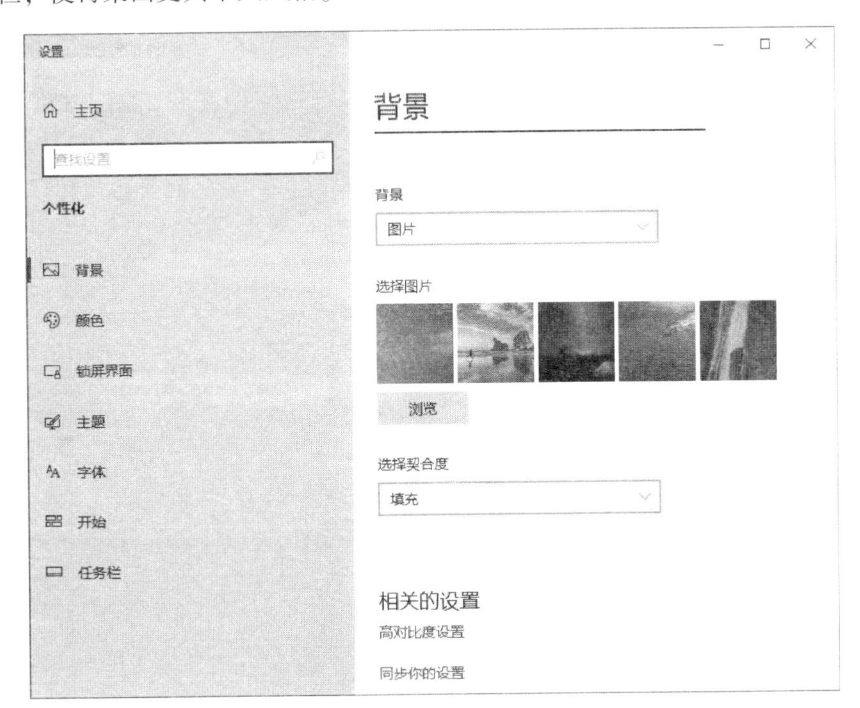

图 2-11　“背景”设置界面

2. 1. 6　Windows 10 的注销、睡眠和关机

1. 注销和切换用户

“注销”是指保存设置并退出当前登录用户；“切换用户”是指在不关闭计算机的情况下切换到其他用户。

注销用户的操作方法有两种：

方法 1：右击“开始”按钮弹出一个快捷菜单，选择“关机或注销”选项，然后在子菜单中选择“注销”选项，如图 2-12 所示。

方法 2：在“开始”菜单中右击“用户”图标，在弹出的快捷菜单中选择“注销”选项，如图 2-13 所示。

切换用户的操作方法是：在图 2-13 所示的快捷菜单中选择“更改账户设置”，进入账户设置中，单击“家庭和其他用户”即可切换，如图 2-14 所示。

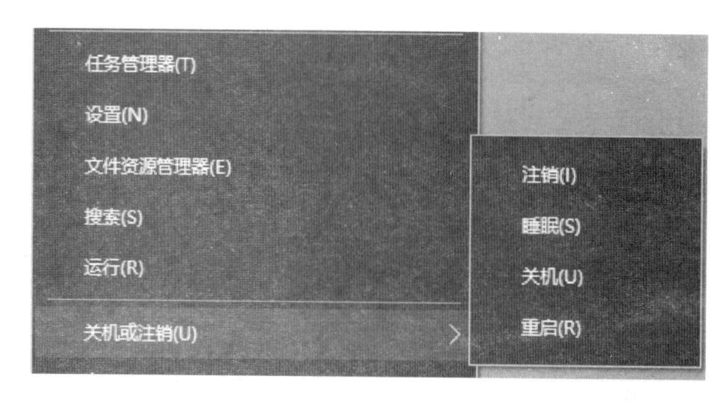

图 2-12 “注销”选项

图 2-13 “注销”用户

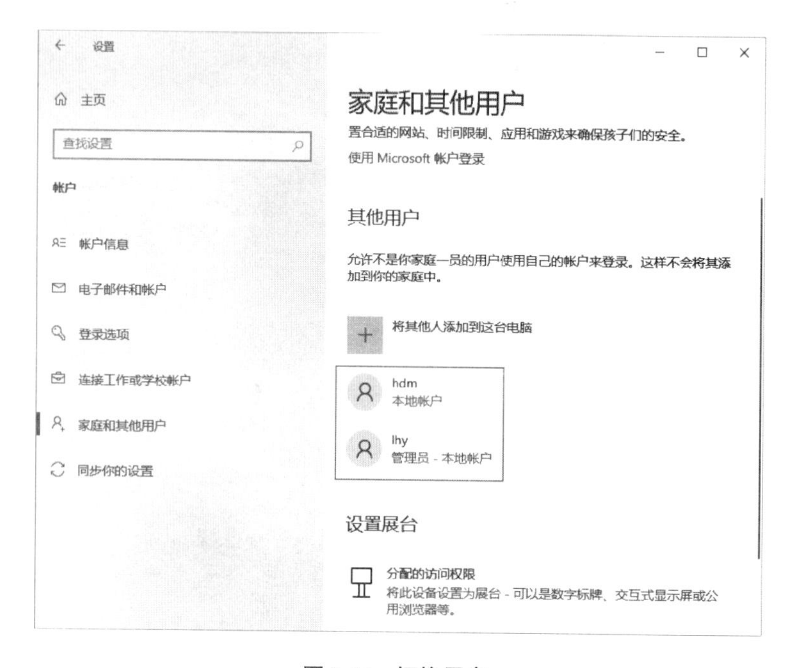

图 2-14 切换用户

2. 睡眠

在使用计算机的过程中，用户如果要短暂地离开计算机，可以选择睡眠功能，而不是将其关闭。睡眠是计算机由工作状态转为等待状态的一种新的节能待机模式，开启睡眠功能后，系统会将数据存储在内存中，所有工作保存在硬盘下的一个系统文件中，然后关闭除了内存外所有设备的供电，让内存中的数据依然维持着睡眠前的状态。

如果计算机在睡眠过程中断电，那么未保存的信息将会丢失，因此在将计算机置于睡眠状态前，最好还是先保存数据。当想要恢复数据时，如果在睡眠过程中供电没有发生过异常，可按一下电源按钮或晃动一下鼠标，不必等待 Windows 启动就可以直接从内存中快速恢复数据。

3. 锁定计算机

在使用计算机的过程中，用户如果要暂时离开计算机而不想切换到睡眠状态，为了保护个人信息，可以将计算机“锁屏”。

“锁屏”的操作方法是：在“开始”菜单中右击“用户”图标，在弹出的快捷菜单中选择“锁定”选项，也可按下【Windows】+【L】组合键快速锁屏。

4. 关机和重启

关闭和重启计算机都需要先单击“开始”按钮，再单击“电源”按钮下拉菜单的“关机”或“重启”选项。关机后不会自动保存各种正在编辑的数据和程序，因此关机前需要保存好个人数据。

Windows 10 新增了一种全新的关机模式：滑动关机。先在运行对话框（同时按下【Windows】+【R】组合键）内输入“slidetoshutdown”命令，然后单击“确定”按钮，此时出现滑动关机界面，用鼠标拖动图片向下即可关机。

2.1.7　桌面个性化设置

1. 设置桌面主题

在 Windows 操作系统中，“主题”特指 Windows 的视觉外观。桌面主题是指包含桌面背景、屏保、鼠标指针形状、图标样式、系统声音等有个性风格的一套桌面外观和音效的方案。用户可以选择操作系统提供的预设主题方案，也可以自行创建新的主题方案。

使用 Windows 预设主题的操作步骤如下：

第 1 步：在桌面空白处右击，在弹出的快捷菜单中选择“个性化”命令，打开“个性化”窗口，单击页面左侧的“主题”选项。

第 2 步：在右侧单击“主题设置”，打开如图 2-15 所示的界面。在“Windows 默认主题”下显示预设主题，如“Windows”“Windows（浅色主题）”“Windows 10”“鲜花”等。

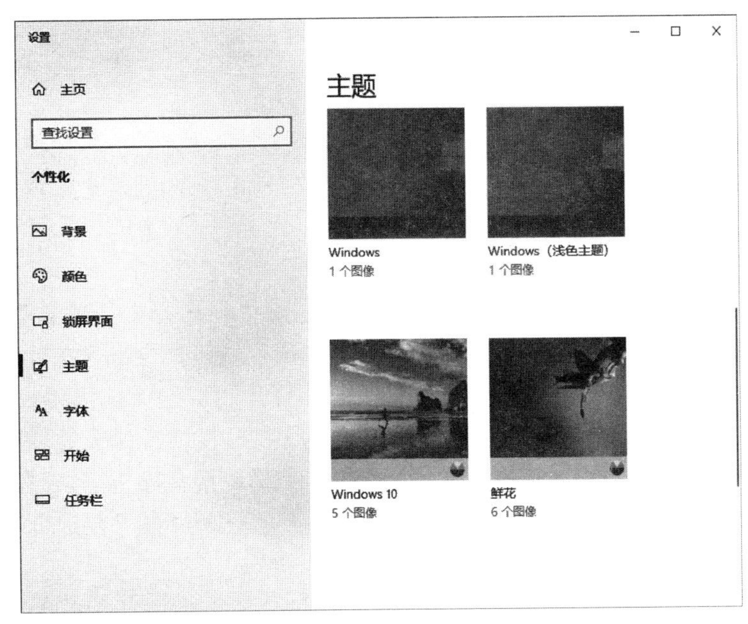

图 2-15　“主题”设置界面

一般 Windows 10 默认使用的是“Windows”主题。用户可以选择另外几种预设主题，也可以单击“个性化”窗口中的“在 Microsoft Store 中获取更多主题”链接，在打开的“Microsoft Store”中获取更多由微软提供的主题。

用户还可以根据自己的喜好创建新主题。只要用户对桌面背景、颜色、声音、鼠标光标中的任意一项做了调整，在右侧“主题”标题下就会出现一个名为“当前主题：自定义”的标题，单击下方的“保存主题”按钮可对这个新主题重命名，再单击“保存”按钮即可，如图 2-16 所示。

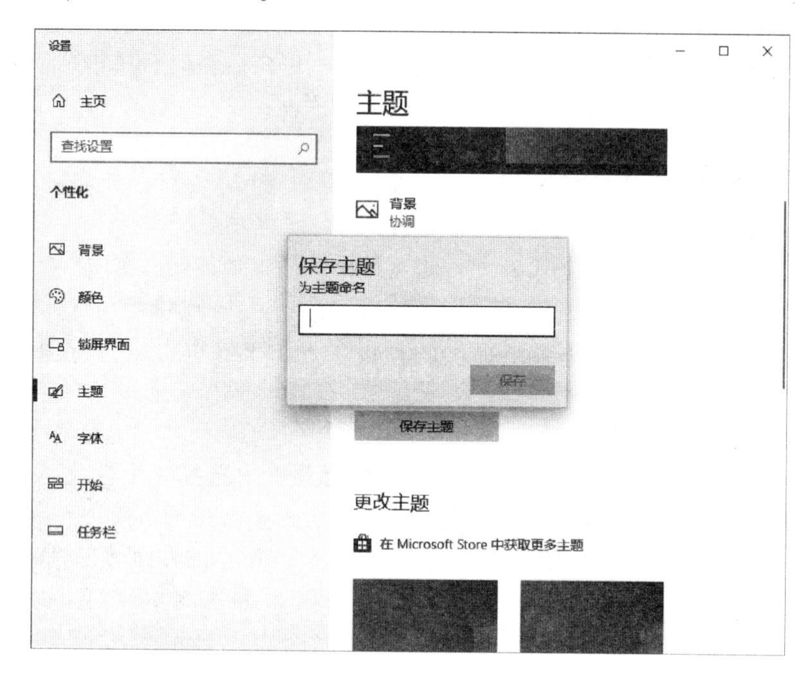

图 2-16 Windows 自定义主题

2. 设置屏幕保护程序

在用户不使用键盘和鼠标达到一定时间后，系统会自动开启屏幕保护程序，将屏幕上的工作画面隐藏起来。屏幕保护程序除了能对数据和信息起到安全保护作用外，还能使显示器的亮度变小，起到省电的作用。

设置屏幕保护程序的操作步骤如下：

第 1 步：在桌面空白处右击，在弹出的快捷菜单中选择“个性化”命令，打开“个性化”窗口，单击页面左侧的“锁屏界面”选项，如图 2-17 所示。

第 2 步：单击右侧的“屏幕保护程序设置”，打开“屏幕保护程序设置”对话框，如图 2-18 所示。在“屏幕保护程序”下拉列表中选择一种屏幕保护的类型，也可以选择“无”关闭屏保；“等待”文本框用于指定在无鼠标或键盘操作多长时间后启动屏幕保护程序，最短可以设置 1 min；勾选“在恢复时显示登录屏幕”复选框，则表示在退出屏保时系统会要求当前用户输入 Windows 的登录密码。

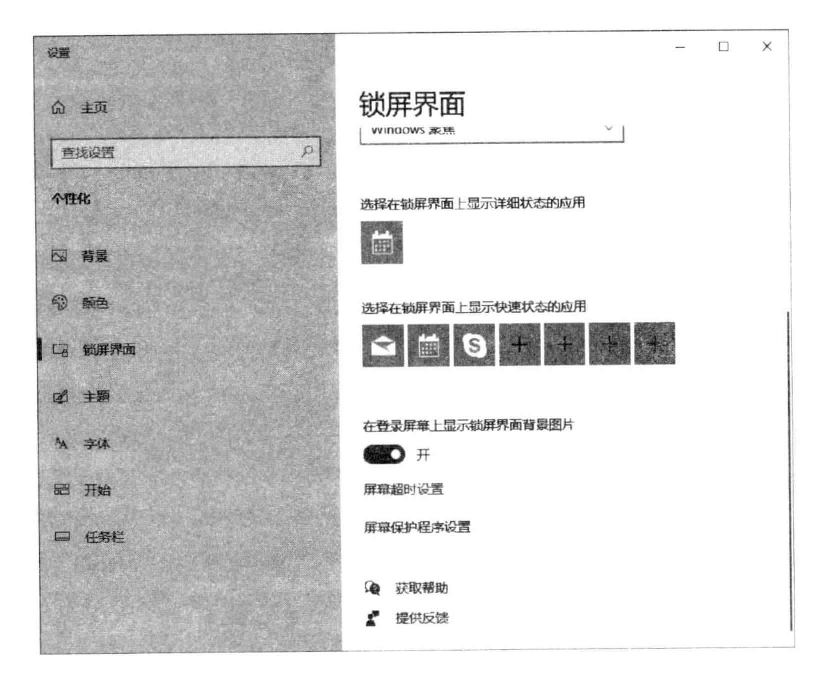

图 2-17　“锁屏界面”设置界面

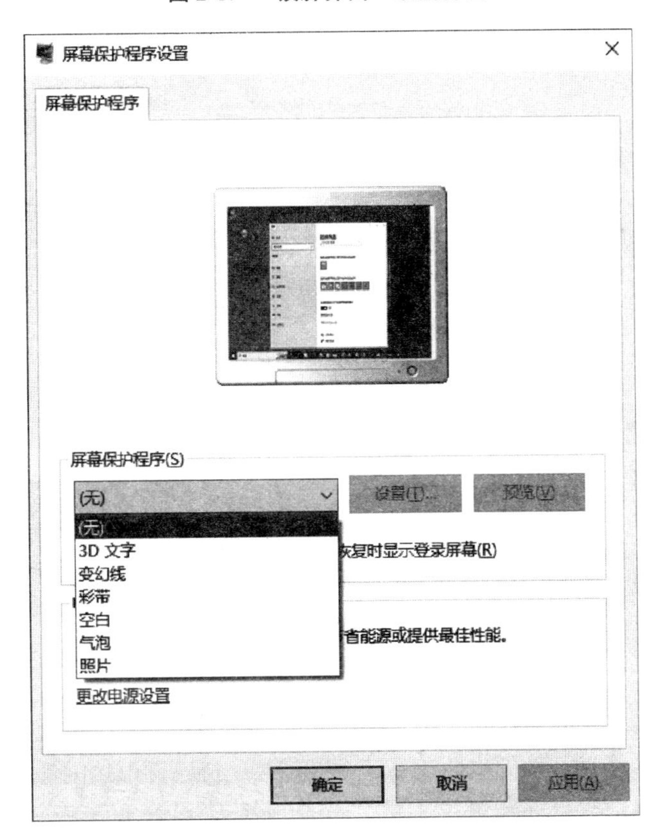

图 2-18　“屏幕保护程序设置”对话框

3. 屏幕分辨率

屏幕分辨率是指计算机屏幕上显示的文本和图像的像素点数，以水平和垂直像素来衡量，单位是 px。在屏幕尺寸一样的条件下，分辨率越高，水平方向和垂直方向上的像素点越多，显示的效果就越精细和细腻。例如，对相同大小的屏幕，当分辨率设为 640×480 和 1 600×1 200 时，前者在屏幕上显示的像素少，单个像素尺寸比较大。在宽屏幕流行之前，绝大多数的显示器包括以前的电视机，都是 4∶3 的屏幕比例。近年来宽屏显示器的屏幕比例常见为 16∶10 和 16∶9。

分辨率并不是越大越好。分辨率的设置，一方面取决于显示器本身的性能，另一方面取决于用户对桌面上的文字、图标、菜单等的视觉感受。目前的液晶显示器都有一个最佳分辨率。查看和设置显示器的分辨率的操作步骤如下：

第 1 步：在桌面空白处右击，在弹出的快捷菜单中选择“显示设置”命令。

第 2 步：执行“系统”→“屏幕”命令，在右侧即可修改显示器分辨率，如图 2-19 所示。

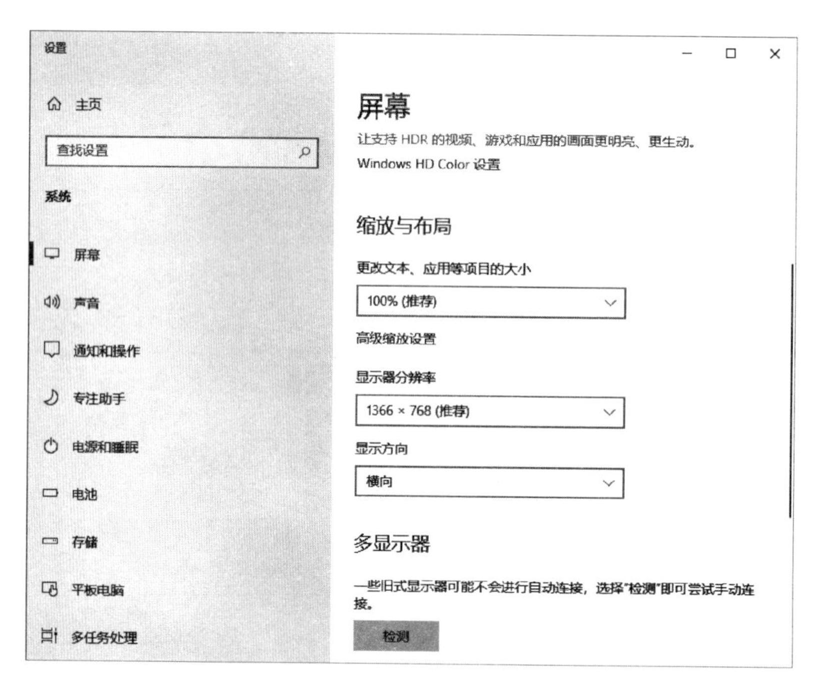

图 2-19 “屏幕”设置界面

另外，还可以通过“缩放与布局”选项中的比例设置来修改桌面上的图标、文本、应用等项目的大小。

4. 刷新频率

计算机屏幕的显示质量除了与分辨率有关外，还与刷新频率有关。刷新频率指的是电子束对屏幕上的图形重绘的次数。刷新频率越高，屏幕图形的闪烁感就越被淡化，稳定性就越好。长时间保持刷新频率过低，会导致眼睛对屏幕不适应，甚至会造成一定的伤害。但是，如果设置不合适的刷新频率，也可能对显示器和显卡造成损害。刷新频率与分辨率两者相互制约，只有在高分辨率下才能达到高刷新频率，这样的显示器价格也会更昂贵。

普通液晶显示器的刷新频率固定在 60 Hz，除非改变分辨率，否则无法随意调整刷新频率。查看刷新频率的方法是：在图 2-19 中，单击“多显示器”选项下的“高级显示设置”链接，打开“高级显示设置”界面，如图 2-20 所示，可以看到当前的分辨率和刷新频率。

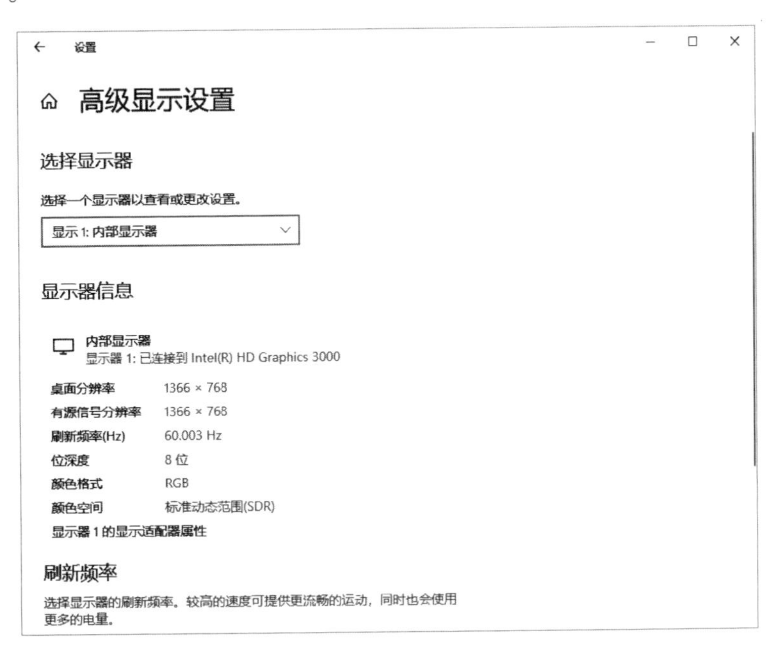

图 2-20　“高级显示设置”界面

注意：系统会根据显示器的实际性能自动调整显示器的分辨率和刷新频率，以保持最佳的显示效果，一般不要随意调整。

2.1.8　窗口

窗口是用户使用某个文件或应用程序的入口，当打开一个文件或应用程序时，都会出现一个窗口。Windows 10 中通常有两种类型的窗口：应用程序窗口和文档窗口，如图 2-21 所示。应用程序窗口是指运行应用程序的界面，用户的大部分工作都是在应用程序中进行的；文档窗口是指应用程序运行中提供给用户显示文档和处理文档的窗口。文档窗口仅在应用程序出现时才出现。在同一个应用程序工作区中，可同时打开多个文档。

1. 窗口的组成

尽管在 Windows 10 中有许多窗口，但大部分窗口都包括相同的组件，图 2-22 是 Windows 文件资源管理器窗口，它是一个典型的 Windows 10 窗口，由标题栏、菜单栏、状态栏、滚动条和工作区等几部分组成。

图 2-21　应用程序窗口和文档窗口

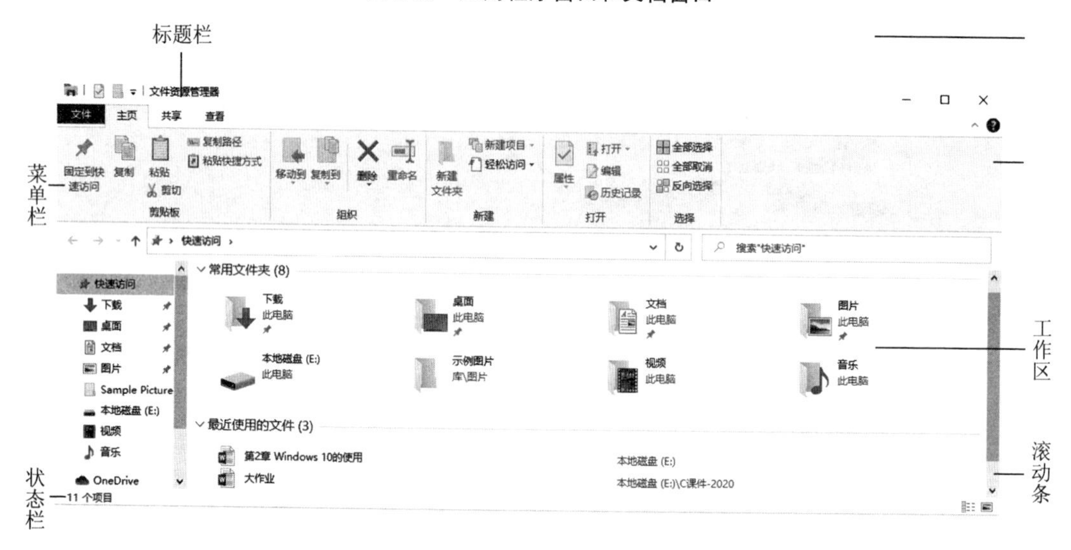

图 2-22　“文件资源管理器”窗口

(1) 标题栏

标题栏位于窗口的最上方，显示应用程序名或本窗口的名称。如果同时打开多个窗口，活动窗口的标题栏与其他窗口的标题栏颜色不同或更亮，通常称为反白。

(2) 菜单栏

菜单栏位于标题栏的下方，提供了可用的操作命令。

(3) 工作区

窗口的内部区域称为工作区域或工作空间。

(4) 滚动条

滚动条分垂直滚动条和水平滚动条两种。当窗口无法显示全部信息时，就会出现滚动条。使用滚动条有三种方式：一是单击垂直滚动条（水平滚动条）的向下（向右）箭头，窗口的内容即向上（向左）滚动；二是用鼠标拖动滚动条中滚动块到相应的位置；三是用鼠标单击滚动条中空白区域。

（5）状态栏

状态栏位于窗口的底部，用来显示当前窗口的状态信息。

（6）窗口边框及窗口角

通过鼠标拖曳窗口边框或窗口角，可以改变窗口的尺寸。

注意：并非所有的窗口都由以上几部分组成，不同窗口的构成组件可能会稍有不同。

2. 窗口的基本操作

窗口的操作在 Windows 系统中非常重要，可以通过鼠标使用窗口上的各种命令来操作，也可以通过键盘使用快捷键来操作。

对窗口的基本操作有打开、移动、缩放、最大化及最小化、切换和关闭等。

（1）打开窗口

打开窗口有两种方法：一是选中要打开的窗口对应的图标然后双击；二是在选中的图标上右击，在弹出的快捷菜单中选择“打开”命令。

（2）移动窗口

单击标题栏并拖动鼠标至所需要的位置后释放即可移动窗口。

（3）缩放窗口

用鼠标指向窗口边框或角，当鼠标指针变成双向箭头时，拖动鼠标可改变窗口的大小。

（4）最大化、最小化窗口

在对窗口进行操作的过程中，可以根据需要把窗口最小化、最大化等。

① 最小化按钮 ▬：单击该按钮，窗口被缩小为一个图标放到任务栏上。

② 向下还原或最大化按钮 ▣：单击该按钮，窗口被最大化成全屏幕大小，且按钮改变为 ⧉，即向下还原，此时单击该按钮，可使窗口恢复为打开时的初始状态。

③ 关闭按钮 ☒：单击该按钮将关闭窗口。

④ 在标题栏上双击可以进行最大化与还原两种状态的切换。

（5）切换窗口

Windows 10 是多任务的操作系统，可同时打开多个窗口，但多个窗口中只能有一个是活动窗口，切换窗口就是改变活动窗口。Windows 10 中切换窗口有三种方法：

① 使用任务栏切换：任务栏上的每一个按钮都代表一个打开的应用程序，用鼠标单击某个按钮可实现应用程序之间的窗口切换。

② 用【Alt】+【Tab】组合键：同时按下这两个键后，会出现切换任务栏，其中列出了当前正在运行的窗口，用户可按住【Alt】键，然后在键盘上按【Tab】键从切换任务栏中选择所要切换的窗口，选中后再松开两个键，选择的窗口即变为活动窗口。

③ 重复按【Alt】+【Esc】组合键：重复按下这两个键时，会依次出现打开的窗口。

(6) 关闭窗口

关闭窗口的方法有下列几种:

① 单击窗口标题栏上的关闭按钮。

② 使用【Alt】+【F4】组合键。

③ 右击任务栏上的窗口按钮,在弹出的快捷菜单中选择“关闭窗口”命令。

2.1.9 对话框

对话框是系统与用户之间进行信息交流的界面,Windows 通过对话框从用户方面获取信息。当选择了后面带有“…”的菜单选项时,屏幕上会弹出一个对话框。

1. 对话框的组成

对话框的复杂程度各不相同,有些对话框很简单,只是要求用户选择“是”“否”等,而有些对话框则非常复杂,往往要指定多个选项,如图 2-23 所示为 Word 中的“字体”对话框。

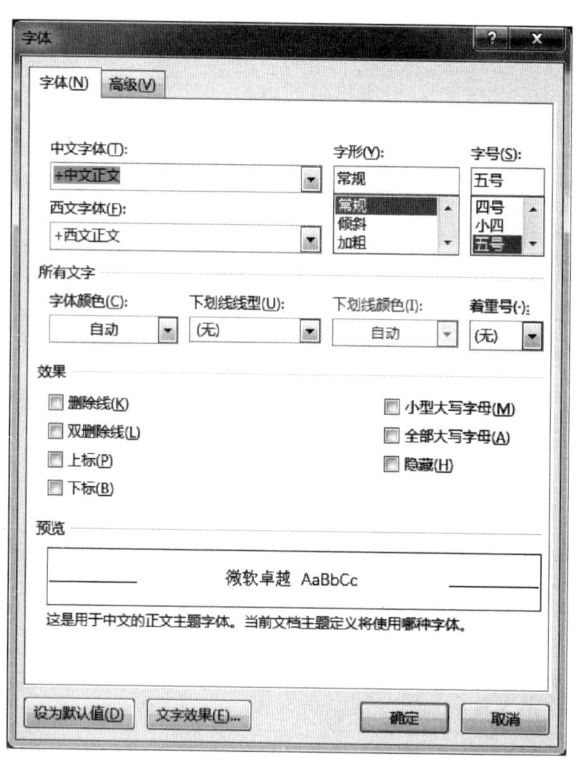

图 2-23 “字体”对话框

(1) 选项卡

选项卡代表一个对话框由多个部分组成,通过选项卡可以将对话框的选项进行分类。单击选项卡,将会在对话框中显示相应选项卡的内容。对话框中一次只能显示一个选项卡的内容。

(2) 文本框

用来提供给用户输入文本信息的一种矩形区域。

（3）列表框

列表框中列出可供选择的选项，它常带有滚动条，供用户使用鼠标快速查看其他选项。列表框有时还带有一个文本框，用来显示从列表框中选出的列表项。

（4）下拉列表框

下拉列表框是一个单行列表框。右边有一个向下箭头按钮，单击该按钮可打开相应列表框。

（5）单选按钮

在一组相关的选择中，一次只能选择其中一个选项，用鼠标单击某个单选按钮时，其他按钮的选择将自动被取消。单选按钮一般为圆形标记。

（6）复选框

每个选项左边有一个复选框，它相当于一个触发开关。用鼠标单击复选框，出现“✓”时表示该选项被选中，再次单击该复选框，“✓”标记消失，表示该选项已被取消。

（7）命令按钮

对话框中有一系列按钮，如“确定”“取消”等，单击这些按钮就可以执行相关的命令。如果按钮上带有省略号，单击该按钮后会打开另外一个对话框。

（8）帮助按钮

对话框的右上角通常会有一个带有问号的按钮，单击此按钮可获得帮助信息。

2. 窗口和对话框的区别

窗口与对话框在外观上有很多相同之处，但它们也有许多不同点。

窗口与对话框最本质的区别是：窗口是一个独立运行的程序，而对话框通常是程序中的一部分，即对话框的出现常常是在 Windows 执行某命令而需要更多信息时。因此，窗口之间可以相互切换，而对话框则必须将其关闭才能执行其他的命令。

在外观上窗口和对话框也有区别：窗口有菜单栏，而对话框没有，它以选项卡的形式给出复杂的选项。此外，对话框没有最大化、最小化按钮，它的尺寸是固定的，不能像窗口那样随意改变。

2.2　鼠标和键盘的操作

2.2.1　鼠标操作

鼠标是计算机不可缺少的一种硬件设备，利用它可以选取对象并打开对象。Windows 10 中的大部分命令都可以由鼠标操作来完成。当鼠标指针指向屏幕中的对象时，就可以对该对象进行操作。对鼠标的操作可以分为以下五种情况：

① 单击：当鼠标指针指向对象时，按下鼠标左键一次并释放，称为单击，一般用来选中对象。

② 双击：当鼠标指针指向对象时，连续按鼠标左键两次并释放，称为双击，一般用来打开文档或运行应用程序。

③ 三击：当鼠标指针指向对象时，连续按鼠标左键三次并释放，称为三击，一般用于在文本选取区中选择整个文档，或在段落中选择整段文本。

④ 右击：当鼠标指针指向对象时，按下鼠标右键一次并释放，称为右击，右击后将弹出该对象的快捷菜单。

⑤ 拖动：当鼠标指针指向对象时，按下鼠标左键不放，并移动鼠标指针，该对象也随着一起移动到指定位置后释放鼠标左键，即完成对象的拖动操作。

2.2.2 键盘操作

键盘是计算机最常用也是必需的输入设备。可以通过键盘将字母、数字、标点符号等输入计算机中，从而向计算机发出命令，输入中西文字和数据；也可以使用键盘进行各种【Windows+】组合键、【Fn】快捷键、【Alt+】组合键、【Ctrl+】组合键、【Shift+】组合键操作（表2-1至表2-3），提高效率。中文符号键位说明见表2-4。

表2-1 【Windows+】组合键表

【Windows+】组合键	功能描述
【Windows】	“开始”菜单与桌面之间的切换
【Windows】+【Ctrl】+【D】	创建新的虚拟桌面
【Windows】+【Ctrl】+【F4】	关闭当前虚拟桌面
【Windows】+【Ctrl】+【→】或【←】	切换虚拟桌面
【Windows】+【A】	打开操作中心
【Windows】+【B】	将鼠标指针移到通知区域
【Windows】+【C】	唤醒 Cortana 至迷你版聆听状态
【Windows】+【D】	显示桌面，再按一次恢复原本窗口
【Windows】+【E】	打开“文件资源管理器”
【Windows】+【H】	开始听写
【Windows】+【I】	打开“设置”对话框
【Windows】+【K】	打开“链接栏”
【Windows】+【L】	锁定 Windows 桌面
【Windows】+【M】	最小化所有窗口
【Windows】+【P】	多显示器的切换
【Windows】+【Ctrl】+【Q】	打开快速助手
【Windows】+【R】	打开“运行”对话框
【Windows】+【S】	打开搜索
【Windows】+【T】	切换任务栏上的程序
【Windows】+【U】	打开“轻松使用设置中心”对话框

续表

【Windows+】组合键	功能描述
【Windows】+【X】	打开“快速链接”菜单
【Windows】+【Home】	最小化所有窗口，再按一次恢复窗口
【Windows】+【←】	最大化窗口到左侧的屏幕上
【Windows】+【→】	最大化窗口到右侧的屏幕上
【Windows】+【Pause】	显示“系统属性”对话框
【Windows】+【Tab】	打开“任务视图”
【Windows】+【Ctrl】+【Enter】	打开“讲述人”
【Windows】+【Space】	切换输入语言和键盘布局
【Windows】+【+】	放大镜的放大操作
【Windows】+【-】	放大镜的缩小操作
【Windows】+【Esc】	关闭放大镜操作

表 2-2　【Fn】快捷键表

【Fn】快捷键	功能描述
【F1】	搜索“在 Windows 10 中获取帮助”
【F2】	重命名选定的项目
【F3】	搜索文件或文件夹
【F4】	在 Windows 资源管理器中显示地址栏列表
【F5】	刷新活动窗口
【F6】	在窗口中或桌面上循环切换屏幕元素

表 2-3　【Alt+】、【Ctrl+】、【Shift+】组合键表

【Alt+】、【Ctrl+】、【Shift+】组合键	功能描述
【Alt】+【D】	选择地址栏
【Alt】+【Enter】	显示所选项的属性
【Alt】+【Esc】	以项目打开的顺序循环切换项目
【Alt】+【F4】	关闭活动项目或者退出活动程序
【Alt】+【P】	显示预览面板
【Alt】+【Tab】	切换桌面窗口
【Alt】+【Space】	为活动窗口打开快捷方式菜单
【Ctrl】+【A】	选中当前窗口中的所有项目或选中整篇文档
【Ctrl】+【Alt】+【Tab】	使用箭头键在打开的项目之间切换

续表

【Alt+】、【Ctrl+】、【Shift+】组合键	功能描述
【Ctrl】+【D】	删除所选项目并将其移动到“回收站”
【Ctrl】+【Esc】	在桌面与“开始”菜单间切换
【Ctrl】+【F】	打开搜索框
【Ctrl】+【F4】	关闭活动窗口
【Ctrl】+【N】	打开新窗口
【Ctrl】+【Shift】	在启用多个键盘布局时切换键盘布局
【Ctrl】+【Shift】+【Esc】	打开任务管理器
【Ctrl】+【Shift】+【N】	新建文件夹
【Ctrl】+【Shift】+【Tab】	在选项卡上向后移动
【Ctrl】+【Tab】	在选项卡上向前移动
【Ctrl】+【W】	关闭当前窗口
【Ctrl】+【C】	复制操作
【Ctrl】+【X】	剪切操作
【Ctrl】+【V】	粘贴操作
【Ctrl】+【Z】	撤消操作
【Ctrl】+鼠标滚轮	放大或者缩小当面窗口
【Shift】+【Tab】	在选项上向后移动
【Shift】+【Delete】	彻底删除
【Shift】+【F10】	弹出快捷菜单

表 2-4 中文符号键位说明

中文符号		键位	中文符号		键位
。	句号	.	）	右括号	)
，	逗号	,	《》	书名号	<>
；	分号	;	……	省略号	^
：	冒号	:	——	破折号	_
？	问号	?	、	顿号	\
！	感叹号	!	·	间隔号	@
“”	双引号	”	—	连接号	&
（	左括号	(	￥	人民币符号	$

2.3　Windows 10 文件管理

在计算机系统中，文件是最小的数据组织单位。一个文件是一组相关信息的集合，这些信息最初是在内存中建立的，然后以用户给予的相应的文件名存储到外存储器上。

2.3.1　Windows 文件系统

为了便于管理，通常将存放在磁盘上的大量文件进行分类，分别存放在不同的文件夹中。Windows 采用了树形的目录结构，开始是根目录，由系统自动创建。根目录下面是文件或文件夹。文件夹中可以包含文件，也可以包含文件夹。Windows 是以文件夹来组织和管理文件的，文件夹由用户根据需要建立。

1. 文件名

在计算机中，任何一个文件都有文件名。文件名是存取文件的依据，即按名存取。一般来说，文件名包括文件主名和扩展名两个部分，扩展名表示文件的类型。

给文件取名除了要做到见名知意，还应遵循如下一些规则：

① 文件、文件夹的名字最多可使用 255 个字符或 127 个汉字。

② 不能出现以下字符：\　/　:　*　?　“　<　>　。

③ 不区分英文字母大小写。例如 FILE1. TXT 和 file1. txt 表示同一个文件。

④ 可以使用多分隔符的名字。例如 my. file1. docx。

2. 文件类型

在绝大多数操作系统中，文件的扩展名表示文件的类型。常见的文件扩展名及其表示的含义如表 2-5 所示。

表 2-5　常见的文件扩展名及其含义

文件类型	扩展名	含义
可执行程序	EXE、COM	可执行程序文件
源程序文件	C、CPP、BAS	程序设计语言的源程序文件
目标文件	OBJ	源程序文件经编译后产生的目标文件
MS Office 文件	DOCX、XLSX、PPTX	Word、Excel、PowerPoint 文件
图像文件	PNG、BMP、JPG、GIF	不同格式的图像文件
流媒体文件	WMV、RM、QT	能通过 Internet 播放的流媒体文件
压缩文件	ZIP、RAR	压缩文件
音频文件	WAV、MID、MP3	不同格式的音频文件
网页文件	HTM、ASP	网页文件

2.3.2 文件资源管理器的使用

1. 打开文件资源管理器

Windows 10 利用文件资源管理器实现对系统软硬件资源的管理。它可以分层显示计算机内的所有文件，用户不必打开多个窗口，就可以方便地实现浏览、查看、移动和复制文件或文件夹等操作。

启动文件资源管理器的方法有下列几种：

方法 1：单击“开始”按钮，执行“Windows 系统”→“文件资源管理器”命令。

方法 2：右击“开始”按钮，在弹出的菜单中选择“文件资源管理器”命令。

方法 3：双击桌面上的“此电脑”图标。

方法 4：按【Windows】+【E】组合键。

方法 5：在搜索框输入“文件资源管理器”，在搜索结果界面中单击打开。

2. 文件资源管理器窗口的组成

无论使用哪种方式启动文件资源管理器，都会出现如图 2-22 所示的窗口。

（1）标题栏

标题栏位于窗口的顶部，用于显示程序和文档的名称，名称左侧通常会显示程序的图标，单击图标会显示如图 2-24 所示的系统菜单。该菜单命令基本和标题栏右侧的“最小化”“最大化”“关闭”三个按钮的功能相同，分别可以最小化窗口、放大窗口使其填充整个屏幕以及关闭窗口。

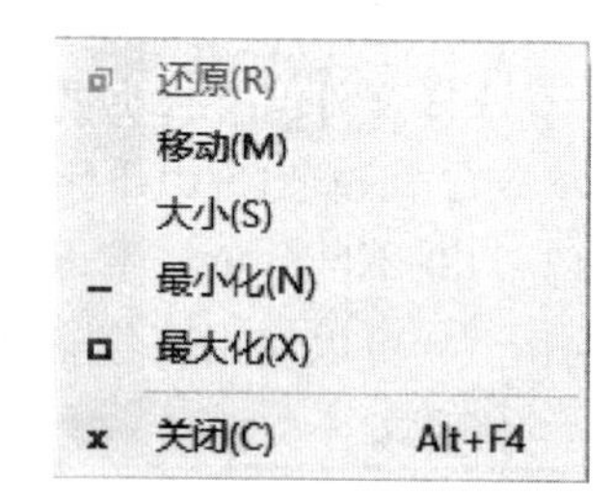

图 2-24 标题栏的系统菜单

（2）菜单栏

菜单栏位于标题栏的下方，每个菜单以选项卡的形式呈现，选项卡以组为单位分类，通常包含了程序提供的所有可操作的命令。每一组里的命令，如果后面有一个小三角形，表示该命令还有下一级子菜单；如果某个菜单命令为灰色，表示该命令当前不能使用；如果在命令后面有省略号，表示选择该命令会打开对话框。

（3）地址栏

地址栏显示了当前文件或文件夹在计算机中的位置，术语描述为“绝对路径”或“完整路径”，一般格式为“磁盘分区的盘符：\ 文件夹 \ 文件名”，例如路径“D：\ jsj”表示磁盘分区 D 盘中的“jsj”文件夹。在文件资源管理器中，两个位置之间使用“>”符号进行连接。地址栏除了显示路径外，还能作为可操作的控件导航到不同路径的文件夹。

（4）搜索框

可以在搜索框中输入要查找的内容，以便在当前文件夹及其子文件夹中快速定位到指定内容。

（5）工作区

文件资源管理器的工作区分为左右两个窗格，两个窗格之间有分隔条，当鼠标指向分隔条呈现双向箭头时，可拖动鼠标改变左右两个窗格的大小。左窗格称为导航窗格，显示了文件资源管理器全部的目录结构，左边的导航窗格默认显示“快速访问”“OneDrive”“此电脑”“网络”四个组。每个组又有子分支，形成一个树形目录结构。右窗格显示的是左窗格中被选择的对象所包含的内容。

①“快速访问”相当于收藏夹功能，可以快速访问指定文件夹。当希望把某个经常使用的文件夹添加到“快速访问”时，选中该文件夹，右击鼠标，在弹出的快捷菜单中选择“固定到快速访问”命令即可。

②“OneDrive”是微软公司推出的云存储服务，与百度云、360 云盘、微云等功能类似。

③“此电脑”相当于 Windows 7 中的“计算机”。

④“网络”是相关网络应用。

打开文件资源管理器时，可以设置默认打开“快速访问”或“此电脑”。操作方法是：单击“文件”选项卡，选择“更改文件夹和搜索选项”命令，在弹出的对话框中选择“常规”选项卡，设置“打开文件资源管理器时打开:”、“为此电脑”或“快速访问”项。

(6) 状态栏

状态栏位于文件资源管理器的底部，用于显示当前窗口的工作状态、当前文件夹包含内容的数量和大小等信息。状态栏右侧是两个视图按钮，它们的功能分别是“显示窗口详细信息”和“使用大缩略图显示”，用户在“文件资源管理器”窗口的空白处右击，在弹出的快捷菜单中选择“查看”命令，在弹出的子菜单中也会出现这两个命令。

3. 库

库是从 Windows 7 开始提供的一种新功能，目的是快速访问用户的重要资源，实现方式类似于文件夹或应用程序的快捷方式。

默认情况下，库中有 4 个子库，分别是“视频库”、“图片库”、“文档库”和“音乐库”，分别链向当前用户下的“我的文档”、“我的图片”、“我的音乐”和“我的视频”文件夹。当用户在 Windows 提供的应用程序中保存创建的文件时，默认的位置是文档库所对应的文件夹。从网络上下载的歌曲、视频、网页、图片等也会默认分别放到相应的 4 个子库中。

用户还可以定义新库，操作步骤如下：

第 1 步：在“库”上右击，在“新建”命令中选择“库”。

第 2 步：选择要添加到库的文件夹后右击，在快捷菜单中选择“包含到库中”命令，然后选择相应的库。

2.3.3 文件和文件夹的创建

1. 新建文件

通常可通过启动应用程序来新建文档。例如，在应用程序的新文档中写入数据，然后保存在磁盘上。也可以不用启动应用程序，直接建立新文档。在桌面上或者某个文件夹中右击，在弹出的快捷菜单中选择“新建”命令，在出现的文档类型列表中，选择一种类型即可。

2. 创建文件夹

用户可以在文件夹树形结构的任何位置创建新的文件夹。创建新文件夹类似于向文件柜中加入新抽屉，这对组织或管理磁盘数据信息是非常有效的。创建文件夹的方法有两种：

方法 1：单击文件资源管理器“主页”菜单中的“新建文件夹”命令。

方法 2：右击文件资源管理器右窗格空白处，在弹出的快捷菜单中执行“新建”→“文件夹”命令。

注意：不能在“此电脑”“网络”等特定位置新建文件或文件夹。

2.3.4　文件和文件夹的选定或取消选定

在对文件或文件夹进行操作之前，首先要选中对象。Windows 中可选定一个或多个文件，多个文件可以是连续的，也可以是不连续的。

(1) 选择单个文件或文件夹

用鼠标单击要选择的文件或文件夹的图标或名字即可。

(2) 选择连续的多个文件

先单击要选择的第一个文件，按住【Shift】键，再单击要选择的最后一个文件，就可以选中包含在上述两个文件之间的所有文件。

(3) 选择不连续的多个文件

先按住【Ctrl】键，然后逐个单击要选择的各个文件。

还可以在“查看”菜单中勾选“显示/隐藏”组的“项目复选框”选项，如图 2-25 所示。启用复选框功能后，用户将鼠标指针指向文件或文件夹时，在该对象的左上角或左侧会显示一个复选框，勾选复选框即可选择相应的文件或文件夹，如图 2-26 所示。复选框出现的位置取决于当前文件夹中图标的显示方式。

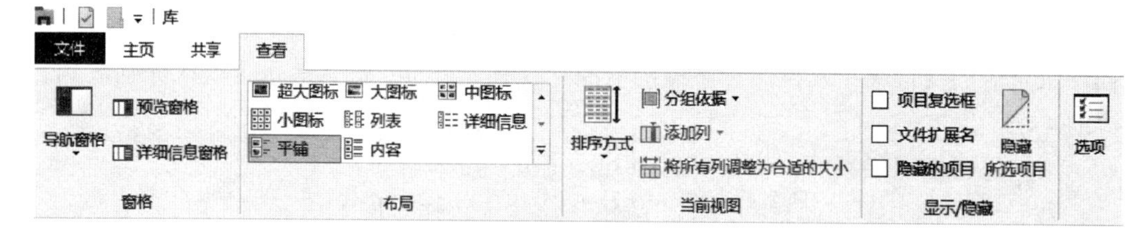

图 2-25　“项目复选框”选项

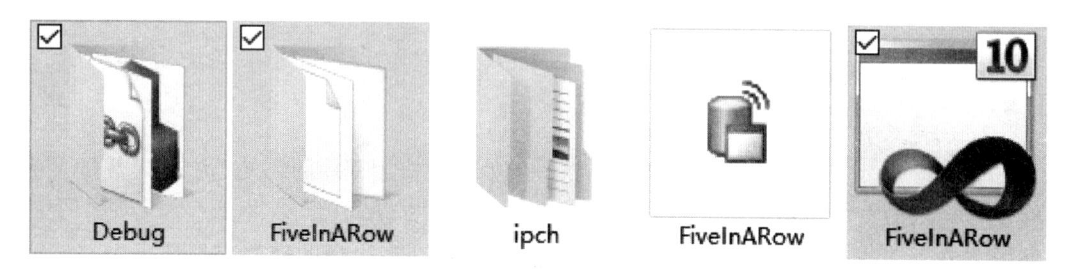

图 2-26　选定不连续对象

(4) 选择不连续的若干组连续文件

先单击第一组的第一个文件，按住【Shift】键，再单击该组最后一个文件。确定一组后，按住【Ctrl】键，单击另一组的第一个文件，同时按住【Ctrl】+【Shift】键，单击此组的最后一个文件。这一操作步骤反复进行，直至选择文件结束。

(5) 选择全部文件和文件夹

选择“主页”菜单中“选择”组的“全部选定”命令，或按住【Ctrl】+【A】键即可选定打开的文件夹中的所有文件和文件夹。

(6) 取消单个已选定的文件

按住【Ctrl】键，单击要取消的文件。

(7) 取消全部已选定的文件

在空白处单击，或执行“主页”→“选择”→“全部取消选定”命令。

2.3.5　文件和文件夹的重命名

用户可以根据自己的需要更改文件或文件夹的名字。重命名文件或文件夹的方法有以下三种：

方法 1：选中要重命名的文件或文件夹后，执行“主页”→“重命名”命令。

方法 2：选中要重命名的文件或文件夹后，右击选定的对象，在弹出的快捷菜单中选择“重命名”命令。

方法 3：选中要重命名的文件或文件夹后，再次单击该文件或文件夹，其名称会高亮显示，此时就可以输入新名字了。

注意：在 Windows 中，每次只能修改一个文件或文件夹的名字；打开的文件不能进行重命名；重命名文件时，不要轻易改变扩展名。

2.3.6　文件和文件夹的移动与复制

移动文件或文件夹的操作与复制操作基本相似，其区别在于：移动操作时选定的文件或文件夹从原位置消失；而复制操作时选定的文件或文件夹仍保留在原有位置。

移动或复制文件及文件夹的方法有以下四种：

方法 1：选定要移动或复制的文件或文件夹，执行“主页”→“剪切”（或“复制”）命令，然后打开目标文件夹，执行“主页”→“粘贴”命令。

方法 2：选定要移动或复制的文件或文件夹后右击，在弹出的快捷菜单中选择“剪切”或“复制”，然后打开目标文件夹，在弹出的快捷菜单中选择“粘贴”命令。

方法 3：用户可以用鼠标拖动的方式，实现移动、复制等操作。在拖动过程中，如果有“+”出现，则意味着是复制操作，否则是移动操作。不同驱动器之间拖动时是复制，不同驱动器之间按住【Shift】键拖动时是移动；同一驱动器之间拖动时是移动，同一驱动器之间按住【Ctrl】键拖动时是复制。

方法 4：按下【Ctrl】+【C】组合键实现复制，【Ctrl】+【X】组合键实现剪切，【Ctrl】+【V】组合键实现粘贴。

2.3.7 文件和文件夹的删除及恢复

1. 文件和文件夹的删除

对某些不再需要的文件或文件夹，可以删除它们以释放空间。删除文件和文件夹有两种情况：逻辑删除和物理删除。

（1）逻辑删除

逻辑删除是将文件或文件夹移动到“回收站”中，在“回收站”中可以通过“还原”操作将其放回至原来的位置。逻辑删除的方法有以下四种：

方法1：选定要删除的文件或文件夹，执行“主页”→“删除”命令。

方法2：选定要删除的文件或文件夹，然后右击，在弹出的快捷菜单中选择“删除”命令。

方法3：选定要删除的文件或文件夹，按【Delete】键。

方法4：直接将要删除的文件或文件夹拖入回收站。

（2）物理删除

物理删除也叫彻底删除，是指将文件或文件夹彻底删除，不能恢复。

物理删除的方法是选定要删除的文件或文件夹，按住【Shift】+【Delete】组合键。

放在回收站中的文件或文件夹（逻辑删除）也可以物理删除，操作方法是：用鼠标双击桌面上的“回收站”图标，打开如图2-27所示的“回收站”窗口，右击选定要彻底删除的对象，在弹出的快捷菜单中选择“删除”命令。还可以在“管理”菜单中，单击“管理”组中的“清空回收站”命令来彻底删除回收站中的所有对象。

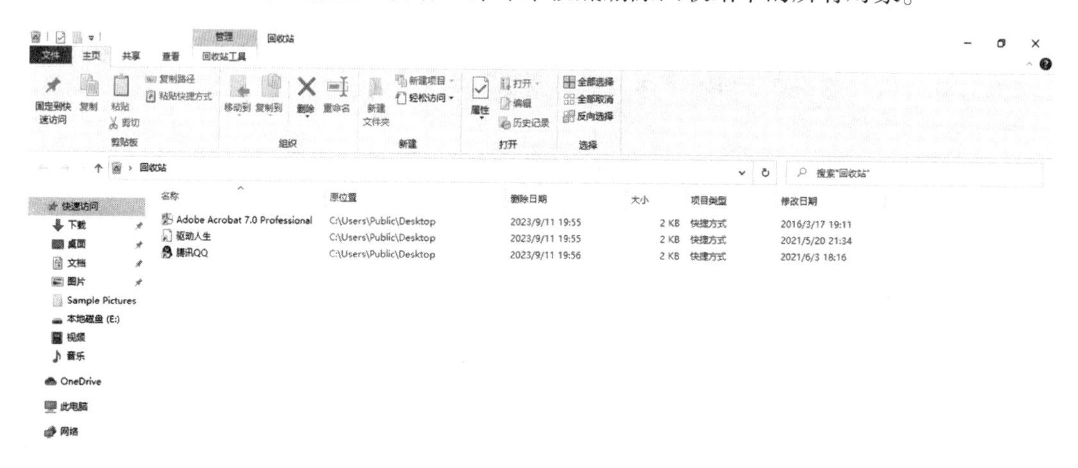

图2-27 “回收站”窗口

右击桌面上的“回收站”图标，在弹出的快捷菜单中选择“属性”命令，打开如图2-28所示的“回收站 属性”对话框。在该对话框中，可以设定回收站的存放路径、选定位置的容量大小、是逻辑删除还是物理删除、是否显示删除确认对话框。

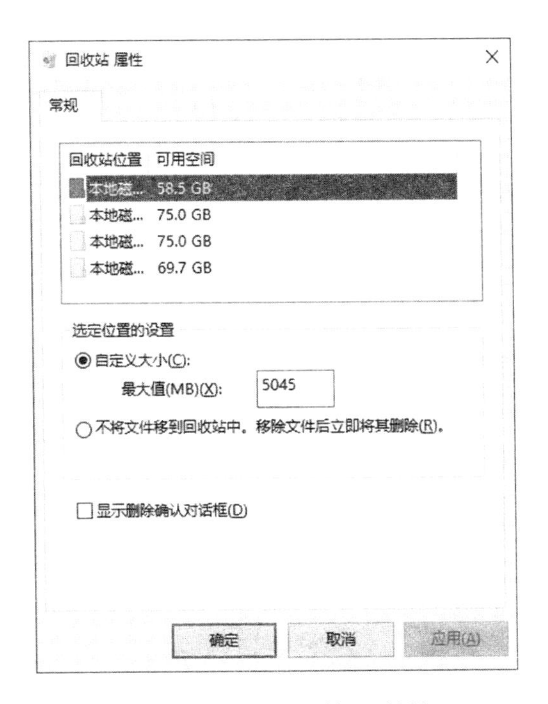

图 2-28　“回收站 属性”对话框

2. 文件或文件夹的恢复

删除后的文件一般会先放到“回收站”里。回收站为用户提供了误删文件或文件夹的补救措施。只要回收站没有存满或没有使用“删除”命令将其彻底删除，用户就可以将其中的文件恢复到原来的位置。

文件或文件夹的恢复操作是：打开“回收站”窗口，右击选中需要恢复的文件或文件夹，在弹出的快捷菜单中选择“还原”命令，文件就会恢复到原来的位置。也可以选择“剪切”命令恢复到其他位置。

注意：回收站是硬盘的一部分，在可移动存储介质上删除的项目不会放入回收站，因此是不可以恢复的；硬盘上要直接删除文件或文件夹，而不将其放入回收站，可在删除的同时按住【Shift】键。

2.3.8　文件和文件夹的搜索

有时候用户需要查看某个文件或文件夹的内容，却忘记了该文件或文件夹存放的具体位置或具体名称。Windows 提供了搜索功能可以帮助用户解决这个问题。

除了可以使用任务栏的搜索框进行本地和全网搜索外，用户还可以在文件资源管理器中查找本地文件和文件夹。在文件资源管理器的右上角有一个搜索框，可以在其中输入想要查找的内容。搜索的内容范围取决于文件资源管理器当前打开的文件夹。例如，当前打开的是 E 盘，则在 E 盘的搜索框中输入的内容将会在 E 盘中搜索。输入想要查找的文件名或文件名的一部分，系统将复选文件夹中的内容，以匹配输入内容的每个连续字符，待用户看到需要的文件后，可停止输入。所有找到的匹配内容会自动在“内容”显示方式下显示，每一项结果中的搜索关键字使用黄色底纹来标记，如图 2-29 所示。几乎所有适用于在文件资源管理器中的操作都能用于搜索结果，如复制、剪切、重命名、创建快捷方式等。

图 2-29　在“文件资源管理器”中搜索文件

注意：Windows 10 在搜索时，支持使用通配符“*”和“?”。其中“*”代表 0 或多个任意字符，“?”代表一个任意字符。

2.3.9　文件属性

文件属性是一些描述性的信息，不包含在文件的实际内容中，但是提供了文件的一些信息，如系统属性、归档属性、只读属性、隐藏属性等，还包括作者、修改日期和分级等其他属性。

在文件资源管理器中右击某个文件，在弹出的快捷菜单中选择“属性”命令，将打开“属性”对话框。不同类型文件的属性对话框有所不同，下面以图 2-30 所示的文件属性对话框为例来说明文件属性对话框的使用。单击该对话框的“常规”选项卡，将会在对话框的上部显示该文件的名称、文件类型、打开方式、位置、大小等信息。下方的属性栏用于设置该文件的属性。如果将文件属性设置为“只读”，则该文件只允许被读取，不允许修改；如果将文件属性设置为“隐藏”，并且在“文件夹选项”对话框中设置“不显示隐藏的文件或文件夹”，则在文件资源管理器中将看不到该文件。

如果单击该对话框中的“高级”按钮，将会打开如图 2-31 所示的“高级属性”对话框，在这个对话框中，可以设置文档的“文件”属性和“压缩或加密”属性。

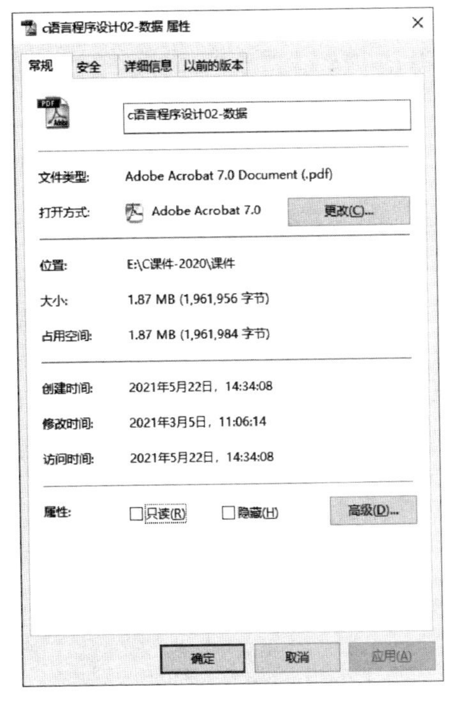

图 2-30　文件属性对话框

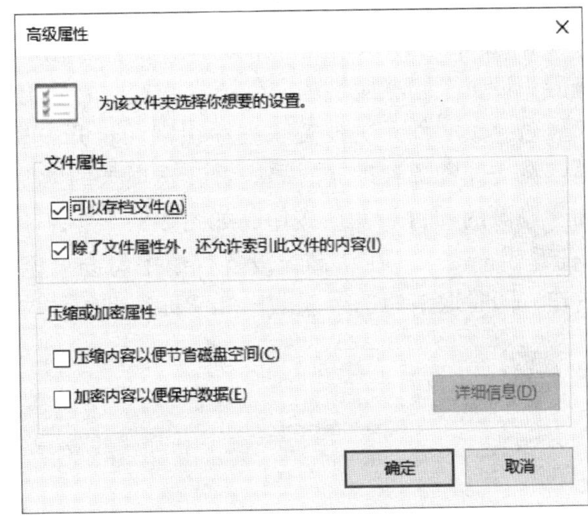

图 2-31　“高级属性”对话框

2.3.10　改变文件和文件夹的显示方式

1. 改变文件或文件夹的布局方式

文件和文件夹的布局方式有以下几种：超大图标、大图标、中等图标、小图标、列表、详细信息、平铺和内容。用户可以根据自己的需要选择其布局方式。

方法 1：利用“查看”选项卡。在“布局”组中选择某种布局方式，如图 2-32 所示。

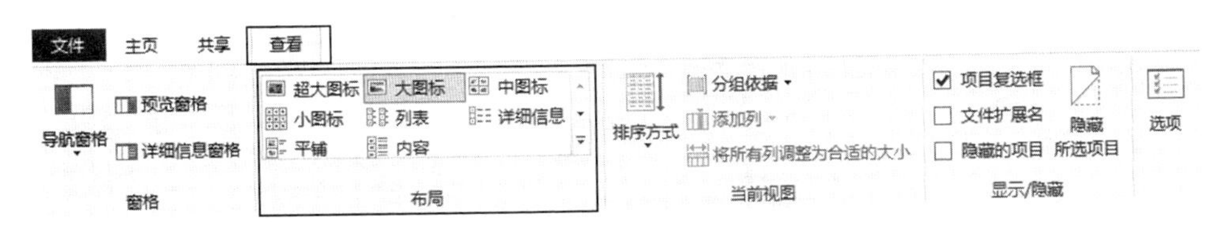

图 2-32　文件或文件夹的布局方式

方法 2：利用快捷菜单。在文件资源管理器窗口的空白处右击，弹出快捷菜单，单击“查看”命令，在弹出的列表中选择某种布局方式。

2. 改变文件或文件夹的排列方式

在文件资源管理器中，根据查看文件的需要，可以按文件名的字母顺序、文件建立的日期等方式来排列文件。

方法 1：利用“查看”选项卡。在“当前视图”组中单击“排序方式”，在下拉列表中选择某种排序方式。

方法 2：利用快捷菜单。在文件资源管理器窗口的空白处右击，弹出快捷菜单，单击“排序方式”命令，然后选择按名称、日期、类型、大小或标记进行递增或递减排序。

2.3.11 显示隐藏文件和文件的扩展名

Windows 在默认情况下不显示设置了隐藏属性的文件，也不显示文件的扩展名，这是因为设置了隐藏属性的文件通常是重要的系统文件，避免用户因误删文件和误改文件扩展名导致文件无法被关联程序识别和打开。显示隐藏文件和文件扩展名的操作方法是：在文件资源管理器的“查看”选项卡的“显示/隐藏”组中，勾选“文件扩展名”和“隐藏的项目”两个按钮，如图 2-33 所示；或者打开“文件夹选项”对话框，单击“查看”选项卡，在“高级设置”组中勾选“显示隐藏的文件、文件夹和驱动器”单选按钮，同时取消勾选“隐藏已知文件类型的扩展名”复选框，如图 2- 34 所示。

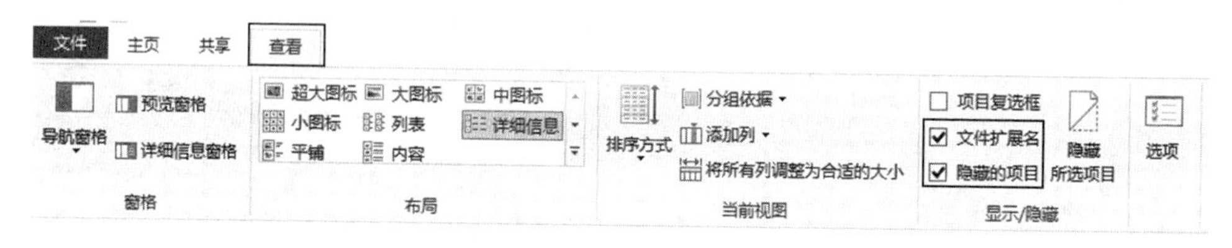

图 2-33　显示隐藏文件和文件的扩展名

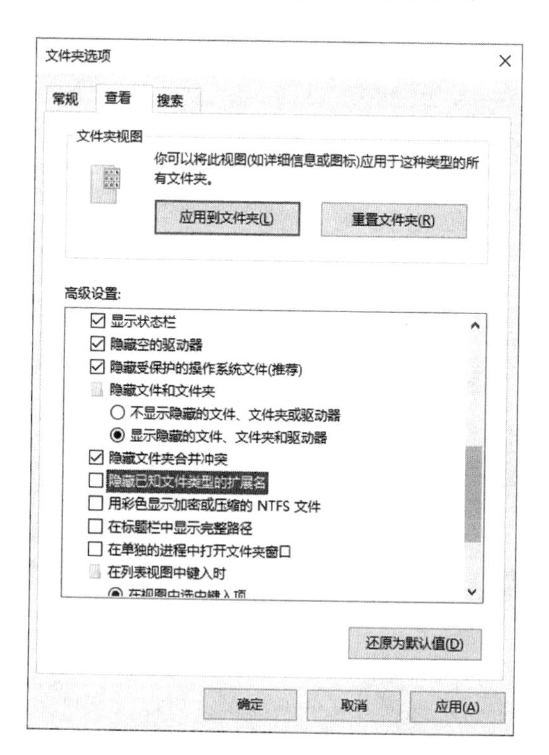

图 2-34　“文件夹选项”对话框——“查看”选项卡

显示带隐藏属性的文件后，该文件会以半透明图标呈现在文件资源管理器中，从而和普通文件区分，如图 2-35 所示。

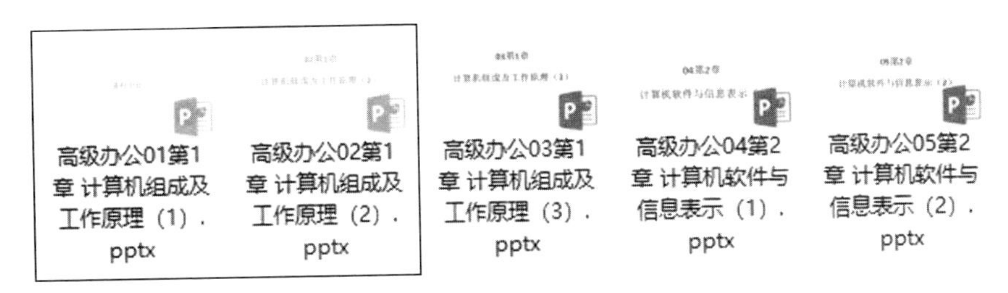

图 2-35　不同属性的文件图标

2.3.12　设置个性化的文件夹图标

Windows 下的文件夹默认以黄色文件夹图标显示，用户也可以自定义文件夹的图标样式。操作步骤如下：

第 1 步：右击某个文件夹，在弹出的快捷菜单中选择“属性”命令，打开文件夹的“属性”对话框。

第 2 步：切换到“自定义”选项卡，在“文件夹图标”组中单击“更改图标”命令，打开“更改图标”对话框，如图 2-36 所示。

第 3 步：可以选择系统预设的其他图标，也可以选择用户自定义的图标，选定新图标后单击“确定”按钮。

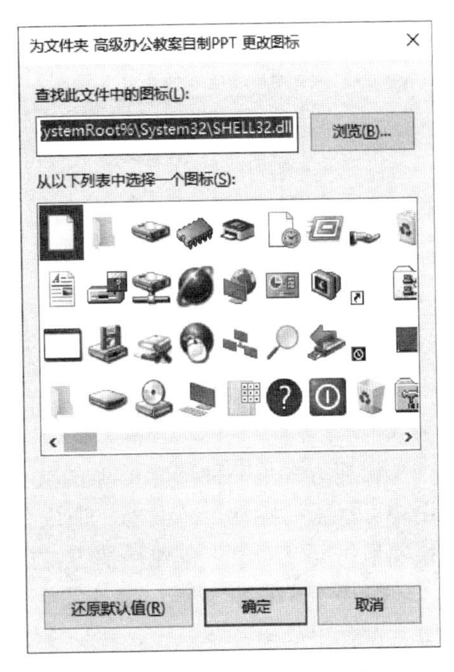

图 2-36　“更改图标”对话框

2.3.13　设置“快速访问”中包含的内容

“快速访问”在文件资源管理器的“导航窗格”的最顶部，用户可以将经常需要访问的文件夹添加到“快速访问”中，实现快捷访问。

当需要将当前文件夹添加到“快速访问”中时，只需单击选中当前文件夹，再右击“快速访问”，在弹出的快捷菜单中，选择“将当前文件夹固定到‘快速访问’”命令即可（图 2-37）；或者选中要被操作的文件夹并右击，在弹出的快捷菜单中，选择“固定到‘快速访问’”命令即可。

Windows 10 会根据用户使用文件夹的频率去判断哪些内容是用户经常需要操作的，从而自动记录在“快速访问”中，这些文件夹并不是用户自行添加的。为了保护个人隐私，可以在文件资源管理器的“查看”选项卡中单击“选项”按钮，打开“文件夹选项”对话框，在“常规”选项卡中取消勾选“在‘快速访问’中显示最近使用的文件”和“在‘快速访问’中显示常用文件夹”两个命令即可，如图 2-38 所示。

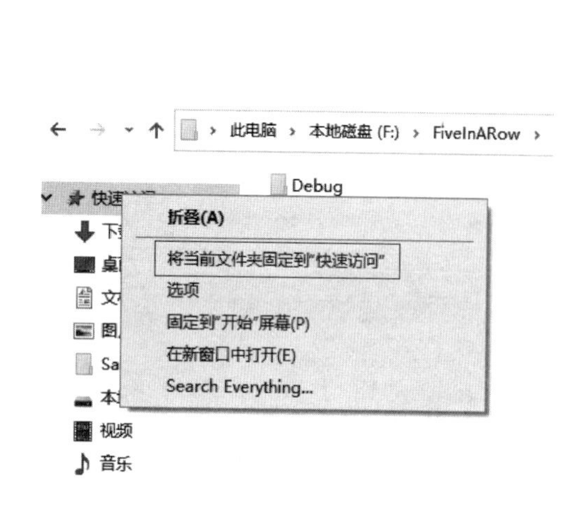

图 2-37　添加文件夹到“快速访问”中

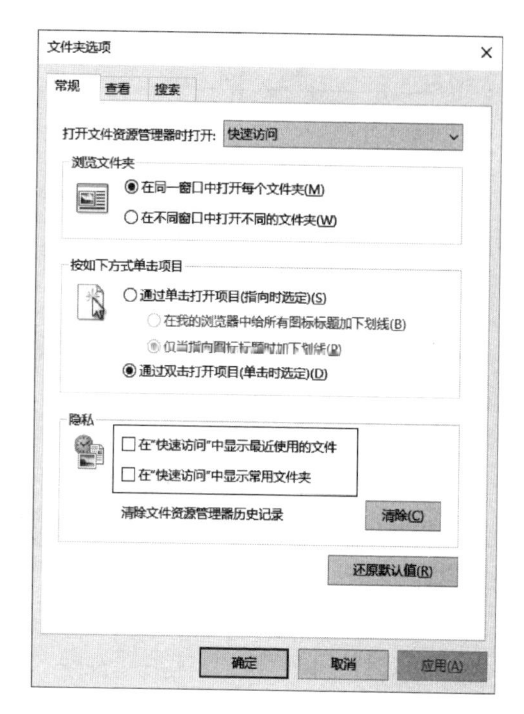

图 2-38　取消系统自动添加文件夹到“快速访问”中

2.3.14　创建文件和文件夹的快捷方式

快捷方式是一种特殊类型的文件，是指向对象的可视化指针，其扩展名为 .LNK。用户可以为一些常用的文档、应用程序、驱动器等创建快捷方式，通过快捷方式就可以快速地访问该对象。创建快捷方式的方法有：

方法 1：在文件资源管理器中，右击要创建快捷方式的应用程序、文件、文件夹等，在弹出的快捷菜单中选择“创建快捷方式”命令，即可创建该项目的快捷方式。

方法 2：对于文件或文件夹，可以按住鼠标右键拖动，至目的文件夹后松开鼠标，在弹出的快捷菜单中选择“在当前位置创建快捷方式”。

方法 3：如果要在桌面创建快捷方式，选择文件或文件夹后右击，在弹出的快捷菜单中选择“发送到”→“桌面快捷方式”。

注意：快捷方式并不能改变应用程序、文件夹、文件等在计算机中的位置，它也不是副本，而是一个指针，使用它可以方便地打开项目，但删除、移动、重命名快捷方式均不会影响原有的项目。

2.4　控制面板

2.4.1　控制面板简介

控制面板是 Windows 系统维护和配置的核心，也是 Windows 系统的灵魂，大多数

Windows 用户已经习惯了控制面板的存在。打开控制面板有以下两种方法：

方法 1：依次单击“开始”按钮→“Windows 系统”→“控制面板”。

方法 2：利用“搜索框”。在“搜索框”中输入“控制面板”，系统搜索到“控制面板”程序，单击右边的“应用”打开“控制面板”。

控制面板有两种视图模式：一种是类别模式（图 2-39）；另一种是图标模式（图 2-40）。单击窗口右侧的“查看方式”下拉按钮可以切换视图模式。两种视图模式都可以单击其中的图标或链接进入相关的设置页面。

图 2-39　控制面板的类别模式视图

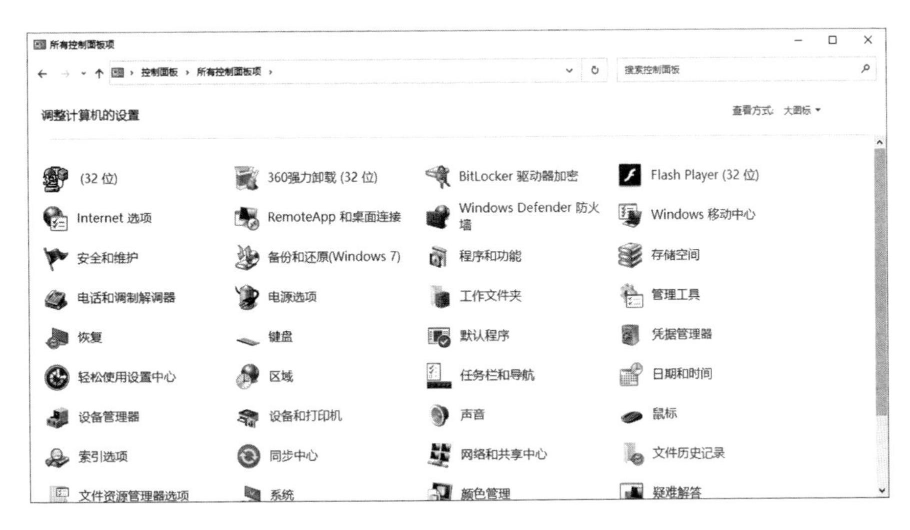

图 2-40　控制面板的图标模式视图

以类别模式为例，共有八个类别：

① 系统和安全：查看并更改系统和安全状态、备份并还原文件和系统设置、更新计算机、查看 RAM 和处理器速度、检查防火墙等。

② 用户账户：更改账户类型和密码。

③ 网络和 Internet：检查网络状态并更改设置、设置共享文件和计算机的首选项、

配置 Internet 显示和连接等。

④ 外观和个性化：更改桌面项目的外观、将主题或屏幕保护程序应用于计算机、自定义任务栏等。

⑤ 硬件和声音：添加或删除打印机和其他硬件、更改系统声音、自动播放 CD、节省电源、更新设备驱动程序等。

⑥ 时钟和区域：更改时间、日期和时区、使用的语言，以及货币、日期、时间的显示方式。

⑦ 程序：允许用户从系统中删除程序、启用或关闭 Windows 功能，也可以在此入口通过联机的方式安装新程序。

⑧ 轻松使用：优化视觉显示、通过设置“语音识别”来控制计算机。

2.4.2 用户账户管理

Windows 是一个多用户操作系统，即通过为每个用户创建一个用户账户（计算机界面为“帐户”）来标识不同用户的身份，每一个账户拥有一个相对独立的空间，保存着各自对操作系统的环境设置，并且完成不同类型的任务。用户账户可以为计算机提供安全凭证，包括用户名和用户登录时需要的密码，以及其他便于用户能够访问到资源的权限。

Windows 要求一台计算机上至少有一个管理员用户账户，也可以创建其他类别的用户账户。Windows 用户账户的类别有以下三种：

① 管理员用户：拥有对计算机进行最高级别的操作权限和控制，可以使用创建、更改和删除账户等高级管理操作。

② 标准用户：也称受限用户，可以完成大多数常规操作，但是无法进行一些可能影响到系统稳定性和安全性的操作。

③ 来宾用户：可远程登录的网上用户，登录系统时不需要用户账户和密码。默认状态下，该账户不被启用。

1. 创建新账户

在安装 Windows 10 操作系统的过程中，在即将完成系统设置时系统会要求用户创建一个管理员账户，安装完成后首次登录系统就是使用该管理员账户。在之后的操作中，可以使用该管理员账户继续创建新的用户账户，既可以创建管理员账户，也可以创建标准账户。

在 Windows 10 中创建新的本地用户账户的操作方法是：打开控制面板，选择“账户”选项，在“账户”设置界面的左侧单击“家庭和其他用户”选项，在右侧界面中既可以选择“使用 Microsoft 账号登录”，也可以选择“将其他人添加到这台电脑”创建新账户，如图 2-41 所示。

单击“将其他人添加到这台电脑”后将出现图 2-42 所示的对话框，单击对话框下方的“我没有这个人的登录信息”链接，进入下一个对话框（图 2-43），继续单击“添加一个没有 Microsoft 账户的用户”，出现图 2-44 所示的对话框，在该对话框中输入新用户账户的名称，是否使用密码是由用户使用的环境决定的。如果要为该用户账户设置密码，则必须设置“密码提示”的内容，包括安全问题和答案，该内容有助于用户找回密码。单击“下一步”按钮即可创建一个新账户，该账户显示在“设置”窗口，如图 2-45 所示。

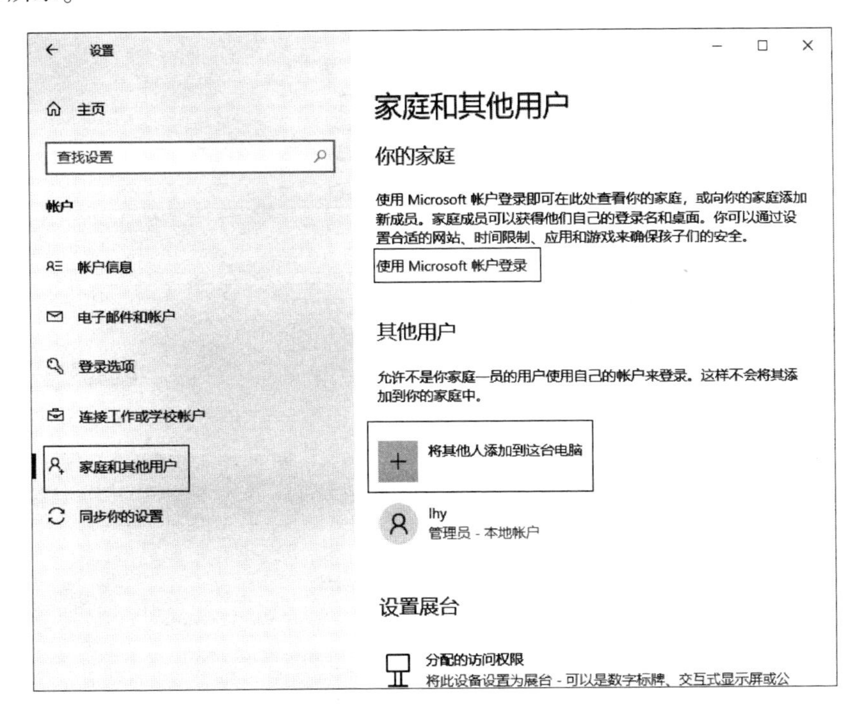

图 2-41　创建新账户图 1

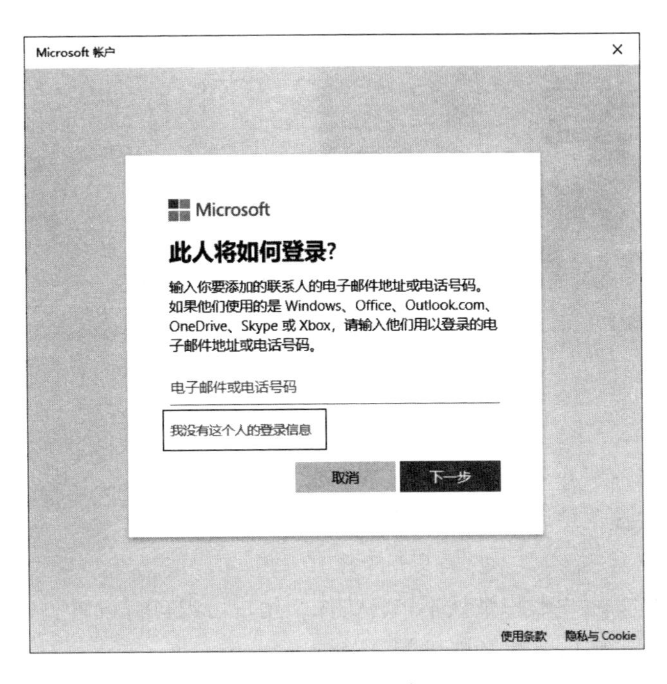

图 2-42　创建新账户图 2

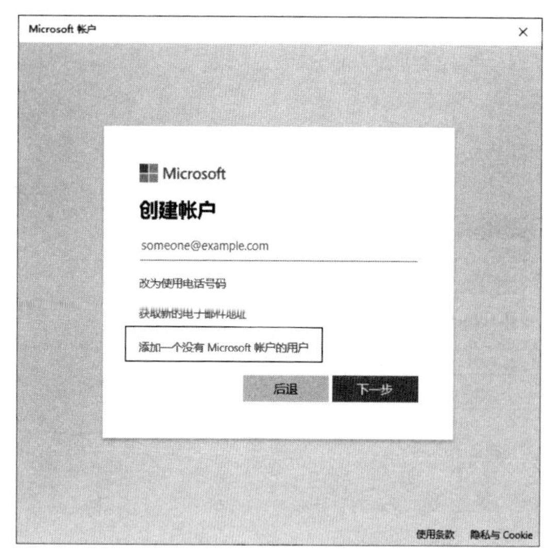

图 2-43　创建新账户图 3

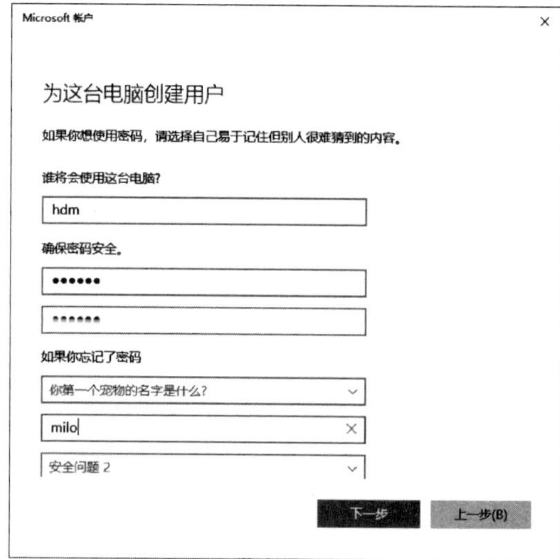

图 2-44　创建新账户图 4

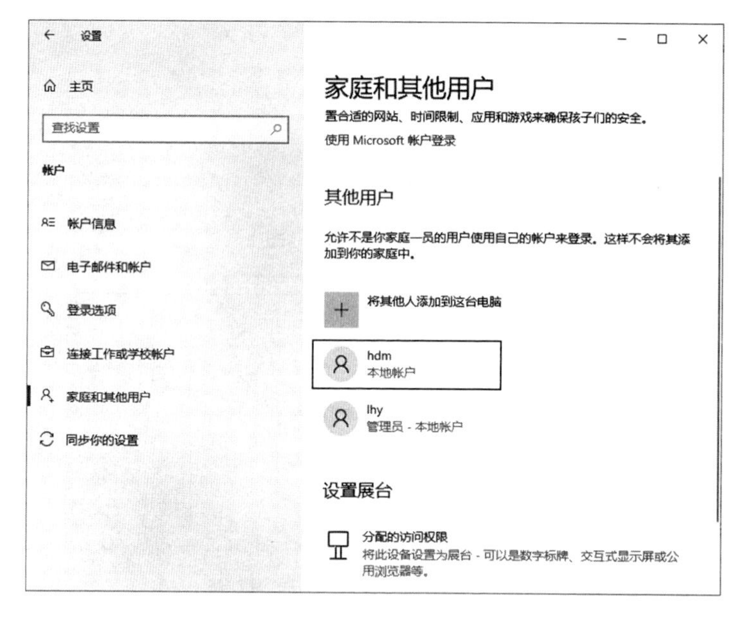

图 2-45　创建新账户图 5

2. 切换账户

如果需要从当前账户切换到其他账户，只要在“开始”菜单中，单击当前用户的图标，在弹出的快捷菜单中选择其他账户即可。

3. 更换账户头像、名称、密码及删除账户

在系统中创建的用户账户默认不包含头像，用户可以自行设置头像。此外，用户还可以随时修改用户账户的名称和账户类型。

在“开始”菜单中单击当前用户的图标，在弹出的快捷菜单中选择“更改账户设

置”命令，打开“账户信息”设置窗口，在窗口右侧根据提示创建用户图像，如图 2-46 所示。可以立即使用相机拍照上传照片，也可以选择一张本地图片。

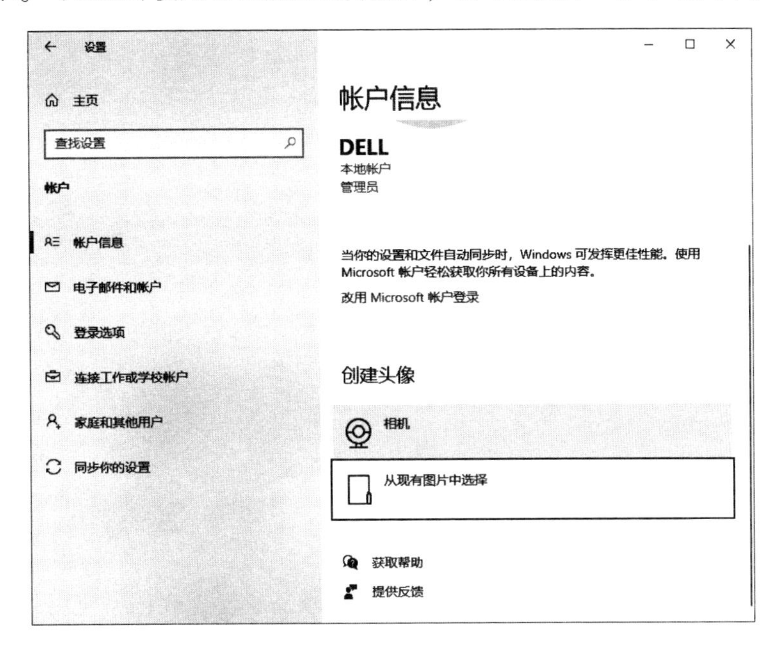

图 2-46　创建用户头像

打开“控制面板”，单击“用户账户”，打开“用户账户”窗口（图 2-47），然后按图 2-48 所示的操作路径打开“更改账户”窗口，在该窗口中可以更改账户的名称、密码、账户类型，以及删除用户。

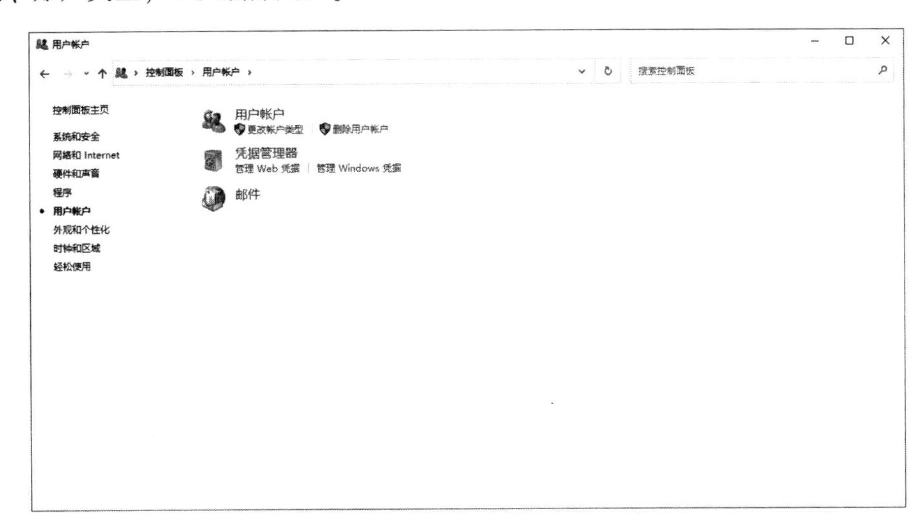

图 2-47　“用户账户”窗口

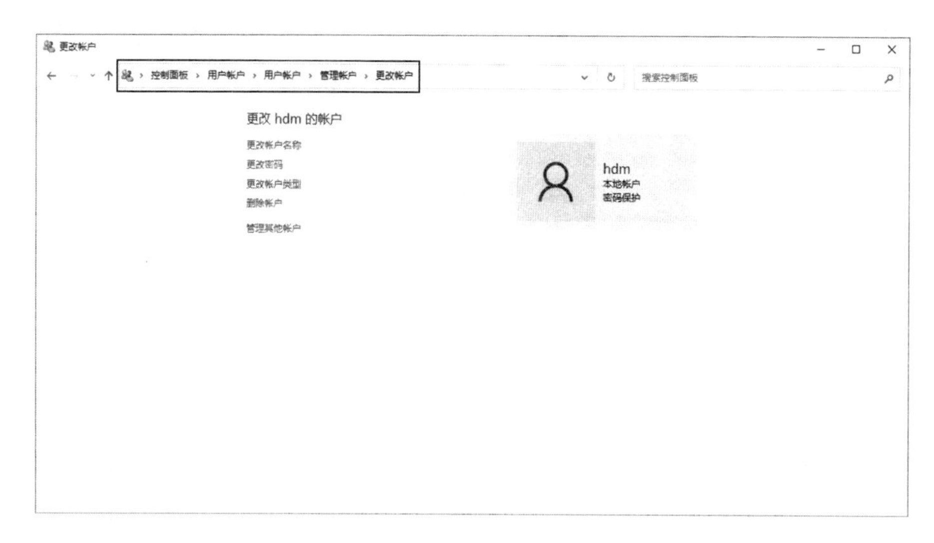

图 2-48 “更改账户”窗口

2.4.3 程序管理

应用程序在使用过程中，可能需要对其进行修复或者更改；当应用程序不再使用时，需要对其进行删除（又叫卸载），以释放磁盘空间。用户可以通过控制面板来进行相关操作。

单击“控制面板”的“程序”选项，打开“程序和功能”窗口（图 2-49），该窗口中显示了系统当前所有已安装的应用程序，选择要对其进行操作的应用程序，单击列表框上方的“卸载或更改程序”，也可直接右击该应用程序，根据提示进行下一步操作，如图 2-50 所示。

图 2-49 “控制面板”——“程序和功能”窗口

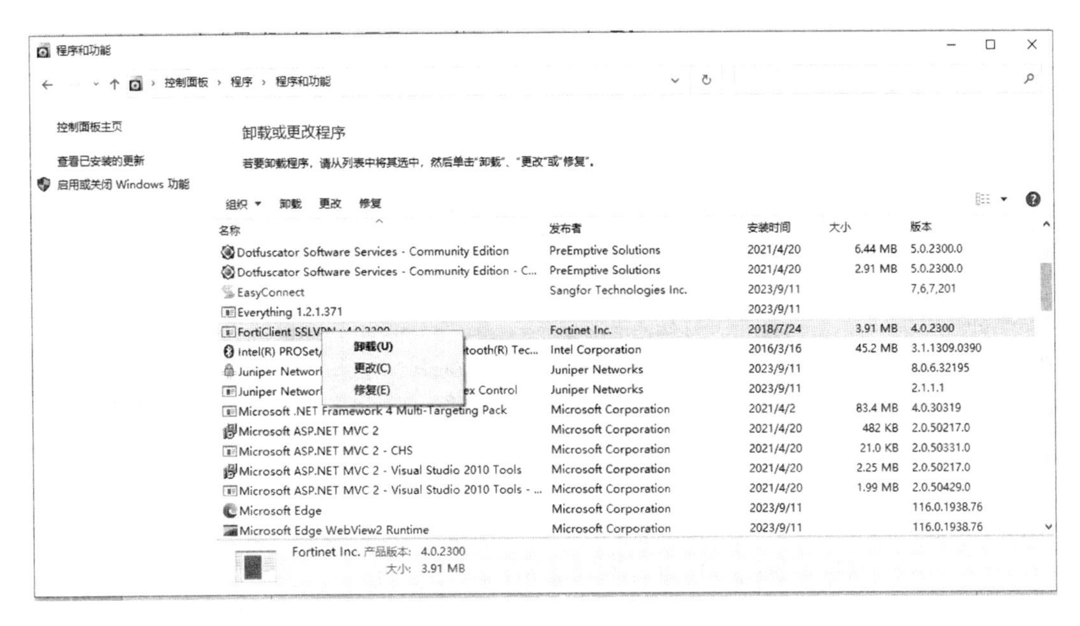

图 2-50　"控制面板"——右击程序的快捷菜单

2.4.4　外观和个性化设置

单击"控制面板"中的"外观和个性化"选项，切换至"外观和个性化"窗口，如图 2-51 所示，用户可以根据需要，个性化设置"任务栏和导航""文件资源管理器选项""字体"等属性。

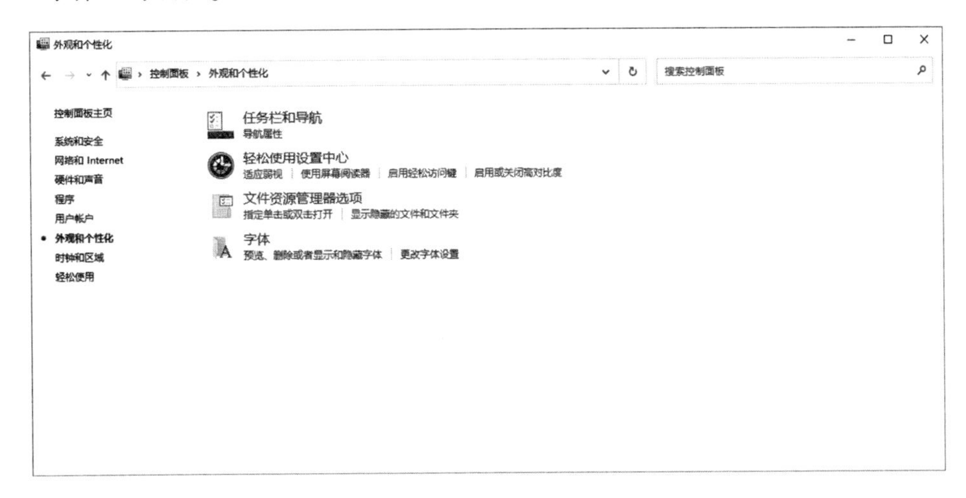

图 2-51　"控制面板"——"外观和个性化"窗口

2.5　Windows 10 内置工具

Windows 10 操作系统除了保留以往操作系统版本中的一些自带小程序和功能之外，

还增加了一些新的小工具。这些工具能解决用户的某些实际问题，让用户操作计算机的体验更加有趣和便捷。这些小工具大多数可以在“开始”菜单中的“附件”或者直接通过“搜索框”找到。

2.5.1 文本工具

1. 记事本

记事本是 Windows 提供的一个简单的文本编辑器，用于纯文本文档的编辑。除了可以设置字体格式外，它几乎没有格式处理能力，但因为记事本运行速度快，用它编辑产生的文件占用空间小，所以在不要求文本格式的情况下，记事本是一个很实用的程序。

启动记事本的操作方法是：依次单击“开始”按钮→“附件”→“记事本”，或者直接在“搜索框”中输入“记事本”进行搜索并打开，这两种方法均可启动记事本应用程序。图 2-52 是一个“记事本”窗口，有标题栏、菜单栏和编辑区三个部分。记事本程序启动后会自动产生一个新的文件——“无标题”，用户可以在编辑区中输入或编辑文件，存盘时可重新命名。记事本窗口菜单中有“文件”、“编辑”、“格式”、“查看”和“帮助”五个主菜单，通过这些菜单可以实现一些文件编辑的功能。记事本文件的扩展名是 . txt。

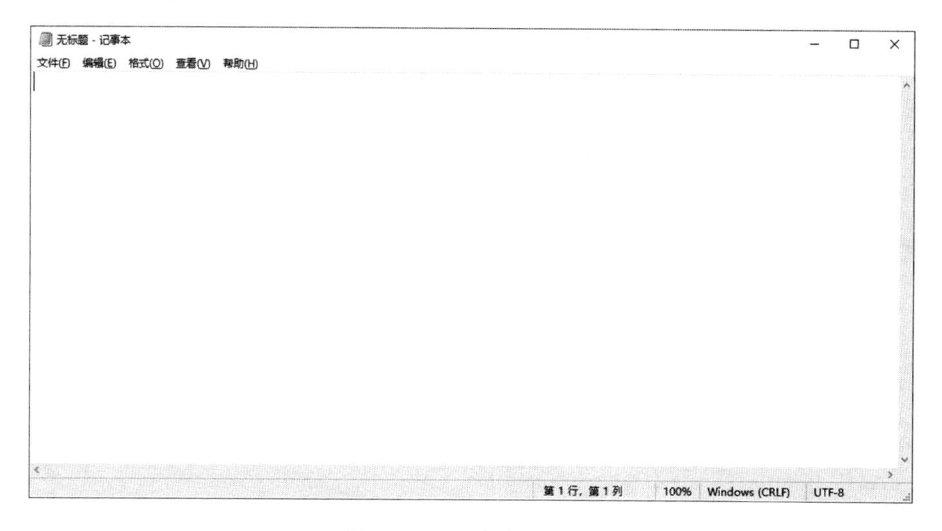

图 2-52 “记事本”窗口

2. 写字板

与记事本相比，写字板功能更加丰富，可以进行格式编排，如设置字体、字形、字号、段落缩进、插入图片等，操作步骤和 Word 程序类似。文件可以保存为 txt 格式、rtf 格式、docx 格式。

启动写字板的操作方法是：依次单击“开始”按钮→“Windows 附件”→“写字板”，或者直接在“搜索框”中输入“写字板”进行搜索并打开。“写字板”窗口如图 2-53 所示。

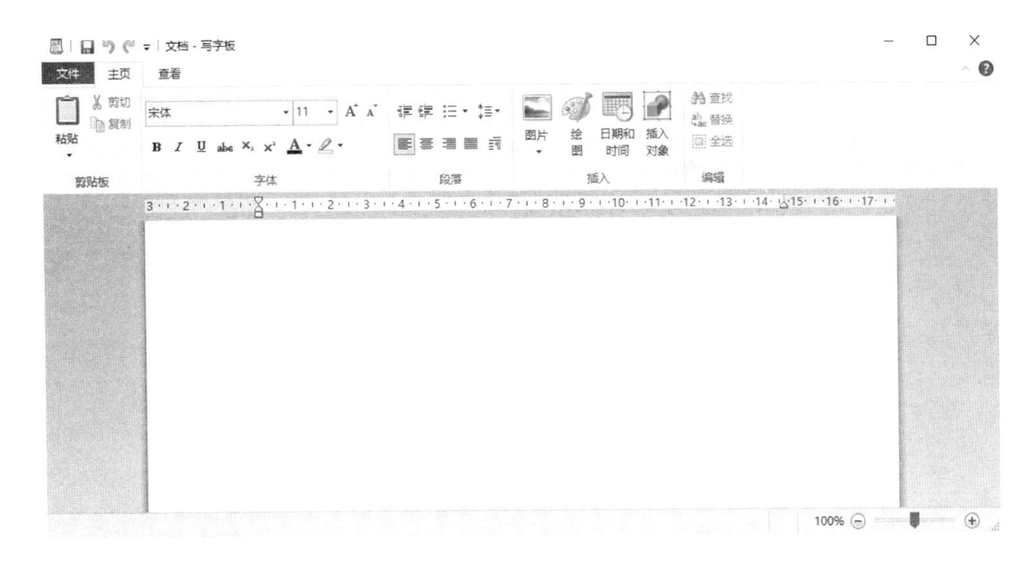

图 2-53　“写字板”窗口

3. 便笺（Sticky Notes）

Windows 10 自带的便笺功能，可以帮助用户更好地记录一些行程和重要事项，并展示在 Windows 10 桌面上，便于随时提醒用户，显示效果就和实际生活中使用便笺一样。

在 Windows 10 “开始”菜单的应用列表中可以找到 Sticky Notes，即便笺，不过有些 Windows 10 版本中便笺功能在“开始”菜单中找不到，用户可以在任务栏空白处右击，在弹出的快捷菜单中勾选“显示‘Windows Ink 工作区’按钮”，如图 2-54 所示。在任务栏的区域通知栏，会出现一个像小笔的图标，单击该图标即可显示“Windows Ink 工作区”界面，用户单击便笺区域，即可显示 Windows 10 自带的便笺，如图 2-55 所示。

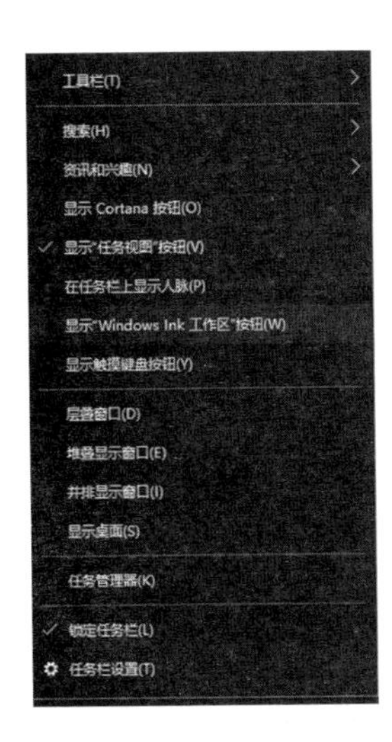

图 2-54　设置显示“Windows Ink 工作区”按钮

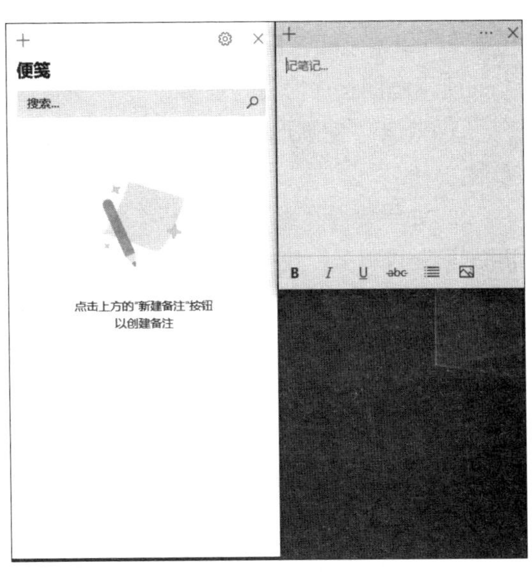

图 2-55　“便笺”对话框

2.5.2 图片工具

1. 画图

画图程序是一个位图绘制程序，可以绘制直线、矩形、箭头等简单图形，也可以对图片进行剪裁、复制、移动、旋转等操作，同时还提供了工具箱（包括铅笔、颜料桶、刷子、橡皮擦等工具）。图片的保存格式可以是png、jpg、bmp等。

启动画图程序的方法是：依次单击“开始”按钮→“Windows附件”→“画图”，或者直接在“搜索框”中输入“画图”进行搜索并打开。“画图”窗口如图2-56所示。

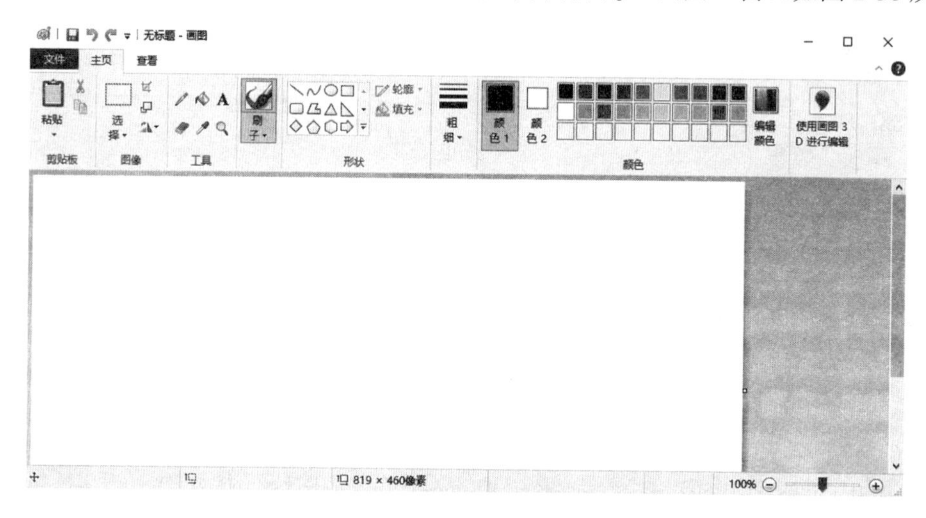

图 2-56 “画图”窗口

“画图”窗口上方是绘制图画所需的工具箱、颜色框，使用颜色框可以选择绘画所需的前景色和背景色，要将某种颜色设置为前景色或背景色，只需要先单击颜色1或颜色2，再单击该颜色框即可。

使用画图程序时，还有如下一些操作小技巧：

① 单击“椭圆形”或“矩形”按钮，再按住【Shift】键，拖动鼠标可绘制圆或正方形。

② 如果要保存整个屏幕图片，按【PrintScreen】键，将整个屏幕拷贝到剪贴板上，再按【Ctrl】+【V】快捷键将剪贴板内容复制到画图中。

③ 如果要保存当前活动窗口图片，按住【Alt】+【PrintScreen】快捷键，将当前活动窗口拷贝到剪贴板上，再按【Ctrl】+【V】快捷键将剪贴板内容复制到画图中。

2. 截图工具

利用Windows 10自带的截图工具，用户可以捕获屏幕上任何对象的快照、任意格式的截图，还可以捕获全屏幕和窗口截图、已经打开的菜单命令的截图，对捕获的图片添加注释并保存。

SnippingTool是Windows操作系统自带的截图软件，比大部分截图软件方便、简洁。依次单击“开始”按钮→“Windows附件”→“截图工具”或者直接在“搜索框”中输入“截图”进行搜索并打开。

截图时先选择截图模式，单击“模式”右边的▼，如图 2-57 所示，选择截图模式，然后单击“新建”按钮，桌面变淡，进入截图状态，拖动鼠标选择截图对象，截图之后会弹出编辑器，可以进行一些简单的编辑操作。

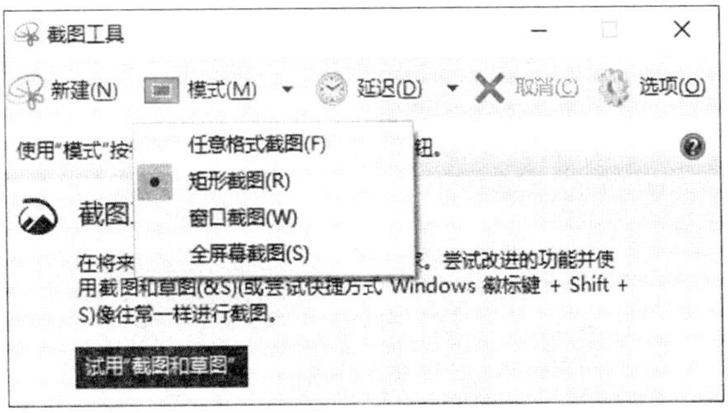

图 2-57　“截图工具”窗口

3. 相机

如果用户的计算机或移动设备自带或者安装了摄像机，就可以使用“相机”功能。Windows 10 的相机功能为用户提供了几种可以获得照片效果的拍照方式，还支持连拍和录像功能，深受用户的喜爱。使用相机功能拍摄的照片可以直接切换到“照片”应用中进行查看和编辑。用户可以使用照片功能浏览和编辑本地图片，还可以在该功能中播放视频。

2.5.3　多媒体工具

1. “Groove”音乐

“Groove”是 Windows 10 系统中自带的一款全新的音乐播放软件，用户可以使用该软件对喜欢的音乐进行收藏和播放，还可以将喜欢的音乐关联到其他的微软产品中，如 OneDrive、Windows Phone 和 Xbox 等。

2. Windows Media Player 多媒体播放器

微软操作系统自带的多媒体播放器会自动将音乐、视频、图片库中的文件添加到 Windows Media Player 的媒体库中，用户可以使用该播放器自定义自己的播放列表、播放音乐和电影、浏览图片、翻录 CD 音乐和刻录 CD 光盘、向移动设备同步媒体库文件等。

2.5.4　管理工具

Windows 自带了多种系统工具，如磁盘清理、磁盘碎片整理、系统还原等。启动的操作方法是：依次单击“开始”按钮→“Windows 管理工具”。

1. 磁盘清理

磁盘清理主要用于删除计算机中的临时文件、Internet 缓存文件以及其他不需要的文件，从而腾出更多的磁盘空间。如果要查看磁盘的情况，右击磁盘图标，在弹出的快捷菜单中选择“属性”命令，打开“磁盘属性”对话框，在“常规”选项卡下，显示该磁盘的类型、文件系统、空间大小等常规属性，如图 2-58 所示。单击“磁盘清理”按钮，清理该磁盘，或者单击“Windows 管理工具”下的“磁盘清理”，在弹出的对话框中选择要清理的驱动器，单击“确定”按钮，如图 2-59 所示。

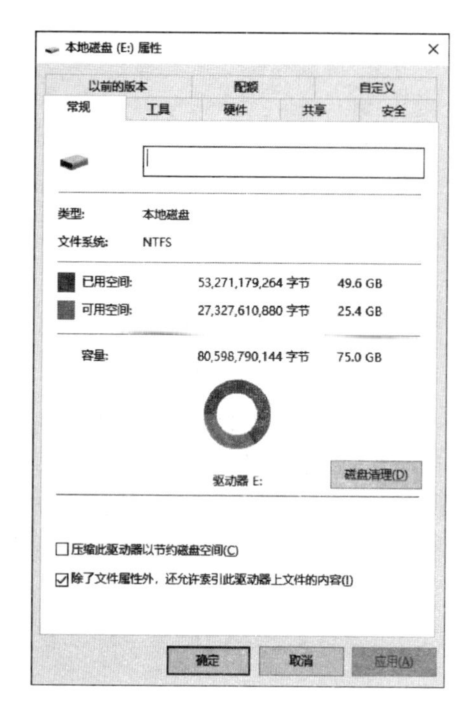

图 2-58 “磁盘属性”对话框

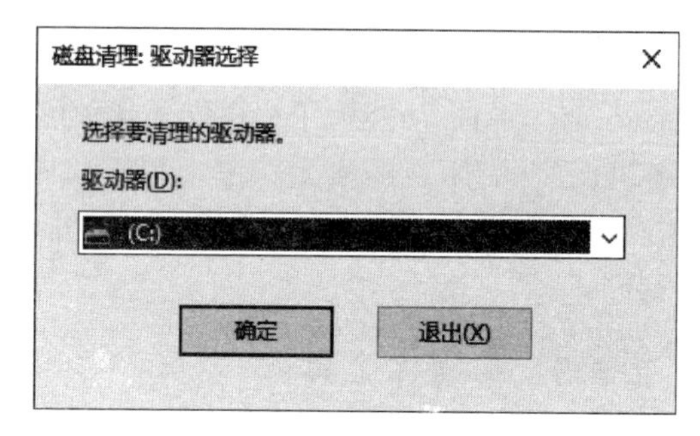

图 2-59 “磁盘清理”对话框

2. *磁盘碎片整理程序*

由于频繁的存储、删除操作，磁盘上的空间会变得零零碎碎，导致磁盘的存取效率降低。磁盘碎片整理程序的功能就是合并碎片文件，提高运行速度。操作方法是单击“Windows 管理工具”下的“碎片整理和优化驱动器”。

3. *系统信息*

单击“Windows 管理工具”下的“系统信息”，显示系统摘要，包括硬件资源、组件、软件环境。其界面如图 2-60 所示。

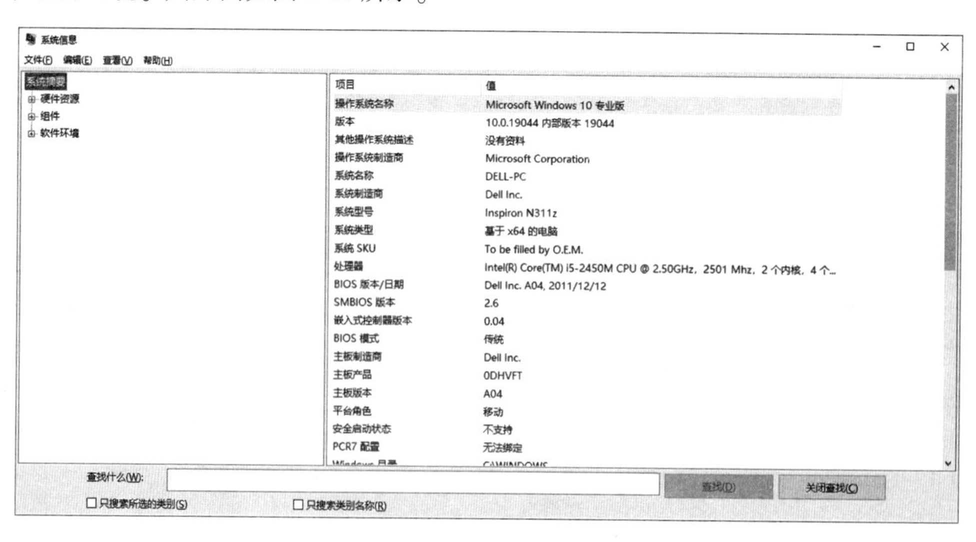

图 2-60 “系统信息”界面

4. 任务管理器

利用 Windows 10 的任务管理器，可以查看计算机当前运行的应用程序、进程信息、计算机性能，并且可以结束任务、进程。

启动“任务管理器”的方法是：在任务栏空白处右击，在弹出的快捷菜单中选择“任务管理器”命令，或者按下【Ctrl】+【Shift】+【Esc】组合键，打开“任务管理器”窗口，如图 2-61 所示。

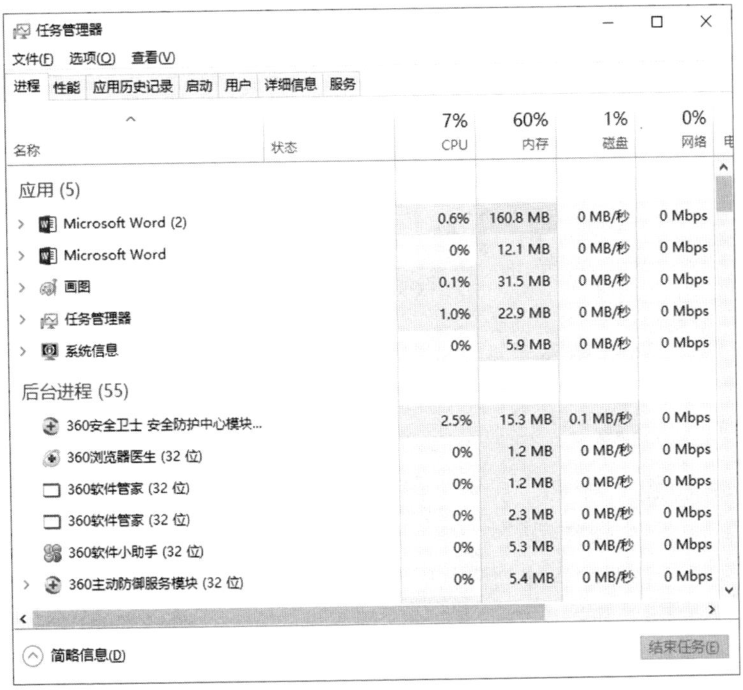

图 2-61　“任务管理器”窗口

（1）“进程”选项卡

“进程”选项卡下的“应用”部分显示了系统当前正在运行的应用程序的名称及状态。当某个应用程序没有响应时，选中该应用程序，单击如图 2-61 所示窗口右下角的“结束任务”按钮可结束该程序。“后台进程”部分显示计算机当前正在运行的应用程序进程、CPU、内存等的使用情况信息，单击“结束任务”按钮可以结束选中的进程。

（2）“性能”选项卡

“性能”选项卡显示当前系统的 CPU 和内存等的使用情况信息，如图 2-62 所示。如果想更详细地查看资源使用动态情况，可以单击下方的“打开资源监视器”超链接，弹出“资源监视器”窗口进行查看。

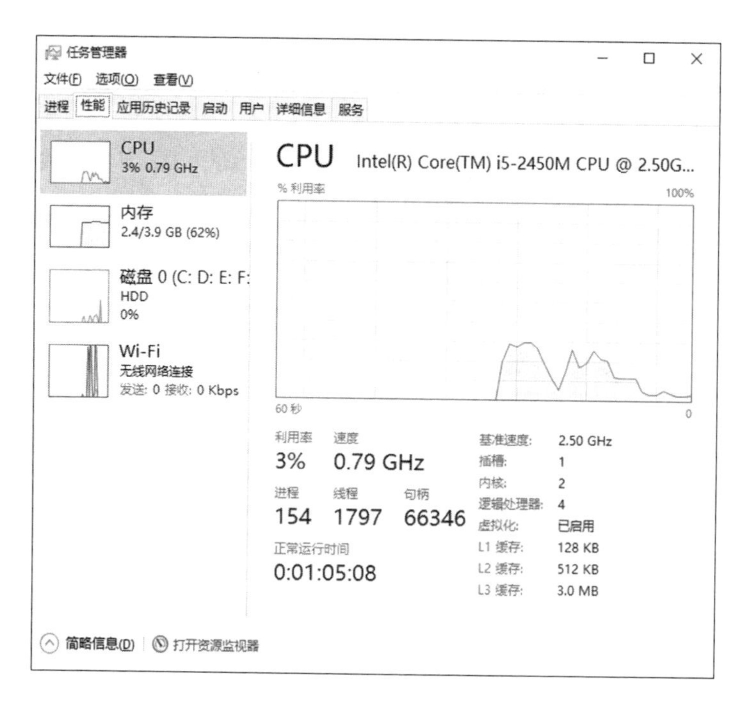

图 2-62 “性能”选项卡

5. 注册表编辑器

注册表是 Windows 操作系统中的一个核心数据库，存放着各种参数，直接控制 Windows 的启动、硬件驱动程序的装载以及一些 Windows 应用程序的运行，从而在整个系统中起到核心作用。用户可以通过注册表编辑器查看、编辑或修改注册表信息。但是需要注意的是，操作注册表有可能造成系统故障，如果对 Windows 注册表不熟悉，建议尽量不要随意操作注册表。

（1）启动注册表

依次单击“开始”按钮→“Windows 管理工具”→“注册表编辑器”，打开“注册表编辑器”窗口，如图 2-63 所示。

注册表由键（也叫主键或称“项”）、子键（子项）和值项构成。一个键就是分支中的一个文件夹，而子键就是这个文件夹中的子文件夹，子键同样也是一个键。一个值项则是一个键的当前定义，由名称、数据类型以及分配的值组成。一个键可以有一个或多个值，每个值的名称各不相同，如果一个值的名称为空，则该值取该键的默认值。“注册表编辑器”窗口的左窗格中显示注册表项，由 5 个基本项组成；右窗格中显示选中的某个注册表项的值项。其中各注册表项的功能如下：

① HKEY_CLASSES_ROOT：存储文件资源管理器正常启动的信息。

② HKEY_CURRENT_USER：存储当前用户的配置信息，包括用户文件夹、屏幕颜色、控制面板等配置信息。

③ HKEY_LOCAL_MACHINE：存储计算机中针对任何用户的配置信息。

④ HKEY_USERS：存储计算机中所有用户的配置文件的信息。

⑤ HKEY_CURRENT_CONFIG：存储本地计算机在系统启动时所用的硬件配置文件信息。

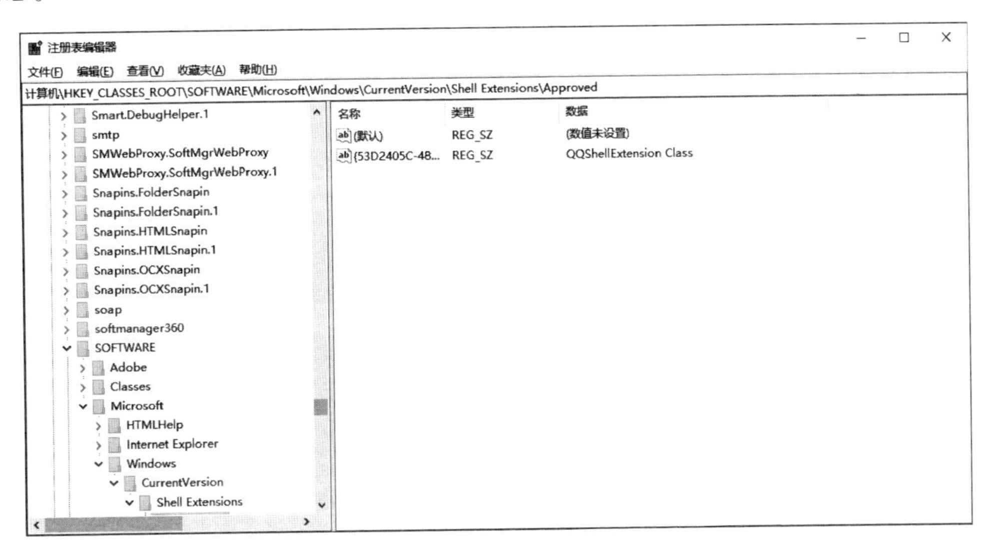

图 2-63　“注册表编辑器”窗口

(2) 修改注册表

用户可以修改注册表项或值项。

① 修改注册表项。

打开“注册表编辑器”窗口，在左窗格中找到要修改的注册表项后右击，在弹出的快捷菜单中选择重命名、删除、新建等操作。

② 修改注册表值项。

打开“注册表编辑器”窗口，在右窗格中找到要修改的注册表值项后右击，在弹出的快捷菜单中选择修改、删除等操作。

2.5.5　其他内置工具

1. 计算器

计算器可以帮助人们完成手持计算器所能完成的标准操作，如加法、减法、对数运算和阶乘等，在 Windows 10“开始”菜单的应用列表中可以找到计算器。

Windows 10 自带的计算器比以往的版本内容更丰富，更能满足用户需要。用户使用标准计算和科学计算时，计算器能记录用户进行的所有计算并生成历史记录，还可以在历史记录的状态下编辑之前使用过的计算公式。除了标准计算和科学计算外，该计算器还提供了程序员模式、日期计算、货币/重量/长度的单位转换器的计算方式，如图 2-64 所示。

2. 闹钟和时钟

在“搜索框”中直接输入“闹钟和时钟”可以打开“闹钟和时钟”窗口，如图 2-65 所示。该应用不仅有闹钟和世界时钟两个工具，还有计时器和秒表。用户可以通过界面上方的四个选项卡切换使用相关工具。

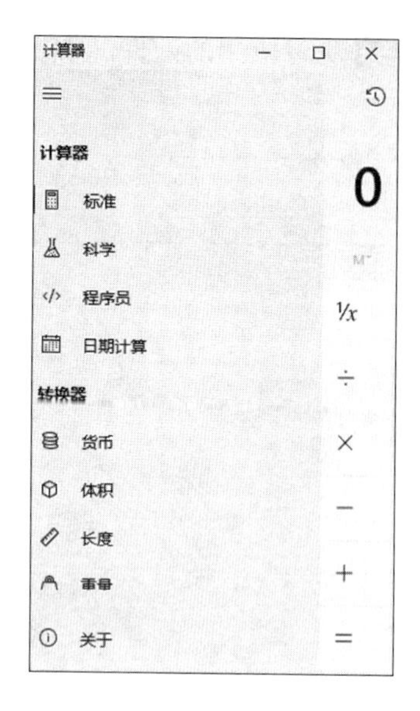

图 2-64 “计算器”窗口

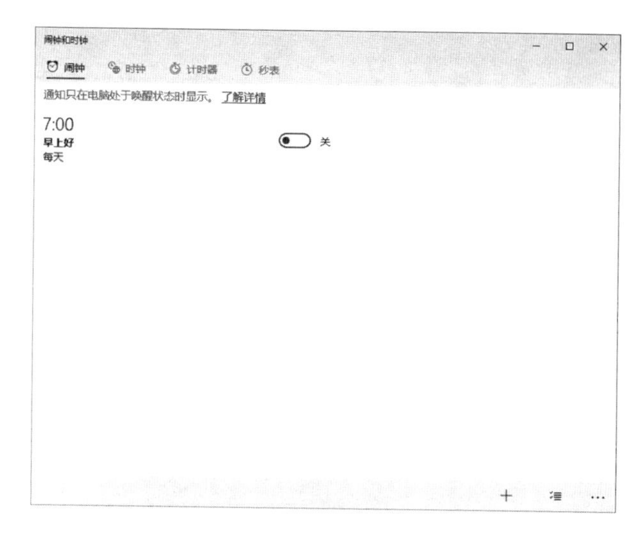

图 2-65 “闹钟和时钟”窗口

3. 远程桌面

打开计算机的“系统属性”对话框，勾选“远程”选项卡中的“允许远程协助连接这台计算机”选项，如图 2-66 所示，则本台计算机具备了被远程连接的功能。该功能对于用户要在其他地理位置使用这台计算机，或者要求不在场的其他人帮助用户解决这台计算机的一些问题非常实用。

单击“开始”菜单中的“远程桌面连接”应用或者直接在“运行”对话框中输入“mstsc”命令，即可打开“远程桌面连接”窗口，如图 2-67 所示。在输入栏中输入想要远程连接的计算机的 IP 地址，再按提示输入登录用户名和密码即可实现远程登录。

图 2-66 “系统属性”对话框——“远程”选项卡

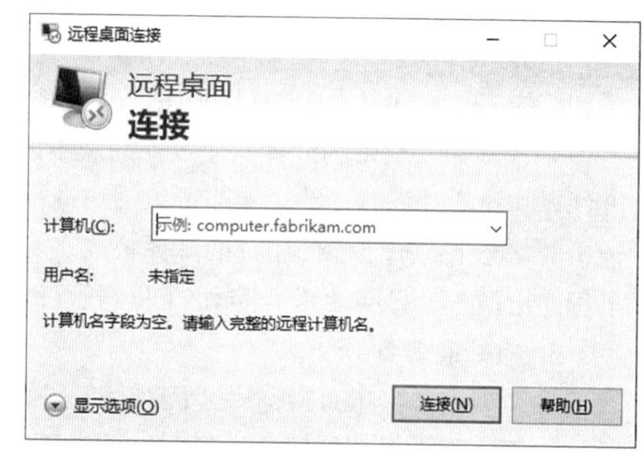

图 2-67 “远程桌面连接”窗口

练习题

一、选择题

1. 在 Windows 自带的应用程序中，只能编辑纯文本的是________。

A. 写字板　　B. 记事本　　C. 画图　　D. Word

2. 下列关于 Windows 10 文件名的叙述错误的是________。

A. 文件名中可以使用汉字　　B. 文件名中可使用多个分隔符

C. 文件名中可以使用空格　　D. 文件名中可以使用竖线“|”

3. Windows 10 桌面的任务栏中显示的是________。

A. 当前窗口的图标

B. 所有被最小化的窗口的图标

C. 所有已打开的窗口的图标

D. 除当前窗口外的所有已打开的窗口的图标

4. 在 Windows 10 中，剪贴板是________。

A. 硬盘上的一块区域　　B. 软盘上的一块区域

C. 内存中的一块区域　　D. 高速缓存上的一块区域

5. 当一个应用程序窗口被最小化后，该应用程序将________。

A. 被终止执行　　B. 继续在前台执行

C. 被暂停执行　　D. 被转入后台执行

6. 快捷方式的确切含义是________。

A. 特殊文件夹　　B. 特殊磁盘文件

C. 各类可执行文件　　D. 指向某对象的指针

7. 在同一驱动器不同文件夹内拖动某一对象，结果将________。

A. 移动该对象　　B. 复制该对象　　C. 删除该对象　　D. 无变化

8. 关闭活动窗口，可使用组合键________。

A. 【Shift】+【F4】　　B. 【Ctrl】+【Esc】

C. 【Alt】+【Esc】　　D. 【Alt】+【F4】

9. 下列说法正确的是________。

A. 只能打开一个应用程序窗口

B. 可以同时打开多个应用程序窗口，但其中只有一个是活动窗口

C. 可以同时打开多个应用程序窗口，所有打开的窗口都是活动窗口

D. 可以同时打开多个应用程序窗口，但在屏幕上只能看到一个窗口

10. 在 Windows 10 中，关于对话框的叙述不正确的是________。

A. 对话框没有最大化按钮　　B. 对话框没有最小化按钮

C. 对话框不能改变形状和大小　　D. 对话框不能移动

11. 在菜单中，后面有“…”标记的命令表示________。

A. 单选选中　B. 复选选中　C. 有下一级菜单　D. 有对话框

12. 在 Windows 中，窗口右上角的“×”按钮是________。

A. 关闭按钮　B. 最小化按钮　C. 选择按钮　D. 最大化按钮

13. 在 Windows 中进行复制操作可以使用组合键________。

A. 【Ctrl】+【Y】　B. 【Ctrl】+【X】

C. 【Ctrl】+【C】　D. 【Ctrl】+【A】

14. 在 Windows 中进行剪切操作可以使用组合键________。

A. 【Ctrl】+【Y】　B. 【Ctrl】+【X】

C. 【Ctrl】+【C】　D. 【Ctrl】+【A】

15. 在 Windows 中进行粘贴操作可以使用组合键________。

A. 【Ctrl】+【Y】　B. 【Ctrl】+【X】

C. 【Ctrl】+【C】　D. 【Ctrl】+【V】

16. 在 Windows 菜单操作中，如果某个菜单项的颜色是灰色，则表示________。

A. 只要双击，就能选中

B. 必须连续三击，才能选中

C. 单击被选中后，还会显示出一个方框要求操作者进一步输入信息

D. 在当前情况下，该菜单命令无法执行

17. 删除了一个快捷方式的图标表示________。

A. 该图标所指向的文件被删掉

B. 只删除这个快捷方式，它所指向的文件仍然存在，但不能运行

C. 只删除这个快捷方式，它所指向的文件变为隐藏

D. 只删除这个快捷方式，它所指向的文件不受影响

18. 在 Windows 的资源管理器中，若想选择若干个不连续的文件，可按下________键。

A. 【Ctrl】　B. 【Shift】　C. 【Alt】　D. 【Tab】

19. 在 Windows 操作系统中，系统约定第一个硬盘的盘符必定是________。

A. A：　B. B：　C. C：　D. D：

20. 更改扩展名，可能导致的后果是________。

A. 文件无法打开　B. 文件无法找到

C. 文件内容改变　D. 文件位置改变

二、操作题

1. 在 D 盘上新建一个文件夹“操作练习”。

2. 在“操作练习”文件夹中新建“练习 1”和“练习 2”文件夹。

3. 在“练习 1”文件夹中新建一个 a. txt 文件，在“练习 2”文件夹中创建一个记事本文件的快捷方式，并将该快捷方式重命名为“文本程序”。

4. 将“练习 1”文件夹属性设置为“只读”属性。

5. 将 a. txt 文件复制到桌面上。

第3章　Word 2016的使用

Word是Microsoft公司Office套件中的一个组件，该套件主要的组件有：Word、Excel、PowerPoint等。目前，Microsoft Office的竞争产品有WPS、iWork办公套件、Open Office、Libre Office等，但Microsoft Office的用户量在市场上仍占据相当大的比例。

3.1　Word概述

Word是目前使用比较广泛的一种文字处理软件，它集文字的编辑、排版、表格处理、图形处理为一体，适用于制作各种文档，如信函、传真、公文、报刊、书刊和简历等，也可以快速地制作网页和发送电子邮件。

3.1.1　Word 2016的功能

Word 2016主要用于文字处理工作，具有所见即所得、直观方便的操作界面、图文混排等特点。

Word 2016除了具有文字处理、表格操作、生成图表、绘制图形、图片处理、版式设置、文档打印和文件格式的更改等基本操作外，还在原有的基础上进行了改进，使其能更好地创建专业品质的文档，为用户与他人协同工作提供了更加简单的方法，使用户几乎可以在任何地方都能访问自己的文件。

3.1.2　Word 2016的启动和退出

1. Word 2016的启动

Word 2016的启动有多种方式，常用的有以下几种：

方法1：单击屏幕左下角的“开始”按钮，执行“所有程序”→“Microsoft Office”→“Microsoft Word 2016”。

方法2：在桌面上右击，选择“新建”菜单下的“Microsoft Word文档”命令。

方法3：在桌面上添加Word的快捷方式图标，双击桌面上的Word快捷方式图标。

方法4：通过双击文档名后缀为“.docx”、“.doc”或“.rtf”的文档启动。

2. Word 2016 的退出

常用的退出 Word 2016 的方法有以下几种：

方法 1：执行“文件”选项卡下的“关闭”命令。

方法 2：单击 Word 窗口右上角的“关闭”按钮。

方法 3：使用组合键【Alt】+【F4】。

注意：如果文档进行修改或输入后尚未保存，当执行退出 Word 操作时，Word 将会提示是否保存文档。用户如果选择“保存”，则保存文档；选择“不保存”，则放弃当前的修改或输入。

3.1.3 Word 2016 窗口介绍

启动 Word 2016 后，出现如图 3-1 所示的文档选择界面。在左侧区域可以选择打开最近使用过的文档，在右侧区域则可以选择一种模板来创建新文档。模板是 Word 2016 中内置的包含固定格式设置和版式设置的模板文件，用于帮助用户快速生成特定类型的 Word 文档。除了通用的空白文档模板外，Word 2016 还内置了如书法字帖、基本信函等多种文档模板。另外，Office 网站还提供了证书、奖状、名片、简历等特定功能模板。用户借助这些模板可以大大减少重复性的工作，提高工作效率。

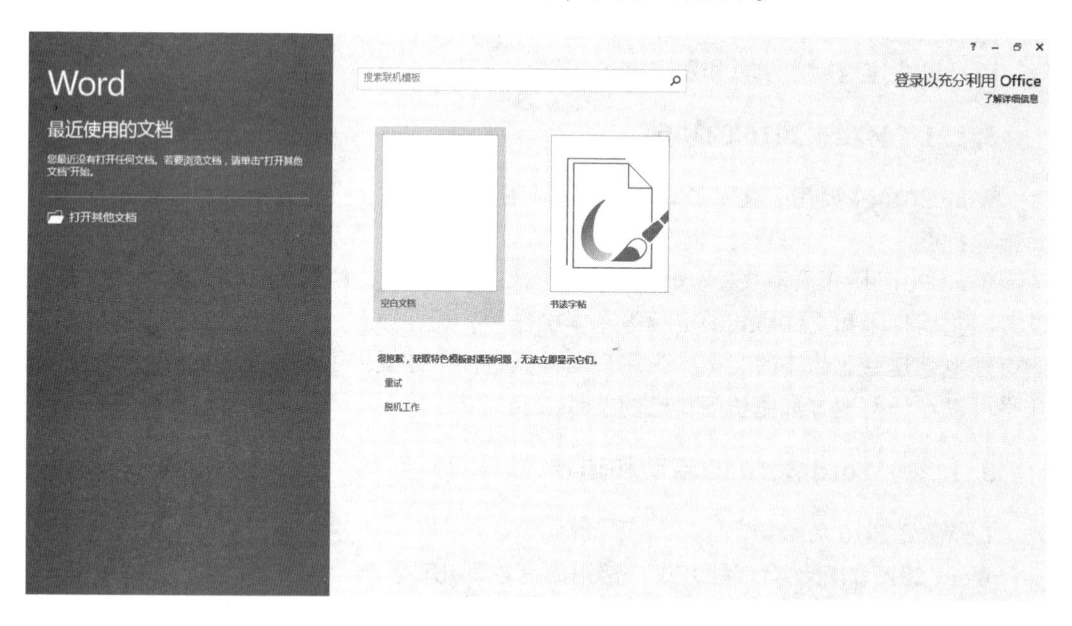

图 3-1　文档选择界面

当用户选择并单击“空白文档”后就会出现如图 3-2 所示的工作窗口。Word 2016 的界面主要由快速访问工具栏、标题栏、窗口操作按钮、“文件”选项卡、功能选项卡、功能区、文本编辑区、导航区、状态栏、滚动条、“视图”切换区、比例缩放区等组成。

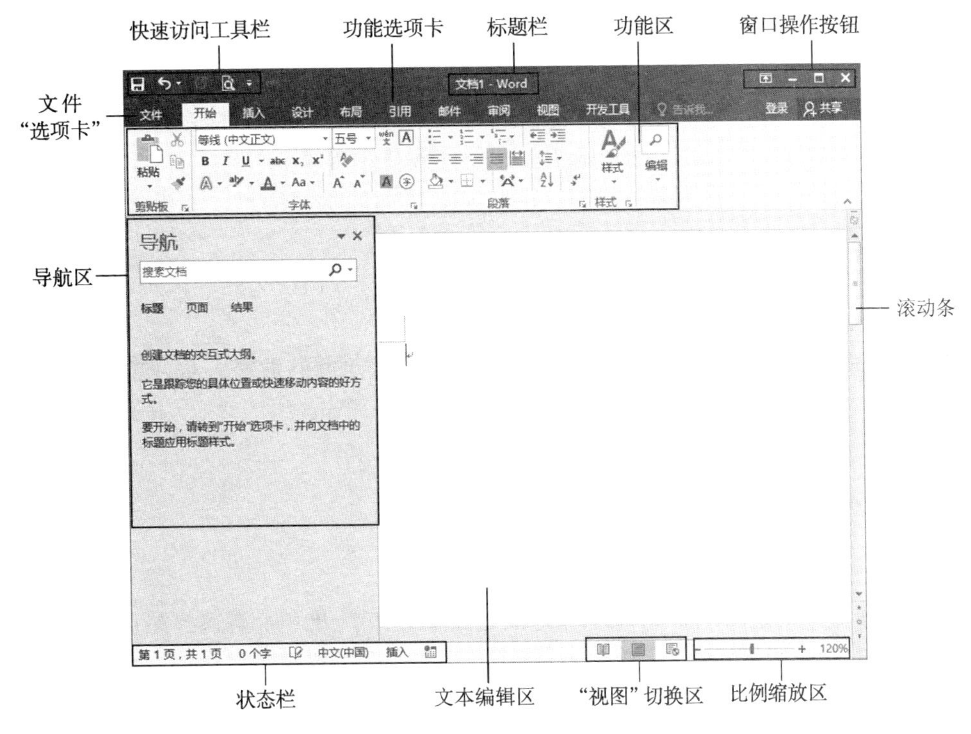

图 3-2　Word 2016 窗口

快速访问工具栏：快速访问工具栏中是用户频繁使用的命令按钮。默认状态下显示“保存”和“新建空白文档”两个按钮。此外，用户也可以根据需要自定义快速访问工具栏中的按钮。

标题栏：标题栏中显示了当前打开的文档的名称和类型。标题栏右侧是一组窗口操作按钮，除最小化、最大化/向下还原和关闭按钮外，新增了一个功能区显示按钮，以方便用户快速显示或隐藏功能区。

“文件”选项卡：用于对文件执行操作的命令集。单击“文件”选项卡，左侧将出现类似早期版本的“文件”菜单组，包括信息、新建、打开、保存、另存为、打印、关闭等命令，选择不同的命令将在右侧的预览窗格中显示不同的内容。

功能选项卡：Word 2016 取消了传统的菜单，取而代之的是多个选项卡，每个选项卡代表一组核心任务，并按功能分成若干组。例如，“开始”选项卡下有“剪贴板”组、“字体”组、“段落”组、“样式”组等。

功能区：功能选项卡与功能区是对应的关系，单击某个功能选项卡即可展开相应的功能区。在功能区中有多个自适应窗口大小的工具栏，每个工具栏为用户提供了相应的组，每组中包含不同的命令、按钮和列表框等，如图 3-3 所示。有的组右下角会显示一个“对话框启动器”按钮，单击该按钮将打开相应的对话框或任务窗格。

图 3-3　功能区

文本编辑区：用于输入和编辑文本的区域。文本编辑区中一个不断闪烁的竖线即“文本插入点”，又叫“光标”，用于指示文本的输入位置。在文本编辑区的右侧和底部有垂直与水平滚动条，当文本编辑区不能完全显示所有的文档内容时，可拖动滚动条中的滑块或单击滚动条两端的三角形箭头按钮使内容显示出来。

状态栏：位于窗口最底端的左侧，用来显示当前的状态信息，如当前页面、页数、字数、拼写语法检查、语言状态等信息。

“视图”切换区：位于状态栏的右侧。单击“视图”切换区的视图按钮可以切换视图模式，如阅读视图、页面视图等。

比例缩放区：位于状态栏的右侧。单击当前显示比例的数字（如 120%），可打开“显示比例”对话框，在此对话框中可调整显示比例，单击“-”“+”按钮或拖动中间的竖线也可以调节页面显示比例，方便用户查看文档内容。

3.2 文档的创建和保存

用 Word 对文档进行编辑和处理时，首先要创建或打开一个文档，然后才可对其进行编辑、修改和排版等操作。同样地，在处理好文档后，也需要保存该文档才能使文件永久地保留在硬盘中，以备再次查看和编辑。

3.2.1 创建文档

1. 创建文档

启动 Word 2016 后，采用 3.1.3 节介绍的方法将自动创建一个新文档，名称为“文档 1”。

如果在 Word 已经启动后想要创建一个新文档，有如下三种方法：

方法 1：单击“文件”选项卡下的“新建”命令，选择一种合适的模板来创建新文档，新建的文件名将依照顺序自动命名为“文档 2”“文档 3”……

方法 2：单击快速访问工具栏中的“新建”按钮。

方法 3：使用【Ctrl】+【N】组合键。

2. 模板

模板是指扩展名为 .dotx 的文件。一个模板文件中包含了一类文档的共同信息，即这类文档中的共同文字、图形和共同的样式，以及预先设置的版面打印方式等。用户可以根据自己的需要选择一种模板，按照模板的样式输入相关内容并进行编辑，很快就可以制作出自己想要的文档。学会使用这些模板，能在一定程度上提高工作效率。

Word 也允许用户根据自己的需要创建新的模板。具体操作为：单击“文件”选项卡下的“新建”命令，在新建的文档中按照需要进行相关设置，创建完成后保存该文档为模板类型（扩展名为 .dotx），模板中所有的信息如文字、图形、文字及段落格式等都将被保存，以后这个新模板将会出现在“模板”对话框中，供用户选择使用。

3.2.2　保存文档

1. 主动保存

在文档的编辑过程中，为防止数据丢失，应及时保存文档文件。保存的方法有以下几种：

方法 1：单击“文件”选项卡下的“保存”命令。如果是保存新建的文本，系统将打开“另存为”对话框；若当前的文档文件不是新建文件，则直接以原来的文件名保存。

方法 2：单击快速访问工具栏中的“保存”按钮 。

方法 3：使用组合键【Ctrl】+【S】。

方法 4：保存备份。单击“文件”选项卡下的“另存为”命令，打开“另存为”窗口，单击“浏览”按钮后，打开“另存为”对话框，选择文档文件所要存放的位置、新文件名及文件类型后，单击“保存”按钮即可。

2. 自动保存

除了用户主动保存之外，也可以让系统定时自动保存。

在需要设置自动保存的文档窗口中单击“文件”选项卡下的“选项”命令，弹出如图 3-4 所示的“Word 选项”对话框。在该对话框中单击“保存”选项卡，勾选“保

图 3-4　设置自动保存的间隔时间

存自动恢复信息时间间隔”并指定一个时间间隔（一般为5~10分钟），然后单击“确定”按钮返回到编辑状态。这样设置后，Word将按照指定的时间间隔自动执行保存文档的操作。

3.2.3 输入文本

1. 光标定位

在图3-2所示的窗口中有一个闪烁的光标插入点，用来指示用户输入的下一个字符的位置，利用键盘方向键或单击鼠标左键可以改变光标的位置。在输入文本时，光标会自动向右移动。Word有自动换行的功能，当输入到达一行的末尾时，光标会自动跳转到下一行。当需要单独另起一个段落时，才按【Enter】键来开始一个新段落。如果想换行但又不需要另起一段，可以使用组合键【Shift】+【Enter】。如果要更正已经输入的文本内容，可以用【Backspace】键删除光标之前的字符或用【Delete】键删除光标之后的字符。

Word有两种编辑状态：插入或改写（显示在状态栏中）。默认情况下，Word 2016状态栏不显示插入和改写状态，可以在状态栏上右击鼠标，选中“改写”命令，状态栏就会显示输入状态。用户可以通过键盘上的【Insert】键或用鼠标单击状态栏上的“改写”方框进行切换。“插入”状态下，随着新内容的输入，原内容后移；“改写”状态下，新内容会覆盖掉光标后的内容。

2. 输入法的选择

用键盘输入文档时，首先应选择输入法，一般情况下默认的输入状态是英文，可以输入英文字母和西文符号。若要输入中文汉字，则可采用下列方法之一来切换输入法：

方法1：按【Ctrl】+【Space】组合键可以在英文和常用的中文输入状态之间切换。

方法2：按【Ctrl】+【Shift】组合键可以依次在各种输入法之间循环切换。

方法3：用鼠标单击任务栏中输入法图标来选择需要的输入法。

选取某种输入法后将出现对应的输入法工具栏，图3-5所示的是“搜狗拼音输入法”工具栏，单击该工具栏上相应的按钮可以在中英文之间、全半角之间、中英文标点符号之间进行切换，也可以打开或关闭软键盘。

图3-5 搜狗拼音输入法

3. 插入特殊符号

有些特殊符号（如“✓”等）无法从键盘输入，可以采用以下方法进行插入：

单击“插入”选项卡下“符号”组中的“符号”按钮，在打开的下拉列表中可以浏览并选择所需的符号。在选择“其他符号”时会弹出如图3-6所示的“符号”对话框。在该对话框中选择要插入的符号后，单击“插入”按钮将其插入文档中。某些特殊符号如希腊字母、标点符号、数学符号等，可以通过中文输入法下的软键盘进行输入。

图 3-6 “符号”对话框

4. 插入日期和时间

单击“插入”选项卡下“文本”组中的“日期和时间”按钮，将弹出如图 3-7 所示的“日期和时间”对话框。在对话框中选择一种格式，单击“确定”按钮后就可以在插入点插入时间和日期。

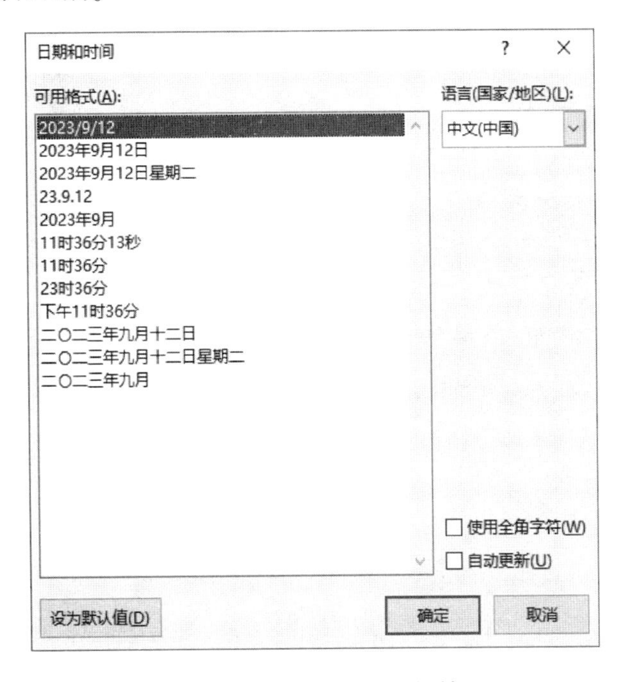

图 3-7 “日期和时间”对话框

3.2.4 文档的保护

为了避免文档的内容被他人随意修改，用户可以将文档保护起来。Word 2016 提供了多种保护措施，例如，设置打开或修改密码、将文档设置为只读文件、对文件加密、设置不同人员的权限，以及添加数字签名等方式。

1. 设置密码

设置密码是一种常用的保护文档安全的方法。为文档设置密码保护的步骤如下：

第 1 步：单击“文件”→“信息”→“保护文档”→“用密码进行加密”，出现“加密文档”对话框。

第 2 步：在密码文本框中输入要设置的文档保护密码，输入完毕后单击“确定”按钮，弹出“确认密码”对话框。

第 3 步：在“重新输入密码”文本框中再次输入刚刚设置的密码，单击“确定”按钮完成文档密码的设置。

当用户打开设置了密码保护的文档时，会弹出“密码”对话框，提示用户输入文档的保护密码，用户只有输入正确的文档保护密码才可以打开文档。

当文档不再需要密码保护时可以取消密码保护，操作步骤和设置密码保护的步骤类似，只需要在“加密文档”对话框中删除之前设置的密码即可。

此外，在“另存为”对话框中也可以设置密码。单击“另存为”对话框中的“工具”按钮，在展开的列表中选择“常规选项”可打开如图 3-8 所示的“常规选项”对话框，在该对话框中可以设置打开密码、修改密码以及只读方式打开属性。如果想解除密码，与设置密码的操作步骤相同，只需在设置密码的文本框中删除密码即可。

图 3-8 “常规选项”对话框

2. 对文档中指定的内容进行编辑限制

如果文档中的某些内容比较重要，不允许其他人更改，但允许其阅读或进行修订、审阅等操作，这时可对文档进行“限制编辑”的设置。具体操作步骤如下：

第 1 步：选定需要保护的文档内容，单击“审阅”选项卡下“保护”组中的“限制编辑”按钮，打开“限制编辑”任务窗格。

第 2 步：在“限制编辑”任务窗格中勾选“仅允许在文档中进行此类型的编辑”复选框，并在下拉列表框中从“修订”、“批注”、“填写窗体”和“不允许任何更改（只读）”四个选项中选择一项，如图 3-9 所示。

设置完成后，对于被保护的文档内容只能进行上述选定的操作。

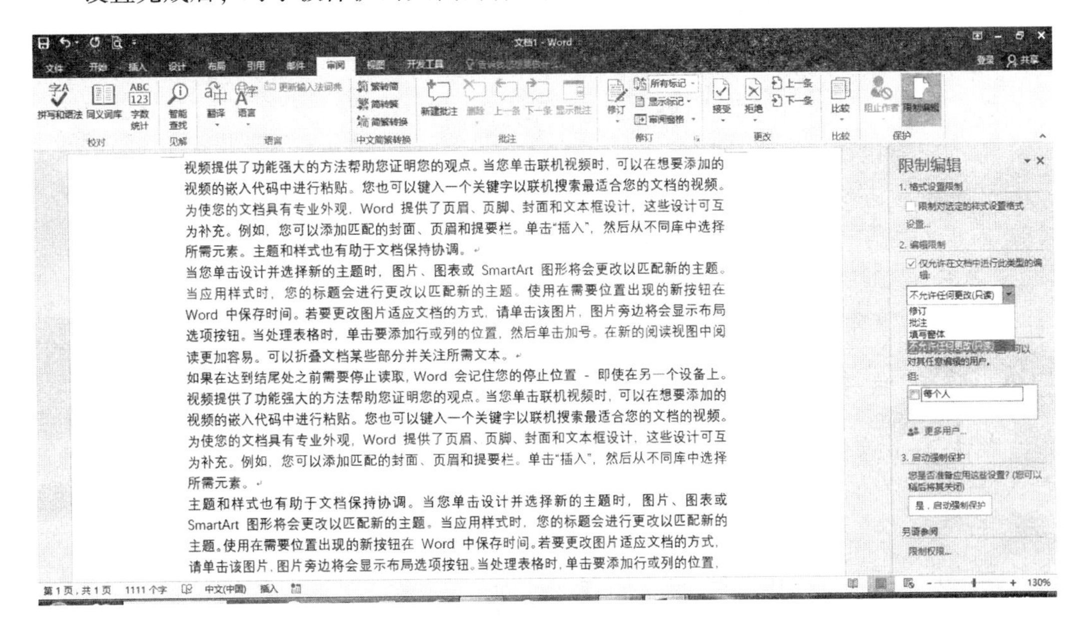

图 3-9　限制编辑

3.3　文档的编辑

编辑文档主要有复制、移动、查找和替换等操作，在对文档进行编辑之前，需要先选择操作的对象。

3.3.1　文档的打开

1. 打开一个文档

打开一个文档的常用方法有以下几种：

方法 1：单击“文件”选项卡下的“打开”命令，打开“打开”页面，该页面将默认展示最近使用过的文档，单击“浏览”按钮，可以打开“打开”对话框。

方法 2：单击快速访问工具栏中的“打开”按钮。

方法 3：在 Word 打开的情况下，按下【Ctrl】+【O】组合键。

方法 4：打开“资源管理器”，在窗口中找到要打开的 Word 文档，双击文件图标即可打开文档。

Word 默认的打开类型是所有 Word 文档类型，包括 . docx、docm、dotx、dotm 等，如果想打开 . txt 或 wps 等其他格式的文件，需要在文件类型下拉列表框中选择需要的文件类型，或者选择“所有文件”。

2. 以多种方式打开文档

在 Word 2016 中打开文档时，还有多种方式可以使用。在“打开”对话框中选中需要打开的文件，然后单击“打开”按钮右侧的下拉按钮，会出现一个菜单，如图 3-10 所示。该菜单中包含 7 个菜单命令，如“打开”“以只读方式打开”“以副本方式打开”“在浏览器中打开”“打开时转换”“在受保护的视图中打开”“打开并修复”。部分菜单含义如下：

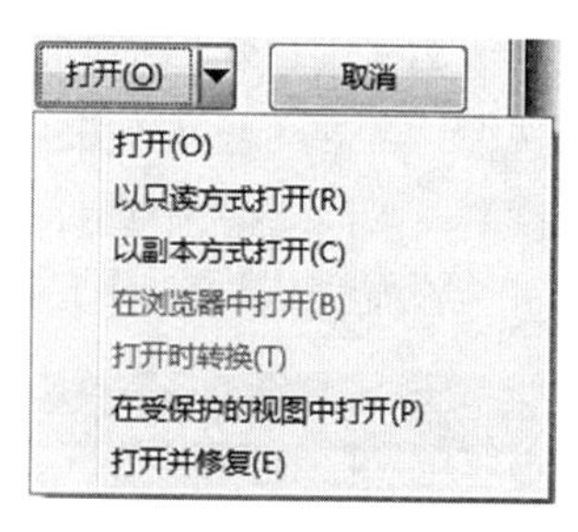

图 3-10　打开方式选项

① 打开：以普通方式打开所选文档。

② 以只读方式打开：打开的文档的属性是只读，用户只能阅读不能进行修改。

③ 以副本方式打开：打开所选文档的复制品。

④ 在浏览器中打开：此命令只有当选中 HTML 文档（一种超文本语言，也就是我们常说的网页文档）时才有用，单击后会启动浏览器。

3. 3. 2　合并文档

编辑 Word 文档时，有时需要将多个其他文件中的内容合并到当前文档中，合并文档的操作方法有如下两种：

方法 1：将光标定位到插入位置，单击“插入”选项卡下“文本”组中的“对象”按钮右侧的下拉箭头，在列表中选择“文件中的文字”，弹出“插入文件”对话框，在“插入文件”对话框中选取需要插入的文件。若插入的不是 Word 文档，则需要更改文件类型。

方法 2：先打开要插入的文件，选定并复制要插入的内容，然后将窗口切换到被插入的文件窗口，将光标定位到要插入文件的位置后做“粘贴”操作。

3. 3. 3　选定文本

在 Word 中，要对文档中的部分内容进行操作，应首先选中这部分文档，选中的文档将以反色显示。通过键盘和鼠标都可以选择文本。

1. 用鼠标选定文本

用鼠标选定文本的方法如表 3-1 所示。

表 3-1　利用鼠标选定文本

被选对象	操作方法
一个词	双击该词的任意部分
连续的几个字词	将鼠标指针置于要选定文本的开头，拖动鼠标至所需内容的末尾，释放鼠标

续表

被选对象	操作方法
一行	将鼠标指针移动到该行左侧，当鼠标指针变为箭头时单击
连续多行	将鼠标指针移动到第一行（或最后一行）的左侧，按住鼠标左键向上（或向下）拖动，直到选定所需行为止
一个段落	方法 1：将鼠标指针移动到该段左侧，当鼠标指针变为向右倾斜的箭头时双击 方法 2：在该段落中的任意位置三击鼠标
连续多个段落	在选中一个段落（双击或三击鼠标）后，不要松掉鼠标按键，继续按住鼠标向上（或向下）拖动到其他的段落后再释放鼠标，即有多个段落被选定
连续较长的文本	单击要选定文本的开始处，然后在要选定文本的末尾处按住【Shift】键，同时单击，则两次单击之间的文本就被选定了
一块矩形区域文本	按住【Alt】键的同时拖拉鼠标
选定整篇文档	将鼠标指针移动到文档中任意正文的左侧，当鼠标指针变为箭头时三击鼠标
不连续的多个区域	按前述方法先选定一个区域，然后按住【Ctrl】键的同时选定其他区域
取消选定	在选定的区域之外，单击鼠标即可

2. 用键盘选定文本

用键盘选定文本的方法如表 3-2 所示。

表 3-2　利用键盘选定文本

组合键	选定范围
【Shift】+【↑】	选定从当前光标处到上一行文本
【Shift】+【↓】	选定从当前光标处到下一行文本
【Shift】+【←】	选定当前光标处左边的文本
【Shif】+【→】	选定当前光标处右边的文本
【Ctrl】+【A】	选定整个文档
【Ctrl】+【Shift】+【Home】	选定从当前光标处到文档开头处的文本
【Ctrl】+【Shift】+【End】	选定从当前光标处到文档结尾处的文本

选定文本之后，即可对该段文本进行操作。如果此时直接输入文本，则选定的文本将会被删除，被当前输入的文本所代替。若要取消对文本区域的选定，则在文档正文中的任意位置单击鼠标即可。

3.3.4　删除、移动及复制操作

1. 删除文本

当需要删除文本时，通常采用下列几种方法：

方法 1：先选定要删除的文本，然后按【Delete】键或【Backspace】键。

方法 2：将光标定位到要删除文本的第一个字符之前，然后连续按【Delete】键直到删掉所有需要删除的文字。

方法 3：将光标定位到要删除文本的最后一个字符之后，然后连续按【Backspace】键直到删掉所有需要删除的文字。

方法 4：选定文本后右击，在弹出的快捷菜单中选择“剪切”命令。

2. 移动文本

在编辑文档的时候，经常需要改变文字和文字之间的位置，以调整文档结构，这时就需要移动文本，在选定要移动的文本后，可采用下列几种方法实现移动：

方法 1：选定要移动的文本，将鼠标移动到选定的文本上，按住鼠标左键，并将该文本块拖到目标位置，释放鼠标即可。

方法 2：选定要移动的文本，单击“开始”选项卡下“剪贴板”组中的“剪切”按钮，然后将光标定位到目标位置，单击“粘贴”按钮。

方法 3：选定要移动的文本，单击鼠标右键，在弹出的快捷菜单中选择“剪切”命令，然后将光标定位到目标位置，单击鼠标右键，在弹出的快捷菜单中选择“粘贴”命令。

方法 4：选定要移动的文本，按【Ctrl】+【X】组合键，将光标定位到目标位置，按【Ctrl】+【V】组合键。

3. 复制文本

输入文本时可能会重复输入一些前面已经输入过的文本，使用复制操作可以节省时间，减少人为的输入错误，提高效率。复制操作与移动操作相似，有下列几种方法

方法 1：选定要复制的文本，将鼠标移动到选定的文本上，按住【Ctrl】键的同时拖动鼠标到目标位置，释放鼠标即可。

方法 2：选定要复制的文本，单击“开始”选项卡下“剪贴板”组中的“复制”按钮，然后将光标定位到目标位置，单击“粘贴”按钮。

方法 3：选定要复制的文本，单击鼠标右键，在弹出的快捷菜单中选择“复制”命令，然后将光标定位到目标位置，单击鼠标右键，在弹出的快捷菜单中选择“粘贴”命令。

方法 4：选定要复制的文本，按【Ctrl】+【C】组合键，将光标定位到目标位置，按【Ctrl】+【V】组合键。

4. 粘贴功能

在 Word 2016 中，粘贴功能有多种使用方式，根据剪贴板中内容的不同，粘贴功能可选的方式也不同。使用粘贴功能的操作步骤如下：

第 1 步：选定需要复制或移动的文本。

第 2 步：单击“开始”选项卡下“剪贴板”组中的“粘贴”按钮，出现如图 3-11 所示的“粘贴选项”（选项的多少可能会有不同，与复制或剪切的内容有关）列表框。若选择“选择性粘贴”命令，将会弹出“选择性粘贴”对话框，如图 3-12 所示。

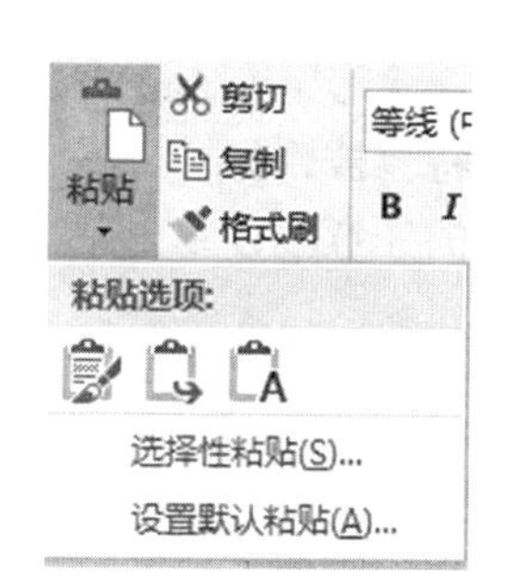

图 3-11　粘贴选项

“粘贴”选项表示被粘贴的内容嵌入当前文档后立即断开与源文件的联系；“粘贴链接”选项表示被粘贴的内容嵌入当前文档的同时仍保持与源文件的联系，即源文件中的任何改动都会反映到当前文件中。或将光标移动到需要粘贴的位置后右击，在弹出的快捷菜单中有不同的粘贴选项，用户可以根据需要选择粘贴形式。

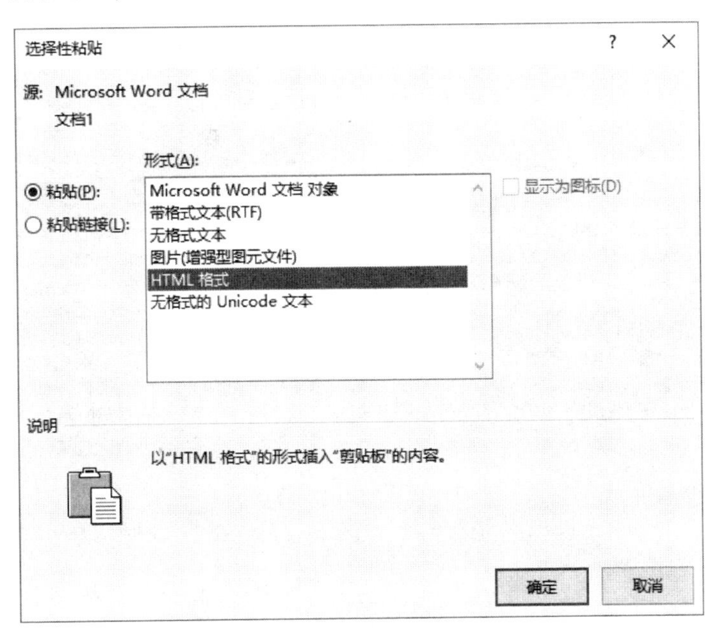

图 3-12　“选择性粘贴”对话框

3.3.5　查找和替换操作

利用 Word 2016 的查找和替换功能可以在文档中查找和替换任意字符，也可以查找和替换字符格式，还可以查找图形、表格、公式、脚注、尾注、批注等，并且说明查找对象在文档中出现的次数和位置。

1. 查找文本

在长篇文档中想找到某个字、词、句子或者段落，如果单靠眼睛一个一个地去搜寻，那简直是大海捞针。利用 Word 中的查找功能可以轻松找到想要的内容。

（1）简单查找

单击“开始”选项卡下“编辑”组中的“查找”按钮，在工作区的左侧弹出“导航”任务窗格。

在查找文本框中输入要查找的文本，系统就会自动在全文范围内查找符合条件的文本，并在查找文本框下方显示匹配项的个数，还会在文档中高亮显示每一个符合条件的文本，如图 3-13 所示。如未找到匹配项，则在查找文本框下显示“无匹配项”。

输入新的文本可以取消查找文本的高亮显示状态，或者单击查找文本框右侧的 ✖ 按钮也可取消高亮状态。

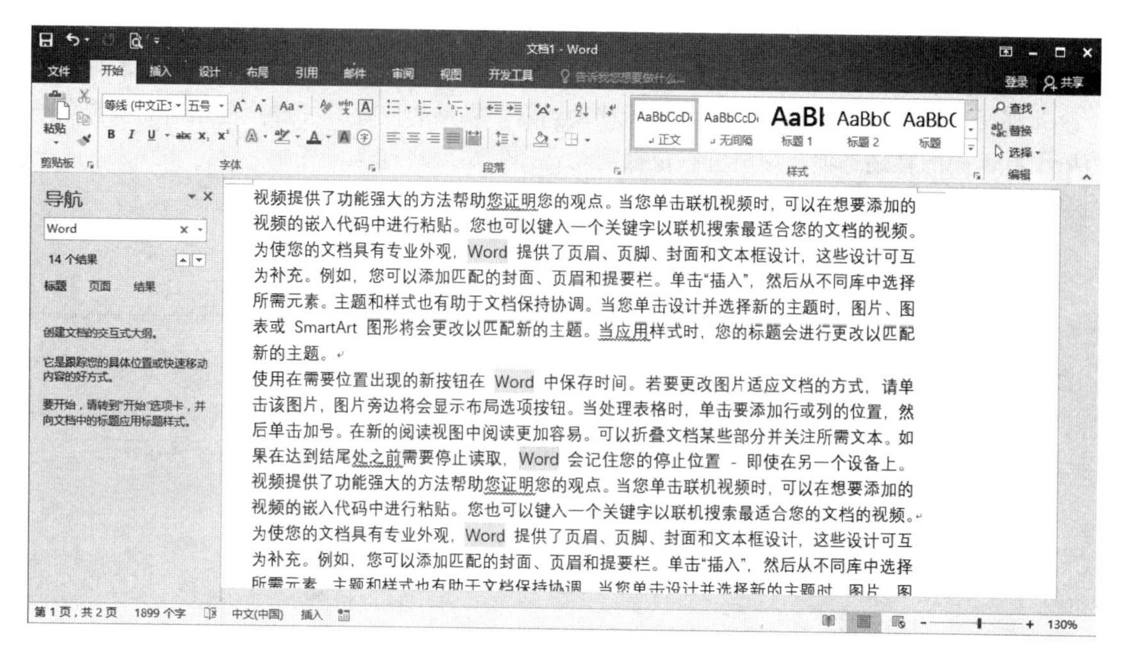

图 3-13 “查找”界面

（2）高级查找

单击“查找”按钮右侧的下拉箭头，在下拉列表中选择“高级查找”命令，将弹出如图 3-14(a)所示的“查找和替换”对话框，单击“更多”按钮可扩展搜索选项，如图 3-14(b)所示。

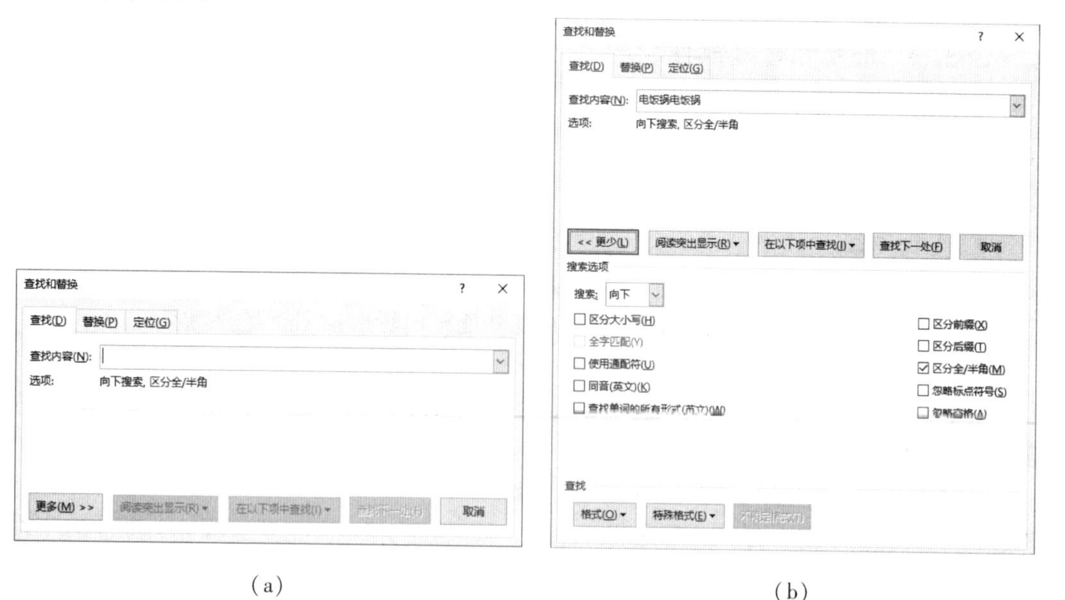

(a)　　(b)

图 3-14 “查找和替换”对话框——“查找”选项卡

若要查找具有一定格式的文字，可在展开的对话框中单击“格式”按钮，对要查找的文字设定格式，如字体、字号、颜色等。

“查找和替换”对话框中的选项说明如下：

① 搜索：搜索范围有三种情况，“向下”是从当前光标所在处向下搜索，直到文档末尾为止；“向上”是从当前光标所在处向上搜索，直到文档第一个字符为止；“全部”搜索的范围包括了向上和向下两个动作，这种搜索方式将查遍整个文档。

② 区分大小写：把同一个字符的大写和小写形式视为两个不同的字符。

③ 全字匹配：表示查找的字符要和指定字符完全匹配。

④ 使用通配符：使用通配符进行查找的主要目的是在一个句子或单词中找到关键的几个字符，而对夹在中间的其他字符并不关注。

⑤ 同音（英文）：要求查找的字符同音，主要针对英文的音标读音，其目的是查找发音相同的所有字符。

⑥ 查找单词的所有形式（英文）：查找出所有含有该单词的英文，无论是大写还是小写，或者是在其他单词中含有的该词都会被查找出来。例如，查找内容为“come”，那么文本中无论是 Come、COME 或者是 welcome 中的 come 都将被查找出来。

⑦ 区分全/半角：表示要查找的字符和指定字符的全角、半角格式完全相同。

在“格式”按钮的下拉列表中包含“字体”“段落”“制表位”“样式”“突出显示”等设置。

在“特殊格式”按钮的下拉列表中可以选择要查找的特殊字符，如段落标记、制表符、分栏符、省略号等。

单击“不限定格式”按钮可以取消对所查文本的格式限制。

2. 替换文本

在找到文档特定的内容后，还可以对其进行替换。具体操作方法是：单击“开始”选项卡下“编辑”组中的“替换”按钮，将弹出如图 3-15(a)所示的对话框，单击“更多”按钮将弹出如图 3-15(b)所示的对话框。这两个对话框和图 3-14 中的对话框是相同的。

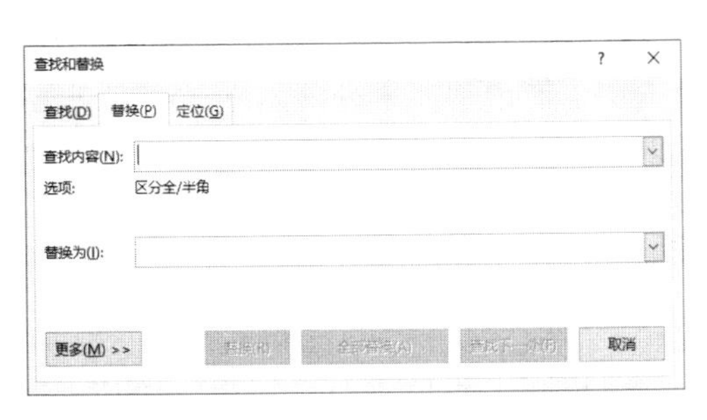

(a)

(b)

图 3-15 “查找和替换”对话框——“替换”选项卡

替换操作是在查找的基础上进行的，因此“替换”选项卡和“查找”选项卡的大部分内容是相同的，只是需要在“替换为”文本框中输入替换后的新文本。

单击“查找下一处”按钮，Word 会按指定的搜索方式（范围、大小写、格式等）进行查找，如果不希望对搜索到的文本进行替换，可继续单击该按钮；单击“替换”按钮，可替换已搜索到的文本；单击“全部替换”按钮，则对搜索到的文本全部替换。

如果在替换文本内容的同时还想对其设定某些格式（如字体、字号、颜色等），可以单击“替换”区域中的“格式”或“特殊格式”按钮。

注意：进行文字替换必须指定文档搜索范围，否则将在整个文档内替换。

3. 定位

定位是快速将插入点切换到指定的位置。在 Word 2016 中定位的方法有以下几种：

方法 1：在屏幕上可以使用键盘上的 4 个方向箭头来进行定位，这种方法适合于插入点在小范围内的移动。

方法 2：使用鼠标直接单击想要插入的位置来进行定位。

方法 3：单击“开始”选项卡下“编辑”组中的“查找”按钮右侧的下拉箭头，找到“转到”命令，弹出“查找和替换”对话框，并显示“定位”选项卡，如图 3-16 所示。在“定位目标”列表框中选择要定位的目标类型，如页、节、行或批注等，输入指定的页号、行号等，就能够快速地将光标定位在文档中任意一页的某一行，还可以定位在某个脚注或尾注。

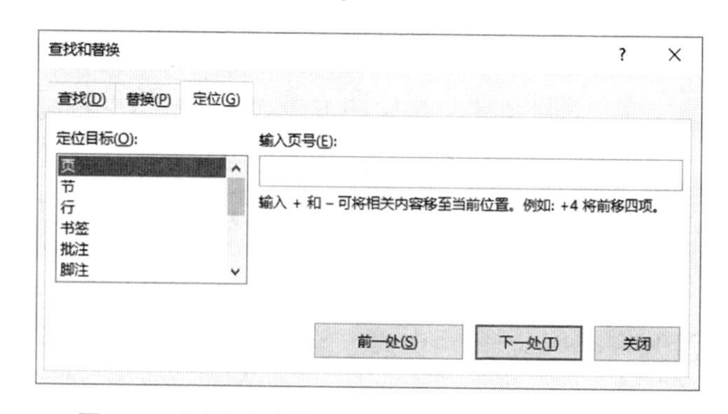

图 3-16 “查找和替换”对话框——“定位”选项卡

方法 4：按【Ctrl】+【G】组合键，弹出“查找和替换”对话框，然后设置方法同方法 3。

3.3.6 撤消与恢复

在文本编辑过程中，如果对前面的操作不满意或进行了一个错误的操作后，比如删除了不该删除的内容、移错了位置等，Word 提供了撤消功能来进行弥补。Word 2016 具有强大的恢复功能，只要磁盘空间允许，可以在关闭文件之前撤消几乎所有已做的操作。与“撤消”操作相对应，Word 2016 还有一个“恢复”功能，它可以将刚刚的撤消操作恢复。

1. 撤消

撤消最近一步操作结果的方法是：单击快速访问工具栏中的“撤消”按钮，或按【Ctrl】+【Z】组合键。

撤消最近多步操作结果的方法是：多次单击快速访问工具栏中的“撤消”按钮，

或单击该按钮右侧的三角形按钮，在弹出的下拉列表中单击要撤消的选项，则该项操作及其以前的所有操作都将被撤消。

2. 恢复

恢复最近一步撤消操作的方法是：单击快速访问工具栏中的“恢复”按钮，或按【Ctrl】+【Y】组合键。

注意：有些操作是不能撤消的，如“打开”“保存”等命令。

3.3.7　拼写和语法检查

利用 Word 拼写检查和语法检查功能能够发现拼写错误和语法错误，并且提出相应的更正建议，帮助用户减少文档中的输入错误。

单击“文件”按钮中的“选项”命令，打开“Word 选项”对话框，切换到“校对”选项卡，在“在 Word 中更正拼写和语法时”区域选中“随拼写检查语法”复选框，并单击“确定”按钮，如图 3-17 所示。

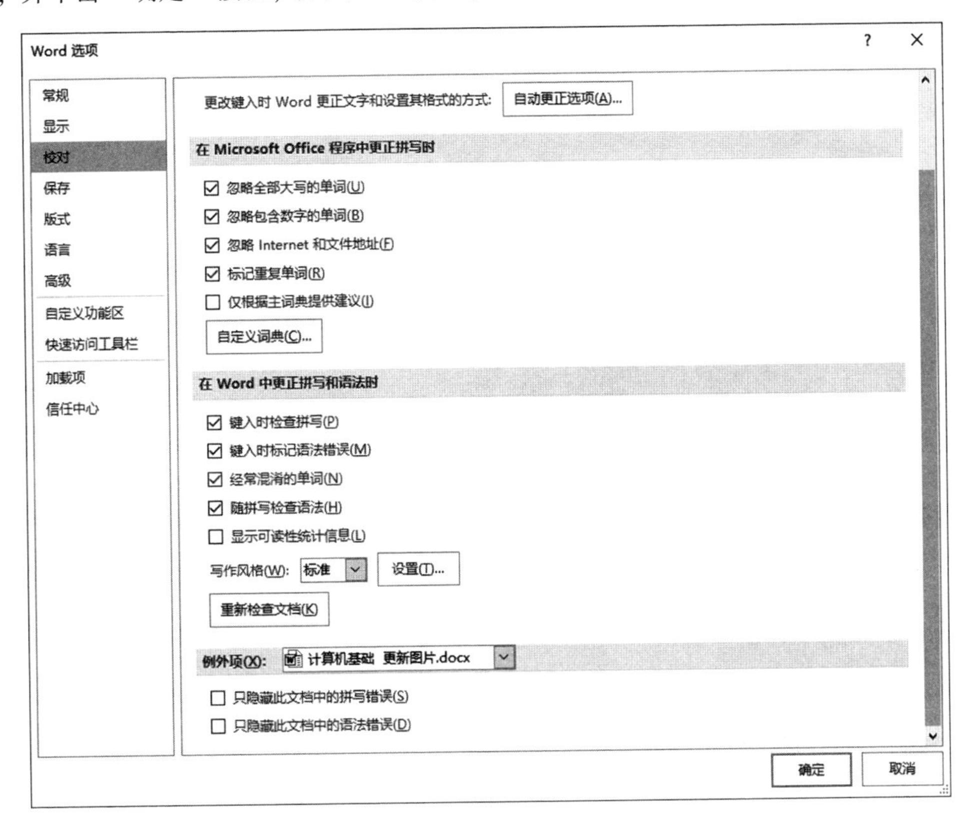

图 3-17　“Word 选项”对话框——“校对”选项卡

3.3.8　自动更正

使用自动更正功能可以自动更改编辑文档时经常出现的错误。Word 自带了一个常见错误的自动更正词条库，例如在文档中输入单词“becaus”，则 Word 会将其自动更改为单词“because”；输入“错手不及”，则 Word 会将其自动更正为“措手不及”。

除了使用这些 Word 自带的词条库外，用户也可以添加自己的词条库，具体操作步骤如下：

第 1 步：单击“文件”按钮中的“选项”命令，打开“Word 选项”对话框，切换到“校对”选项卡。

第 2 步：单击“自动更正选项”按钮，弹出如图 3-18 所示的对话框。根据需要选择复选框，可以设置自动更正对于特定格式的修改。

第 3 步：在“替换”文本框中输入需要自动更正的错误内容，如“啊姨”。

第 4 步：在“替换为”文本框中输入正确的内容，如“阿姨”。

第 5 步：单击“添加”按钮，将其添加到下面的列表中。

第 6 步：单击“确定”按钮即可。

使用自动更正功能还可以在文档中快速地添加一些特殊符号，例如在文档中输入英文字符“:|”，则 Word 将其自动更正为符号“😐”。

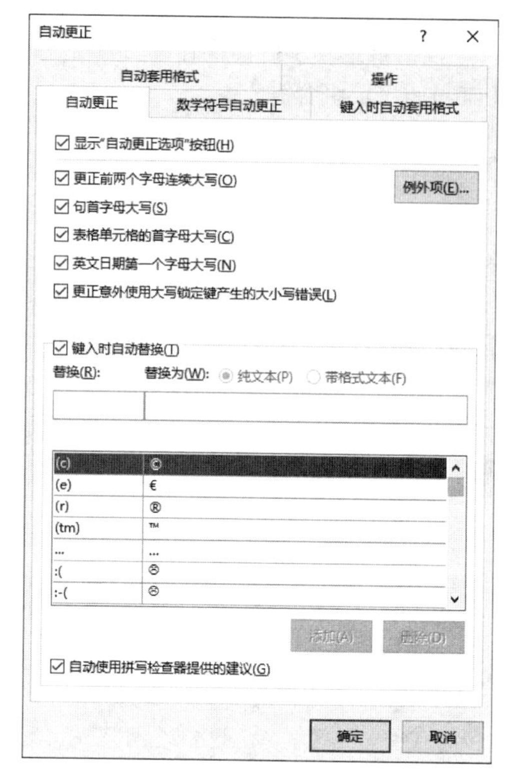

图 3-18 “自动更正”对话框

3.3.9 修订

修订是审阅者对文档的修改意见，提供了对文档修改的追踪，用各种标记反映了其他审阅者对文档的修改，如给文字加删除线来表示该文字被审阅者删除，原作者可以复审这些修改，并决定接受或拒绝修改。

在文档中使用修订的具体步骤如下：

第 1 步：单击“审阅”选项卡下“修订”组中的“修订”按钮，此时文档进入修订状态。

第 2 步：此后用户在文档中所做的修改，系统都会自动做出标记，以设定的状态显示出来。

修订完成后再次单击“修订”按钮，可退出文档的修订状态。退出修订状态后再对文档所做的修改将不会显示出来。

当审阅完文档后，文档作者可以选择接受或拒绝每一处修订。若接受修订，修订内容将替换原有内容，并转为正常状态；若拒绝修订，则修订内容将被删除，并恢复原有内容。

接受某处修订时可将光标置于修订位置处，单击“审阅”选项卡下“接受”按钮下方的下拉箭头，在下拉菜单中选择“接受此修订”或“接受所有修订”。

拒绝修订的操作方法类似，将光标置于修订位置处，单击“审阅”选项卡下“拒绝”按钮下方的下拉箭头，在下拉菜单中选择“拒绝更改”或“拒绝所有修订”。

3.3.10　批注

批注仅对文档进行评论注释，并不直接修改文档，因此，批注并不影响文档的内容。

选择要插入批注的文字，单击“审阅”选项卡下的“新建批注”按钮，在批注框中输入批注内容，单击批注框外的任意位置可退出编辑状态，完成批注的添加。

在“审阅”选项卡下，单击“上一条”或“下一条”按钮，可使光标在批注间跳转，方便查看和编辑文档中的所有批注。

要删除单个批注，可右击该批注，在快捷菜单中选择“删除批注”命令，或者将光标置于批注中，单击“审阅”选项卡下的“删除”按钮，若单击该按钮下方的下拉箭头，可选择删除光标所在的批注或全部批注。

3.4　文档格式的设置

文档格式的设置是 Word 文档编辑中的重要内容，为不同的文本设置不同的格式可以使文档更有层次，更符合阅读需求。文档的格式设置主要包括对字符和段落的格式设置、项目符号和编号的使用、边框和底纹的设置等操作。

3.4.1　字符格式设置

设置字符的格式主要是设置字体、颜色、大小、字符间距等各种字符属性。通过设置字符格式，可以使文字的效果更加突出。例如，在标题中使用大字体并加粗，可以使之更醒目；使用不同的字号，可以使文档结构一目了然。

在 Word 2016 中默认的中文字体格式为宋体、五号，西文字体格式为 Times New Roman、五号。下面分别介绍各种字符格式的设置。

1. 设置字体、字形、字号、颜色、下划线等

在 Word 2016 中设置字体格式的方法如下：

方法 1：通过快捷字体工具栏设置。

选中需要更改格式的文本，Word 会自动弹出“快捷字体工具栏”，如图 3-19 所示。此时工具栏为半透明状态。当鼠标进入工具栏区域时，工具栏将变为不透明状态，在此工具栏中可以设置选中文本的常见格式，如字体、字号、颜色等。

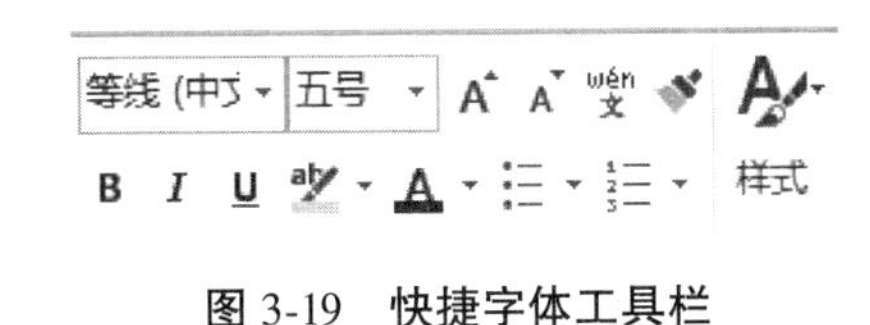

图 3-19　快捷字体工具栏

方法 2：通过“字体”组设置。

通过“开始”选项卡下“字体”组可以快速对选中的文本进行字体外观、边框、

底纹等设置。

方法 3：通过“字体”对话框设置。

使用“快捷字体工具栏”或“字体”组上的按钮只能对字符进行常规设置。实际上，Word 提供了更加丰富的格式设置功能，即“字体”对话框，单击“字体”组右下角的对话框启动器按钮 ，弹出“字体”对话框，如图 3-20 所示。

在“字体”对话框的“字体”选项卡中，用户可以设置字符的字体、字形、字号、字体颜色、下划线线型、下划线颜色、着重号等。在“效果”栏中，用户可以设置字符的上标、下标效果，为字符添加删除线等。“预览”栏显示格式设置后的效果。

2. 设置字符缩放、间距和位置

单击“字体”对话框中的“高级”选项卡，将弹出如图 3-21 所示的对话框。在该对话框中用户可以设置字符的间距、位置，调节字符的缩放比例等。其中：

① 缩放：用于按文字当前尺寸的百分比横向扩展或压缩文字。

② 间距：用于加大或缩小字符间的距离，有标准、加宽、紧缩三种设置。右侧的“磅值”文本框中可输入间距值。

③ 位置：用于将文字相对于基准点提高或降低指定的磅值，有标准、提升、降低三种设置。

④ 为字体调整字间距：用于自动调节字符间距或某些字符组合的间距，使整个字符组合看上去分布得更均匀。

⑤ 如果定义了文档网格，则对齐到网格：如果选中该复选框，则设置每行字符数使其与在“页面设置”中设置的字符数一致。

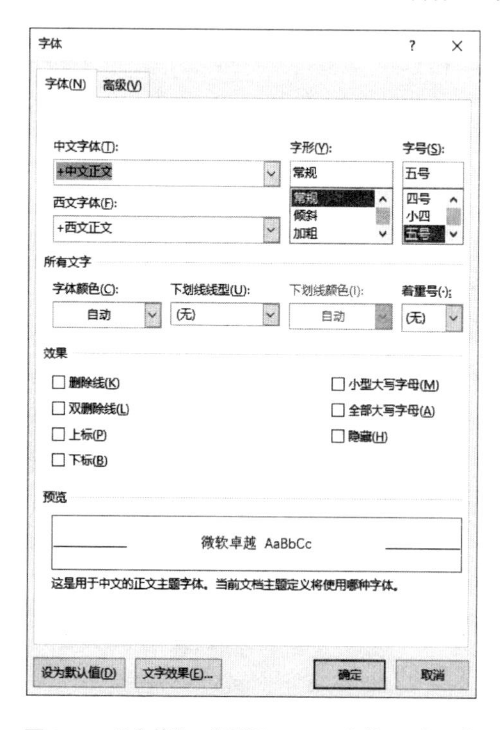

图 3-20 “字体”对话框——“字体”选项卡

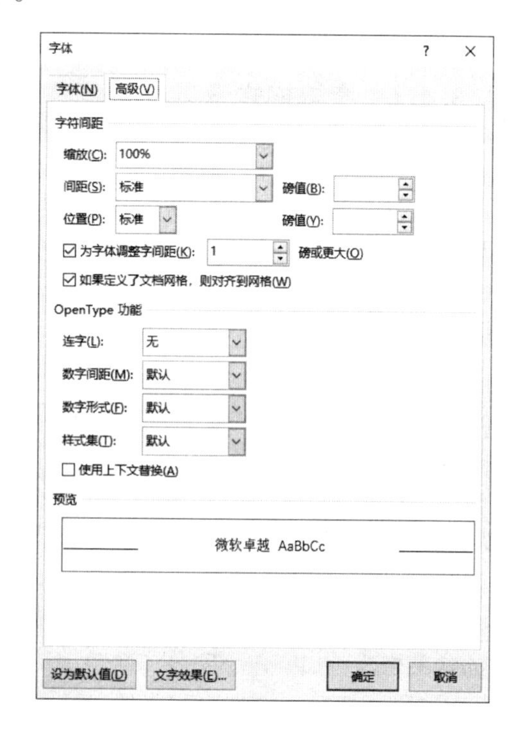

图 3-21 “字体”对话框——“高级”选项卡

3. 设置文本效果

设置文本效果是指为文本添加阴影、映像和发光等元素来更改文字的外观效果。在“开始”选项卡下“字体”组中单击“文本效果和版式”按钮，即可在展开的下拉列表中进行相关的设置，如图 3-22 所示。用户可以为文本添加轮廓线、阴影效果、映像效果、发光效果等文字效果。

图 3-22　“文字效果”下拉列表

3.4.2　段落格式设置

Word 中的段落是文字、图形、对象或其他项目等的集合。当用户输入回车键后就产生一个段落，每个段落都有一个段落标记“↵”表示段落的结束。如果要将两个段落合并为一段，只要像删除普通字符一样删除两段中间的段落标记即可。

段落格式设置主要包括段落的缩进方式、对齐方式以及行距、段前和段后间距等。进行段落格式设置时，如果只对一个段落进行操作，只需将光标定位在该段落内任意位置即可；如果要对多个段落进行操作，则应先选定段落，然后再对这些段落进行排版。

1. 设置段落的缩进

缩进是指段落到左右页边的距离，通常情况下，正文中的段落都会首行缩进 2 个字符。Word 中的缩进有首行缩进、悬挂缩进、左缩进和右缩进四种。

① 首行缩进：段落的第一行与正文区域左侧之间的距离。

② 悬挂缩进：除段落的第一行外，其余行与正文区域左侧之间的距离。

③ 左缩进：段落中每行最左边的字符与正文区域左侧之间的距离。

④ 右缩进：段落中每行最右边的字符与正文区域右侧之间的距离。

单击“开始”选项卡下“段落”组右下角的对话框启动器按钮，或单击“布局”选项卡下“段落”组右下角的对话框启动器按钮，均会弹出“段落”对话框，如图 3-23 所示。选择“缩进和间距”选项卡，在“特殊格式”下拉列表框中选择“无”、“首行缩进”或“悬挂缩进”；在“缩进”组的“左侧”“右侧”文本框中分别设置左、右缩进量。

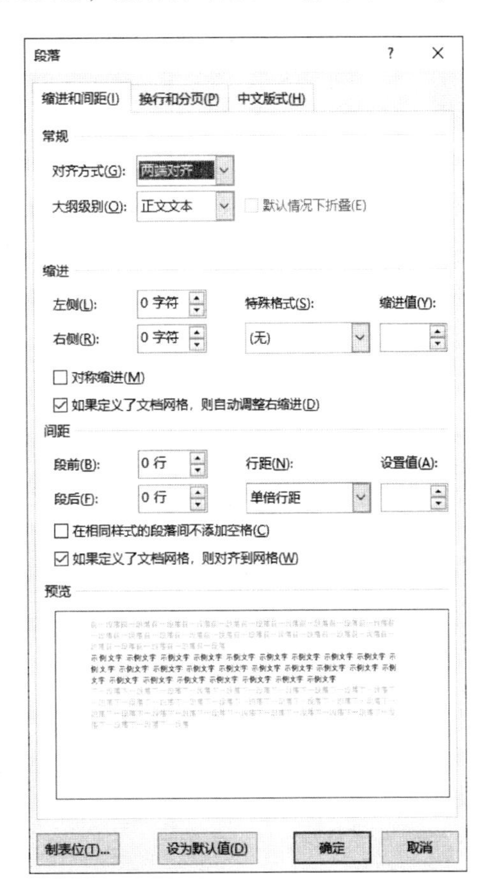

图 3-23　“段落”对话框——“缩进和间距”选项卡

2. 设置行距和段间距

段落行距是指相邻两行字符之间的距离。段间距是指段落与段落间的距离。

初学者往往用按【Enter】键以增加空行的方法来加大段落之间的距离，但这种方法无法精确控制段落间的距离。在图 3-23 所示的对话框中可对行距和间距进行设置。单击对话框中“间距”组的“段前”和“段后”文本框右侧的增减按钮可以设定间距，每按一次增加或减少 0.5 行，也可以在文本框中直接输入值和单位。

行距有三种定义标准，第一种是按照倍数来划分，有单倍、1.5 倍、2 倍和多倍几种规格；第二种是最小值；第三种是固定值。当选择“最小值”和“固定值”这两种标准时，可以在“设置值”输入框中输入设定的数值。各行距选项的含义如下：

① 单倍行距：设置每行的高度为可显示行中最大的字体，并上下留有一定的间距。

② 1.5 倍行距：设置每行的高度为可显示行中最大的字体高度的 1.5 倍。

③ 2 倍行距：设置每行的高度为可显示行中最大的字体高度的 2 倍。

④ 最小值：能显示行中最大字体或图形的最小行距。

⑤ 固定值：设置固定的行距。

⑥ 多倍行距：允许行距设置成带小数的倍数。

另外，单击“开始”选项卡下“段落”组中的“行和段落间距按钮”，也可以设置行距、段前和段后间距。

3. 设置段落对齐方式

对齐方式是指段落中文本的排列方式。段落的对齐方式一般有左对齐、右对齐、居中对齐、分散对齐、两端对齐几种方式。

① 左对齐：使段落中的字符以段落的左边界和默认的字符间距为基准，向左靠拢。

② 右对齐：使段落中的字符以段落的右边界和默认的字符间距为基准，向右靠拢。

③ 居中对齐：使段落中的字符以段落的中线和默认的字符间距为基准，向中靠拢。

④ 分散对齐：把行中所有字符等间距地分散并布满在这一行中。

⑤ 两端对齐：当一行非中文字符串，如英文单词、图片、数字或符号等超出右边界时，中文 Word 不允许把非中文字符串拆开分别放在两行中，而强行将该单词移到下一行，上一行剩下的字符将在本行内以均匀的间距排列，产生“两端对齐”的效果。

段落对齐方式可以通过图 3-23 所示的“段落”对话框中“常规”组进行设置，也可以通过“开始”选项卡下“段落”组中的按钮进行设置，还可以使用表 3-3 所示的组合键进行设置。

表 3-3 设置段落对齐的组合键

对齐方式	组合键
两端对齐	【Ctrl】+【J】
左对齐	【Ctrl】+【L】
右对齐	【Ctrl】+【R】
居中	【Ctrl】+【E】
分散对齐	【Ctrl】+【Shift】+【J】

4. 设置段落的换行与分页控制

换行与分页是指段落与页的位置关系。在图 3-23 所示的“段落”对话框中单击“换行和分页”选项卡，在弹出的对话框（图 3-24）中可以进行段落的换行和分页控制。

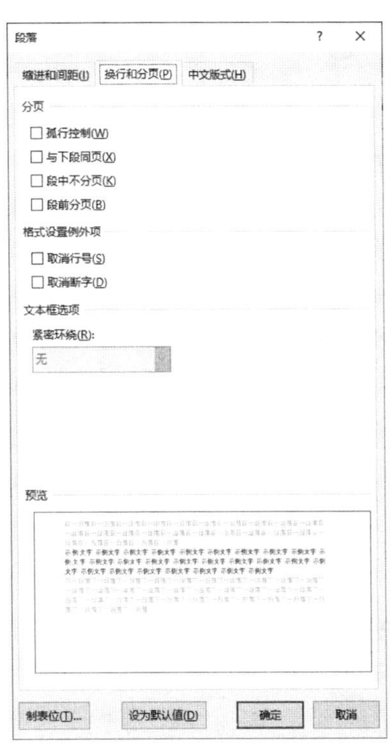

图 3-24 “段落”对话框——“换行和分页”选项卡

① 孤行控制：选中该选项卡可以防止在 Word 文档中出现孤行。孤行是指单独打印在一页顶部的某段落的最后一行，或者是单独打印在一页底部的某段落的第一行。

② 与下段同页：防止在所选段落与后面一段之间出现分页符，也就是将本段与下一段放在同一个页面上。

③ 段中不分页：就是在一段中不分页，防止在段落中出现分页符。如果选中该选项，Word 会自动调整分页的地方，使每一段文字都只显示在一页上面。

④ 段前分页：在所选段落前插入人工分页符。

⑤ 取消行号：在页面设置中，可以对正文的每一行加上行号，即每一行按 1、2、3……标上序号。如果某些段落不需要行号，可选中这些段落，选中“取消行号”，就可以跳过这些段落进行编号。

⑥ 取消断字：可使文档中的段落内部在分行时，不使用断字。断字是指在行尾的单词由于太长而无法完全放下时，会在适当的位置将该单词分成两部分，并在行尾使用连接符进行连接。

5. 设置段落的中文版式

在图 3-23 所示的“段落”对话框中单击“中文版式”选项卡，在弹出的对话框（图 3-25）中可设置按中文习惯使用的格式进行换行和调整字符间距。

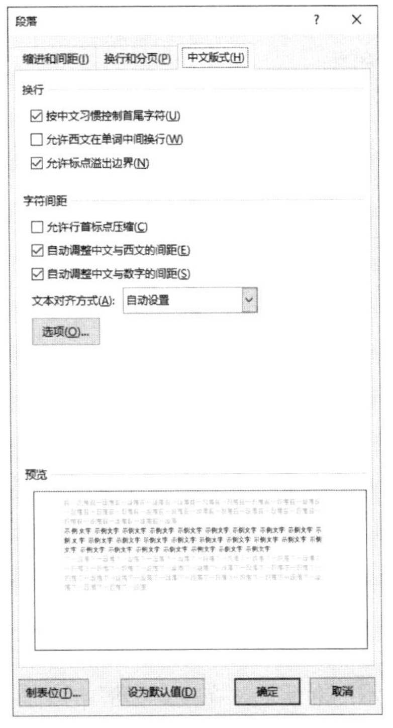

图 3-25 “段落”对话框——“中文版式”选项卡

① 按中文习惯控制首尾字符：使用中文的版式和换行习惯，以确定页面上各行的首尾字符。

② 允许西文在单词中间换行：允许在西文单词中间换行。

③ 允许标点溢出边界：允许标点符号比段落中其他行的边界超出一个字符。

④ 允许行首标点压缩：中文是双字节字符，一个字占两个英文字母的位置，对于以左括号（、左引号“、左书名号《开头的行，有种空了半格的感

觉。如果选中“允许行首标点压缩”选项，就能解决该问题，使行首对齐。

⑤ 自动调整中文与西文的间距：当输入的文本内容既有中文字符又有西文字符时，某些字符或标点符号之间的空格会变得极不规则。如果选中该项，就可以自动调整字符的间距。

⑥ 自动调整中文与数字的间距：当输入的文本内容既有中文字符又有数字时，如果选中该项，就可以自动调整字符的间距。

6. 设置段落的边框

为了使文档中的某些内容突出显示，可以为它们添加边框和底纹。

Word 2016 除了使用“开始”选项卡下“字体”组中的“字符边框”按钮进行默认边框的设置外，还专门提供了“边框和底纹”对话框对文档中的内容进行设置。具体操作步骤如下：

第 1 步：选定要添加边框的段落。

第 2 步：单击“开始”选项卡下“段落”组中的“边框”按钮 ⊞ ▾ 右侧的下拉箭头，在下拉列表中单击“边框和底纹”命令，或者单击“设计”选项卡下“页面背景”组中“页面边框”按钮，都可弹出如图 3-26 所示的“边框和底纹”对话框。

第 3 步：选择“边框”选项卡，在“设置”栏中有 5 个选项，可以用来设置边框四周的线型样式。用户还可以在“样式”“颜色”“宽度”组中，设置边框格式，然后在“应用于”列表中，设置边框样式是应用于“文字”或“段落”。

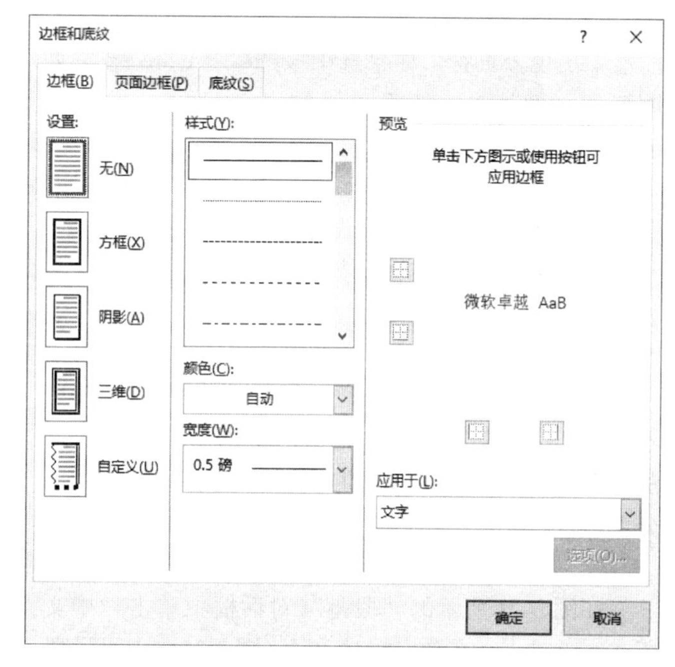

图 3-26 “边框和底纹”对话框——“边框”选项卡

需要注意的是，如果在“边框和底纹”对话框中选择“页面边框”选项卡，就可以为整篇文档或文档中的节设置页面边框，方法与段落边框设置类似。

第 4 步：单击“确定”按钮，完成设置。

7. 设置段落的底纹

在图 3-26 所示的“边框和底纹”对话框中选择“底纹”选项卡，将弹出如图 3-27 所示的对话框。在该对话框中可以对文档中的内容进行底纹的设置。具体操作步骤如下：

第 1 步：选定要添加底纹的段落。

第 2 步：单击“开始”选项卡下“段落”组中的“边框”按钮 ⊞ ▾ 右侧的下拉箭

头，在下拉列表中单击“边框和底纹”命令，或者单击“设计”选项卡下“页面背景”组中“页面边框”按钮，都可弹出如图 3-26 所示的“边框和底纹”对话框。

第 3 步：选择“底纹”选项卡，在该对话框（图 3-27）中根据文档的需要设置底纹。其中：

① 填充：在此栏目中可以选择填充的颜色。

② 图案：

- 样式：选择填充的浓度以及填充的图案。
- 颜色：选择样式的颜色。

③ 应用于：选择底纹要应用的范围是整个“段落”还是当前所选“文字”。

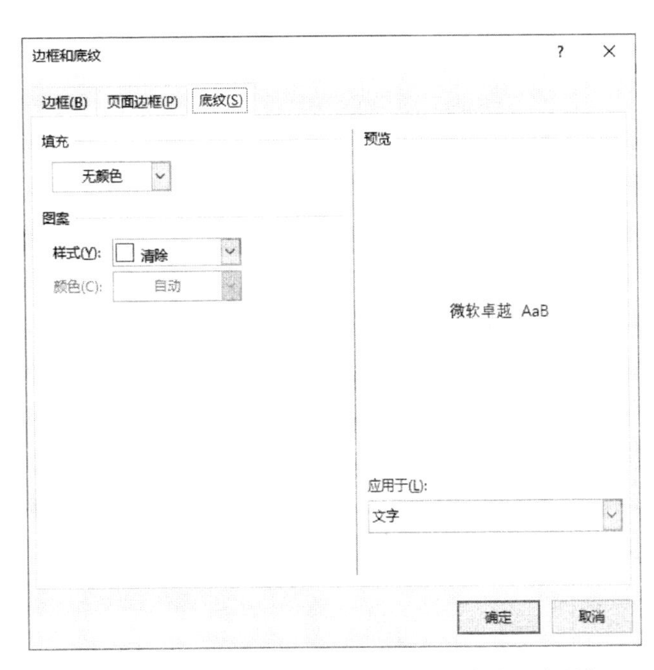

图 3-27 “边框和底纹”对话框——“底纹”选项卡

第 4 步：单击“确定”按钮，完成设置。

8. 设置中文版式

Word 2016 提供了几种中文排版特有的格式，如拼音指南、带圈文字、纵横混排、合并字符、双行合一。

（1）拼音指南

拼音指南可以在选中的文本上面添加汉语拼音。用户可以自定义拼音，也可以选择默认读音。

具体做法是：选中文档中要添加拼音的文字，单击“开始”选项卡下“字体”组中的“拼音指南”按钮，打开“拼音指南”对话框，如图 3-28 所示。在该对话框中，可以查看所选文字的拼音，设置“对齐方式”“字体”“偏移量”“字号”后，单击“确定”按钮，即可在选中的文字上方添加拼音。

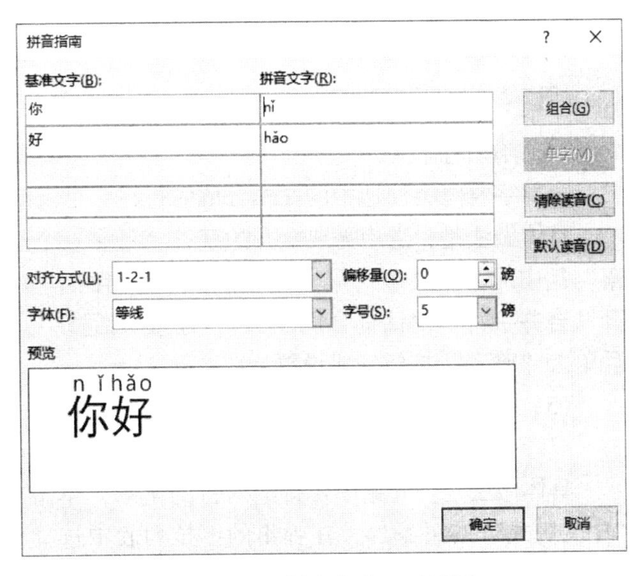

图 3-28 “拼音指南”对话框

(2) 带圈文字

带圈文字将会使选中的某个字四周添加不同形状的圈号。

具体做法是：选中文档中要设置带圈的某个文字，单击“开始”选项卡下“字体”组中的“带圈字符”按钮 ㊫，打开如图 3-29 所示的“带圈字符”对话框。在该对话框中，可以对圈的样式、圈中文字的大小等进行设置。最后单击“确定”按钮完成设置。

(3) 纵横混排

如果在横排文本中有几个要竖排的文字，或在竖排文本中有几个要横排的文字，可以使用此功能。

具体做法是：选中需要调整排版方向的文本，单击“开始”选项卡下“段落”组中的“中文版式”按钮，在弹出的下拉列表中选择“纵横混排”命令，打开“纵横混排”对话框（图 3-30）。如果选择的字数较多，需要取消勾选“适应行宽”复选框。最后单击“确定”按钮完成设置。

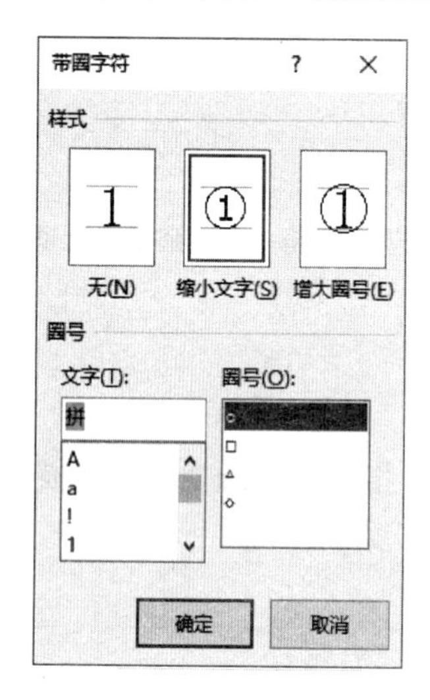

图 3-29 “带圈字符”对话框

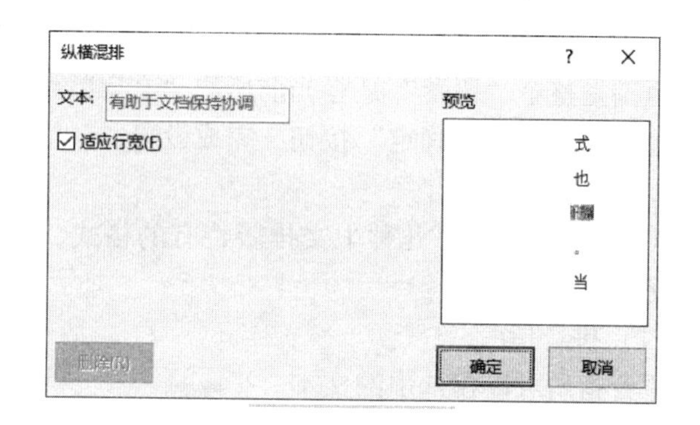

图 3-30 “纵横混排”对话框

(4) 合并字符

合并字符将会使选中的文本分成两行在一个汉字位置上显示。

具体做法是：选中需要合并的字符（最多 6 个汉字），单击“开始”选项卡下“段落”组中的“中文版式”按钮，在弹出的下拉列表中选择“合并字符”命令，打开“合并字符”对话框（图 3-31）。在该对话框中，可以对字体、字号等进行设置。最后单击“确定”按钮完成设置。

(5) 双行合一

双行合一将会使选中的文本分成两行小字体显示文字。

具体做法是：先选中要排成两行的文本，单击“开始”选项卡下“段落”组中的“中文版式”按钮，在弹出的下拉列表中选择“双行合一”命令，打开“双行合一”对话框（图 3-32）。用户可以选择文本是否使用括号以及括号的样式，最后单击“确定”按钮完成设置。

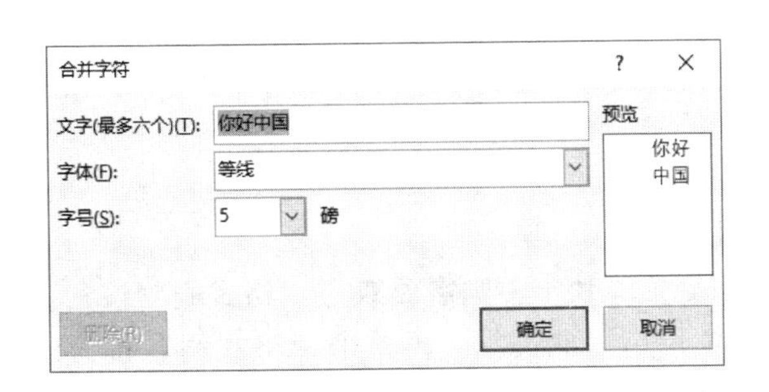

图 3-31　“合并字符”对话框

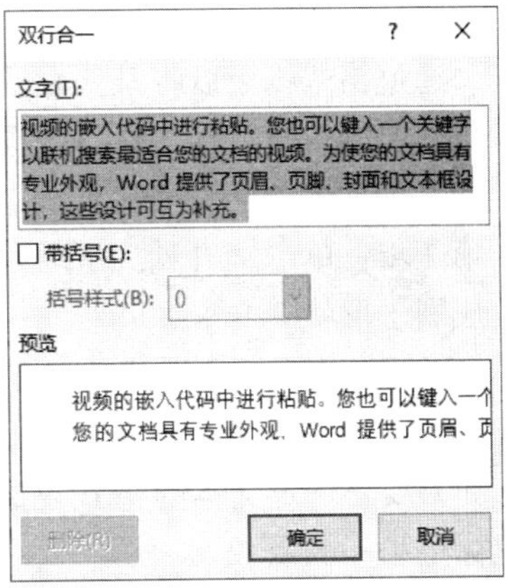

图 3-32　“双行合一”对话框

9. 设置文字方向

Word 2016 提供了多种文字方向。一般有以下两种：

方法 1：单击“布局”选项卡中的“文字方向”按钮 ，打开如图 3-33 所示的下拉列表，在列表中选择一种文字方向格式。

方法 2：在图 3-33 所示的下拉列表中单击“文字方向选项”命令，弹出如图 3-34 所示的“文字方向”对话框。在“方向”组中选择一种文字的方向；在“应用于”列表框中选择应用的范围，如“整篇文档”“所选文字”，最后单击“确定”按钮完成设置。

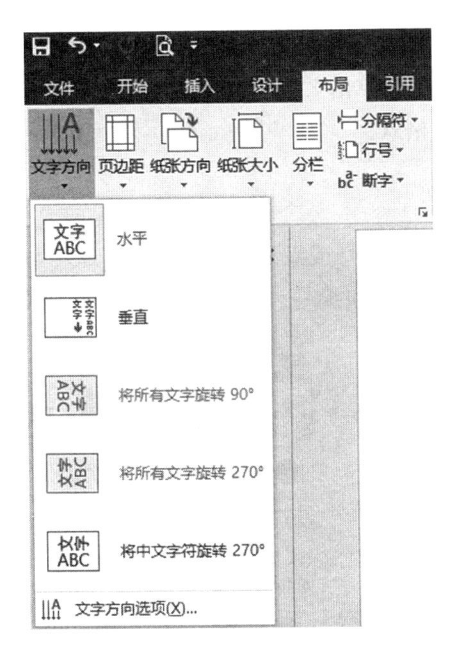

图 3-33　“文字方向”下拉列表

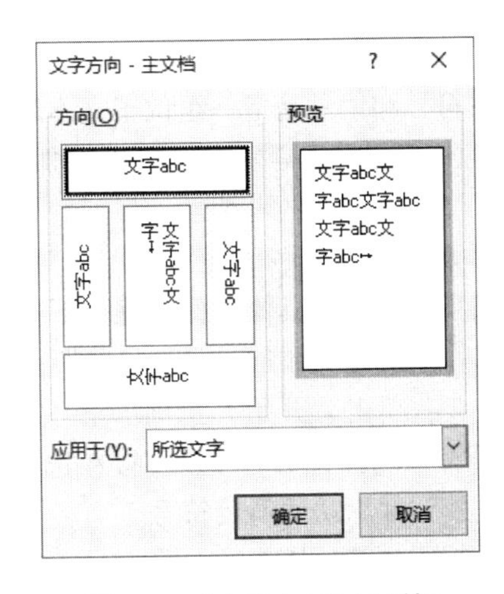

图 3-34　“文字方向”对话框

10. 使用格式刷

在 Word 文档的编辑过程中，经常要将多个格式比较复杂、位置比较分散的段落或文字的格式设置成统一的形式。使用 Word 的“格式刷”按钮能快速地完成这一复杂的操作。通过格式刷可以将某一段落或文字的排版格式复制给另一段落或文字，从而大大减少排版时的重复劳动。具体操作步骤如下：

第 1 步：选定已编排好字符格式的源文本。

第 2 步：单击“开始”选项卡下“剪贴板”组中的“格式刷”按钮 ，鼠标指针变成刷子形状。

第 3 步：在目标文本上拖动鼠标。

第 4 步：释放鼠标，完成格式复制。

如果要将选定文本的格式复制到多处文本块上，则需要双击“格式刷”按钮，拖动鼠标至第一目标文本、第二目标文本……以此类推，再单击“格式刷”按钮或按【Esc】键，完成格式复制，鼠标恢复原状。

11. 清除格式

如果对所设格式不满意，也可以清除已设置的格式，恢复到 Word 默认的状态。具体操作步骤如下：

第 1 步：选中需要清除格式的文本。

第 2 步：单击“开始”选项卡下“样式”组右下角的对话框启动器按钮，打开“样式”列表框，在列表框中单击“全部清除”命令，就可以清除所选文本的所有样式和格式。

也可以采用另一种方法，具体操作步骤如下：

第 1 步：选中需要清除格式的文本。

第 2 步：单击“开始”选项卡下“样式”组中的“其他”按钮 ，打开“样式”列表框，在列表框中单击“清除格式”命令；或单击“字体”组中的“清除所有格式”按钮 ，就可以清除所选文本的所有样式和格式。

3.4.3 项目符号和编号

项目符号和编号是指一组位于文本最左端的符号或编号，如●、□、◇、☆……或 1、2、3、4 等。根据需要在段落中添加项目符号和编号，可以使文档看起来条理更加清晰明了，提高文档的可读性。

1. 添加项目符号

添加项目符号的具体操作步骤如下：

第 1 步：选定要添加项目符号的段落。

第 2 步：单击“开始”选项卡下“段落”组中的“项目符号”按钮 ，可以直接在选中段落的第一行的左侧添加默认的项目符号。

如果想添加其他样式的项目符号，则单击“项目符号”按钮右侧的下拉箭头，弹出“项目符号库”列表（图 3-35）。当光标进入“项目符号库”列表的区域时，会按照当前光标处的项目符号在文

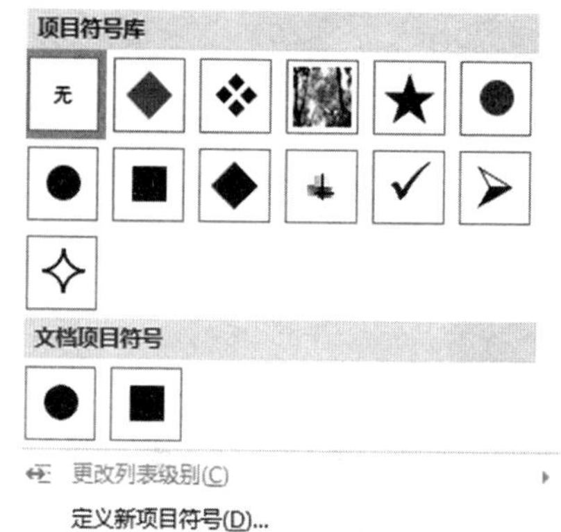

图 3-35 “项目符号库”列表

档中预览。单击想要添加的项目符号类型，就可以给当前段落添加该类型的项目符号。

当项目符号库中没有满意的项目符号时，用户还可以添加自定义的项目符号。单击图 3-35 中的“定义新项目符号”命令，弹出如图 3-36 所示的“定义新项目符号”对话框。单击对话框中的“符号”按钮，会弹出“符号”对话框（图 3-37），在符号集中选择需要添加的项目符号即可。

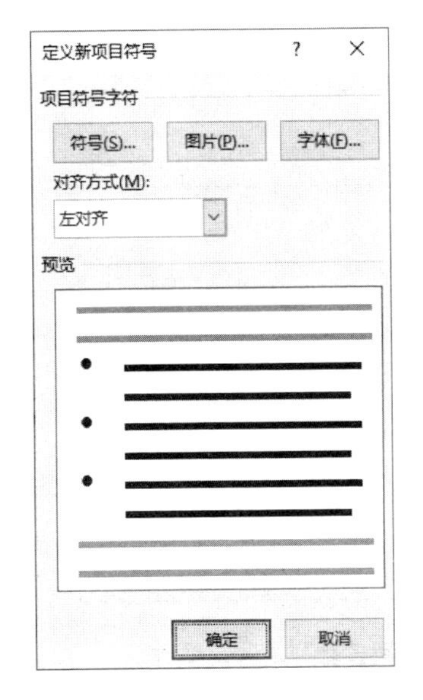

图 3-36　**“定义新项目符号”对话框**

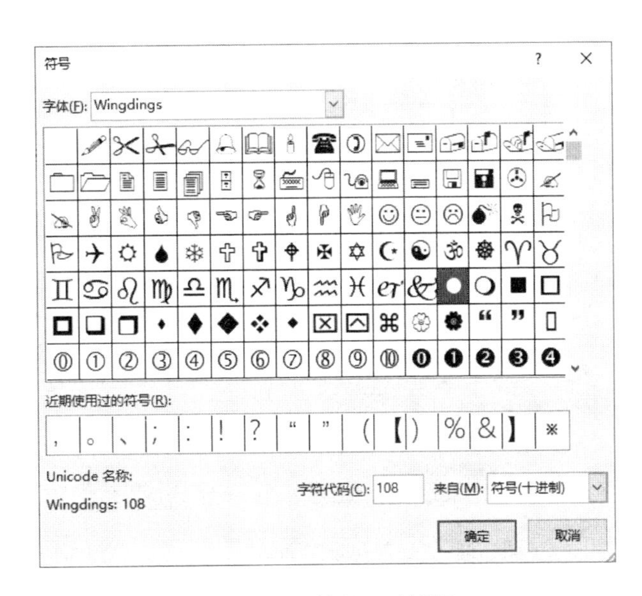

图 3-37　**“符号”对话框**

此外，单击“定义新项目符号”对话框中的“图片”按钮，在弹出的“图片项目符号”对话框中，可以选择某个图片作为项目符号；单击“字体”按钮，在弹出的“字体”对话框中，可以对选中的项目符号进行字体、字形、字号以及字体颜色等设置；在“对齐方式”下拉列表中可以选择项目符号的对齐方式。

2. 添加编号

利用“开始”选项卡下“段落”组中的“编号”按钮可以为文档添加编号。其设置方式与添加项目符号类似，本文不再讲述。

3. 创建多级项目符号

多级编号在某些场合（如编写书籍）中非常有用。具体的操作步骤如下：

第 1 步：选定要添加多级编号的段落。

第 2 步：单击“开始”选项卡下“段落”组中的“多级列表”按钮，在弹出的“当前列表”面板（图 3-38）中选择一种编号即可。

如果“当前列表”面板中没有满意的编号，可以单击面板中的“定义新的多级列表”命令，打开如图 3-39 所示的“定义新多级列表”对话框，在该对话框中可以对各个级别分别进行设置。

利用多级符号进行编号，当输完某一级中一个编号（如 1、2、3……）后的正文内容，按回车键即自动进入下一个编号，再按【Tab】键即可改为下一级编号样式（如 1. 1、2. 1……）。若要返回到上一级继续编号，按【Shift】+【Tab】组合键即可。

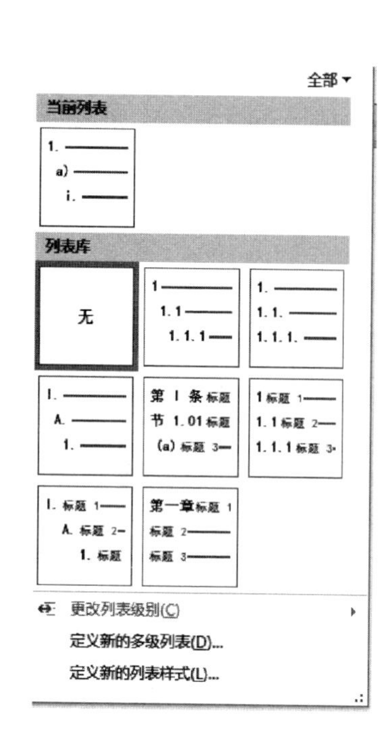

图 3-38 “当前列表”面板

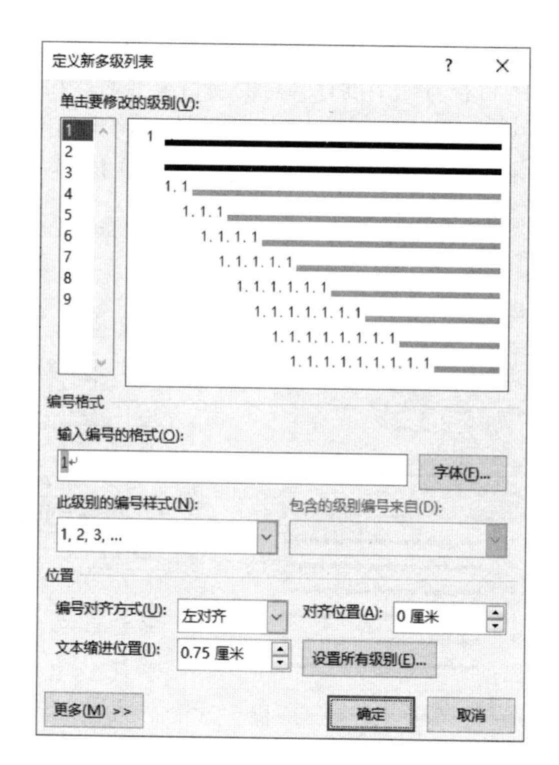

图 3-39 “定义新多级列表”对话框

3.4.4 首字下沉与分栏

在一些报刊上，经常会看到首字下沉和分栏。首字下沉就是使某段文字开头的第一个字符放大，使文档更美观、更引人注目。这种格式强调了段落的开始，使段落变得清晰。分栏就是将一段文本分为并排的几栏来显示，使得版面更为生动、活泼，阅读更方便。

1. 首字下沉

首字下沉的操作步骤如下：

第 1 步：选中要设置首字下沉的段落或将插入点定位在该段落上。

第 2 步：单击“插入”选项卡下“文本”组中的“首字下沉”按钮，在弹出的下拉列表（图 3-40）中选择一种下沉方式，如“下沉”或“悬挂”，光标所在段落会显示默认的设置效果。

如果需要精确设置首字下沉效果，则在下拉列表中单击“首字下沉选项”命令，弹出图 3-41 所示的“首字下沉”对话框。在“位置”组中选择“下沉”或“悬挂”样式；在“选项”组的“字体”下拉列表框中设置下沉或悬挂文字的字体；在“下沉行数”微调框中设置文字下沉的行数；在“距正文”微调框中设置下沉文字与正文的距离。

第 3 步：单击“确定”按钮，完成设置。

如果要取消“首字下沉”功能，只需在对话框的“位置”选项中选择“无”。

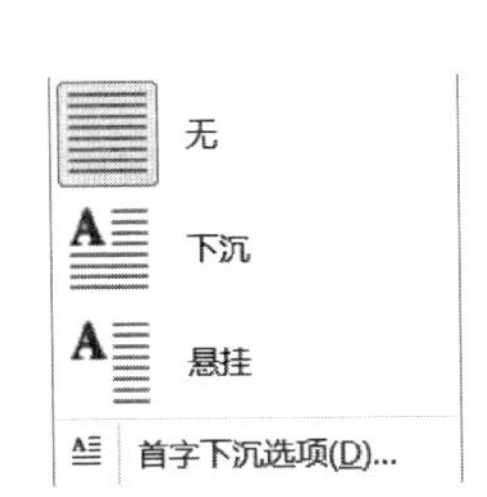

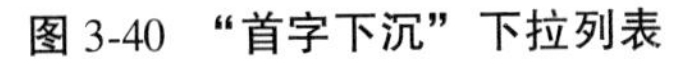
图 3-40 “首字下沉”下拉列表

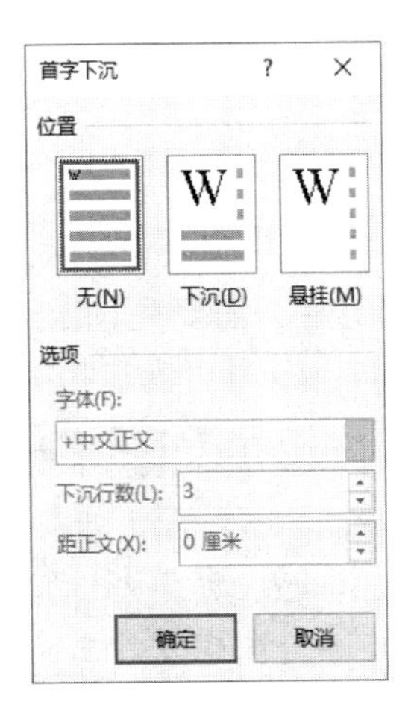

图 3-41 “首字下沉”对话框

2. 分栏

默认情况下文档只有一栏，为了满足特殊编辑的需要，或者为了使文档布局更加合理美观，可以将文档分为多栏显示。对文档进行分栏的操作步骤如下：

第 1 步：选定需要分栏的文本。

第 2 步：单击“布局”选项卡下“页面设置”组中的“分栏”按钮，弹出“分栏”下拉列表（图 3-42）。

第 3 步：在“分栏”下拉列表中单击所需格式的分栏命令即可完成分栏设置。

如果在“分栏”下拉列表中提供的分栏格式不能满足需求，用户可以单击下拉列表中“更多分栏”命令，弹出如图 3-43 所示的“分栏”对话框，在该对话框中可以进行分栏设置。对话框中各属性含义如下：

① 预设：选择分栏数。

② 宽度和间距：设置“栏宽”和“间距”。

③“分隔线”复选框：如果要在两栏之间显示分隔线，可勾选“分隔线”复选框。

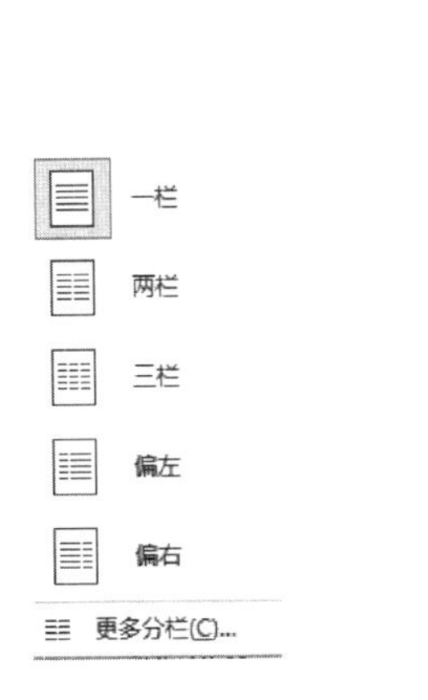

图 3-42 “分栏”下拉列表

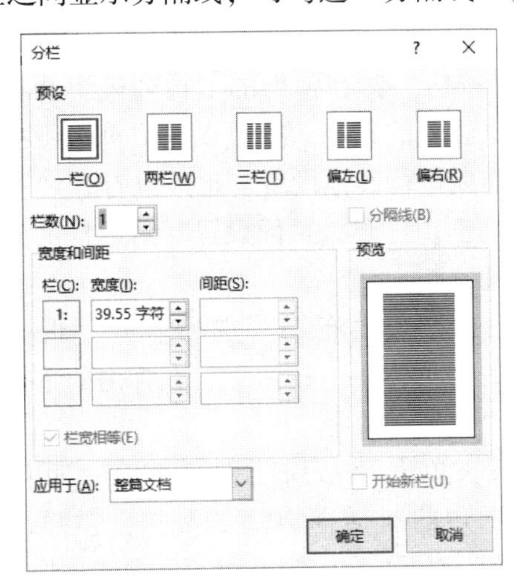

图 3-43 “分栏”对话框

④“栏宽相等”复选框：如果要使分栏后的各栏栏宽相等，可勾选该复选框，否则可以设定各个栏宽的大小。

⑤ 应用于：将分栏用于整篇文档或插入点之后。

⑥ 预览：在窗口中观察设置效果。

如果要取消分栏，需要先选定已分栏的文本，打开“分栏”对话框，在“预设”栏内选择“一栏”，单击“确定”按钮，即可对选定的内容取消分栏。

注意：有时对文档的最末一段分栏后看不到正确的分栏效果，例如已经选择分成三栏，但只看到左边一栏或两栏有内容，第三栏是空白。这是因为 Word 对文档最后的一个段落标记的理解是文档还可以继续写下去，当选中最后一个段落标记进行分栏时，相当于一直选到了页面的底部，包括了下面的空白，因此分栏后右边的栏中会有空白的显示。为了避免出现这种情况，在选中文本时不要选中最后一段的段落标记，或者在文档末尾插入一个段落标记后再进行分栏。

3.5 页面格式的设置

在处理 Word 文档时，可以以页面为单位对文档进行一些统一的格式设定，比如页边距、页眉和页脚、水印等操作。

3.5.1 页面设置

页面设置包括纸张、页边距、版式和文档网格的设置。

1. 设置页边距

页边距是页面四周的空白区域，也就是正文与页边界之间的距离。

单击“布局”选项卡下“页面设置”组中的“页边距”按钮 ▯，在弹出的下拉列表中选择需要调整的页边距的大小，就可以完成页边距的设置。如果需要进行其他设置，也可以打开“页面设置”对话框。打开“页面设置”对话框的方法有以下两种：

方法 1：单击“布局”选项卡下“页面设置”组中的“页边距”按钮 ▯，在弹出的下拉列表中选择“自定义边距”。

方法 2：单击“布局”选项卡下“页面设置”组右下角的对话框启动器按钮，在弹出的“页面设置”对话框中单击“页边距”选项卡（图 3-44）进行设置。

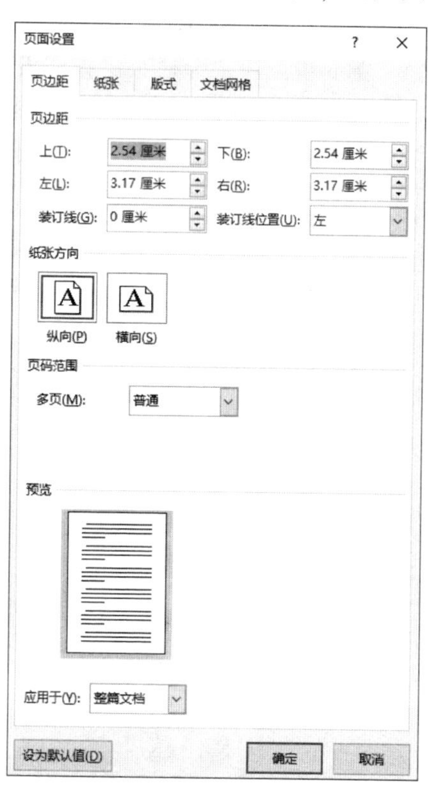

图 3-44 “页面设置”对话框——“页边距”选项卡

2. 设置纸张

用户可以根据需要调整纸张的大小和方向。

单击“布局”选项卡下“页面设置”组中的“纸张大小”按钮，可在弹出的纸张大小列表中选择 Word 预设的常用纸张尺寸；也可以单击“其他纸张大小”或在“页面设置”对话框中单击“纸张”选项卡，都会弹出图 3-45 所示的对话框。

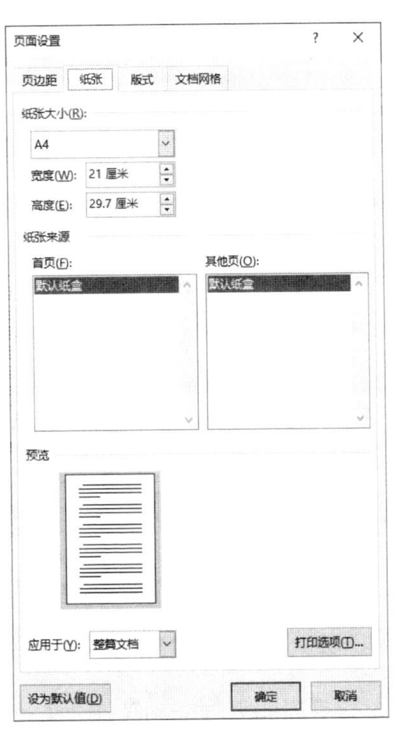

图 3-45　“页面设置”对话框——“纸张”选项卡

其中：

① 纸张大小：在该栏下拉列表中可以选择所需的纸张型号，也可以通过选择“自定义大小”设置自己所需的尺寸。

② 宽度、高度：在更改纸张型号时，会自动显示所选纸张的大小，也可以由用户自定义设置。

③ 纸张来源：可以设置打印机打印时的进纸方式。

单击“布局”选项卡下“页面设置”组中的“纸张方向”按钮，可以在“纵向”或“横向”之间进行选择。用户也可以在图 3-44 所示的对话框中进行选择。

3. 设置版式

版式即版面格式，它可以使同一个文档中的不同页面使用不同的页面设置。

在“页面设置”对话框中单击“版式”选项卡（图 3-46），利用该选项卡可以设置版式。

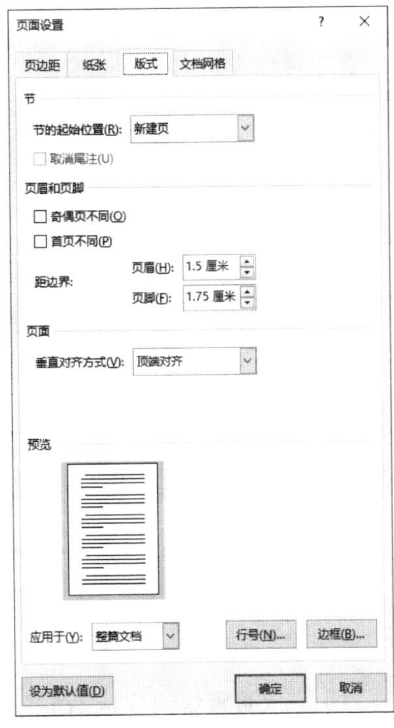

图 3-46　“页面设置”对话框——“版式”选项卡

其中：

① 节的起始位置：确定节的开始位置。

② 页眉和页脚：如果勾选“奇偶页不同”复选框，则奇数页的页眉页脚和偶数页的页眉页脚可以分别设置；如果勾选“首页不同”复选框，则首页的页眉、页脚可以单独设置。

③ 垂直对齐方式：在下拉列表中可以选择页面垂直对齐的方式，如顶端对齐、居中、两端对齐、底端对齐。

④ 行号：单击“行号”按钮，在弹出的“行号”对话框中可以设置行号格式。

⑤ 边框：单击“边框”按钮，在弹出的“边框和底纹”对话框中设置整个页面的边框和底纹样式。

4. 设置页面中的行、列数及文字排列方向

在“页面设置”对话框中单击“文档网格”选项卡（图 3-47），利用该选项卡可以调节页面网格线的格距。网格线的作用与写作文使用的方格纸相似，主要是在编排文档时起到对齐的作用，但是，这种网格是不能被打印出来的。

利用选项卡中的“文字排列”单选按钮可以方便地设置文字水平或垂直排列，还可以在“每行”“每页”“跨度”“栏数”中设置每页中的行数、每行中的字符数以及指定范围内的栏数。

> 注意：若在“网格”区域选择了“文字对齐字符网格”，则“段落”组中的对齐按钮将失去作用，变成灰色不可点击。

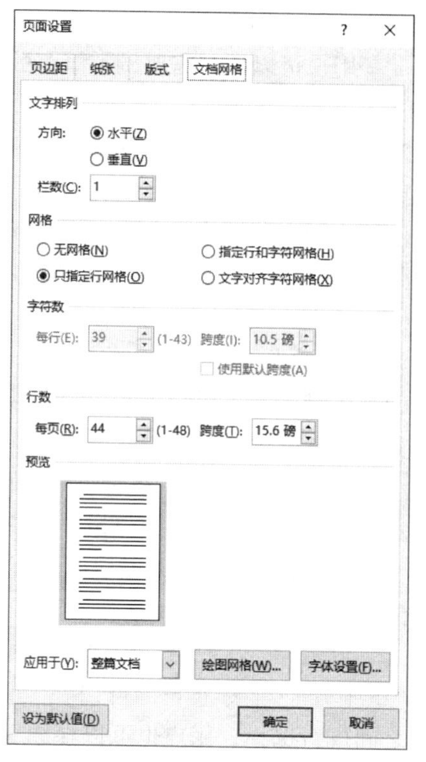

图 3-47 “页面设置”对话框——“文档网格”选项卡

3.5.2 页眉和页脚

页眉和页脚分别位于文档的顶部和底部，通常用于添加说明性文字或美化版面，可以包括页码、日期、文档标题、文档名、作者名等文字或图表。可以设置文档中的全部页为相同页眉和页脚，也可以设置文档中不同部分的页具有不同的页眉和页脚。

需要注意的是：页眉和页脚只能在页面视图和打印预览方式下看到。另外，页眉和页脚与文档的正文处于不同的层次上，因此在编辑页眉和页脚时不能编辑正文；同样，在编辑正文时也不能编辑页眉和页脚。

如果文档已有页眉和页脚，可以双击页面顶部的页眉区域或底部的页脚区域快速进入页眉页脚编辑区。如果首次创建页眉和页脚可以采用以下方法。单击“插入”选项卡下“页眉和页脚”组中的页眉按钮或页脚按钮，弹出“页眉”或“页脚”列表框，列表框中会显示出 Word 预设好的页眉或页脚样式。用户可以从中选择需要的模板，进入页眉或页脚编辑状态，此时功能区会显示“页眉和页脚工具”，如图 3-48 所示。

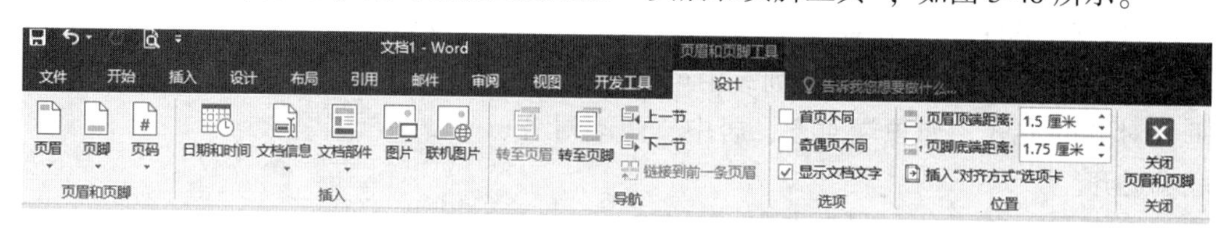

图 3-48 页眉和页脚工具

页眉或页脚编辑完成后，只需要单击页眉和页脚工具栏上的“关闭页眉和页脚”按钮，即可退出页眉和页脚编辑状态，返回文档编辑状态。

如果在页眉和页脚工具栏中选中“首页不同”复选框，将会使首页具有不同于其

他页的页眉和页脚。

如果在页眉和页脚工具栏中选中“奇偶页不同”复选框，则需要对奇数页和偶数页的页眉与页脚分别进行设置。在创建类似书籍的双面文档时，常需要创建奇数页和偶数页不同的页眉与页脚。

如果选中“链接到前一条页眉（页脚）”，则本节的页眉（页脚）和前一节的页眉（页脚）相同，否则就是不同的页眉（页脚）。

注意：在图 3-46 所示的对话框中，也可以设置“首页不同”和“奇偶页不同”。

3.5.3　插入页码

除了通过设置页眉和页脚添加页码外，用户还可以直接插入页码：单击“插入”选项卡下“页眉和页脚”组中的“页码”按钮，弹出如图 3-49 所示的下拉列表，用户根据需要在下拉列表中选择页码的位置。

如果要更改页码的样式，可以单击“设置页码格式”，打开如图 3-50 所示的“页码格式”对话框，在此对话框中设定页码格式，然后单击“确定”按钮即可完成。

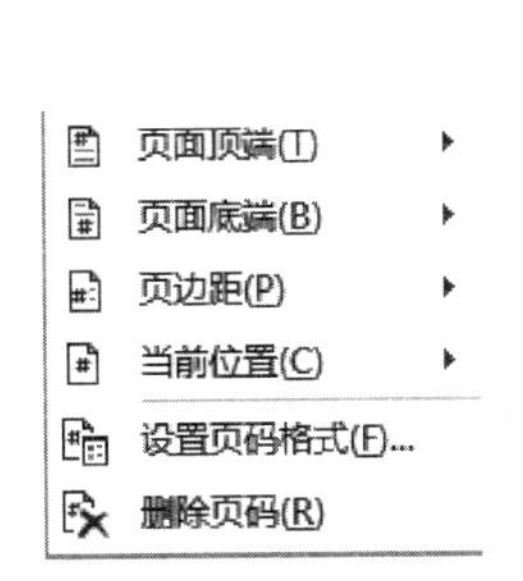

图 3-49　“页码”下拉列表

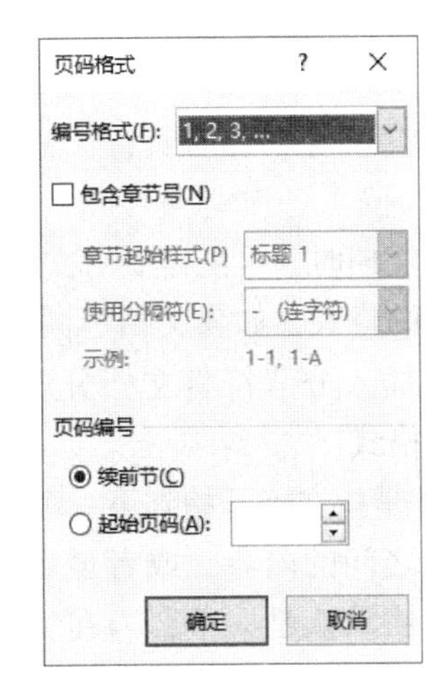

图 3-50　“页码格式”对话框

3.5.4　添加水印

通过添加水印可以在 Word 文档背景中显示半透明的标识（如“机密”“草稿”等文字）。水印既可以是文字，也可以是图片。在 Word 2016 中内置了多种水印样式。添加水印的具体操作步骤如下：

第 1 步：单击“设计”选项卡下“页面背景”组中的“水印”按钮。

第 2 步：在打开的“水印”下拉列表（图 3-51）中选择合适的水印即可。

如果“水印”下拉列表中没有合适的水印，可以单击面板中的“自定义水印”命令，弹出图 3-52 所示的“水印”对话框，在该对话框中进行相关的设置即 0 可。

单击“水印”下拉列表中的“删除水印”命令，可以删除已经插入的水印。

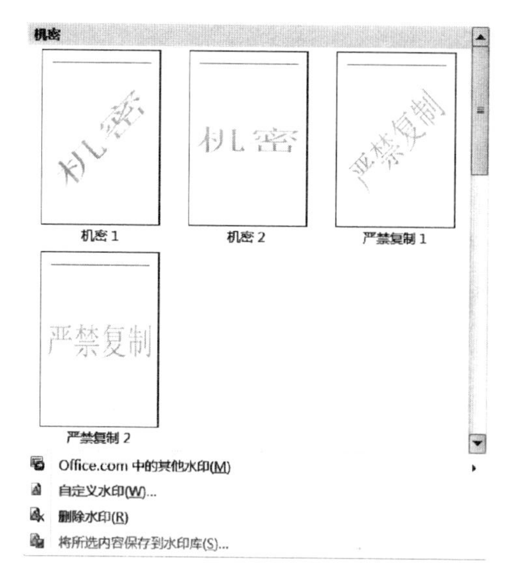

图 3-51 “水印”下拉列表

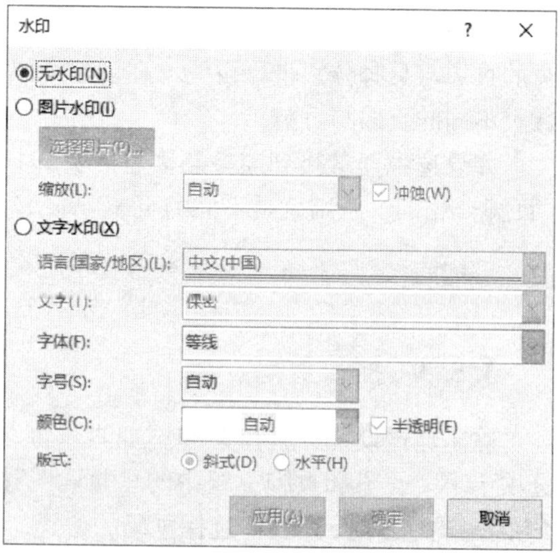

图 3-52 “水印”对话框

3.5.5 插入分隔符

Word 中的分隔符主要指分页符、分栏符、自动换行和各种形式的分节符。

1. 插入分节符

在制作一些文档时，可能需要对文档中某一部分的格式做一些特殊处理，使其具有与其他部分不同的格式，如为文档不同部分设置不同的页眉和页脚，Word 实现这一功能的手段是通过插入分节符将文档分成若干节，不同的节可以设置不同的格式。

Word 中的节是指文档开始到第一个分节符之间的内容，或者两个分节符之间的内容，或者最后一个分节符到文档末尾的内容。文档默认是一节，当在文档中插入了一个分节符，就会在文档中增加一个节。节的长度任意，可以是一行，也可以是整个文档。

插入分节符的具体步骤如下：

第 1 步：移动插入点到准备插入分节符的位置。

第 2 步：单击“布局”选项卡下“页面设置”组中的“分隔符”按钮，在弹出的下拉列表（图 3-53）的“分节符”选项组中可以选择“下一页”“连续”“偶数页”“奇数页”中的一项。

① 下一页：在下一页上开始新节。

② 连续：在同一页上开始新节。

③ 偶数页：在下一偶数页上开始新节。

④ 奇数页：在下一奇数页上开始新节。

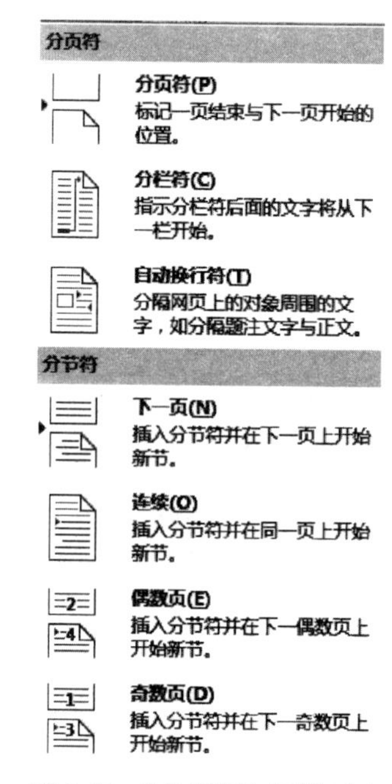

图 3-53 “分隔符”下拉列表

2. 插入分页符

在图 3-53 所示的“分隔符”下拉列表中可以实现分页等操作。

① 分页符：一页终止并从下一页开始。

② 分栏符：分栏后的文字从下一栏开始。

③ 自动换行符：自动换行符后的文字从下一段开始。

3.5.6　插入脚注、尾注和题注等

1. 插入脚注或尾注

脚注和尾注用于为文档中的文本提供解释、批注以及相关的参考资料。脚注一般位于页面的底部，可以作为文档某处的注释；尾注一般位于文档的末尾，列出引文的出处等。脚注和尾注由两个关联的部分组成，包括注释引用标记和对应的注释文本。Word 自动为脚注和尾注编号，可以使用单一编号方案，也可以在每节使用不同的编号方案。在文档或节后插入第一个脚注或尾注后，后面的脚注和尾注将自动按指定的格式顺序编号。

插入脚注和尾注的方法是：将光标定位在要插入脚注和尾注的位置，单击“引用”选项卡下“脚注”组中的“插入脚注”按钮 AB¹ 或“插入尾注”按钮，在插入点输入内容即可。如果需要进行更多设置可以单击“脚注”组右下角的对话框启动器按钮，弹出如图 3-54 所示的对话框。

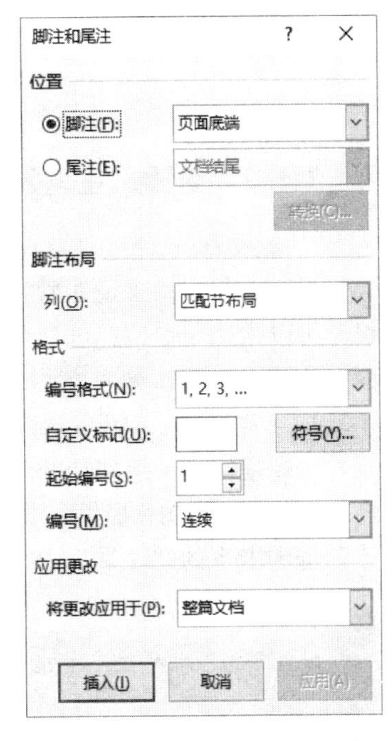

图 3-54　“脚注和尾注”对话框

文档中的某处插入脚注或尾注后，将出现特殊的标记，当鼠标指向这些标记时，旁边会出现注释内容提示。若删除此标记，也将删除注释。

2. 插入题注

文档中经常有大量的图片、表格和公式，这些图片、表格和公式都有自己的编号和说明，如“图 1”“表 1-1”等。如果采用手工编号，那么在文档内容和顺序调整后，编号不会自动随之变化。为了更好地管理图片和表格的编号及说明，可以为这些图片或表格插入题注。题注是自动编号的，且能随题注的插入或删除而自动更新。

为图片、图表、表格、公式等添加题注时，需要先选定对象，再单击“引用”选项卡下“题注”组中的“插入题注”按钮，在弹出的“题注”对话框（图 3-55）中进行设置。

在对话框的“标签”栏中选择题注的标签名称，Word 提供的标签名有图表、表格和公式等，单击“新建标签”按钮可以创建新的标签名，题注的默认编号为阿拉伯数字，单击“编号”按钮可以选择其他形式的题注编号。

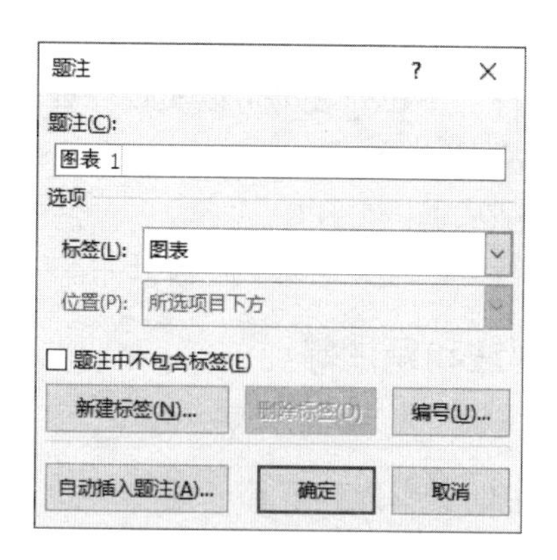

图 3-55 “题注”对话框

3.5.7 封面、主题及页面颜色

1. 插入封面

封面对于书籍来说非常重要，应尽可能吸引读者。Word 2016 中预置了一些封面模板，可以帮助用户快速创建封面。插入封面的方法是：单击“插入”选项卡下的“封面”按钮，在下拉列表（图 3-56）中选择需要的封面格式。

2. 主题

主题是使用一组独特的颜色、字体和效果来设置一致的文档外观，让文档具有特定的风格。Word 2016 提供了非常丰富的内置主题供用户选择。操作方法为：单击“设计”选项卡下的“主题”按钮，在下拉列表（图 3-57）中选择需要的主题。

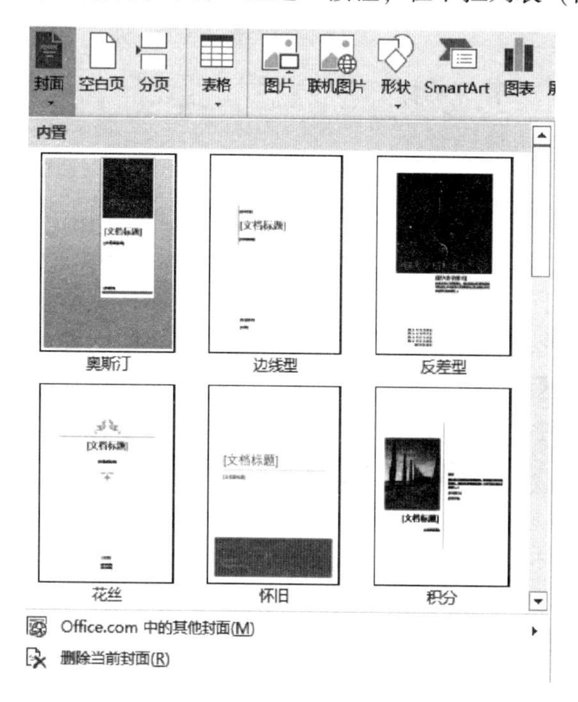

图 3-56 Word 内置封面

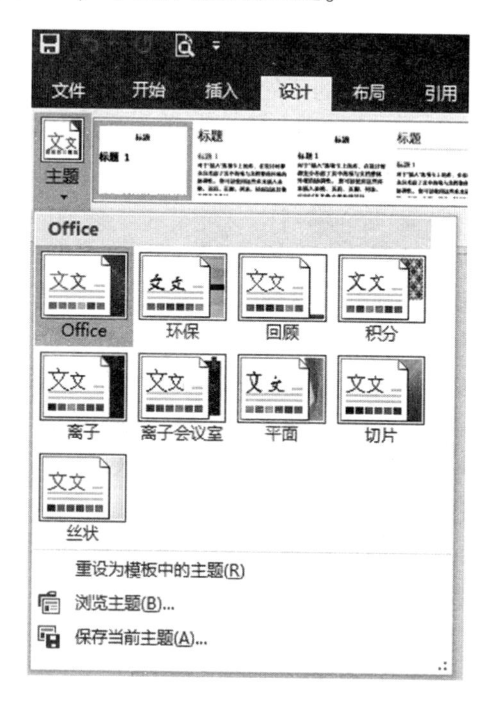

图 3-57 Word 内置主题

3. 页面颜色

单击“设计”选项卡下“页面背景”组中的“页面颜色”按钮 ，在展开的下拉列表（图 3-58）中选择某种颜色，则整个文档的背景设置为新的颜色。若单击“填充效果”，则弹出如图 3-59 所示的“填充效果”对话框，该对话框提供了“渐变”“纹理”“图案”“图片”四个选项卡，可以设置更丰富多彩的页面背景效果。

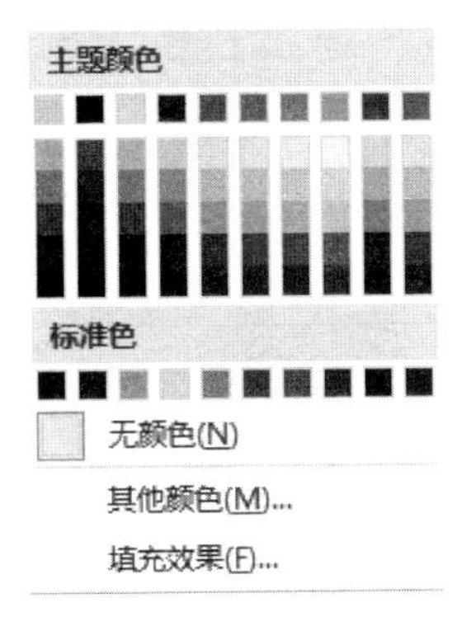

图 3-58　主题颜色

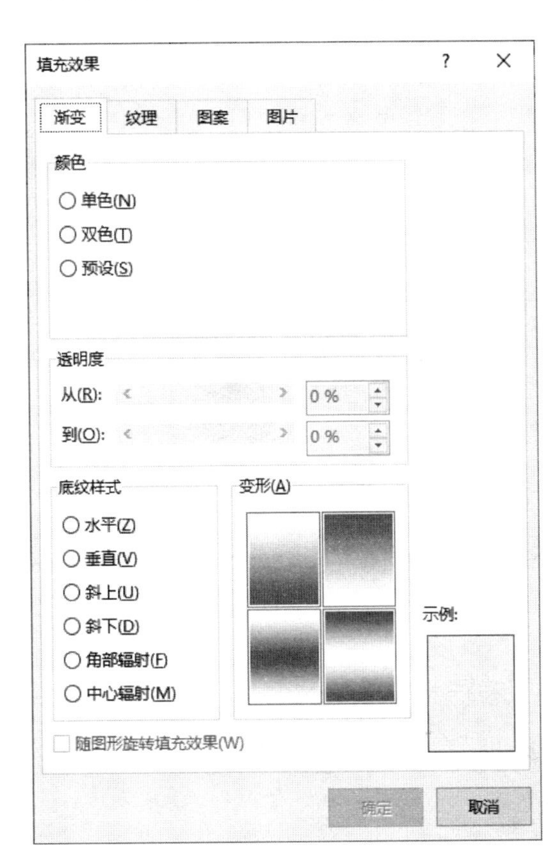

图 3-59　“填充效果”对话框

单击“渐变”选项卡，可以设置颜色为单色、双色或预设，预设可以选择“红日西斜”“金乌坠地”“雨后初晴”等效果，如图 3-60 所示。

单击“纹理”选项卡，可以设置“画布”“水滴”“鱼类化石”“沙滩”等纹理效果，如图 3-61 所示。

单击“图案”选项卡，可以设置“浅色竖线”“浅色下对角线”“浅色竖线”等图案效果，如图 3-62 所示。

单击“图片”选项卡，可以选择一张图片作为整个页面的背景。单击“选择图片”按钮，在弹出的对话框中找到所需图片并确定，则在“填充效果”对话框中显示图片的预览，如图 3-63 所示，单击“确定”按钮，则该图片成为文档页面的背景图片。

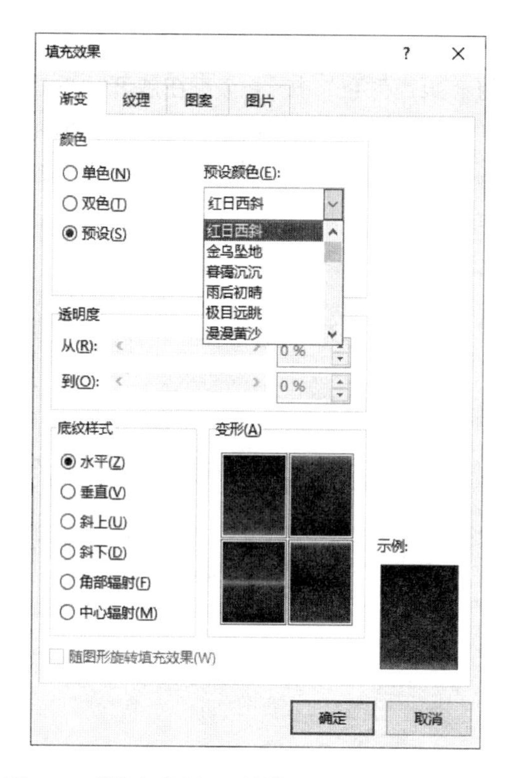

图 3-60 “填充效果”对话框——“渐变”选项卡

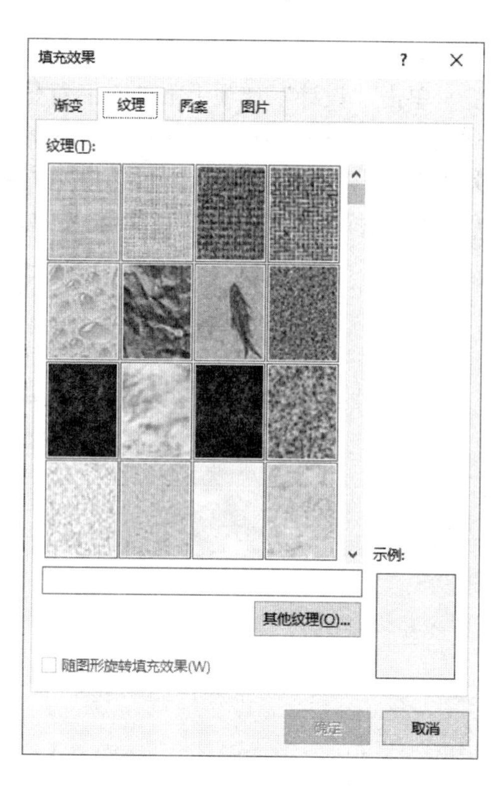

图 3-61 “填充效果”对话框——“纹理”选项卡

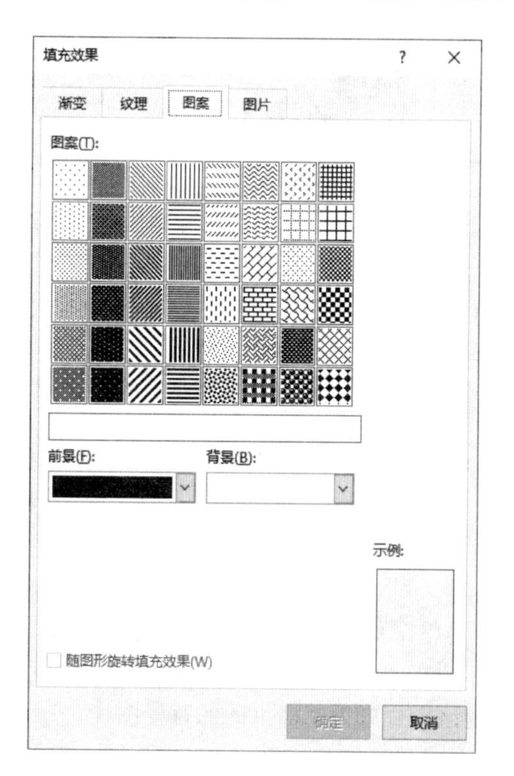

图 3-62 “填充效果”对话框——“图案”选项卡

图 3-63 “填充效果”对话框——“图片”选项卡

3.5.8　样式编排文档

样式是 Word 中最强有力的工具之一，它是一套预先设置好的文本格式，用户可以使用它对其他文本进行格式化设置。样式分为内置样式和自定义样式两种。

1. 内置样式

Word 内置了很多样式，用户可以直接使用这些内置样式。如果要使用字符类型的样式，需要在文档中选择要套用样式的文本块；如果要应用段落类型的样式，只需要将光标定位到要设置样式的段落中。

在“开始”选项卡下“样式”组中包含标题、标题 1 等多种段落样式，它们被称为“快速样式集”。单击“快速样式集”中的一种样式，就可以把选中段落设置为这种样式。还可以单击“快速样式集”右侧的“其他”按钮，在弹出的“快速样式”面板（图 3-64）中选择要使用的样式。

另外，也可以单击“样式”组右侧的对话框启动器按钮，将弹出“样式”任务窗格（图 3-65），在窗格中列出了系统自带的各种样式，将鼠标指针移动到某个样式上，系统会自动给出该样式的具体描述。选中需要使用样式的文本，或将插入点移动至需要应用样式的段落内的任意位置，再单击某个样式就可以将该样式应用到选中的对象上。

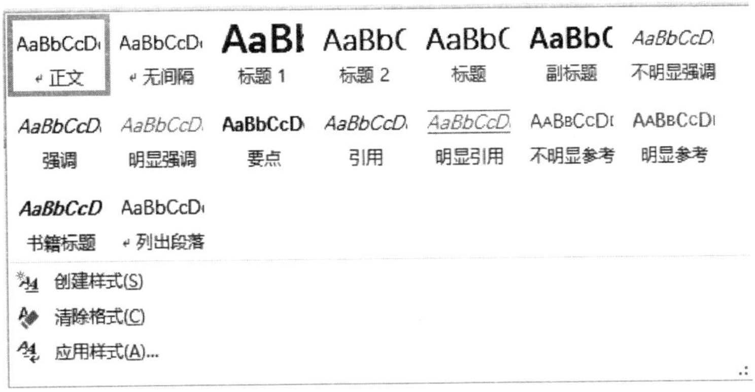

图 3-64　“快速样式”面板

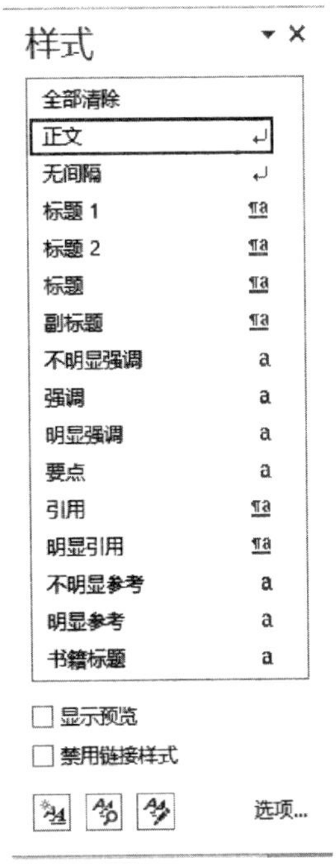

图 3-65　“样式”窗格

2. 自定义样式

当内置样式不符合用户的需求时，用户也可以自己创建新的样式。

在图 3-65 所示的“样式”窗格中，单击“新建样式”按钮，弹出如图 3-66 所示的对话框。在对话框的“名称”文本框中输入新样式的名称；在“样式类型”下拉列表中选择样式的类型；在“样式基准”下拉列表中选择一种样式作为基准，默认情况下，显示的是“正文”样式；在“后续段落样式”下拉列表中为所创建的样式指定后续段落样式，后续段落样式是指应用该样式的段落下一段的默认格式；在“格式”栏内对字体、段落、对齐方式等进行设定，还可以单击“格式”按钮进行设定。设定完成后，单击“确定”按钮就完成了新样式的创建。以后，用户就可以在“快速样式”列表中看到新创建的样式名称。

3. 修改样式

用户也可以对已有样式进行修改。单击“样式”窗格中的“管理样式”按钮 ，弹出如图 3-67 所示的“管理样式”对话框，更改格式设置即可。

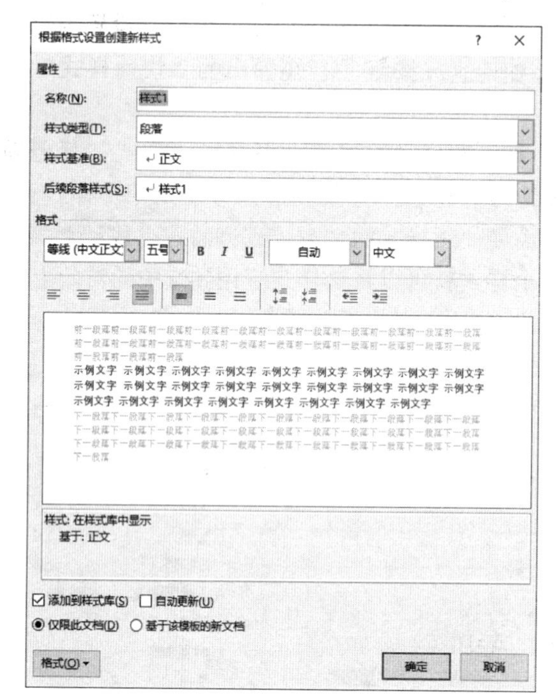

图 3-66 “根据格式设置创建新样式”对话框

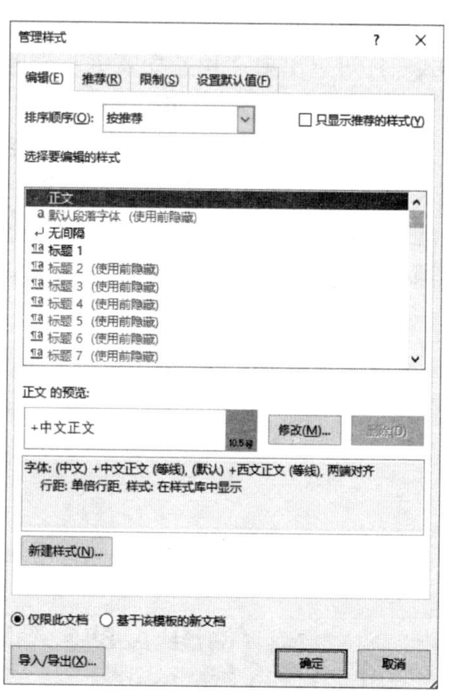

图 3-67 “管理样式”对话框

4. 删除样式

在“样式”窗格中，右击需要删除的样式，选择快捷菜单中的“从样式库中删除”命令，可删除指定样式。

注意：样式被删除后，文档中使用该样式的所有文本的格式会被同时清除。

3.6 图文混排

Word 2016 具有强大的图形处理功能，在文档中插入图片可使文档更加形象和生动。Word 不仅提供了大量图片以及多种形式的艺术字，而且支持多种绘图软件创建的图形，能够很容易地实现图文混排。

3.6.1　插入图片

1. 插入图片

"插入"选项卡下"插图"组（图 3-68）中含有图片、联机图片、形状、SmartArt、图表、屏幕截图等命令按钮。

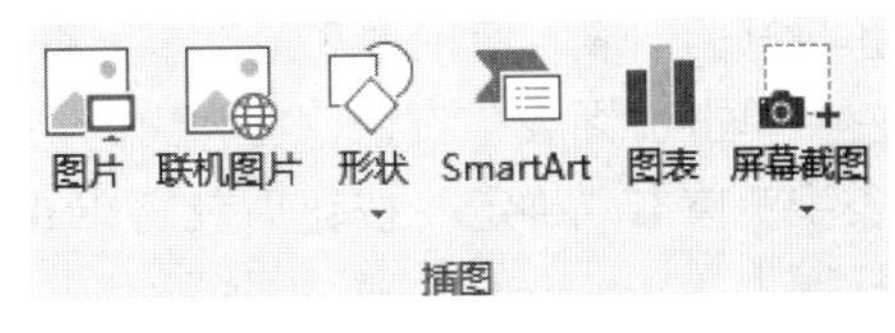

图 3-68　"插图"功能组

（1）图片

单击"插图"组中的"图片"按钮，可以从磁盘中选取一个图形文件插入文档。Word 2016 支持多种格式的图片，如 JPG、BMP、PNG、WMF、EMZ、WMZ、TIF 等。

（2）联机图片

单击"插图"组中的"联机图片"按钮，可以根据用户输入的关键字，在网络中搜索相关内容的图片供用户使用。

（3）形状

单击"插图"组中的"形状"按钮，可以利用系统提供的各种工具绘制图形。单击按钮下面的箭头将出现最近使用的形状、线条、矩形、基本形状、箭头总汇、公式形状、流程图、星与旗帜、标注等九种形状，单击待选形状即可插入并绘制图形。

（4）SmartArt

单击"插图"组中的"SmartArt"按钮，可以插入 SmartArt 图形。SmartArt 图形是 Word 2016 提供的一种特殊图形，利用它用户可以轻松方便地制作出专业且美观的流程图、组织结构图、射线图等。

单击"SmartArt"按钮，在弹出的"选择 SmartArt 图形"对话框（图 3-69）中，可以根据需要在展开项中选择相应的图形按钮（预览区可以看到效果图）并单击"确定"按钮，文档中就会插入相应的图形。用户可以通过拖动鼠标调整图形的大小，也可以对图形中的文本进行输入和修改。

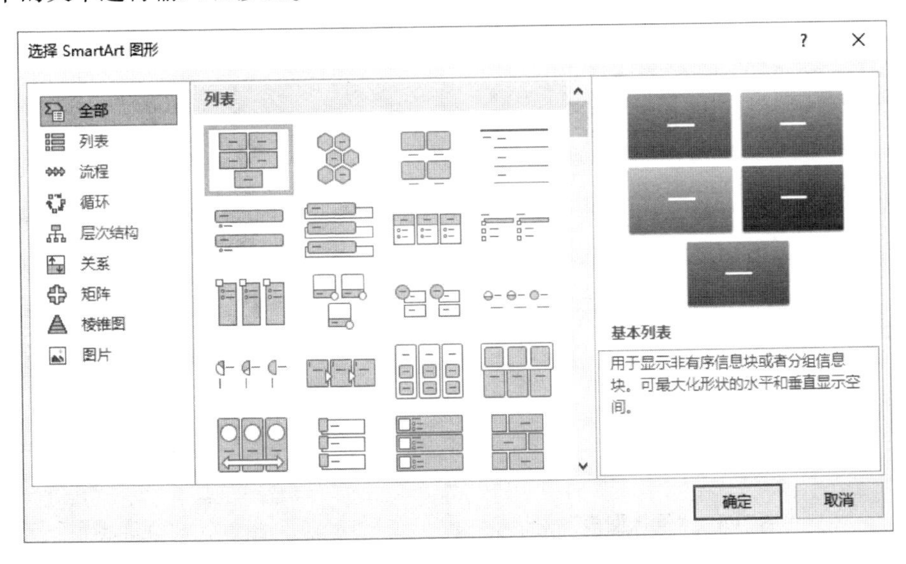

图 3-69　"选择 SmartArt 图形"对话框

(5) 图表

单击“插图”功能组的“图表”按钮可以插入图表。Word 2016 为用户提供了大量预设好的图表，使用这些预设图可以方便地创建图表。

单击“图表”按钮，在弹出的“插入图表”对话框（图 3-70）中选择需要的图表类型，单击“确定”按钮后就可以在文档中插入指定类型的图表，同时系统自动弹出标题为“Microsoft Word 中的图表”的 Excel 窗口，Excel 表中显示的是示例数据，删除 Excel 表中全部示例数据，输入相应的图表数据，图表中的数据也会发生相应的更改。

在 Word 文档中插入图表后，用户还可以对其进行编辑，主要包括更新数据、更改图表类型等。单击要编辑的图表，系统出现“图表工具”功能区，单击“设计”选项卡，可以更改图表类型、重新选择数据、编辑数据、选择图表布局样式、选择图表样式。单击“格式”选项卡，可以设置图表大小、位置、环绕文字等。

(6) 屏幕截图

屏幕截图可以截取屏幕上的窗口图片，也可以截取窗口的一部分，但不能截取最小化了的窗口。

单击“插图”功能组的“屏幕截图”按钮，在展开的下拉列表（图 3-71）中可以看到“可用的视窗”和“屏幕剪辑”选项。若要使用系统的自动截图，则在“可用的视窗”提供的选项中进行选择；若要手动截图，则单击“屏幕剪辑”，此时鼠标指针呈“十”字形状，将指针移至开始截图的位置，按住鼠标左键并拖动鼠标至合适位置，然后松开鼠标，所截取的图片就会插入文档中。

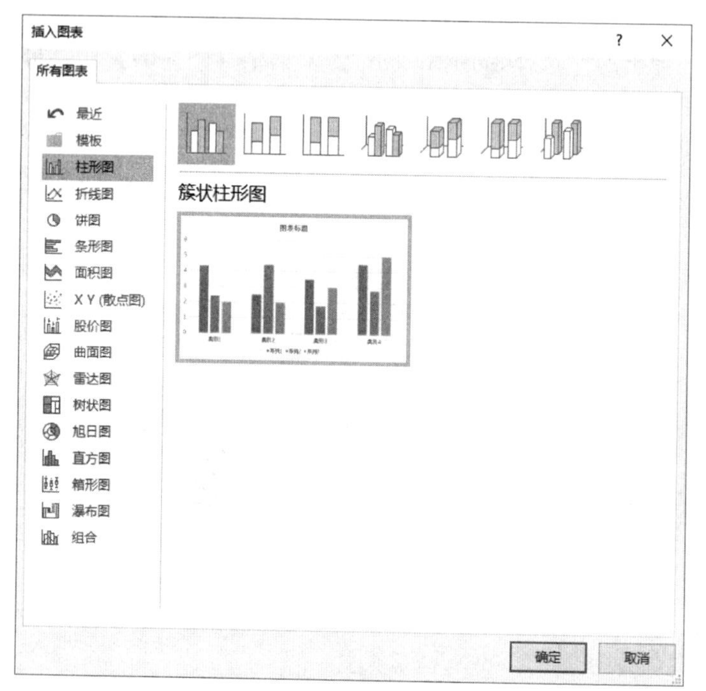

图 3-70 “插入图表”对话框

图 3-71 “屏幕截图”下拉列表

2. 编辑图片

(1) 调整图片的大小

调整图片大小的方法有以下几种：

方法 1：使用鼠标。选定要调整大小的图片，这时它的矩形边框上将出现 8 个控制点。拖动其中任何一个控制点即可调整其大小。

方法 2：使用“图片工具-格式”选项卡。选中一个图片或在图片上双击鼠标左键，Word 窗口都会自动增加一个“图片工具-格式”选项卡（图 3-72），在功能区中可以设置图片的大小、环绕方式等。

图 3-72　“图片工具-格式”选项卡

方法 3：使用快捷菜单。选定要调整大小的图片后右击，在弹出的快捷菜单中选择“大小和位置”命令，弹出“布局”对话框（图 3-73），在该对话框中可以对图形大小做调整。

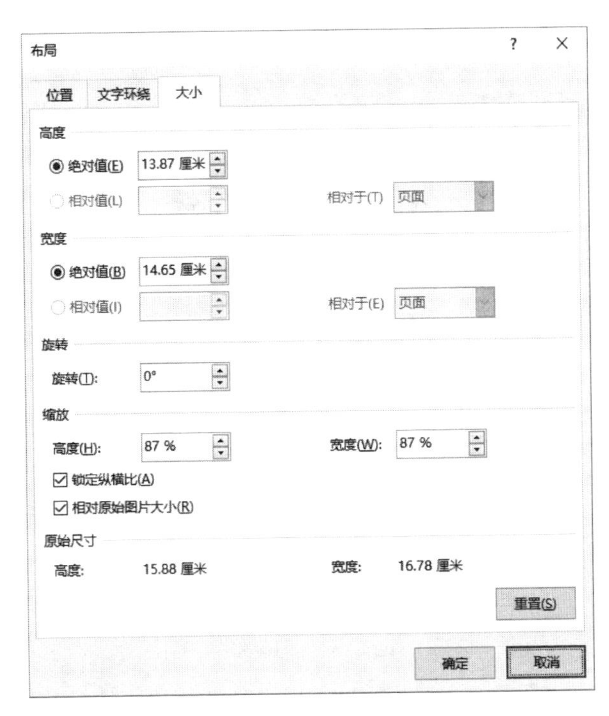

图 3-73　“布局”对话框——“大小”选项卡

(2) 设置图片的环绕方式

Word 中图片的文本环绕方式有嵌入型、四周型、紧密型、穿越型、上下型、衬于文字下方、浮于文字上方等几种。其含义分别如下：

① 嵌入型：图片被当作一个字符嵌入文本中，随着文本位置的移动，图片会跟随移动。

② 四周型：图片像放在一个矩形区域内，文字环绕在图片上、下、左、右四个方向。

③ 紧密型：图片不论是什么形状，文字紧密环绕在图片的周围。

④ 穿越型：图片如果中空，文字不仅环绕在周围，还会填到中间的空缺处。

⑤ 上下型：文字只会环绕在图片的上方和下方，不会在图片的左右两边。

⑥ 衬于文字下方：图片与文字在不同层次，可以在相同位置，图片在下，不遮挡文字。

⑦ 浮于文字上方：图片与文字在不同层次，可以在相同位置，图片在上，遮挡文字。

设置图片环绕方式的方法有以下几种：

方法1：使用“图片工具-格式”选项卡。单击“图片工具-格式”选项卡下“排列”组中的“环绕文字”下拉按钮，在下拉列表中可以选择所需的环绕方式。

方法2：使用快捷菜单。选定要调整大小的图片后右击，在弹出的快捷菜单中选择“大小和位置”命令，弹出“布局”对话框，单击“文字环绕”选项卡，在该对话框（图3-74）中可以选择图片的环绕方式。

图3-74 “布局”对话框——“文字环绕”选项卡

（3）图片的裁剪

改变图片的大小并不改变图片的内容，如果要裁剪图片中某一部分的内容，则需要进行以下操作：

第 1 步：选中要裁剪的图片（图片应为非嵌入型环绕方式），图片四周出现 8 个空心小圆圈。

第 2 步：单击“图片工具-格式”选项卡下“大小”组中的“裁剪”按钮，此时图片的四个角出现 4 个黑色直角线段，图片四边中部出现 4 个黑色短线。

第 3 步：将鼠标移到图片四周的 8 个黑色线段的任意一处，按下鼠标左键向图片内侧拖动鼠标，即可裁去图片中不需要的部分。如果拖动鼠标的同时按住【Ctrl】键，则可以对称裁去图片。

另外，也可以在单击“裁剪”按钮出现的“裁剪”下拉列表（图 3-75）中进行设置。其中各命令的含义是：

① 裁剪为形状：用某种形状裁剪图片。

② 纵横比：按比例裁剪图片。

③ 填充和调整：自动适应图片的裁剪方式。

图 3-75 “裁剪”下拉列表

（4）图片处理

Word 2016 新增了一系列图片处理功能，可以完成一些简单的图片处理，如图片的柔化和锐化、调整图片亮度和对比度、修改图片的颜色、添加艺术字效果等。图片处理功能集中在“图片工具”功能区的“调整”和“图片样式”组中。图片处理工具的功能说明如表 3-4 所示。

表 3-4 图片处理工具的功能说明

功能	说明
删除背景	用于突出或强调图片的主题
更正	柔化和锐化图片、调整图片的亮度和对比度
颜色	调整颜色饱和度、修改色调、重新为图片着色
艺术效果	为图片添加艺术效果，使图片具有水墨画、铅笔画等艺术效果
图片样式	不同的样式会使图片具有不一样的形状、边框和效果
图片边框	设置图片边框
图片效果	设置图片的立体效果
图片版式	不同的版式以不同的方式为图片配置文本

3.6.2 插入文本框

Word 中的文本框是指一种可移动、可调整大小的文字或图形容器。使用文本框，可以在一页上放置数个文字、图形块，或使一部分文字可以与文档中其他文字按不同方向排列。

文本框有两种：横排文本框和竖排文本框。它们的区别只是文本框中文字的方向不同，两者也可以相互转换。

1. 绘制文本框

如果要绘制文本框，可以单击“插入”选项卡下“文本”组中的文本框按钮，打开“文本框”下拉列表，单击所需的文本框，即可在当前插入点插入一个文本框。也可以在下拉列表中选择“绘制文本框”或“绘制竖排文本框”，待鼠标变成“十”字形，在需要绘制的位置，按下鼠标并拖动到合适大小后松开鼠标，则插入了一个横排或竖排文本框。

2. 编辑文本框

（1）调整文本框的大小

单击文本框，被选中的文本框四周出现 8 个控制大小的小圆圈，向内/外拖动文本框边框线上的小圆圈可以改变文本框的大小。

（2）移动文本框的位置

将鼠标移动到文本框的边框上，当鼠标指针变成一个四方向箭头时，按住鼠标左键拖动可以改变文本框的位置。

（3）设置文本框的线条和颜色

右击文本框，在弹出的快捷菜单中选择“设置形状格式”命令，Word 窗口右侧出现“设置形状格式”窗格（图 3-76），在窗格中可以对文本框的填充颜色、线条颜色、线型、布局等进行设置。

（4）设置文本框的环绕方式和大小

右击文本框，在弹出的快捷菜单中选择“其他布局选项”命令，弹出“布局”对话框（图 3-77），在该对话框中可以对文本框的位置、文字环绕方式、大小等进行设置。

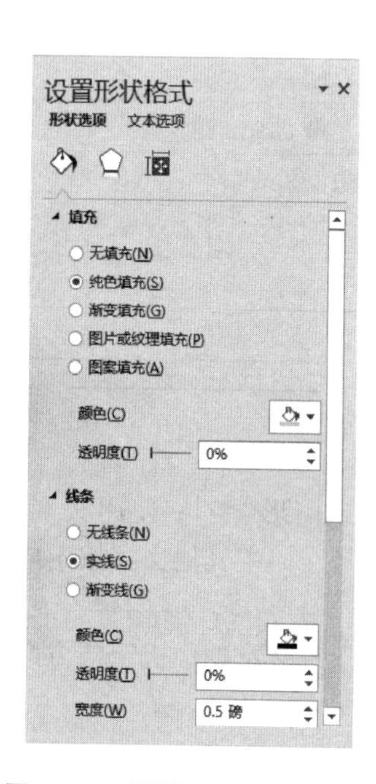

图 3-76 “设置形状格式”窗格

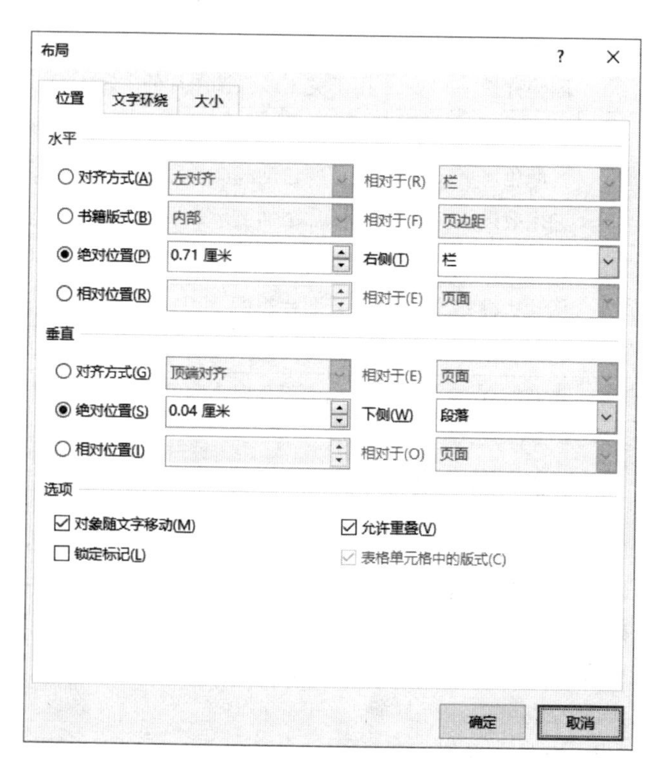

图 3-77 “布局”对话框

3. 文本框的链接

文本框的链接就是把两个以上的文本框链接在一起，如果文字在上一个文本框中排满，则在链接的下一个文本框中接着排下去，而不管它们的位置相隔多远。

(1) 创建链接

创建链接的步骤如下：

第 1 步：创建一个以上的文本框。

第 2 步：选中第一个文本框，其中内容可以空，也可以非空。

第 3 步：在“绘图工具-格式”选项卡下“文本”组中单击“创建链接”按钮，此时鼠标变成茶壶形状，将鼠标移至需要链接的文本框处释放鼠标，即可完成两个文本框的自动链接。

(2) 断开链接

选择上一个文本框，单击“文本”组中的“断开链接”按钮即可断开文本框间的链接。

3.6.3　插入艺术字

Word 中的艺术字是指将现有文字字体进行变形、填充，使文字具有美观有趣、易认易识、醒目张扬等特点，是一种有图案意味或装饰意味的字体变形。

1. 插入艺术字

插入艺术字的步骤如下：

第 1 步：将光标定位到要插入艺术字的位置。

第 2 步：单击“插入”选项卡下“文本”组中的“艺术字”按钮，在弹出的下拉列表中选择需要的艺术字类型，然后输入文字内容，即可插入一组艺术字。

也可以使用文本框中的内容作为艺术字，选中文本框中的文字，单击“开始”选项卡下的“文本效果和版式”按钮，在下拉列表中单击需要的文字样式即可。

2. 设置艺术字样式

选中艺术字后，将出现“绘图工具-格式”选项卡，如图 3-78 所示，选项卡中主要包括：

①“插入形状”组：包括各种形状、编辑形状、文本框等。

②“形状样式”组：包括形状样式、形状填充、形状轮廓、形状效果等。

③“艺术字样式”组：包括艺术字样式、文本填充、文本轮廓、文本效果等。

④“文本”组：包括文字方向、对齐文本、创建链接等。

⑤“排列”组：包括位置、环绕文字、上移一层、下移一层、选择窗格、对齐、组合、旋转等。

⑥“大小”组：包括高度和宽度等。

图 3-78　“绘图工具-格式”选项卡

3.6.4 插入公式

在文档中有时需要输入公式，公式中有很多特殊的符号。为此，Word 提供了专门的公式编辑工具，供用户方便地生成各种公式。在 Word 文档中插入公式的具体步骤如下：

第 1 步：将光标定位到要插入公式的位置。

第 2 步：单击“插入”选项卡下“符号”组中的“公式”按钮 π，弹出如图 3-79 所示的“内置”公式下拉列表。

第 3 步：在列表内选择所需的公式类型，或单击“插入新公式”命令，就可创建指定的公式或自定义新的公式。

单击“插入新公式”或创建好的公式，即可进入公式编辑状态，此时功能区将出现“公式工具-设计”选项卡，如图 3-80 所示。根据公式的内容，选择一种结构，如分数、上下标、根式等模板，在相应位置输入数字和符号即可。

对于经常使用公式的用户，建议安装第三方公式编辑器 MathType，它可以与 Word 无缝结合，能够更方便地输入公式。

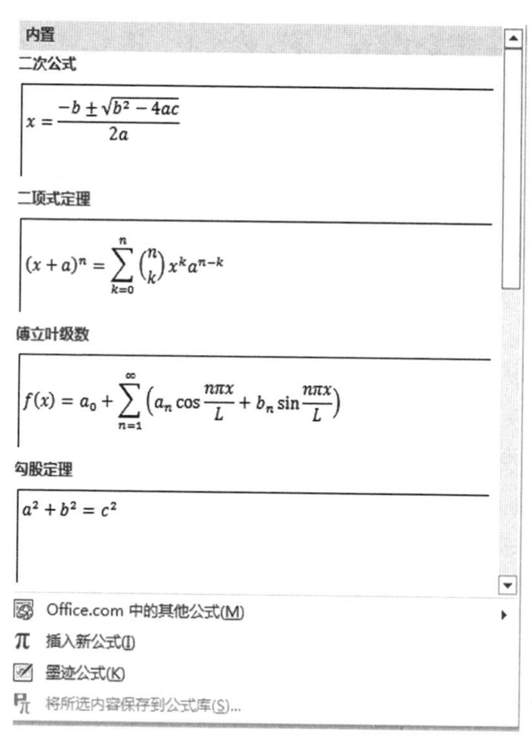

图 3-79 “内置”公式下拉列表

图 3-80 “公式工具-设计”选项卡

3.6.5 绘制图形

Word提供了各种图形形状的绘图元素，利用它们可以创建各种形状，使得文档更加丰富多彩。

1. 插入绘图画布

绘图画布是文档中的一个特殊区域，可以用来绘制和管理多个图形对象，其意义相当于一个“图形容器”。绘图画布可以放置形状、文本框、图片、艺术字等多种不同的图形。将图形绘制在绘图画布内，画布中的对象就有了一个绝对位置，这样它们可以作为一个整体进行移动和调整大小，可以避免文本中断或分页时出现的图形异常，也可以对整个绘图画布设置文字环绕方式，或对其中的单个对象进行格式化操作。建议在绘制复杂图形时首先创建绘图画布。

创建绘图画布的方法是：单击“插入”选项卡下“插图”组中的“形状”按钮，在下拉列表中选择“新建绘图画布”即可。拖动绘图画布的控点可调整大小，拖动其余部分可移动位置（非嵌入型环绕方式）。

2. 绘制图形

绘制图形的具体步骤如下：

第1步：单击“插入”选项卡“插图”组中的“形状”按钮，弹出如图3-81所示的“形状”下拉列表，其中列出了各种常用类型的形状，如线条、矩形、基本形状、箭头总汇、公式形状、流程图、星与旗帜、标注等。

第2步：单击要插入的形状，待鼠标指针变成“十”字型，将鼠标移动到要绘制图形的位置，单击并拖动鼠标即可绘制出选定的图形。

图形绘制好后仍处于选中状态，此时会自动出现“绘图工具-格式”对话框。在对话框中可以对图形进行编辑，如更改形状、设置形状旋转角度等。

除了利用“绘图工具-格式”对话框设置图形格式外，右击图形，从弹出的快捷菜单中选择“设置形状格式”或“其他布局选项”命令，也可以对选中的图形进行填充颜色、线条颜色、环绕方式、形状大小等方面的设置。

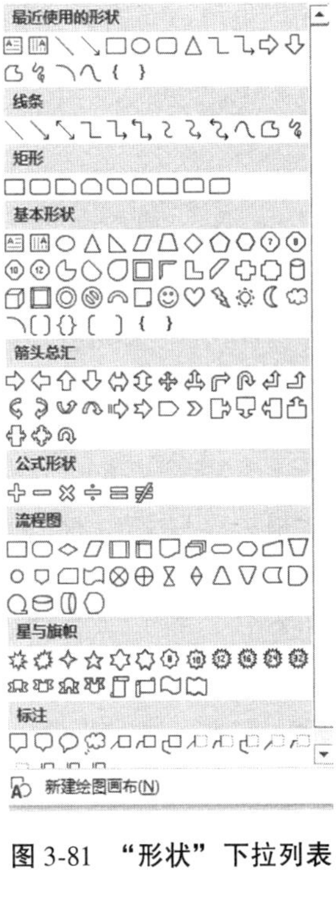

图3-81 “形状”下拉列表

3. 图形中插入文字

有些图形如文本框、标注等创建完成后，图形内就会出现光标，可以直接在图形中插入文字。还有一些图形绘制后并不会出现光标，无法直接输入文字，可以右击该图形，在快捷菜单中选择“添加文字”命令，然后在出现光标的位置输入文字。

图形中的文本可以和文档其他地方的文本一样设置字符和段落格式。

4. 选定图形

选定单个对象：可用鼠标单击该对象。如果要选定的对象被其他对象遮挡了，可先单击任意一个对象，然后按【Tab】键或【Shift】+【Tab】组合键，Word 将按照创建对象的先后次序，正向或反向依次切换对象，直到找到所需对象为止。

选定多个对象：按住【Shift】或【Ctrl】键，用鼠标分别单击所需的对象。

5. 图形的叠放次序

当两个或多个图形重叠在一起时，后绘制的图形会覆盖掉其他的图形。单击“绘图工具-格式”选项卡下“排列”组中的“上移一层”或“下移一层”，可以调整各图形之间的叠放关系。

6. 多个图形的组合

Word 提供了图形组合功能，利用该功能，可以将许多简单的图形组合成一个整体的图形对象，以方便图形的移动、旋转等。

组合图形的具体操作步骤如下：

第 1 步：按住【Ctrl】或【Shift】键的同时单击要组合的对象。

第 2 步：全部选择完毕后右击，在弹出的快捷菜单中选择“组合”命令即可完成组合。

也可以单击“绘图工具-格式”选项卡下“排列”组中的“组合”按钮完成组合。

可以通过快捷菜单中的“取消组合”命令或“排列”组中的“取消组合”按钮取消已经组合在一起的图形。

注意：绘图操作必须在“页面视图”下进行。

3.7 表格操作

在 Word 中经常需要输入许多数据，使用表格可以简明扼要地表达信息。Word 提供了丰富的表格功能，不仅可以快速地创建表格，而且能对表格进行编辑、修饰，还可以实现表格与文本之间的转换以及表格格式的自动套用格式等。

3.7.1 创建表格

Word 中的表格由若干行和列构成，行与列的相交处称为单元格，用户可以在其中输入文本、数字或插入图片等。

1. 创建表格

Word 2016 中，常见的创建表格的方法有四种：

方法 1：利用“表格”按钮。

将光标定位到要插入表格的位置，单击“插入”选项卡下“表格”组中的“表格”按钮 ，弹出如图 3-82 所示的“插入表格”下拉列表。在表格框内拖动鼠标，选定所需行列数，松开鼠标即可在文档中插入指定行列数的表格。

方法 2：利用“插入表格”对话框。

如果要在创建表格的同时指定表格的列宽，可以使用“插入表格”对话框。单击图 3-82 所示的“插入表格”下拉列表中的“插入表格”命令，将弹出如图 3-83 所示的

“插入表格”对话框。分别在“列数”和“行数”微调框中输入列数和行数，还可选择“自动调整”操作的类型。如果需要再次建立类似的表格，可选中“为新表格记忆此尺寸”复选框。

图 3-82　“插入表格”下拉列表

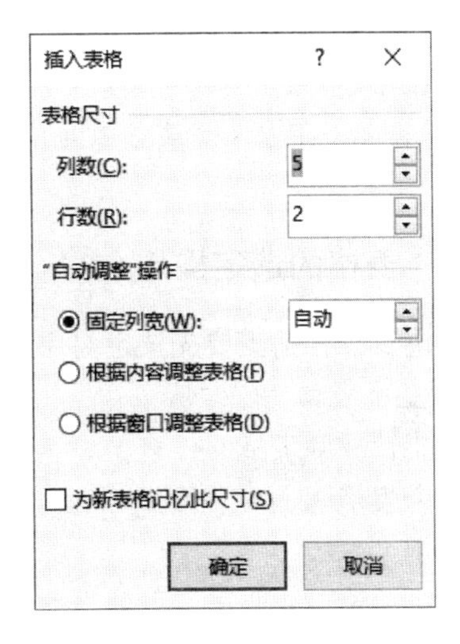

图 3-83　“插入表格”对话框

其中，“自动调整”操作栏中各选项的含义分别如下：

① 固定列宽：设定列宽的具体数值，单位是“厘米”。如果选择“自动”，表格将根据页面大小自动填满整行，并平均分配各列为固定值。

② 根据内容调整表格：根据单元格中输入的内容自动调整表格的列宽和行高。

③ 根据窗口调整表格：根据窗口大小自动调整表格的列宽和行高。

方法 3：手工绘制表格。

当用户需要创建不规则的表格时，可以使用“绘制表格”命令来绘制表格。具体操作为：单击图 3-82 所示的“插入表格”下拉列表中的“绘制表格”命令，鼠标将变成铅笔形状，在需要绘制表格的地方单击并拖曳鼠标绘制出表格的外边框（形状为矩形），在矩形中绘制行、列或斜线，直到满意为止。

方法 4：创建快速表格。

可以利用 Word 2016 提供的内置表格模板来快速创建表格。单击图 3-82 所示的“插入表格”下拉列表中的“快速表格”命令，在列表中选择需要的表格类型（图 3-84）即可。

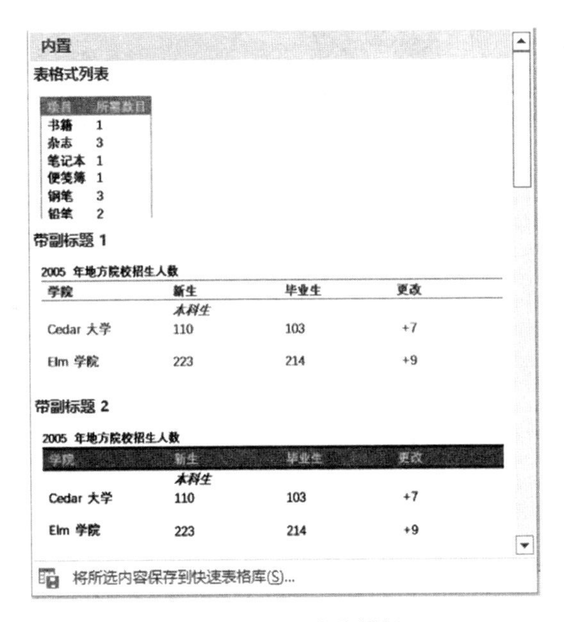

图 3-84　内置表格模板

2. 在表格中输入内容

在表格中输入文本同输入文档文本一样，把插入点移到要输入文本的单元格，再输入文本即可。在输入过程中，按照输入数据的方向分类，可分为按行填表和按列填表。

① 按行填表：在输入完某一个单元格后，按【Tab】键或【→】键将插入点移至该行右边的单元格继续输入。当数据宽度大于列宽时，系统自动换行，该行的行高自动增加。

② 按列填表：在输入完某一单元格后，按【↓】键将插入点移至该列下面的单元格继续输入。

3.7.2 表格的选定操作

表格在进行操作前需要先选定对象。

1. 选定整个表格

将鼠标指针放到表格的任意位置，表格左上角出现一个"⊞"标记，单击该标记即可选定整个表格。

2. 选择列

将鼠标指针定位在要选定列的上方，当鼠标指针变成向下垂直的黑色实心箭头时，单击鼠标左键，即可选定所需的列；如果要选定多列，则在选定了起始列后继续按住鼠标左键左右拖动鼠标或按【Shift】键即可选择多个连续的列；按【Ctrl】键可选定不连续的列。

3. 选择行

将鼠标指针定位在要选定行的左侧，当鼠标指针变成指向右上方的白色空心箭头时，单击鼠标左键即可选定该行；如果要选定多行，则在选定起始行后继续按住鼠标左键上下拖动或按【Shift】键即可选择多个连续的行；按【Ctrl】键可选定不连续的行。

4. 选择单元格

将鼠标指针放到要选定单元格的左边线上，鼠标指针变成指向右上方的黑色实心箭头时单击鼠标左键即可选定该单元格；如果要选定多个连续的单元格，只要在显示这种箭头时，按【Shift】键并拖动鼠标移过所选的单元格；按【Ctrl】键可选定不连续的单元格。

5. 选择不连续区域

在选定一个区域后，继续按住【Ctrl】键选择下一个区域。

6. 单元格内容的选定

同文档中文字的选定操作方法相同。

3.7.3 表格的合并与拆分

简单的表格仅由若干行和若干列构成，结构非常简单规整。复杂表格的单元格的宽度和高度可能不统一，或者不同行列的单元格个数不同，这就需要使用合并单元格或拆分单元格才能制作复杂的表格。

1. 合并单元格

合并单元格可以将几个单元格合并成一个大单元格。合并单元格有以下两种方法：

方法 1：选定要合并的单元格，单击“表格工具–布局”选项卡下“合并”组中的“合并单元格”按钮。

方法 2：选定要合并的单元格右击，在弹出的快捷菜单中选择“合并单元格”命令。

2. 拆分单元格

拆分单元格可以将一个单元格拆分成多行、多列的几个小的单元格。拆分单元格也有以下两种方法：

方法 1：选定要拆分的单元格，单击“表格工具–布局”选项卡下“合并”组中的“拆分单元格”按钮，弹出“拆分单元格”对话框，输入列数和行数，单击“确定”按钮。

方法 2：选定要拆分的单元格右击，从弹出的快捷菜单中选择“拆分单元格”命令，同样会弹出“拆分单元格”对话框，输入列数和行数，单击“确定”按钮即可。

3. 合并与拆分表格

（1）合并表格

把两个表格之间的段落标记删除，就可以将上下相邻的两个表格合并在一起。

（2）拆分表格

拆分表格是指将一个表格从某行一分为二，变成两个表格。拆分表格的具体操作步骤如下：

第 1 步：将光标的插入点置于拆分后新表格的第一行中的任意单元格。

第 2 步：单击“表格工具–布局”选项卡下“合并”组中的“拆分表格”按钮，Word 会自动将表格拆分成上下两个表格，并在两个表格之间插入一个空行。

3.7.4　插入行、列、单元格

1. 插入行或列

在表格中插入行或列的具体操作步骤如下：

第 1 步：在表格中选定要插入行或列所在的位置。当要插入多行（或多列）时应选中同样行数（或列数）的多行（或多列）。

第 2 步：单击“表格工具–布局”选项卡，在“行和列”组中进行操作即可。“行和列”组中各按钮的含义如下：

① 删除：删除选中的行、列、单元格或表格。

② 在上方插入：在选中单元格所在行的上方插入一行（或多行）。

③ 在下方插入：在选中单元格所在行的下方插入一行（或多行）。

④ 在左侧插入：在选中单元格所在列的左侧插入一列（或多列）。

⑤ 在右侧插入：在选中单元格所在列的右侧插入一列（或多列）。

除了利用“表格工具–布局”选项卡中的按钮插入行或列外，还可以右击单元格，在弹出的快捷菜单中选择“插入”子菜单中的相应命令，同样也可以实现插入行或列的操作。

另外，如果需要在表尾增加一行，可将插入点定位到最后一行的最右边的单元格中，按【Tab】键；或将插入点定位到最后一行的回车符上，按【Enter】键。

2. 插入单元格

单击“表格工具-布局”选项卡下“行和列”组右下角的对话框启动器按钮，将弹出如图 3-85 所示的“插入单元格”对话框。对话框中各按钮的含义如下：

① 活动单元格右移：在所选单元格左边插入新单元格。

② 活动单元格下移：在所选单元格上方插入新单元格。

③ 整行插入：在所选单元格上方插入新行。

④ 整列插入：在所选单元格左边插入新列。

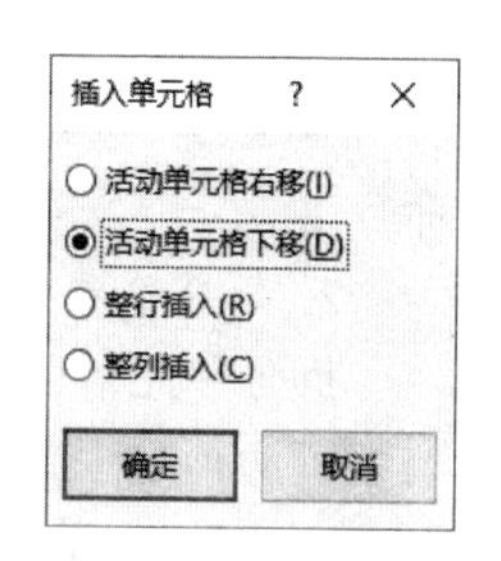

图 3-85 “插入单元格”对话框

3.7.5 删除行、列、单元格、表格

1. 删除行、列、单元格

删除行、列或单元格的方法有以下三种：

方法 1：选中需要删除的行、列或单元格，按【Backspace】键，在弹出的对话框中选择相应的命令。

方法 2：选中需要删除的行、列或单元格，单击“表格工具-布局”选项卡下“行和列”组中的“删除”按钮，在弹出的下拉列表中选择相应的命令。

方法 3：选中需要删除的行、列或单元格右击，在弹出的快捷菜单中选择相应的命令。

2. 删除表格

将光标放在表格中的任意单元格，单击“删除”按钮，在弹出的下拉列表中选择“删除表格”命令。

注意：选定表格后，如按【Delete】键，将只清除表格中的内容，不会删除表格。

3.7.6 设置行高与列宽

一般情况下，Word 会根据单元格中输入内容的多少自动调整行高，但用户也可以根据需要自行调整。行高、列宽的调整方法基本类似。

设置表格行高与列宽的方法有以下三种：

方法 1：使用鼠标。

将鼠标指针移动到要调整行高、列宽的表格边框线上，鼠标指针将变成双向箭头，按住鼠标左键并拖动鼠标进行尺寸的修改，直到满意后松开鼠标左键即可。

方法 2：使用“表格属性”对话框。

选定要调整行高或列宽的行或列，也可以选定行或列所在的某一个单元格，单击“表格工具-布局”选项卡下“表”组中的“属性”按钮，或单击“单元格大小”组右下角的对话框启动器按钮，都可以打开“表格属性”对话框（图 3-86）。在该对话框的“行”或“列”选项卡中，可分别对行高或列宽进行精确设置。

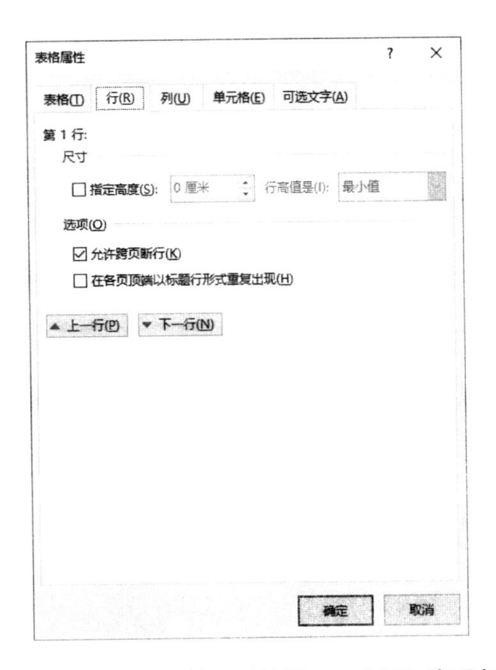

图 3-86　“表格属性”对话框——“行”选项卡

方法 3：使用“表格工具”。

在“表格工具-布局”选项卡下“单元格大小”组中可以设置行高和列宽。

3.7.7　表格及文本对齐方式设置

右击表格，在弹出的快捷菜单中选择“表格属性”命令，弹出如图 3-87 所示的“表格属性”对话框。选择“表格”选项卡，在“对齐方式”中可以选择一种对齐方式；在“文字环绕”中可以选择一种文字环绕方式。

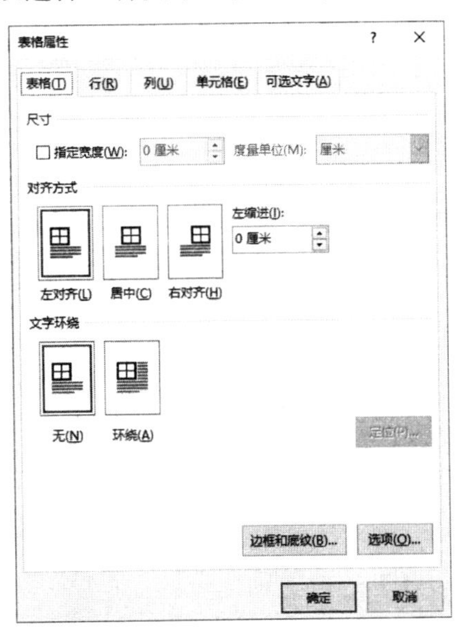

图 3-87　“表格属性”对话框

3.7.8 表格的边框和底纹

Word 2016 默认用 0.5 磅黑色单实线作为表格的边框，也可以为表格设置不同类型的边框和底纹。设置表格边框和底纹的方法有以下三种：

方法 1：选中需要设置的表格，单击“开始”选项卡“段落”组中“边框”按钮右侧的箭头，在展开的下拉列表中选择“边框和底纹”命令（从弹出的快捷菜单中选择“边框和底纹”命令，或右击），弹出如图 3-88 所示的“边框和底纹”对话框。设置边框时要先选择合适的线形、颜色和宽度，再根据预览区中显示的边框外观单击代表各种框线的按钮。

方法 2：利用“表格工具-设计”选项卡下“表格样式”组中的“底纹”和“边框”组中的“边框”按钮进行设置。

方法 3：利用“绘制表格”工具，在选定线形、粗细和颜色后，直接在原有边框线上拖拉来改变或设置边框线。

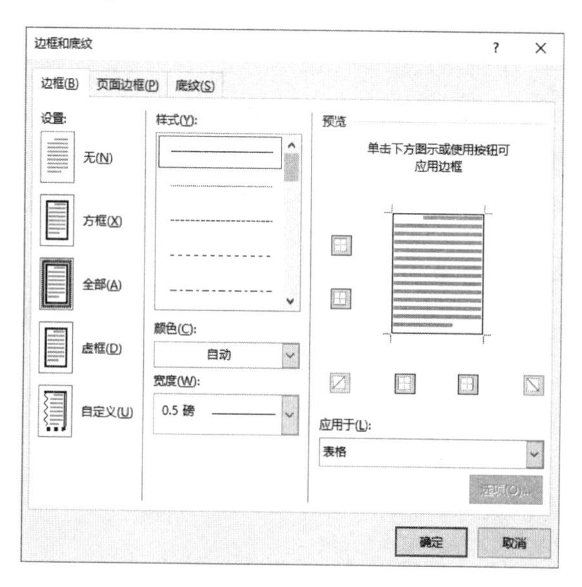

图 3-88 “边框和底纹”对话框

3.7.9 表格转换

Word 2016 中提供了表格转换功能，利用该功能不仅可以将表格转换成文本，还可以将文本转换成表格。将表格转换成文本的具体操作步骤如下：

第 1 步：选中整张表格，单击“表格工具-布局”选项卡下“数据”组中的“转换为文本”按钮，弹出“表格转换成文本”对话框，如图 3-89 所示。

第 2 步：在该对话框的“文字分隔符”列表中选择一种分隔符。

第 3 步：单击“确定”按钮，系统自动将整张表格转换成以选中分隔符分隔开的文本。

同样地，也可以将文本转换成表格。首先需要在文本的中间插入分隔符，如逗号、空格、制表位等，用来指示将文本分成列的位置，然后使用段落标记指示文本要开始新行的位置。准备就绪后，单击“插入”选项卡下“表格”组中的“表格”下拉按钮，在下拉列表中选择“文本转换成表格”命令，在弹出的“将文字转换成表格”对话框（图 3-90）中进行设置。

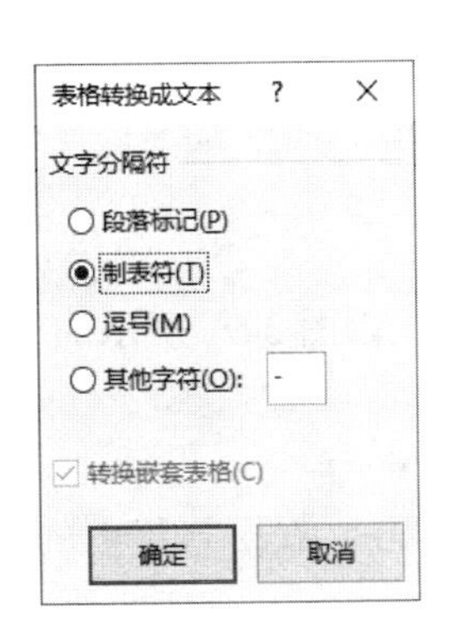

图 3-89　“表格转换成文本”对话框

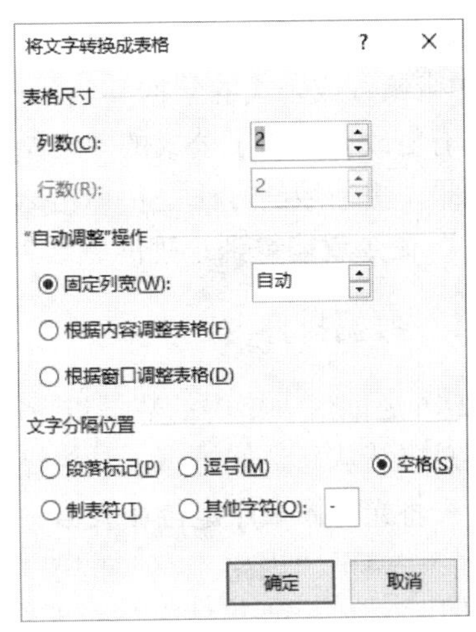

图 3-90　“将文字转换成表格”对话框

3.7.10　表格中数据的计算

Word 2016 为表格中的数据提供了一些简单的统计功能，如求和、求平均值等。利用这些功能可以对表格中的数据进行计算。以图 3-91 所示的“学生成绩表”为例，计算学生“总成绩”的具体操作步骤如下：

第 1 步：将光标插入点定位在某学生的总成绩单元格，如本例定位在第二行第七列。

第 2 步：切换至“表格工具-布局”选项卡，单击“数据”组中的“公式”按钮 *fx*，弹出“公式”对话框。此时系统根据当前光标所在位置及周围单元格的数据内容，自动在“公式”编辑框中添加公式“=SUM（LEFT）”（图 3-92）。

姓名	数学	语文	英语	物理	化学	总成绩
高留刚	85	80	78	66	91	400
朱鹤颖	70	75	69	81	62	357
高庆丰	90	90	81	62	49	372
李明明	60	60	55	84	83	342
于爱民	70	65	53	76	77	341
陈键	70	70	69	79	84	372
金纪东	70	70	62	79	80	361
王力伟	65	65	55	76	70	331

图 3-91　学生成绩表

图 3-92　“公式”对话框

第 3 步：在“编号格式”下拉列表中选择需要的数字编号格式（如选择 0），并单击“确定”按钮。这时该单元格中显示的是公式计算的结果。其他单元格的计算方法与此相同。

除了求和函数外，常用的函数有求平均值函数 AVERAGE（）、计数函数 COUNT（）等。

表示计算区域的方法有 LEFT、ABOVE，也可以用 A1、B2 等类似 Excel 中的单元格地址表示，具体请参考第 4 章。

Word 中带函数或公式的数据其实是一个域，域有自己的域代码和域结果。如果表格中的数据有更改，运用了公式的单元格不会自动更新，但是可以采用更新域的方法来得到正确结果。更新域的方法是：单击域，当域区域变成灰色时右击，在快捷菜单中选择“更新域”命令就能得到正确的域结果。

3.7.11 数据排序

Word 2016 还能对表格中的数据进行简单的排序，以图 3-91 所示的“学生成绩表”为例，按照总成绩从高到低排序，具体操作步骤如下：

第 1 步：将光标插入点定位在表格中的任意单元格。

第 2 步：切换至“表格工具-布局”选项卡，单击“数据”组中的“排序”按钮 A↓Z，弹出如图 3-93 所示的“排序”对话框。

第 3 步：在“主要关键字”列表框中选择“总成绩”；在“类型”列表框中选择“数字”；排序方式为“降序”；在“列表”区域选择“有标题行”。

第 4 步：单击“确定”按钮关闭对话框。

若需要对多个关键字进行排序，则在图 3-93 所示的对话框中设置“次要关键字”和“第三关键字”即可。

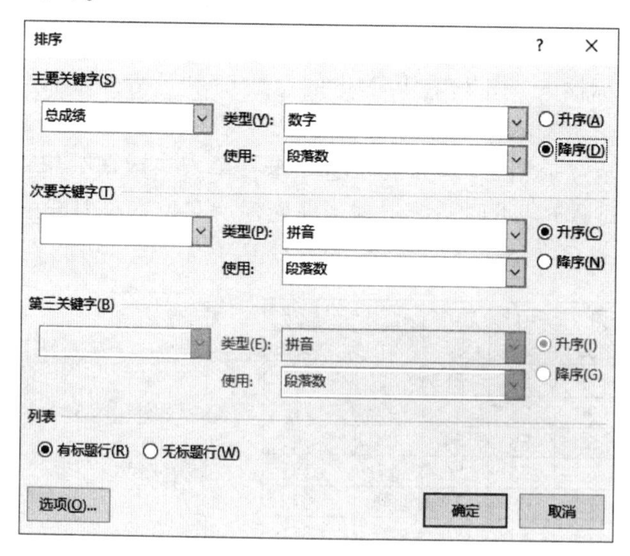

图 3-93 “排序”对话框

3.7.12 自动套用格式

Word 2016 中预定义了许多表格的格式，自动套用这些格式可以使表格的排版变得简单。Word 2016 除了允许用户自己设置表格的样式外，还提供了近百种默认样式，以满足各种不同类型表格的需求。

将光标置于表格内的任意位置，在“表格工具-设计”选项卡下的“表格样式”组中，将鼠标停留在所需样式，文档表格会自动变成相应的预览效果，找到合适的表格样式后，单击该样式即可完成设置。

3.8　编制目录

一篇较长的文档，为了便于读者阅读，往往需要制作一个目录。Word 2016 提供了自动创建目录的功能，但前提是文档的各级标题必须是使用了样式的标题。

3.8.1　插入目录

将光标定位到需要插入目录的位置，单击“引用”选项卡下“目录”组中的“目录”按钮，打开如图 3-94 所示的下拉列表，选择一种合适的目录。其中：

手动目录：需要用户输入目录条目的文字和页码，目录无法随文字内容的改变而改变。

自定义目录：允许通过设置不同参数来控制生成自动的目录条目和页码。

插入自定义目录的方法是单击“自定义目录”命令，弹出如图 3-95 所示的对话框，在该对话框中可以设置目录显示的级别和制表符前导符。单击“修改”按钮可修改目录的样式。

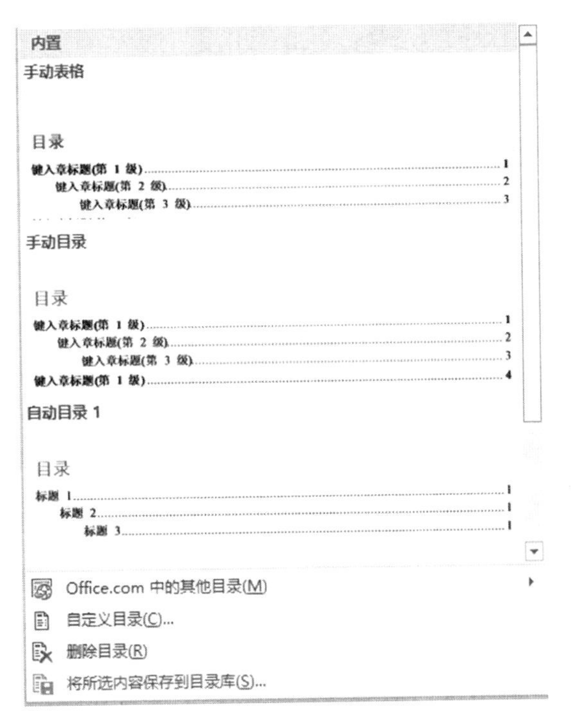

图 3-94　“目录”按钮下拉列表

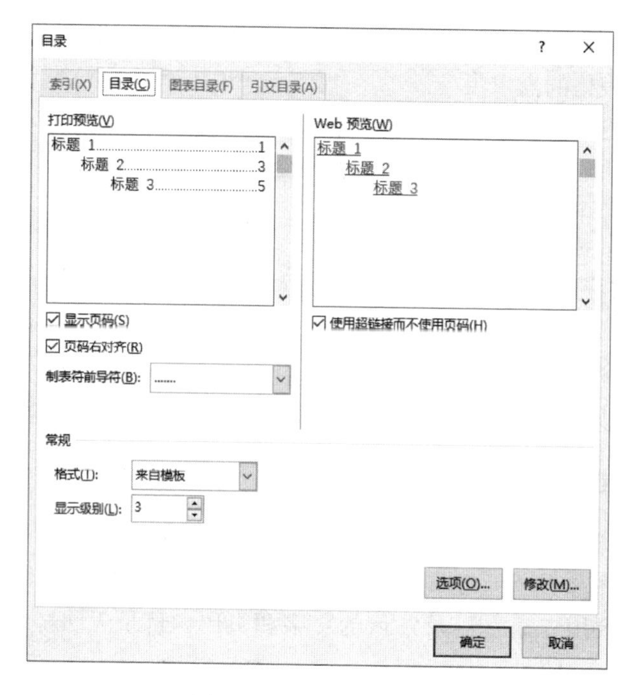

图 3-95 “目录”对话框

3.8.2 更新目录

Word 中的目录是一种域，当文档内容变化时，需要手动更新目录。更新目录的方法是：单击“引用”选项卡“目录”组中的“更新目录”按钮，或者右击目录，在弹出的快捷菜单中选择“更新域”命令，弹出如图 3-96 所示的对话框，选择一种更新方式后单击“确定”按钮。

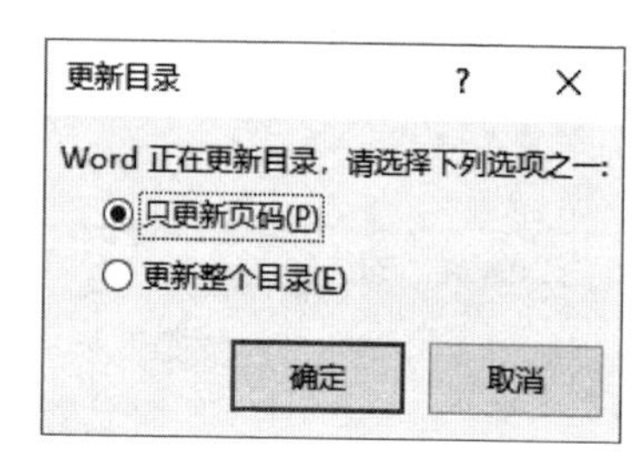

图 3-96 “更新目录”对话框

3.8.3 页码设置

书籍的正文页码一般从第 1 页开始，如果把目录放在正文之前，那么正文页码就不再是第 1 页。采用下述操作可以实现把目录放在正文之前又不影响正文页码的设置。

第 1 步：在正文前插入一行，将这个空行的样式设置为“正文”样式。

第 2 步：在空行处插入一个分隔符，分隔符类型选择“分节符”中的“下一页”。

第 3 步：在正文第 1 页单击“插入”选项卡下的“页码”按钮，在下拉列表中选择“设置页码格式”命令，然后在“页码格式”对话框中设置“页码编号”为“起始页码”，并设置为 1。

3.9 文档的打印

文档编辑完成后，就可以打印输出了。虽然 Word 的页面视图比较接近真实的打印效果，但与真实的打印结果仍有一定的差异。而 Word 的打印预览功能可以让用户看到真正的打印效果，因此在正式打印前可以使用打印预览功能先查看效果是否满意，若满意，则打印，否则可以继续修改。

快速访问工具栏中提供了“打印预览和打印”按钮，默认情况下，该按钮是不可见的。单击快速访问工具栏右侧的 ▾，在下拉列表中选择“打印预览和打印”命令，即可在快速访问工具栏中显示“打印预览和打印”命令按钮。单击该按钮，或者单击“文件”选项卡下的“打印”命令，均可展开如图 3-97 所示的页面。页面左侧可以设置打印参数，如打印份数、打印机、打印范围等；页面右侧为打印预览效果。

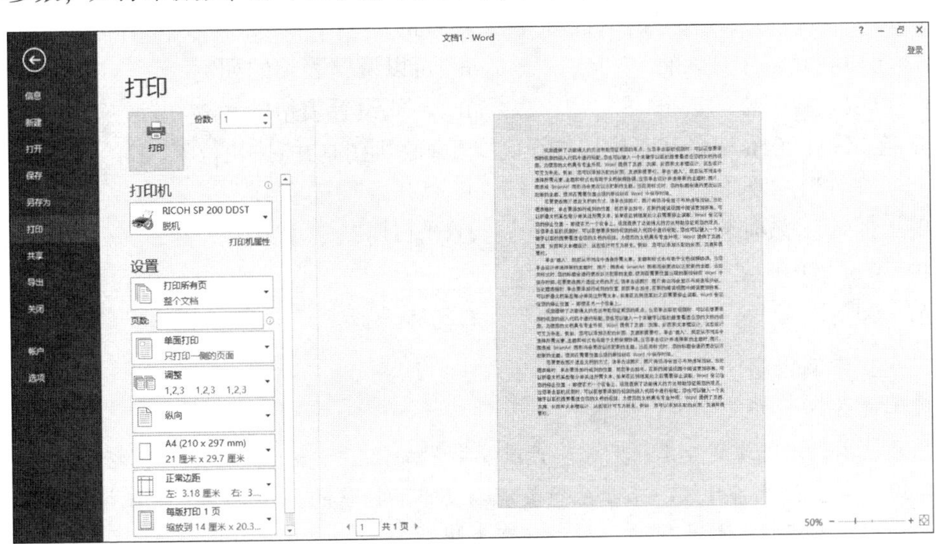

图 3-97 “打印预览和打印”页面

练习题

一、选择题

1. 中文 Word 2016 是________。

A. 文字处理软件　B. 系统软件　C. 硬件　D. 操作系统

2. Word 具有的功能是________。

A. 表格处理　B. 绘制图形　C. 自动更正　D. 以上三项都是

3. 在 Word 中，图像可以以多种环绕形式与文本混排，________不是它提供的环绕形式。

A. 四周型　B. 穿越型　C. 上下型　D. 左右型

4. 在 Word 2016 中要使文字居中，可单击________组中的按钮。

A. 字体　B. 段落　C. 样式　D. 编辑

5. 在 Word 2016 中要添加页眉应选择________选项卡下“页眉和页脚”组中的“页眉”。

A. 页眉　　B. 页脚　　C. 页眉页脚　　D. 插入

6. 在 Word 2016 中要对文档进行“分栏”，应选择“布局”选项卡下“页面设置”组中的________按钮。

A. 页边距　　B. 纸张大小　　C. 分栏　　D. 文字方向

7. 要复制字符格式而不复制文字内容，可以使用________。

A. 格式选定　　B. 格式刷　　C. 格式工具框　　D. 复制

8. 关于 Word 中表格的操作，以下说法错误的是________。

A. 可以在表格中插入行　　B. 可以调整表格的列宽

C. 可以设置表格的边框　　D. 不能设置表格的底纹

9. 在 Word 2016 编辑状态中，能设定文档行间距的功能按钮位于________中。

A. “文件”选项卡　　B. “开始”选项卡

C. “插入”选项卡　　D. “布局”选项卡

10. Word 2016 文档的默认扩展名为________。

A. . txt　　B. . doc　　C. . docx　　D. . jpg

二、文字编辑题

参考样张对下列文字进行编辑。

信息技术已经成为提升工业产业生产效率和附加值不可缺少的手段，包括钢铁、汽车、化工、纺织等，在产品升级、工业生产管理以及市场销售的各个环节，越来越离不开信息技术的应用。利用信息技术可以大大缩短研发周期和成本，顺应市场快速变化的需求。

比如汽车工业，据统计，现在我国汽车工业的整车成本中，平均超过20%的是信息技术或电子信息产品所占比重，一般越是高级的汽车，这个比重越高，国际上有的已经超过50%，乃至60%。除了信息技术在汽车工业中的应用之外，电子信息产品也获得了大量的应用。

电子信息产品的典型应用如：

汽车视听娱乐，乘坐舒适度，电子导航 GPS，安全装置等；

用计算机控制燃油系统实现汽车节油问题；

大功率电容器的使用，在汽车低速行驶或刹车时，将多余能量储存到电容器里，行驶时再释放出来；

新一代的汽车动力系统，电动汽车等。

以上都能体现信息技术在汽车工业的融合发展所产生的效益。

具体要求如下：

1. 将页面设置为：A4 纸，左、右页边距均为 2. 5 厘米，每页 43 行，每行 40 个字符。

2. 给文章加标题“信息技术的应用”，将标题文字设置为三号、红色（标准色）、黑体、居中、加黄色（标准色）底纹。

3. 设置正文所有段落首行缩进 2 字符，1. 5 倍行距，设置正文所有文字为宋体、12 号字。

4. 在正文末尾的适当位置插入云形标注，标注内文字为“信息技术”，文字格式为：黑体，加粗，红色，四号字。标注格式为：线条颜色标准色-红色，填充标准色-黄色，环绕方式为紧密型。

5. 将正文中所有的“信息技术”设置为蓝色、加粗、双下划线格式。

6. 将正文第一、二段分成偏左两栏，第一栏宽度为 12 个字符，间距为 2 个字符，栏间添加分隔线。

7. 给文章中第四段到第七段加上项目符号“◆”，颜色为绿色。

8. 设置页面边框为绿色带阴影边框，宽度为 1.5 磅。

9. 设置页眉为“信息技术”，页脚显示页码，页码格式为：普通数字 2，均居中显示。

10. 将编辑好的文章以文件名：练习，文件类型：docx，存放于 D 盘中。

样张：

信息技术

信息技术的应用

信息技术已经成为提升工业产业生产效率和附加值不可缺少的手段，包括钢铁、汽车、化工、纺织等，在产品升级、工业生产管理以及市场销售的各个环节，越来越离不开信息技术的应用。利用信息技术可以大大缩短研发周期和成本，顺应市场快速变化的需求。

比如汽车工业，据统计，现在我国汽车工业的整车成本中，平均超过 20%的是信息技术或电子信息产品所占比重，一般越是高级的汽车或轿车，这个比重越高，国际上有的已经超过 50%，乃至 60%。除了信息技术在汽车工业中的应用之外，电子信息产品也获得了大量的应用。

电子信息产品的典型应用如：

◆ 汽车视听娱乐，乘坐舒适度，电子导航 GPS，安全防盗等；
◆ 用计算机控制燃油系统实现汽车节油问题；
◆ 大功率电容器的使用，在汽车低速行驶或刹车时，将多余能量储存到电容器里，行驶时再释放出来；
◆ 新一代的汽车动力系统，电动汽车等。

以上都能体现信息技术在汽车工业的融合发展所产生的效益。

1

三、表格编辑题

具体要求如下：

1. 在 Word 中插入下面的表格。
2. 设置表格居中，所有单元格内容水平居中、垂直居中。
3. 设置表格的第一行的行高为 1 厘米，其余行高为 0.7 厘米。
4. 使用公式在最后一列中计算合计的数值。
5. 设置表格的外边框为 3 磅红色单线，其余为 1 磅黑色单线。
6. 根据“合计”列降序排列。

全民健身球类运动参加人次全年统计					
球类运动	第一季度/人次	第二季度/人次	第三季度/人次	第四季度/人次	合计
足球	73	47	25	64	
羽毛球	145	62	94	84	
网球	35	43	76	74	
乒乓球	23	75	121	101	
垒球	3	6	12	9	
篮球	35	45	38	73	
高尔夫球	16	75	31	11	
橄榄球	2	3	9	5	
壁球	0	1	1	1	
保龄球	85	64	46	64	

第 4 章　Excel 2016 的使用

4.1　Excel 概述

Microsoft Excel 是 Microsoft 公司出品的 Office 系列办公软件中的一个组件，本章介绍的版本为 2016。

作为微软旗下 Office 系列办公软件中的一员，Excel 2016 最擅长的领域就是对批量数据的处理，软件总体是以表格形式来运行，还蕴含着很多丰富的函数功能，是一款上手简单，但是深入了解之后发现暗藏玄机的软件。Excel 可以用来制作电子表格、完成复杂的数据运算，进行数据分析和预测，并且具有强大的制作图表的功能及打印功能等。

4.1.1　Excel 2016 的基本功能与概念

1. Excel 2016 的基本功能

Excel 2016 主要具有以下几个功能：

① 快捷地制作各种报表，输入和编辑数据，也可导入其他格式的外部数据。

② 对报表进行修饰和美化，如设置边框和底纹、设置单元格的背景色、插入图片和艺术字等。

③ 提供了丰富的函数，如数学和三角函数、日期函数、文本函数、查找与引用函数、逻辑函数等，以便快速解决各种数据计算问题。

④ 对数据列表中的数据进行分析和管理，如排序、筛选、分类汇总、合并计算等。

⑤ 根据需要生成各种类型的图表，将数据的变化以图形方式直观、形象地呈现出来。

⑥ 对于大数据量的数据列表，通过数据透视表和数据透视图，可以根据需要建立一个交叉列表，通过更改行、列标签来生成相应的统计数据。

⑦ 使用模拟运算表，查看一个计算公式中某些参数的值的变化对计算结果的影响，也称为灵敏度分析。

⑧ 通过录制宏将一些需要重复的操作记录下来，如创建报表、对报表进行格式设置以及一些数据的处理与分析等，在需要时可以通过执行宏来重复这些操作，达到节约工作时间的目的。

⑨ 提供了 VBA 的编程功能，可以通过代码来控制 Excel 的很多操作，如工作簿和工作表的新建、保存等。

2. Excel 的基本概念

（1）工作簿

工作簿是一个 Excel 文件（其扩展名为 .xlsx）。一个工作簿可以包含多张工作表，它像一个文件夹，把相关的表格或图表存在一起，以方便处理。启动 Excel 后，会自动创建一个名为“工作簿 1”的工作簿。

（2）工作表

工作簿中有若干由水平方向的行与垂直方向的列构成的表格，叫工作表，用于存储数据、处理数据。

一个工作簿中可以包含很多张工作表，当新建一个工作簿时，默认有 1 张工作表，默认名称为“Sheet1”。一张工作表可以有 1 048 576 行与 16 384 列。

用户在同一时间只能对一张工作表进行操作，正处于操作状态的工作表叫当前工作表。

（3）单元格

工作表的每个行与列交叉形成若干小格，称为单元格，它是 Excel 的基本元素，可以在单元格中输入数字、文字、日期、公式等数据。

每个单元格都有一个地址，由“行号”与“列标”组成。其中行号为数字 1~1 048 576，列标为字母 A~Z、AA~ZZ、AAA~XFD。例如，G3 表示是第 3 行第 7 列的单元格的地址。

4.1.2 Excel 2016 的启动和退出

1. Excel 2016 的启动

Excel 2016 的启动一般有以下两种方法：

方法 1：双击桌面上的 Excel 2016 快捷方式的图标。

方法 2：执行“开始”菜单中的“Excel 2016”命令。

另外，还可以通过双击一个 Excel 工作簿文件的方法启动 Excel。系统会先启动 Excel，然后打开这个工作簿。

2. Excel 2016 的退出

所有能够关闭 Windows 中应用程序窗口的方法都可以用来关闭 Excel 2016。

方法 1：执行“文件”菜单中的“关闭”命令。

方法 2：单击标题栏右侧的关闭按钮。

方法 3：右击快速访问栏图标左侧的绿色空白处，在弹出的快捷菜单中选择“关闭”命令。

方法 4：按下【Alt】+【F4】组合键。

4.1.3 Excel 窗口的组成

通过“开始”菜单启动 Excel 2016 后，系统将自动打开一个默认名为“工作簿 1”

的新工作簿，工作界面如图 4-1 所示，主要由快速访问工具栏、标题栏、功能区、编辑栏、工作区和状态栏等部分组成。

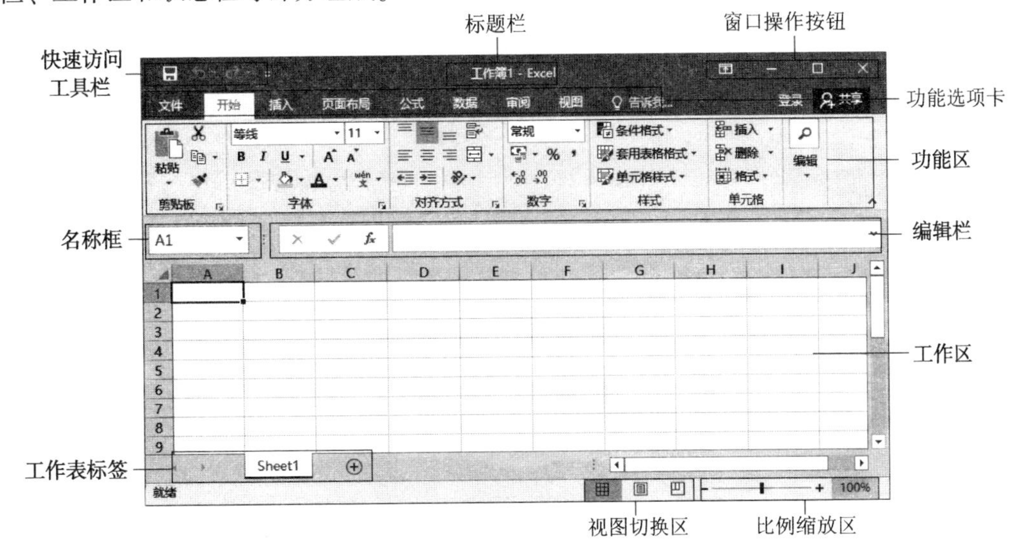

图 4-1　Excel 2016 工作界面

1. 编辑栏

编辑栏主要用于显示、输入和修改活动单元格中的数据或公式。当在工作表的某个单元格中输入数据时，编辑栏会同步显示输入的内容。

2. 工作区

工作表编辑区（工作区）位于工作簿窗口的中央区域，由行号、列标和网格线构成。每张工作表由 1 048 576 行和 16 384 列组成，行与列的相交处构成一个单元格，也是工作表中的基本编辑单位，用于显示或编辑工作表中的数据。

3. 工作表标签

工作表标签位于工作簿窗口的左下角，默认名称为 Sheet1、Sheet2、Sheet3……，单击不同的工作表标签可在工作表间进行切换。

4. 功能区

功能区位于标题栏的下方，默认是自动折叠的状态，单击不同的选项卡，下方会展开对应的功能区。单击功能区右下角的图钉图标 后，功能区转换为固定显示模式。

在每一个选项卡的功能区中，命令被分类放置在不同的组中。组的右下角通常都会有一个对话框启动器按钮 ，用于打开与该组命令相关的对话框，以便用户对要进行的操作做更进一步的设置。如在“开始”选项卡中，根据不同的命令类型，分为“剪贴板”组、“字体”组、“对齐方式”组、“数字”组、“样式”组、“单元格”组、“编辑”组，如图 4-2 所示。

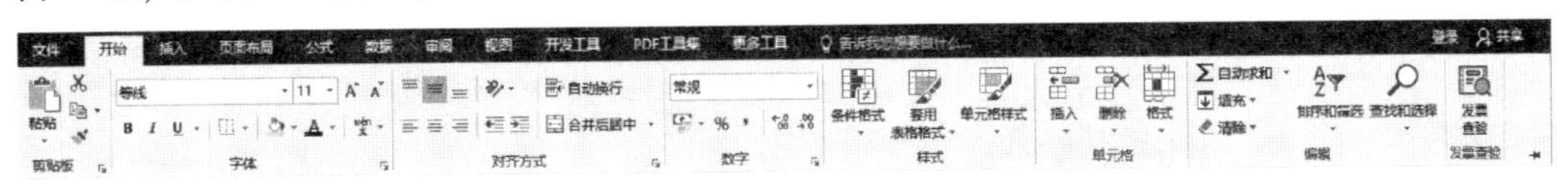

图 4-2　“开始”选项卡

4.2 Excel 的基本操作

4.2.1 工作簿的创建、打开、保存及关闭

1. 创建工作簿

（1）新建空白工作簿

新建空白工作簿有如下四种方法：

方法 1：打开 Excel 时自动创建。在打开 Excel 软件后，在窗口中选择“空白工作簿”，将创建一个空白工作簿文档。

方法 2：使用“文件”选项卡。选择“文件”选项卡中的“新建”命令，在窗口中间选择“空白工作簿”，如图 4-3 所示。

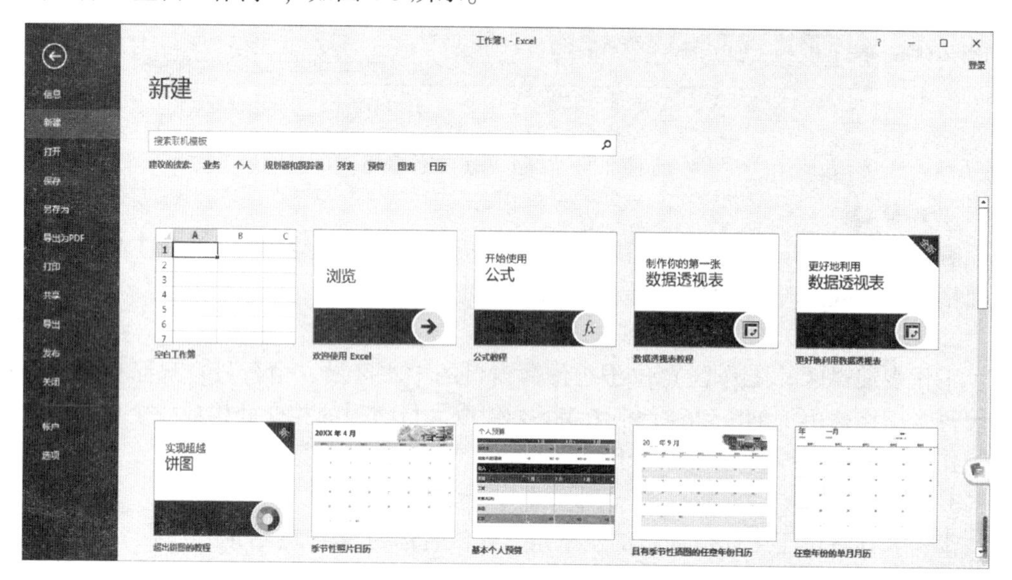

图 4-3 “文件”选项卡中的“新建”命令

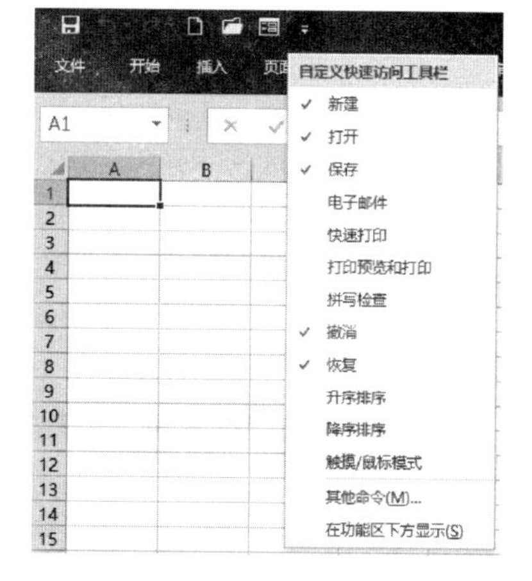

图 4-4 自定义快速访问工具栏下拉菜单

方法 3：使用快速访问工具栏。单击快速访问工具栏中的“新建”按钮，即可创建一个新工作簿。若快速访问工具栏中没有“新建”按钮，则单击右侧的展开按钮，出现下拉菜单，如图 4-4 所示，勾选“新建”命令后向快速访问工具栏中添加“新建”按钮。

方法 4：使用【Ctrl】+【N】组合键直接创建新工作簿。

（2）根据现有的模板创建新工作簿

在图 4-3 所示的界面中，显示了一些常用的模板，选择自己需要的模板，如“基本个人预算”后，

会显示该模板的预览，单击“创建”按钮即可生成一个根据该模板创建的新工作簿，如图 4-5 所示。

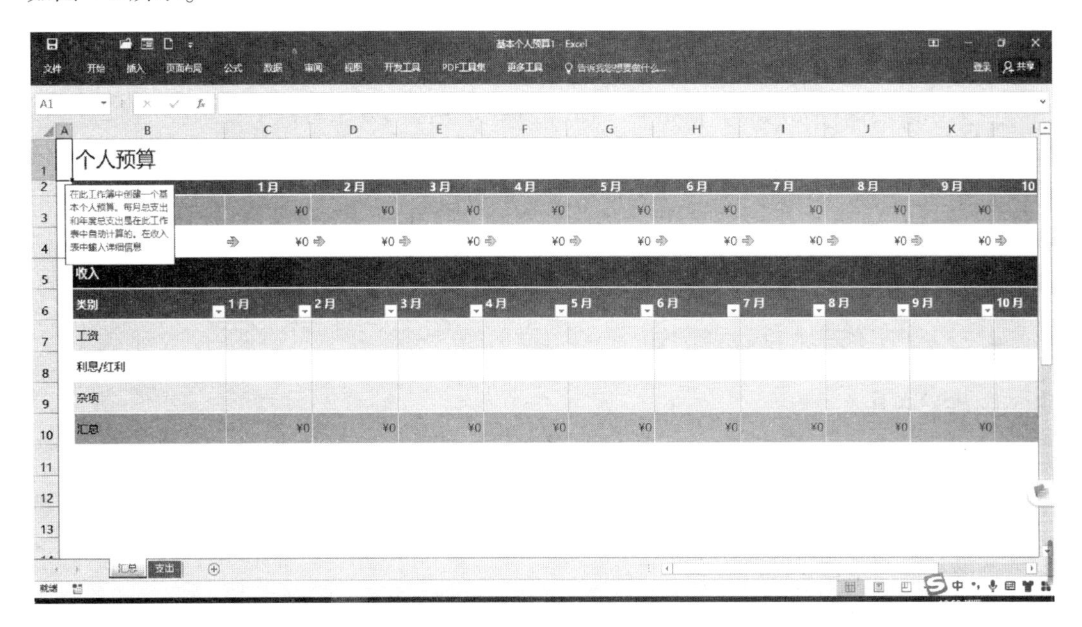

图 4-5　“基本个人预算”模板

2. 打开工作簿

打开一个工作簿的常用方法有如下几种：

方法 1：使用菜单。选择“文件”选项卡中的“打开”命令，单击“浏览”命令，弹出“打开”对话框，选择需要打开的文件后，单击“打开”按钮。

方法 2：使用快速访问工具栏。在快速访问工具栏中单击“打开”按钮，进入打开文件的工作界面。若快速访问工具栏中没有该按钮，则单击右侧的 按钮，出现下拉菜单，如图 4-4 所示，勾选“打开”命令向快速访问工具栏中添加“打开”按钮。

方法 3：使用【Ctrl】+【O】组合键进入打开文件的工作界面。

方法 4：双击工作簿文件。在“资源管理器”中找到需要打开的工作簿文件后，直接双击。

方法 5：打开最近使用过的工作簿。选择“文件”选项卡中的“打开”命令，选择“最近”，即可显示最近打开过的工作簿。

3. 保存工作簿

在对工作簿编辑的过程中，为防止数据丢失，应及时保存工作簿文件，具体方法有以下几种：

方法 1：使用菜单。选择“文件”选项卡中的“保存”命令，直接以原来的文件名保存。若当前工作簿文件从未保存过，则进入“另存为”界面，单击“浏览”按钮后弹出“另存为”对话框，选择工作簿文件所要存放的位置，输入文件名后，单击“保存”按钮。

方法 2：使用快速访问工具栏。单击快速访问工具栏中的“保存”按钮。

方法 3：使用【Ctrl】+【S】组合键。

方法 4：保存备份。选择“文件”菜单中的“另存为”命令，可实现对工作簿文件的备份保存。

4. 关闭工作簿

对工作簿的操作完成后，需将其关闭。关闭工作簿的方法有以下几种：

方法 1：选择“文件”选项卡中的“关闭”命令，将关闭当前工作簿文件，若工作簿尚未保存，则会出现询问是否需要保存的对话框。

方法 2：单击工作簿窗口右上角的“关闭”按钮，关闭当前工作簿。

方法 3：使用【Alt】+【F4】组合键。

4.2.2 工作表的基本操作

1. 选定工作表

在 Excel 中，一张工作表（Sheet）实际上就是一张具有若干行、若干列的表格。在对工作表进行重命名、删除、移动或复制等操作之前，首先要选择工作表。

（1）选择单张工作表

单击相应的工作表标签。

（2）选择多张工作表

单击某工作表的标签，然后按住【Shift】键，再单击另一张工作表标签，可以选定这两张工作表之间所有的工作表。这种方法可用于选定相邻的多张工作表。

按住【Ctrl】键，单击相关工作表的标签，可以同时选定被单击标签的工作表。这种方法可用于选定不相邻的多张工作表。

当同时选择了多张工作表时，当前工作簿的标题栏将出现“工作组”字样。此时可实现同时删除这些工作表，或在这些工作表中输入相同数据等操作。单击任意一个工作表标签可取消工作组，标题栏的“工作组”字样也同时消失。

2. 插入新工作表

Excel 允许一次插入一张或多张工作表。插入工作表有以下三种方法：

方法 1：单击工作表标签右侧的“新工作表”按钮 ⊕，新插入的工作表自动成为当前工作表，并有一个默认的名字。

方法 2：右击工作表标签，在弹出的快捷菜单中选择“插入”，在打开的对话框中选择“常用”选项卡，单击“工作表”图标，再单击“确定”按钮。

方法 3：单击“开始”选项卡下的“插入”按钮，在下拉列表中选择“插入工作表”命令。

3. 删除工作表

删除工作表的方法有以下两种：

方法 1：先选择要删除的工作表，然后右击工作表标签，在弹出的快捷菜单中选择“删除”命令。

方法 2：选择要删除的工作表标签，单击“开始”选项卡下“单元格”组中的“删除”按钮，在下拉列表中选择“删除工作表”命令即可。

注意：删除的工作表将被永久删除，不能恢复。

4. 重命名工作表

新建的工作表默认为Sheet1、Sheet2、Sheet3……，为了便于管理，通常需将其改为有意义的名字。重命名工作表的方法有以下三种：

方法1：双击要重命名的工作表标签，使得工作表标签文字呈灰底黑字显示，此时直接输入新的名字，输入完成后按【Enter】键。

方法2：右击要重命名的工作表标签，在弹出的快捷菜单中选择“重命名”命令，输入新的名字，输入完成后按【Enter】键。

方法3：单击“开始”选项卡下“单元格”组中的“格式”按钮，在下拉列表中选择“重命名工作表”，输入新的名字，输入完成后按【Enter】键。

5. 移动或复制工作表

移动或复制工作表的方法有如下两种：

方法1：使用鼠标拖动实现移动或复制工作表。

具体操作步骤如下：

第1步：打开目标工作簿。若要将工作表移动或复制到另外一个位置，需要先将其打开。

第2步：选中要移动或复制的工作表，按下鼠标左键，沿着标签栏拖动鼠标，当小黑三角形移到目标位置时，松开鼠标左键。若是要复制工作表，则要在拖动工作表的过程中按下【Ctrl】键。

注意：若是在不同工作簿间移动或复制工作表，需要先选择“视图”选项卡下“窗口”组中的“全部重排”功能，在弹出的“重排窗口”对话框中设置窗口的排列方式，使源工作簿和目标工作簿均可见。

方法2：使用菜单实现移动或复制工作表。

选中要移动或复制的工作表，单击“开始”选项卡下“单元格”组中的“格式”按钮，在下拉列表中选择“移动或复制工作表”命令，或右击选中的工作表标签，在弹出的快捷菜单中选择“移动或复制”命令，都可以打开如图4-6所示的对话框。在该对话框中选择好目标工作簿，再选择工作表要移动或复制的位置，并根据需要选择是否建立副本，最后单击“确定”按钮即可。

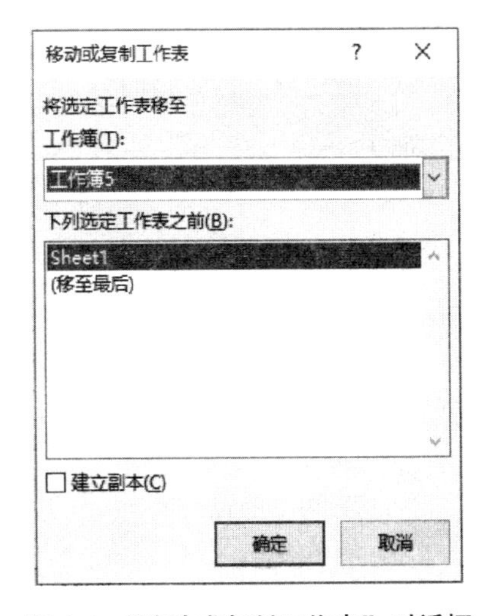

图4-6　“移动或复制工作表”对话框

4.2.3　单元格的基本操作

1. 选中单个单元格

选中某个单元格最简单的方法是使用鼠标直接在

相关单元格上单击，被选中的单元格叫当前单元格。

此外，可以通过键盘上的方向键来移动选定框到某个单元格上来选中；还可以通过按下【Tab】键在行内移动选定框，通过按下【Enter】键在列间移动选定框。

单击“开始”选项卡下“编辑”组中的“查找和选择”按钮，在下拉列表中选择“转到”命令，打开如图4-7所示的“定位”对话框，在“引用位置”中输入单元格地址，然后单击“确定”按钮，即可选中指定的单元格。

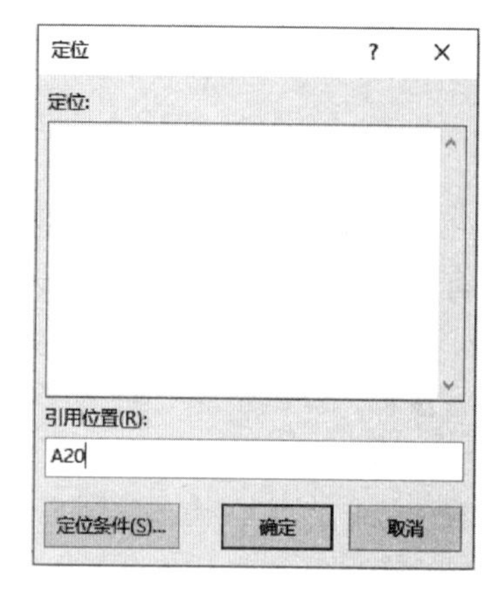

图 4-7 “定位”对话框

2. 选中连续单元格区域

选中连续的单元格区域有如下两种方法：

方法 1：直接使用鼠标拖曳的方法，拖过的区域被选中。

方法 2：单击某单元格，然后按住【Shift】键，再单击另一个单元格，可以选中以这两个单元格为对角顶点的矩形区域。例如，先单击 B2 单元格，然后按住【Shift】键，再单击 C5 单元格，则选中的区域如图 4-8 所示。

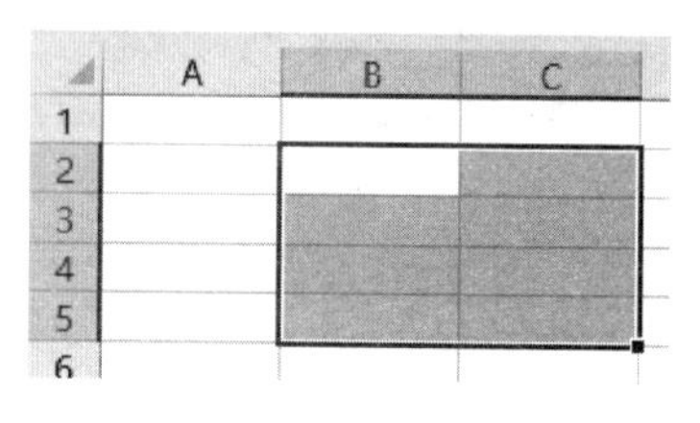

图 4-8 选中连续区域

3. 选中不连续单元格区域

按住【Ctrl】键，然后单击或拖曳鼠标，可以选中不连续的区域。

在选定区域内，若按下【Tab】键或【Enter】键，只能在选定的区域内移动。

4. 选择一行或一列单元格

单击所要选择的一行的行号或一列的列标。

5. 选择连续的多行或多列单元格

方法 1：先选中第一行或第一列，然后按下鼠标左键并拖动，到所要选择的最后一行或一列时松开鼠标左键。

方法 2：先选中第一行或第一列，然后按下【Shift】键的同时选中最后一行或一列。

6. 选择不连续的多行或多列单元格

先选中第一行或第一列，然后按下【Ctrl】键的同时选中其他需要选择的行或列。

7. 选择工作表中所有的单元格

按【Ctrl】+【A】组合键或【Ctrl】+【Shift】+【空格】组合键或单击工作表左上角的全选按钮即可选中整张工作表中所有单元格区域。

8. 合并单元格

合并单元格是指将相邻的两个或多个水平或垂直单元格区域合并为一个单元格。区域左上角单元格的名称和内容自动成为合并后的单元格的名称和内容，区域中其他单元格的内容将被删除。合并单元格的方法有以下两种：

方法 1：先选中要进行合并操作的单元格区域右击，在弹出的快捷菜单中选择“设置单元格格式”命令，打开“设置单元格格式”对话框，如图 4-9 所示，单击“对齐”选项卡，选中“文本控制”栏目中的“合并单元格”复选框，最后单击“确定”按钮。

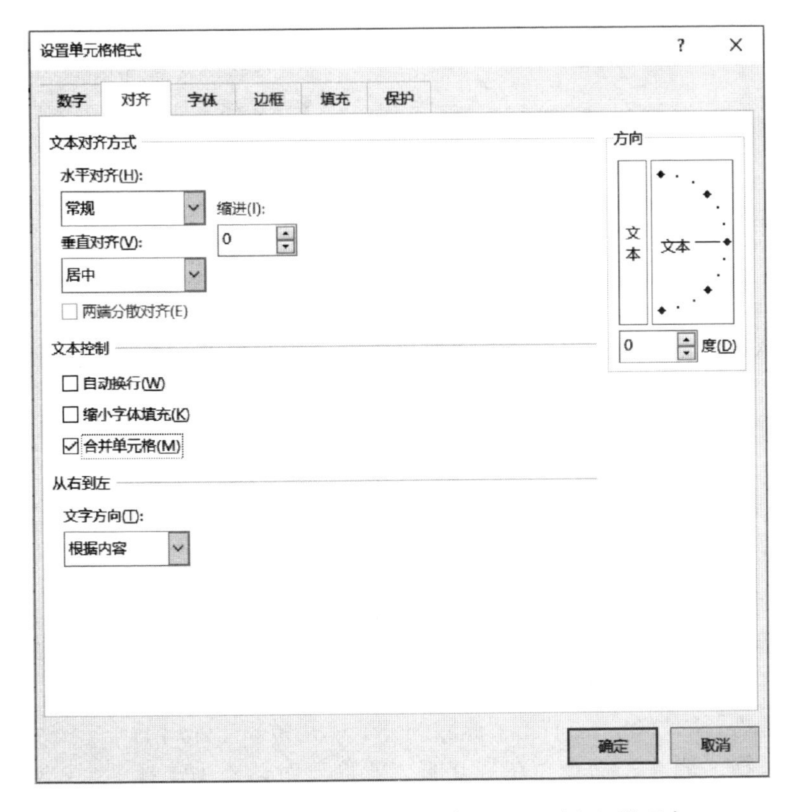

图 4-9　“设置单元格格式”对话框——“对齐”选项卡

方法 2：先选中要进行合并操作的单元格区域，单击“开始”选项卡下“对齐方式”组中的“合并后居中”按钮 合并后居中 。

9. 拆分单元格

拆分单元格是指将合并的单元格重新拆分为多个单元格。拆分后，原来合并单元格的内容将自动成为拆分后左上角单元格的内容。拆分单元格的方法是：先选择一个合并的单元格，打开如图 4-9 所示的对话框，取消选中“合并单元格”，或直接单击“开始”选项卡下“对齐方式”组中的“合并后居中”按钮，取消其被选中的状态。

注意：不能拆分没有合并过的单元格。

4.2.4　行、列和单元格的插入与删除

1. 插入行、列和单元格

方法 1：选择“开始”选项卡下“单元格”组中的“插入”按钮，如图 4-10 所示，在下拉列表中选择需要的命令。

方法 2：直接右击要插入单元格的位置，在弹出的快捷菜单中选择“插入”命令，

将会打开“插入”对话框，如图 4-11 所示，选择一种插入方式后，单击“确定”按钮。

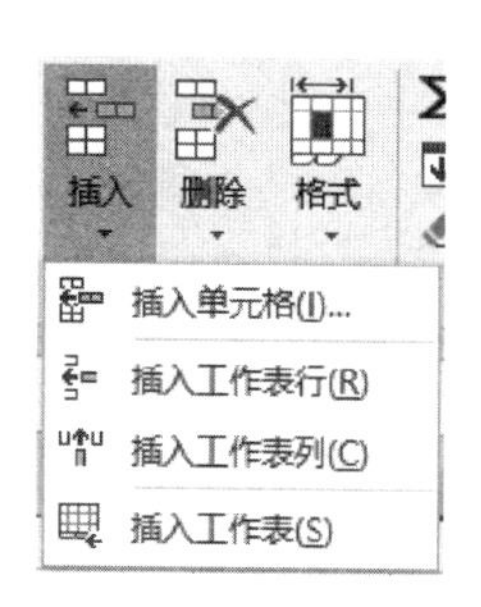

图 4-10 “插入”按钮

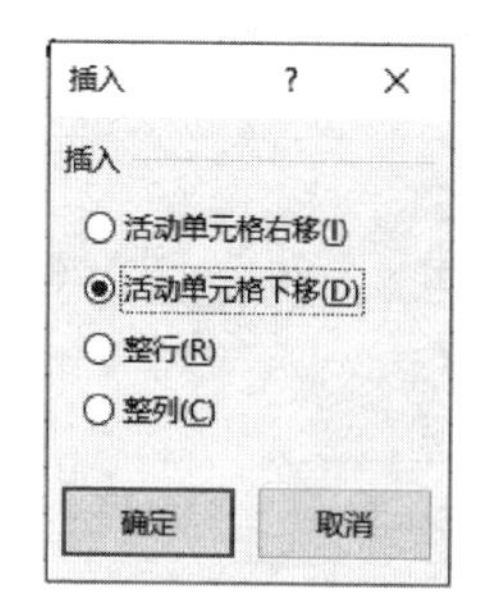

图 4-11 “插入”对话框

在“插入”对话框中，可以选择“整行”或“整列”来实现在当前选中单元格的上方插入一行或在左侧插入一列。

若选择“活动单元格下移”，则表示插入一个单元格，原先活动的单元格及其下方的单元格整体向下移一行。

若选择“活动单元格右移”，则表示插入一个单元格，原先活动的单元格及其右侧的单元格整体向右移一列。

2. 删除行、列和单元格

删除工作表中不再需要的行、列或单元格时，可选择“开始”选项卡下“单元格”组中的“删除”按钮，如图 4-12 所示。在下拉列表中选择需要的命令，或右击要删除的一个单元格，在弹出的快捷菜单中选择“删除”命令，在打开的“删除”对话框中选择一种删除方式后，单击“确定”按钮。

单元格被删除后，单元格中的内容、格式、批注等信息全部被删除，单元格的位置由周围单元格来填充。

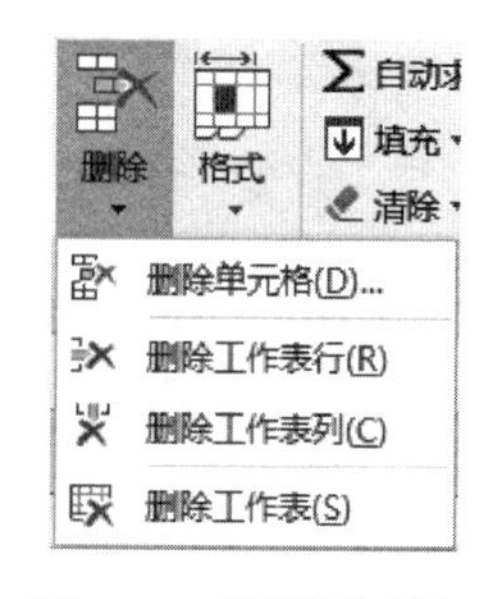

图 4-12 “删除”按钮

4.2.5 Excel 中的数据类型

Excel 中的数据类型有文本类型、数值类型、日期类型、时间类型和逻辑类型。

1. 文本类型

文本类型也叫字符型，是由汉字、字母、空格、数字、标点符号等字符组成。例如，“学生成绩表”“SCORE”“A3001”等都是文本类型的数据。在公式中，如果要使用一个文本常量，需要将这个常量放在双引号之中。

文本类型的数据只有一种运算符，即连接运算“&”，功能是将若干个文本首尾连接，得到一个新的文本。

2. 数值类型

数值类型数据由数字 0~9、正负号（+、-）、小数点(.)、百分号（%）、千位分隔符(,)、货币符号（¥ 或 $）、指数符号（E 或 e）、分数符号(/)等组成。例如，“123.456”“ $200,345.678”“1.4E-5”“1 2/3”等都是有效的数值类型数据。

对数值类型数据可以进行加、减、乘、除、乘方等各种数学运算，对应的运算符分别为“+”“-”“*”“/”“^”。

3. 日期类型

Excel 将日期类型的数据存储为整数，范围为 1～2 958 465，对应的日期为 1900 年 1 月 1 日～9999 年 12 月 31 日。负数不能对应日期，在单元格中显示“########”。

对日期类型的数据可以像对数值类型数据一样进行运算。日期类型的数据有以下几种运算：

① 两个日期数据之间相减，得到的结果为整数，表示两个日期相差的天数。

② 用一个日期加上或减去一个整数，得到的结果为一个日期，表示若干天后或若干天前的日期。

如果要在公式中使用日期或时间常量，需要将日期放在双引号中，以文本形式输入日期或时间值。

4. 时间类型

Excel 将时间类型的数据存储为小数，0 对应 0 时，1/24 对应 1 时，1/12 对应 2 时。如 1.5 对应 1900 年 1 月 1 日 12:00。

时间类型数据的运算与日期类型数据的运算类似。

5. 逻辑类型

逻辑类型的数据只有两个值：“TRUE”与“FALSE”，分别表示“真”与“假”。

4.2.6　文本类型数据的输入

文本类型数据可由汉字、数字、字母、符号等组合而成。文本类型数据不能进行算术运算，只能做字符连接运算。

文本类型数据的输入比较简单，一般的文本类型数据直接输入即可。如果文本类型数据由纯数字组成，例如学生的学号、手机号、邮政编码等，在输入时应该在数字前加一个英文的单引号作为纯数字文本类型数据的前导符，如某学生的学号为 '1527504002。纯数字文本类型数据的前导符本身并不作为文本类型数据的内容。

文本类型数据默认的对齐方式为左对齐。

Excel 中文本类型数据的最大长度为 32 767 个字符，当输入的文本类型数据超过了单元格的宽度时，系统会自动将文本类型数据依次显示在右边相邻的单元格中，但内容仍然存储在当前单元格中。如果相邻的单元格中有数据存在，则本单元格中超出部分的文本类型数据不显示。

如果想要将所有文本类型数据显示在本单元格中，可以在输入时按下【Alt】+【Enter】组合键在单元格内换行，或者通过“设置单元格格式”对话框的“对齐”标签将其设置为“自动换行”。

4.2.7　数值类型数据的输入

数值类型数据默认的对齐方式为右对齐。

数值类型数据的输入主要注意负数、分数的输入方法。

1. 负数的输入

可以直接输入负号及数字。另外，还可以用圆括号来进行负数的输入，如输入“（100）”就相当于“-100”。

2. 分数的输入

若要输入一个分数“1/2”，方法是先输入一个“0”，然后输入一个空格，再输入“1/2”，即“0 1/2”。若不输入“0”与空格而直接输入“1/2”，系统会以日期数据“1月2日”显示。

数值类型数据的输入值、系统显示值及存储值见表4-1。

表4-1　数值类型数据的输入值、系统显示值及存储值

输入值	系统显示值	存储值	说明
327.67	327.67	327.67	普通实数
-200	-200	-200	负数
(200)	-200	-200	负数
.25	0.25	0.25	纯小数
60%	60%	0.6	百分数
0 1/2	1/2	0.5	分数
3 1/2	3 1/2	3.5	分数
1.5E10	1.50E+10	15 000 000 000	科学记数法
1.5E-5	1.50E-05	0.000 015	科学记数法
¥1 234.567 8	¥1,234.57	1 234.567 8	货币

4.2.8　日期、时间与逻辑类型数据的输入

1. 日期、时间的输入

日期与时间的输入要遵循一定的格式，否则系统会把输入的数据当作文本类型数据来处理。日期的一般格式为“年-月-日”或“月-日”或“日-月”，也可以为“年/月/日”或“月/日”或“日/月”。如果日期中没有给定年份，则系统默认使用当前的年份（以计算机的系统时间为准）。若输入的年份为两位整数，当年份在30~99之间时，默认情况下，系统会在输入的两位年份前面自动加上19，而当年份在00~29之间时，系统自动加上20。

时间的一般格式为“时:分:秒”，如果要同时输入日期与时间，需要在日期与时间之间输入一个空格。可以按24小时制输入时间，也可以按12小时制输入时间，系统默认为24小时制。

日期与时间类型数据默认的对齐方式为右对齐，按下【Ctrl】+【;】组合键可以输入当前系统的日期；按下【Ctrl】+【Shift】+【;】组织键可以输入当前系统的时间。

2. 逻辑类型数据的输入

逻辑值只有两个：TRUE（真）和FALSE（假）。

逻辑类型数据在单元格中默认为居中对齐。

4.2.9　快速输入

1. 快速填充相同数据

在若干单元格中填充相同数据有以下几种方法：

方法 1：使用功能区按钮填充，具体步骤如下。

第 1 步：选定单元格 A1，然后输入第一个数据，如“100”。

第 2 步：选定 A1:A10 单元格区域。

第 3 步：单击“开始”选项卡下“编辑”组中的“填充”按钮，在下拉列表中选择“向下”命令。

此时，在 A1:A10 单元格中全部填充了相同的数据“100”。

根据单元格的位置关系，可以选择“向下”“向上”“向左”“向右”命令。

方法 2：使用填充柄。

在 A1 单元格中输入“100”，然后向下拖动 A1 单元格的填充柄到 A10 单元格，可以在 A1～A10 单元格中快速填充相同数据；在 B1 单元格中输入“1 月”，按住【Ctrl】键拖动 B1 单元格的填充柄向下填充，可以将“1 月”填充到指定的区域中。如果不按下【Ctrl】键直接拖动填充柄，会产生一个序列。

方法 3：使用组合键填充。

选定需要填充数据的区域（可以连续，也可以不连续），输入数据后按下【Ctrl】+【Enter】组合键即可在所有选中的单元格中输入相同数据。

方法 4：记忆式填充。

在某单元格中输入文本时，Excel 会记下单元格所在列中各单元格的内容。当在该列的某单元格中输入内容时，如果输入的第一个或前几个字符与该列中已存在的内容的第一个或前几个字符相同时，Excel 就会自动输入与已存数据一致的数据来填充。如果用户确实需要这个数据，可以直接接下【Enter】键，如图 4-13 所示。

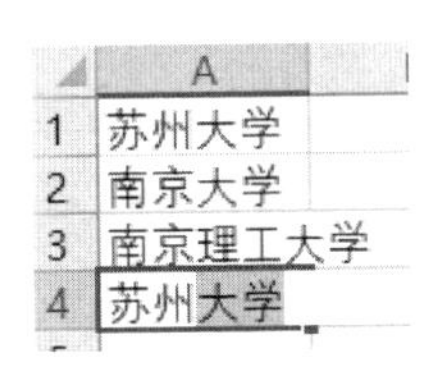

图 4-13　记忆式填充

方法 5：选择列表。

在实际应用中，手工输入可能会导致本来应该相同的内容不一致。为了避免这种情况发生，同时也为了提高输入效率，可以使用 Excel 的选择列表功能。具体操作步骤如下：

第 1 步：在 A1～A4 单元格中分别输入“华东地区”“华南地区”“西北地区”“华北地区”。

第 2 步：右击 A5 单元格，在弹出的快捷菜单中选择“从下拉列表中选择”。

第 3 步：在弹出的列表中选择一项，即可完成输入。

2. 快速填充序列

在 Excel 2016 中，有规律的数据称为序列。序列的填充一般有以下两种方法：

方法 1：使用功能区按钮填充。

单击“开始”选项卡“编辑”组中的“填充”按钮，在下拉列表中选择“序列”命令，打开如图 4-14 所示的“序列”对话框。

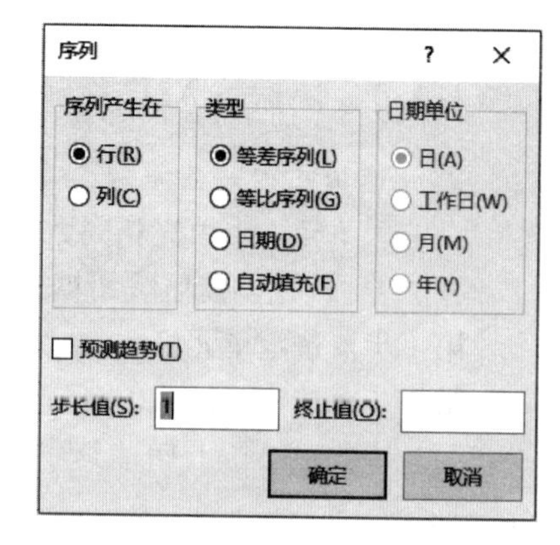

图 4-14 “序列”对话框

使用这种方法可以填充等差数列、等比数列、日期序列等。

例如，在 G 列中输入等比数列 2、4、8、16、32、64、128，操作步骤如下：

第 1 步：选定 G1 单元格，输入数字 2。

第 2 步：选中 G1:G7 单元格区域，单击“开始”选项卡下“编辑”组中的“填充”按钮，在下拉列表中选择“序列”命令。

第 3 步：在打开的“序列”对话框中，“类型”选择“等比数列”，输入步长 2，单击“确定”按钮。

方法 2：使用填充柄填充。

利用填充柄可以实现非数值数据的序列填充，也可以实现数值数据的等差数列的填充，但无法实现等比数列的填充。

非数值数据序列的填充步骤如下：

第 1 步：选定某单元格（如 A1），输入第一个数据，如“星期一”。

第 2 步：将鼠标移到 A1 单元格右下角的填充柄，拖动填充柄。

拖动填充柄后，会产生一个序列“星期一”“星期二”……“星期日”。继续拖动填充柄进行填充，系统将循环填充。

填充等差数列有两种方法。

第一种方法的步骤如下：

第 1 步：选定 B1 单元格，输入数据“1”。

第 2 步：在 B2 单元格中输入“3”。

第 3 步：选定 B1:B2 单元格，将鼠标移到 B2 单元格的右下角，选中填充柄。

第 4 步：向下拖动填充柄产生一个公差为 2 的等差序列。

第二种方法的步骤如下：

第 1 步：选定 B1 单元格，输入数据“1”。

第 2 步：按住【Ctrl】键的同时，拖动 B1 单元格的填充柄。

第二种方法只能产生公差为 1 的等差数列。

3. 自定义序列的自动填充

若在 A1 单元格中输入“赵”，然后拖动 A1 单元格的填充柄，此时将会在相关单元格区域中填充相同的数据。

例如，要得到“赵”“钱”“孙”“李”“周”“吴”“郑”“王”序列，可以使用自定义序列的方法，操作步骤如下：

第 1 步：单击“文件”选项卡中的“选项”命令，打开如图 4-15 所示的“Excel 选项”对话框。

第 2 步：在对话框的左侧选择“高级”，在对话框右侧的“常规”栏目中，单击“编辑自定义列表”按钮，打开“自定义序列”对话框，如图 4-16 所示。

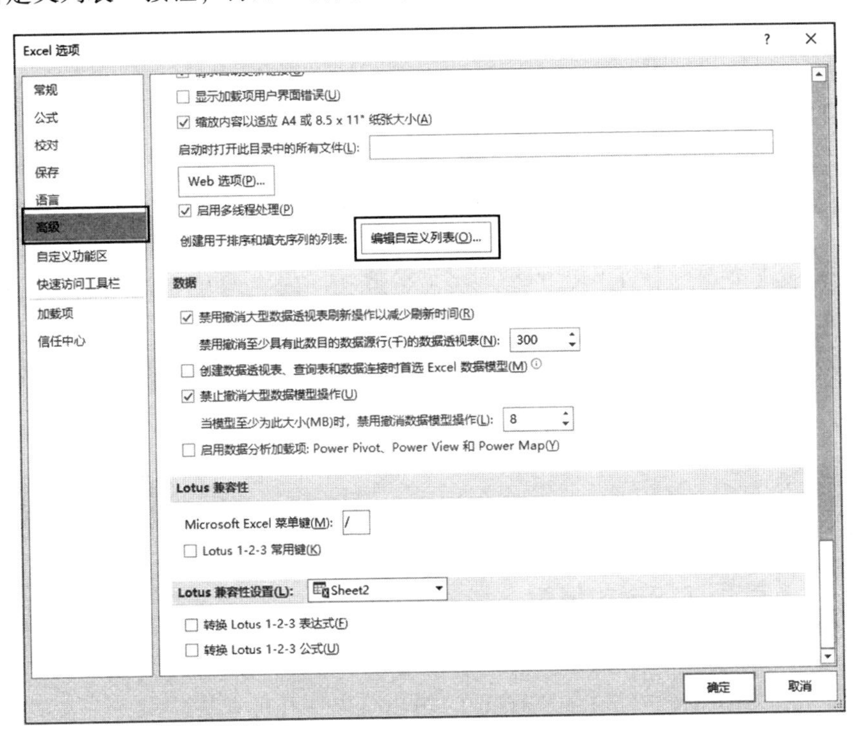

图 4-15　“Excel 选项”对话框

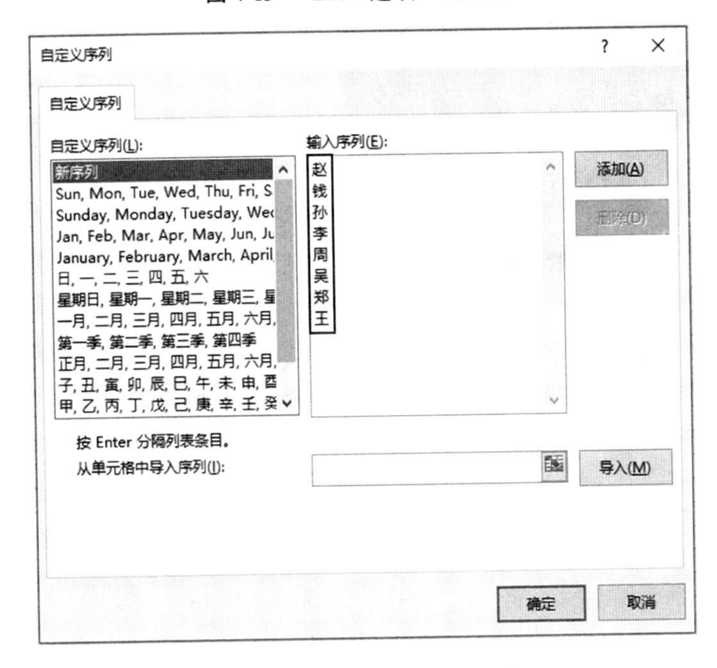

图 4-16　“自定义序列”对话框

第 3 步：选中“自定义序列”列表框中的“新序列”。

第 4 步：在“输入序列”列表框中，输入自定义序列。每个数据一行，或用英文输入法下的逗号分隔。

第 5 步：单击“添加”按钮，将自定义序列添加到序列列表中。

第 6 步：单击“确定”按钮，分别关闭“自定义序列”对话框和“Excel 选项对话框”。

第 7 步：选中 A1 单元格，输入“赵”。

第 8 步：拖动 A1 单元格的填充柄向下或向右填充若干个单元格即可。

4. 在多张工作表中同时输入相同内容

Excel 可以同时在多张工作表的相同区域输入相同内容，方法是同时选中几张工作表，然后输入内容。经此操作后，被选中的工作表的相同区域中便会有相同的内容。

同时选中多张工作表的方法是：按住【Ctrl】键，然后用鼠标单击工作表的标签。

注意：在选中多张工作表时，所有的操作均会作用于多张工作表，因此，当各张工作表的相同操作完成后，一定要单击任意一个工作表标签来取消工作表的多重选择。

4.2.10 单元格数据的编辑

1. 编辑单元格中的内容

对一个单元格中的内容进行编辑修改，可以有以下几种方法：

方法 1：双击某单元格。

方法 2：选中单元格，按下【F2】键。

方法 3：选中单元格，然后在编辑栏中对单元格中的内容进行编辑。

2. 删除单元格中的内容

删除单元格中的内容可以有以下几种方法：

方法 1：选中单元格，按下【Delete】键。

方法 2：选中单元格，单击“开始”选项卡下“编辑”组中的“清除”按钮，在下拉列表中选择需要的清除方式，如图 4-17 所示。

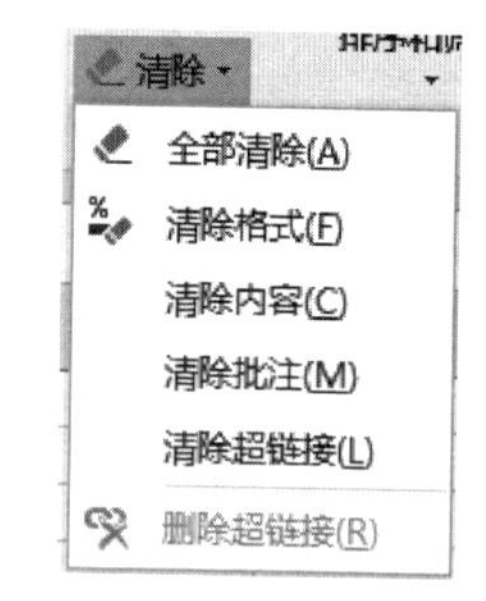

图 4-17 “清除”按钮下拉列表

3. 移动和复制单元格中的内容

移动和复制单元格中内容的方法基本相同，移动和复制操作可以针对单元格的内容、格式和批注等信息。

(1) 复制单元格中的数据

复制单元格中的数据是指将所选单元格区域的数据“原模原样”地复制到指定区域，而源区域的数据仍然存在。具体操作步骤如下：

第 1 步：选中要复制的单元格（区域）。

第 2 步：选择“开始”选项卡下“剪贴板”组中的“复制”按钮，或按【Ctrl】+【C】组合键，或右击，在弹出的快捷菜单中选择“复制”命令。

注意：单击“复制”按钮默认为直接复制数据，若单击黑三角打开下拉列表，可以选择复制为图片。

第 3 步：单击某单元格，定位目标区域。

第 4 步：选择“开始”选项卡下“剪贴板”组中的“粘贴”按钮，或按【Ctrl】+【V】组合键，或右击，在弹出的快捷菜单中选择“粘贴”命令。

注意：单击“粘贴”按钮默认为直接粘贴数据。若要复制源单元格的格式、数值或批注等信息，则单击“粘贴”按钮下方的黑三角打开下拉列表，如图 4-18 所示，根据需要选中需要粘贴的选项。也可以单击“选择性粘贴”按钮，打开“选择性粘贴”对话框，提供更全面的粘贴选项，如图 4-19 所示。

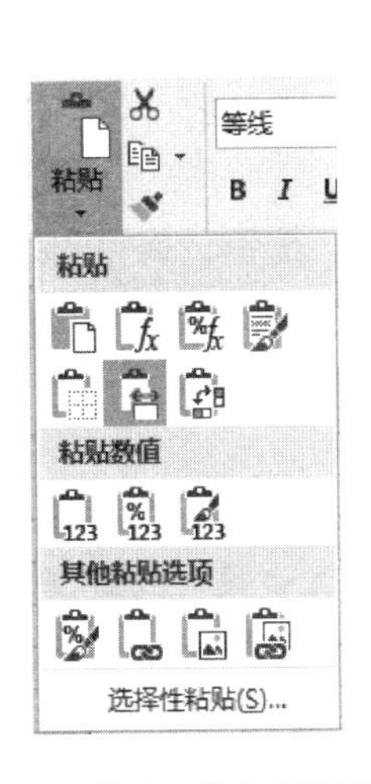

图 4-18 “粘贴”按钮的下拉列表

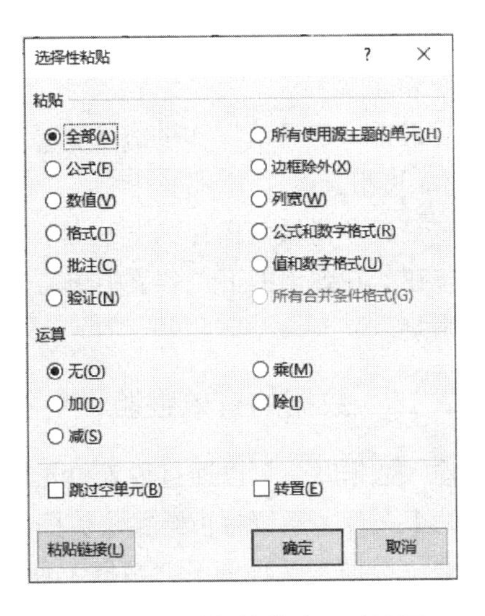

图 4-19 “选择性粘贴”对话框

（2）移动单元格中的数据

移动单元格中的数据是指将所选单元格区域的数据移动到指定区域，而源区域的数据不复存在。移动单元格中数据的具体操作步骤与复制单元格中数据类似，具体操作步骤如下：

第 1 步：选中要移动的单元格（区域）。

第 2 步：选择“开始”选项卡下“剪贴板”组中的“剪切”按钮，或按【Ctrl】+【X】组合键，或右击，在弹出的快捷菜单中选择“剪切”命令。

第 3 步：单击某单元格，定位目标区域。

第 4 步：选择“开始”选项卡下“剪贴板”组中的“粘贴”按钮，或按【Ctrl】+【V】组合键，或右击，在弹出的快捷菜单中选择“粘贴”命令。

此外，选中单元格区域后，鼠标移到区域的边缘，鼠标指针会多出一个✥形状，此时拖动鼠标，也可以将选中的内容移动到目标单元格区域中。

4. 操作的撤消与恢复

在编辑工作表时，出现各种操作错误在所难免。使用 Excel 的撤消功能可以撤消最近一次或多次的操作结果，而恢复功能则可以将撤消的操作再次恢复。

Excel 2016 中的“撤消”和“恢复”按钮在快速访问工具栏中，若快速访问工具栏中未显示，则单击快速访问工具栏最右侧的“自定义快速访问工具栏”按钮 ，在下拉列表中选择需要的快速访问工具即可。

（1）撤消

撤消最近一步操作结果的方法是：单击快速访问工具栏中的“撤消”按钮，或按【Ctrl】+【Z】组合键。

撤消最近多步操作结果的方法是：多次单击“撤消”按钮，或单击该按钮右侧的三角形按钮，在弹出的下拉列表中单击要撤消的选项，则该项操作及其以后的所有操作都将被撤消。

（2）恢复

恢复最近一步撤消操作的方法是：单击快速访问工具栏中的“恢复”按钮，或按【Ctrl】+【Y】组合键。

恢复最近多步撤消操作的方法是：多次单击“恢复”按钮，或单击该按钮右侧的三角形按钮，在弹出的下拉列表中单击要恢复的选项，则该项操作及其以后的所有操作都将被恢复。

4.2.11 数据的有效性验证

在输入数据时，可以通过设置单元格的数据有效性来约束输入的数据。如果不符合指定的约束条件，系统将拒绝接收数据。

单击“数据”选项卡下“数据工具”组中的“数据验证”按钮，打开如图 4-20 所示的对话框。“允许”下拉列表中的数据验证类型见表 4-2。

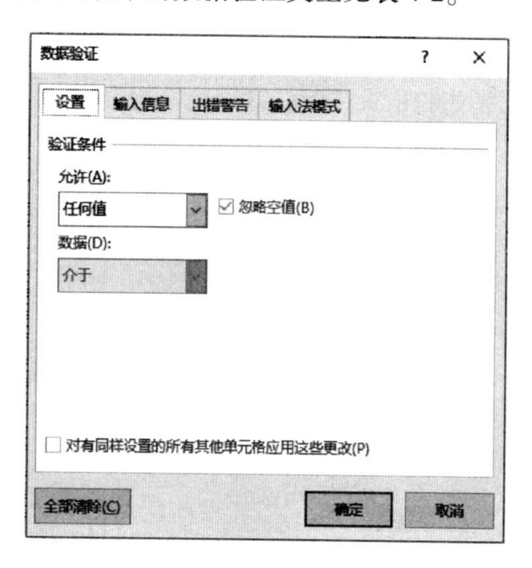

图 4-20 “数据验证”对话框

表 4-2　数据验证类型及含义

类型	含义
任何值	数据无约束
整数	输入的数据必须是符合条件的整数
小数	输入的数据必须是符合条件的小数
序列	输入的数据必须是指定序列内的数据
日期	输入的数据必须是符合条件的日期
时间	输入的数据必须是符合条件的时间
文本长度	输入的数据的长度必须满足指定的条件
自定义	允许使用公式、表达式指定单元格中数据必须满足的条件。公式或表达式的返回值为 TRUE 时数据有效，返回值为 FALSE 时数据无效

例如，设置输入的数据必须为 0~100 之间的整数，具体操作步骤如下：

第 1 步：选中要设置数据验证的单元格区域，打开“数据验证”对话框。

第 2 步：在“允许”下拉列表中选择“整数”，在“数据”下拉列表中选择“介于”，在“最小值”中输入“0”，在“最大值”中输入“100”，对话框如图 4-21 所示。

第 3 步：单击“数据验证”对话框的“输入信息”选项卡，设置选定单元格时需要显示的提示信息，如图 4-22 所示。

图 4-21　“数据验证”对话框——“设置”选项卡

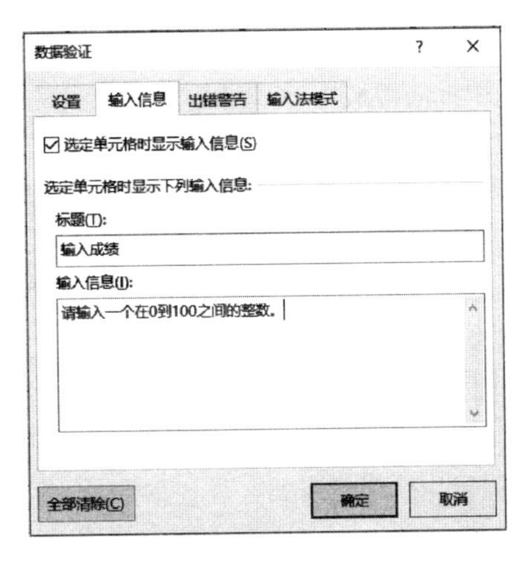

图 4-22　“数据验证”对话框——“输入信息”选项卡

第 4 步：单击“数据验证”对话框的“出错警告”选项卡，设置输入无效数据时需要显示的警告信息，如图 4-23 所示。

第 5 步：单击“确定”按钮关闭对话框。

设置完成后，当用户输入的数值不符合要求时，Excel 会自动弹出阻止对话框，如图 4-24 所示。

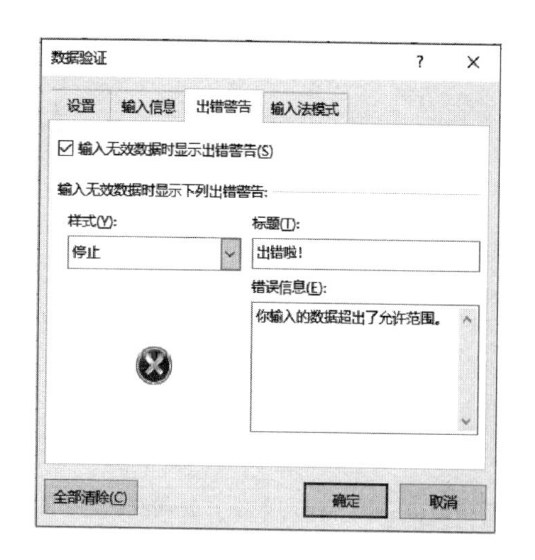

图 4-23 “数据验证”对话框——“出错警告”选项卡

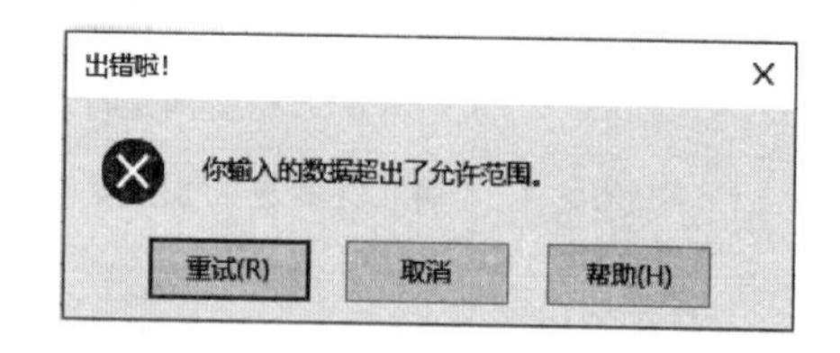

图 4-24 出错提示对话框

4.2.12 使用批注

批注是对单元格进行说明的信息。一个单元格有了批注以后，在其右上角会有一个红色的三角标记，当鼠标指针移动到单元格上时，会自动显示所设置的批注内容。

1. 添加批注

为单元格添加批注的方法有如下两种：

方法 1：选中单元格，单击“审阅”选项卡下“批注”组中的“新建批注”按钮，在出现的批注区域中输入批注内容。

方法 2：右击单元格，在弹出的快捷菜单中选择“插入批注”命令，然后在出现的批注区域中输入批注内容。

2. 修改批注

若要修改批注，方法有如下两种：

方法 1：选中有批注的单元格，单击“审阅”选项卡“批注”组中的“编辑批注”按钮，打开批注框，编辑其中的内容即可。

方法 2：右击单元格，在弹出的快捷菜单中选择“编辑批注”，此时打开批注框，编辑其中的内容即可。

3. 删除批注

删除批注有以下几种方法：

方法 1：选中有批注的单元格，单击“审阅”选项卡下“批注”组中的“删除”按钮 。

方法 2：右击有批注的单元格，在弹出的快捷菜单中选择“删除批注”命令。

方法 3：选中有批注的单元格，单击“审阅”选项卡下“批注”组中的“编辑批注”按钮，然后单击批注框的边框，选中批注框，按下【Delete】键删除批注。

4.2.13　插入图片与图形

为了增强工作表的视觉效果，使工作表看起来更加美观，可以插入图片来丰富表格内容，使表格更为形象、生动。

1. 插入图片文件

在工作表中插入图片文件的操作步骤如下：

第 1 步：单击“插入”选项卡下“插图”组中的“图片”按钮，打开“插入图片”对话框。

第 2 步：在“插入图片”对话框中，依次选择查找范围、文件类型和文件名。

第 3 步：单击“插入”按钮。

将图片插入到工作表之后，单击图片，图片的周围出现 8 个白色控制点和 1 个旋转控制点，拖动白色控制点可调整图片大小，拖动旋转控制点可旋转图片。此外，选中图片后，在功能区中出现“图片工具-格式”选项卡（图 4-25），在该选项卡中可进一步设置图片格式，如删除图片背景、调整图片颜色、设置图片样式、调整图片大小等。

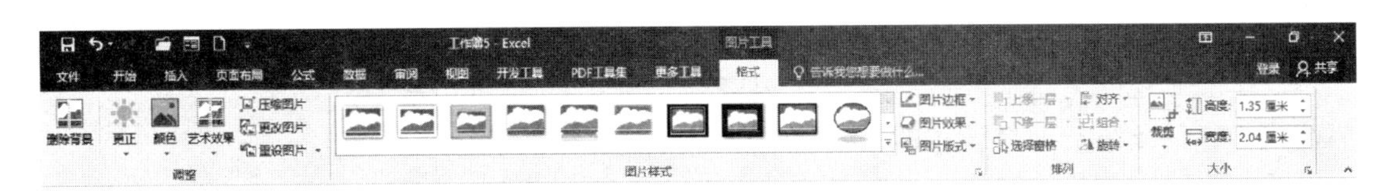

图 4-25　“图片工具-格式”选项卡

2. 插入自选图形

Excel 中插入自选图形的方法与 Word 中插入自选图形的方法类似。选择“插入”选项卡下“插图”组中的“形状”按钮 ，在下拉列表中选择需要的图形，按下“十”字型鼠标绘制相应的图形即可。

4.2.14　拆分和冻结工作表窗口

1. 拆分窗口

若一张工作表的内容很多，可以通过拆分工作表的方法来同时浏览一张工作表的不同部分。

任意选中一个单元格，单击“视图”选项卡下“窗口”组中的“拆分”按钮，此时窗口中出现两条分割线。将鼠标指针置于分割线上，当其呈上下或左右箭头形状时，拖动鼠标，可调整拆分后的窗口大小。拆分后的窗口效果如图 4-26 所示。再次单击“拆分”按钮，可取消窗口拆分。

工作表窗口拆分后，每一个窗口都可以单独进行浏览。

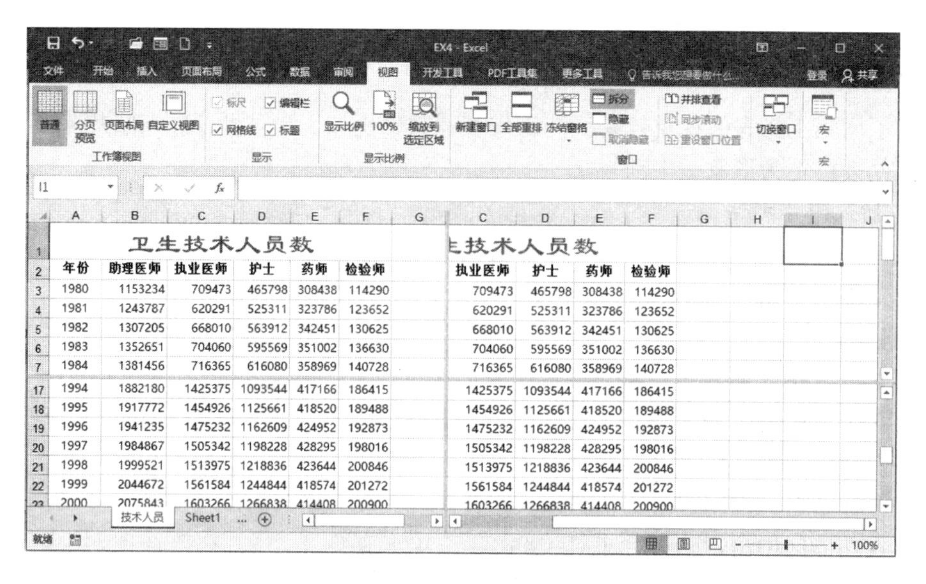

图 4-26　拆分工作表窗口

2. 冻结窗格

单击“视图”选项卡下“窗口”组中的“冻结窗格”按钮，将打开如图 4-27 所示的下拉列表，根据需要选择冻结的内容即可。若选择“冻结拆分单元格”，则将在选中的单元格的上面和左边出现两条细实线，细实线的上面和左边部分单元格区域被冻结，不再随着滚动条而滚动。若需要取消冻结，则再次单击“冻结窗格”按钮，在下拉列表中将出现“取消冻结窗格”命令，单击即可。

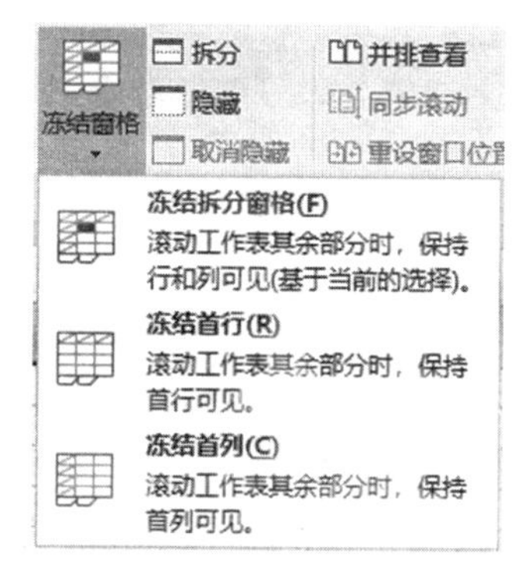

图 4-27　“冻结窗格”按钮

4.3　格式设置

4.3.1　设置单元格格式

1. 设置数字格式

数字格式主要有以下几类：常规、数值、货币、会计专用、日期、时间、百分比、分数、科学记数、自定义等。此外，还可以设置小数点后的位数以及负数格式等。设置数字格式是更改单元格中数值的显示形式，并不影响其实际值，具体操作步骤如下：

第 1 步：选择要设置数字格式的单元格区域。

第 2 步：在“开始”选项卡中，单击“数字”组中的“常规”右侧的下拉箭头，如图 4-28(a)所示，在打开的列表中选择要设置的数值类型，如“货币”类型、“百分比”类型、“数字”类型等，如图 4-28(b)所示。

第 3 步：在“数字”组中还提供了“会计数字格式”按钮、“百分比样式”按钮、“千位分隔样式”按钮、“增加小数位数”按钮、“减少小数位数”按钮。单击以上格式按钮，可快速设置数字的格式。

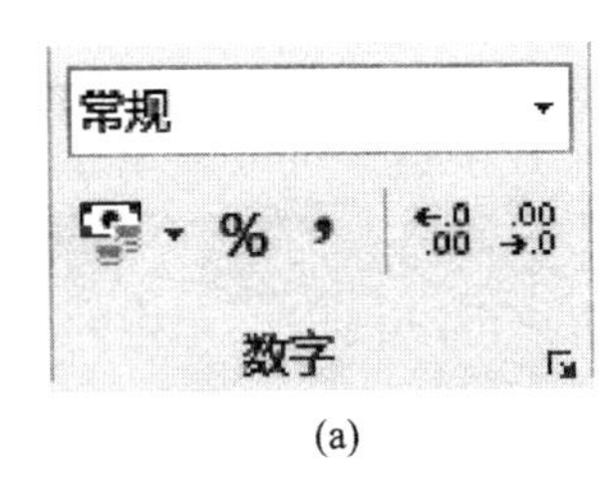

(a)

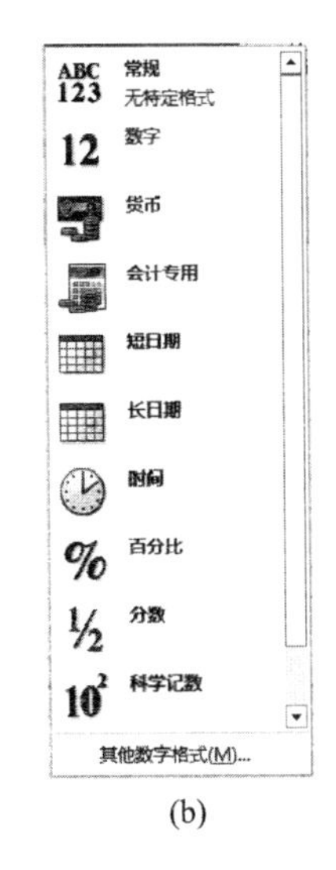

(b)

图 4-28　“数字”组

第 4 步：需要对数字的格式进一步设置时，可以单击图 4-28(a)右下角的对话框启动器按钮，也可选择图 4-28(b)列表中的最后一项“其他数字格式”，均可打开如图 4-29 所示的“设置单元格格式”对话框的“数字”选项卡。对话框的右侧会根据选择的数字类型给出对应的详细设置，如“数值”类型，则右侧可以设置小数位数、负数形式等信息。

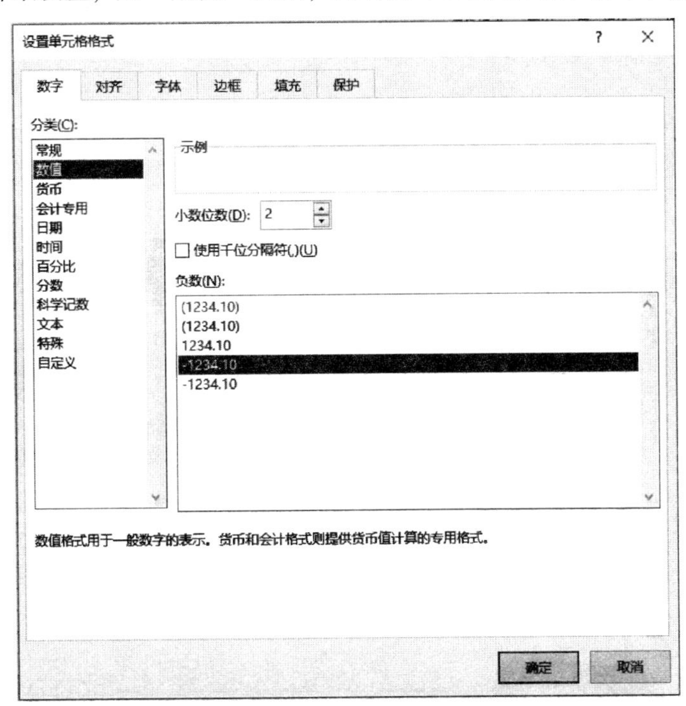

图 4-29　“设置单元格格式”对话框——“数字”选项卡

2. 设置对齐方式与文字方向

设置单元格中内容的对齐方式和文字方向的具体操作步骤如下：

第 1 步：选择要设置对齐方式的单元格区域。

第 2 步：在“开始”选项卡下“对齐方式”组中提供了各种对齐的按钮，如图 4-30 所示。

图 4-30　设置对齐方式和文字方向

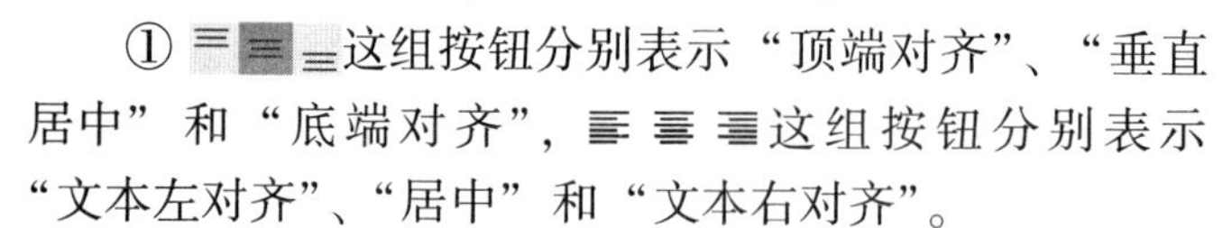

① 这组按钮分别表示“顶端对齐”、“垂直居中”和“底端对齐”，这组按钮分别表示“文本左对齐”、“居中”和“文本右对齐”。

② 为“方向”按钮，用于设置文字的方向，选择其下拉列表中的旋转方向即可改变单元格中文字的方向。

③ 分别为“减少缩进量”和“增加缩进量”按钮，可以将单元格中的文字缩进或取消缩进。

④ 自动换行 为“自动换行”按钮，单击该按钮，可以根据单元格的宽度用多行显示的方式，显示单元格中的所有内容。

⑤ 合并后居中 的下拉列表中分别有如下几个功能：

- 为“合并后居中”按钮，可以将多个单元格合并，并使内容水平居中。
- 为“跨越合并”按钮，仅将同一行中的多个单元格合并，保留原有的对齐方式。
- 为“合并单元格”按钮，可以将若干连续的单元格合并。
- 为“取消单元格合并”按钮，取消通过上述各种合并方式所合并的单元格。

注意：进行单元格的合并时，若不止一个单元格中有内容，则系统只保留选中区域左上角单元格的内容。

若需要对单元格的对齐方式进行更为详细的设置，则单击图 4-30 右下角的对话框启动器按钮，将打开设置对齐方式的对话框，如图 4-31 所示，根据需要设置即可。

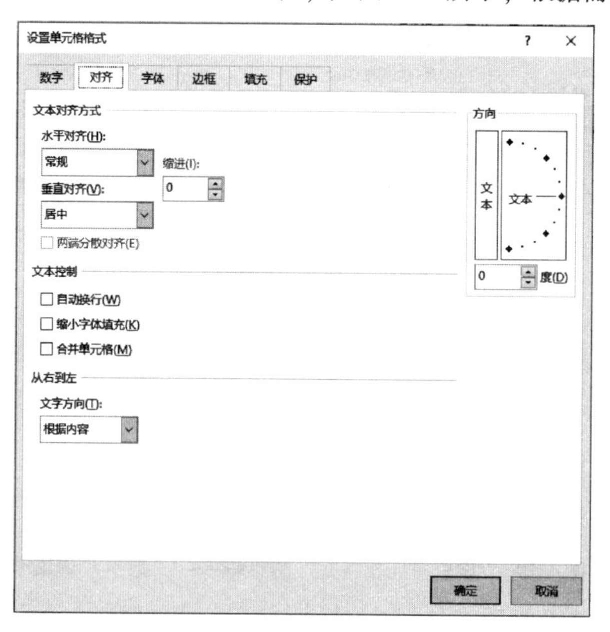

图 4-31　“设置单元格格式”对话框——“对齐”选项卡

3. 设置字体、字形、字号

设置单元格中内容的字体、字形、字号以及字体颜色等格式的具体操作步骤如下：

第 1 步：选择要设置格式的单元格区域。

第 2 步：在“开始”选项卡“字体”组中提供了对字体、字号、字形、字体颜色等格式的设置按钮，根据需要设置即可，如图 4-32 所示。

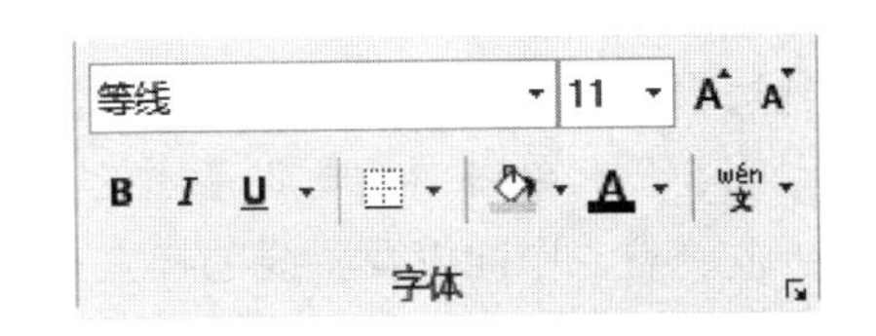

图 4-32　设置字体、字号、字形、字体颜色

此外，可以单击图 4-32 右下角的对话框启动器按钮，打开“设置单元格格式”对话框中的“字体”选项卡，如图 4-33 所示，在该选项卡中也可对字体格式进行设置。

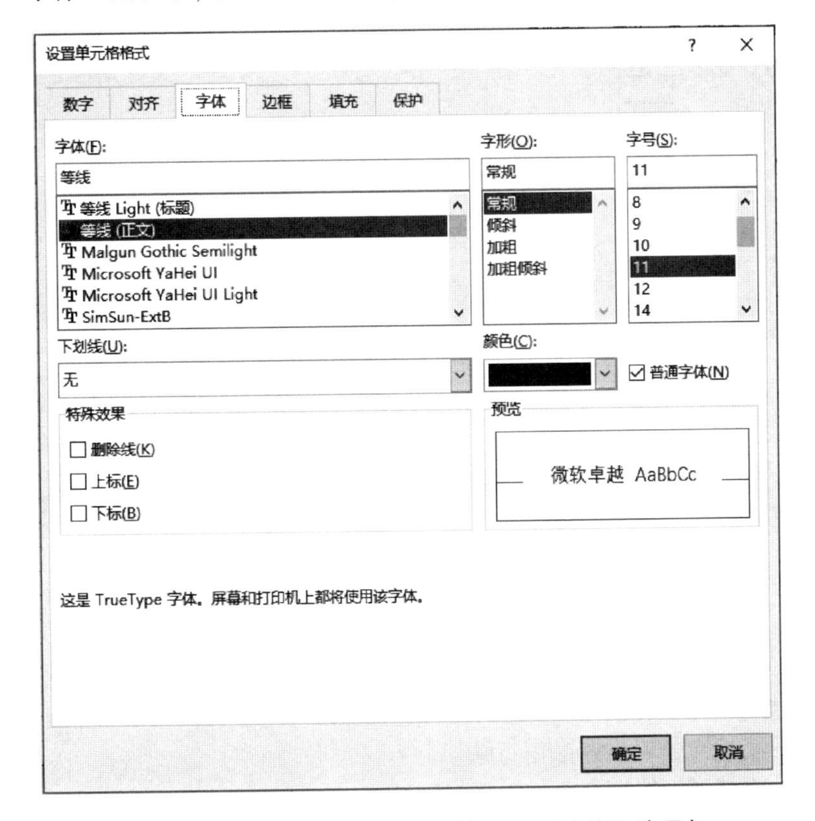

图 4-33　“设置单元格格式”对话框——“字体”选项卡

4. 设置边框格式

设置单元格边框的具体操作步骤如下：

第 1 步：选择要设置边框的单元格区域。

第 2 步：单击“开始”选项卡下“字体”组中的下框线按钮右侧的下拉按钮，在下拉列表中选择需要的边框样式。

第 3 步：若要设置更多的边框样式，则单击“设置单元格格式”对话框中的“边框”选项卡，如图 4-34 所示。

第 4 步：在线条“样式”框中选择线型，在“颜色”下拉列表中选择线条颜色（默认为黑色），单击“预置”区中的“外边框”或“内部”按钮，将选择的线型应用到外边框或内部边框，同时在预览区中可看到应用的效果。

第 5 步：单击“边框”区中的 8 个按钮，则可单独设置所选中单元格区域的上、下、左、右、中间以及斜线的样式。

第 6 步：单击“确定”按钮关闭对话框。

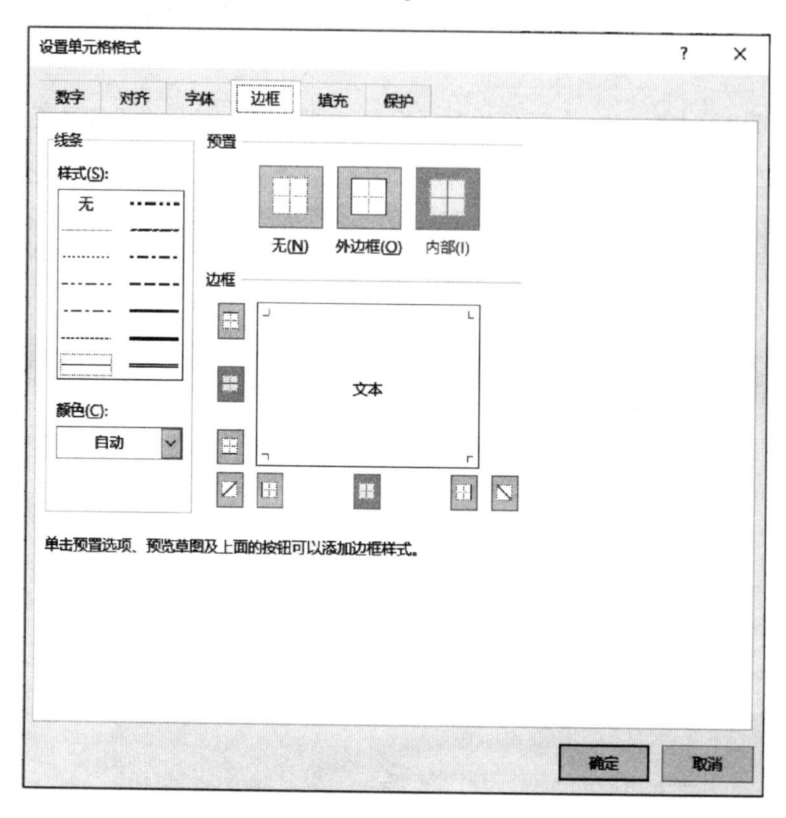

图 4-34 “设置单元格格式”对话框——“边框”选项卡

5. 设置单元格填充色

设置单元格填充色的具体操作步骤如下：

第 1 步：选择要设置填充色的单元格区域。

第 2 步：单击“开始”选项卡下“字体”组中的填充颜色按钮右侧的下拉按钮，在下拉列表中选择需要的填充颜色。

第 3 步：若要设置更多的填充色样式，则单击“设置单元格格式”对话框中的“填充”选项卡，如图 4-35 所示。

第 4 步：选择“背景色”的颜色，若选择了“图案样式”中的一种样式，则可以同时设置背景色和图案颜色，同时在“示例”区域可以显示预览效果。

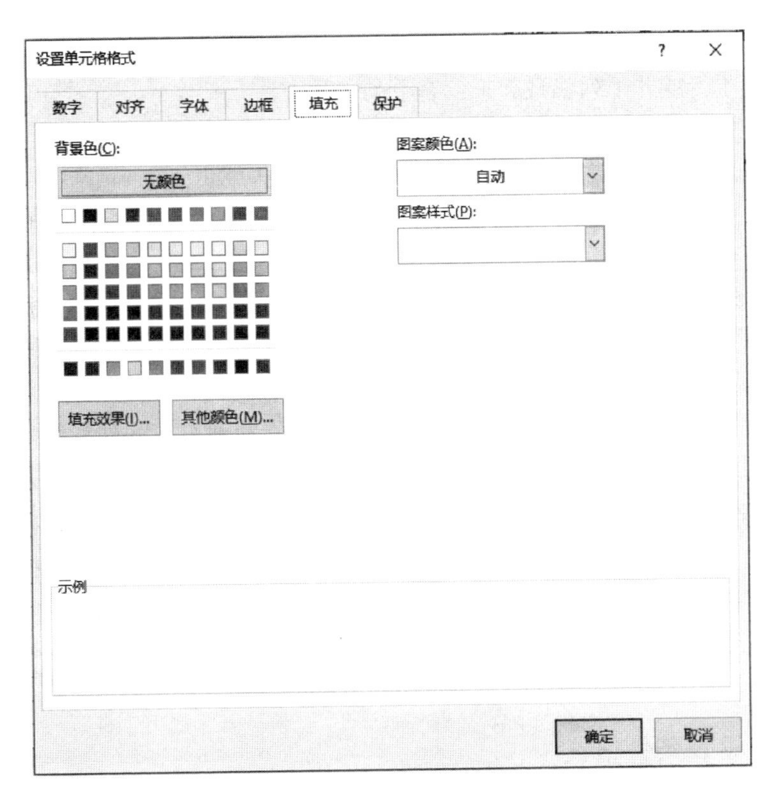

图 4-35　“设置单元格格式”对话框——“填充”选项卡

4.3.2　设置行高与列宽

1. 设置行高

设置行高一般有以下两种方法：

方法 1：将鼠标移到两个行号按钮之间，待鼠标指针变成双向箭头 ‡ 时，拖动鼠标，可以粗略地改变行高。

方法 2：选择要设置行高的若干行，单击“开始”选项卡“单元格”组中的“格式”按钮，在下拉列表中选择“行高”，打开“行高”对话框，在行高输入框中输入行高值。

若在“格式”按钮的下拉列表中选择“自动调整行高”，则不会打开“行高”对话框，而是系统自动调整各行的行高，以使单元格内容全部显示出来。

2. 设置列宽

设置列宽一般有以下两种方法：

方法 1：将鼠标移到两个列标按钮之间，待鼠标指针变成双向箭头 ‡ 时，拖动鼠标，可以粗略地改变列宽。

方法 2：选择要设置列宽的若干列，单击“开始”选项卡下“单元格”组中的“格式”按钮，在下拉列表中选择“列宽”，打开“列宽”对话框，在列宽输入框中输入列宽值。

自动调整列宽的方法与自动调整行高的方法相同。

3. 行或列的隐藏与取消

若要将若干行或若干列隐藏起来，有下列三种方法：

方法 1：将要隐藏的若干行的行高或若干列的列宽设置为数值 0。

方法 2：选择好需要隐藏的若干行或若干列，单击“开始”选项卡下“单元格”组中的“格式”按钮，在下拉列表中选择“隐藏和取消隐藏”功能，在子菜单中选择“隐藏行”或“隐藏列”。

方法 3：选择好需要隐藏的若干行或若干列，在行标或列标上单击鼠标右键，在弹出的快捷菜单中选择“隐藏”命令。

若要将隐藏的若干行或若干列重新显示出来，有下列几种方法：

方法 1：将鼠标指针移到隐藏行下方的行框线或隐藏列右边的列框线附近，当鼠标指针变为 ┼，按下鼠标左键同时向下或向右拖动即可。

方法 2：选中包含隐藏行或隐藏列在内的若干行或若干列，如第 3 行被隐藏，则选中第 2 行到第 4 行。单击“开始”选项卡下“单元格”组中的“格式”按钮，在下拉列表中执行“隐藏和取消隐藏”→“取消隐藏行”（或“取消隐藏列”）命令。

方法 3：选中包含隐藏行或隐藏列在内的若干行或若干列，在行标或列标上单击鼠标右键，在弹出的快捷菜单中选择“取消隐藏”。

4.3.3 设置条件格式

在 Excel 中，可以将满足一定条件的单元格设置为某种格式，而不满足条件的单元格格式不变。图 4-36 显示了几种不同的条件格式设置效果。

学号	姓名	政治	英语	高等数学	体育	机械制图
2005152005	农建华	62	87	75	90	↓ 74
2005152006	邝源源	80	90	95	90	↓ 79
2005152014	赵璟	75	74	61	65	⇨ 82
2005152032	王强	83	86	75	65	↓ 71
2005152037	林浩	74	85	85	90	↓ 78
2005152042	仵杰	75	90	86	90	⇨ 81
2005152044	韩昱	84	95	95	85	↓ 80
2005152046	陈曼	54	83	90	80	⇨ 87
2005152049	汪继勇	81	92	85	90	⇨ 88
2005152071	黄韬强	83	85	90	90	↓ 73
2005152076	赖国荣	83	91	90	90	⇨ 85
2005152080	莫虎	79	74	76	80	⇨ 81
2005152081	罗斌	71	68	74	90	⇨ 82
2005152083	郑宜庆	48	83	62	90	⇨ 85
2005152085	吴柱华	71	76	76	85	↓ 76
2005152086	韦光龙	72	77	74	80	⇨ 81
2005152087	曾强	90	100	85	100	↑ 100
2005152088	李俊达	90	85	90	100	↑ 100

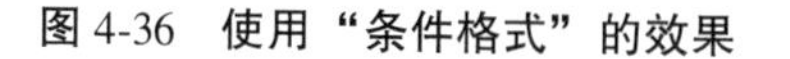

图 4-36 使用“条件格式”的效果

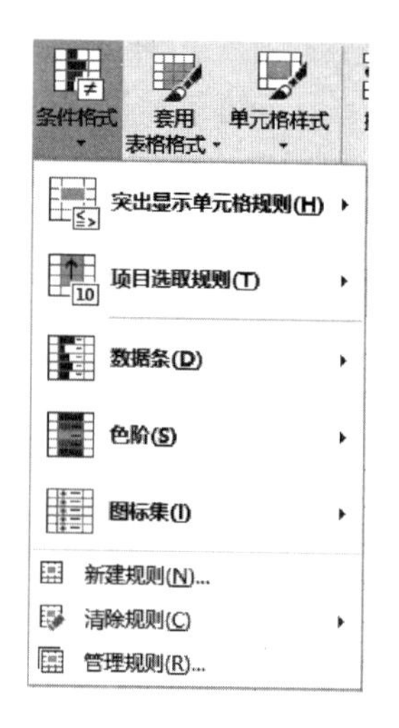

图 4-37 “条件格式”按钮的下拉列表

条件格式的设置可以通过单击“开始”选项卡下“样式”组中的“条件格式”按钮，打开如图 4-37 所示的下拉列表，其中的各项命令如下：

1. 突出显示单元格规则

当需要对某些符合特定条件的单元格设置特殊的格式时，可以使用该命令。

例如，在图 4-36 所示的表格中，将“政治”列数据小于 60 的单元格内容设置为加红色边框的字体格式，具体操作步骤如下：

第 1 步：选定“政治”列数据。

第 2 步：单击“开始”选项卡下“样式”组中的“条件格式”按钮。

第 3 步：在下拉列表中执行“突出显示单元格规则”→“小于”命令，如图 4-38(a)所示。

第 4 步：在弹出的对话框中输入数值“60”，如图 4-38(b)所示。

第 5 步：在“设置为”下拉列表中选择“红色边框”。

第 6 步：单击“确定”按钮关闭对话框。

在完成上述设置以后，单元格的格式如图 4-36 中“政治”列数据所示。如果在“设置为”下拉列表中没有需要的格式，可以选择“自定义格式”，打开“设置单元格格式”对话框，设置需要的字体、边框、填充等格式即可。

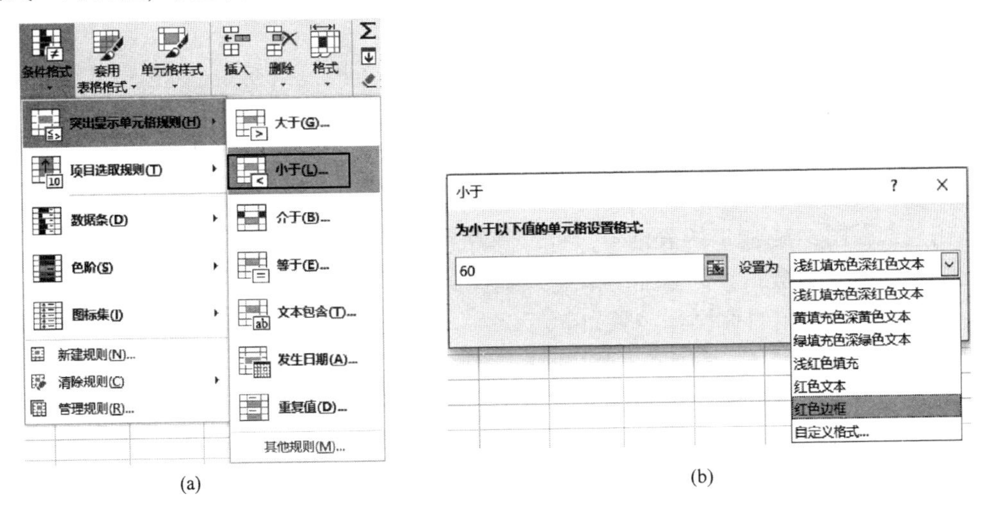

(a)　　　　　　　　(b)

图 4-38　设置条件格式——突出显示单元格规则

2. 项目选取规则

项目选取规则可以突出显示选定区域中最大或最小的一部分数据所在的单元格，可以用百分数或数字来指定，还可以指定大于或小于平均值的单元格。

例如，在图 4-36 所示的表格中，用红色底纹突出显示“英语”成绩高出平均分的单元格，具体操作步骤如下：

第 1 步：选定“英语”列单元格区域。

第 2 步：单击“开始”选项卡下“样式”组中的“条件格式”按钮。

第 3 步：在下拉列表中执行“项目选取规则”→“高于平均值”命令，如图 4-39(a)所示。

第 4 步：在弹出的对话框中，选择“设置为”下拉列表中的“自定义格式”，如图 4-39(b)所示。

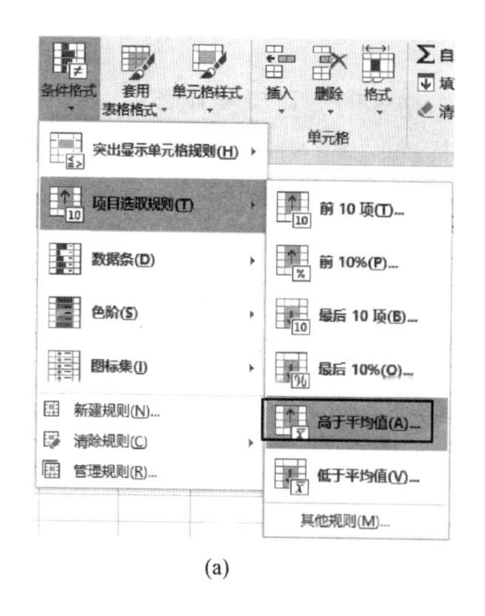

(a)

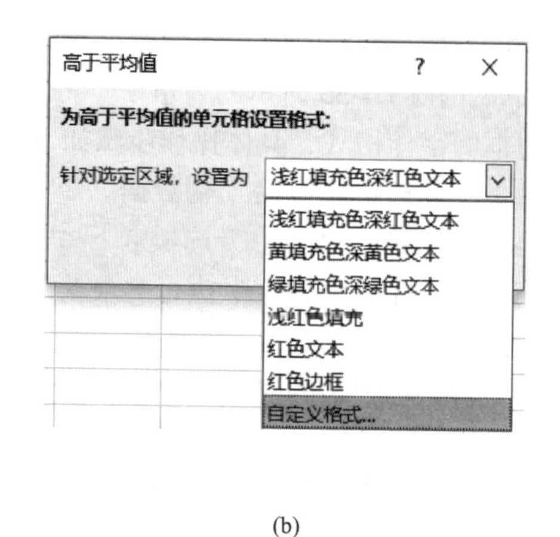

(b)

图 4-39　设置条件格式——项目选取规则

第 5 步：在“设置单元格格式”对话框中设置“背景色”为“红色”。

第 6 步：单击“确定”按钮关闭对话框。

完成上述设置后的单元格格式效果如图 4-36 中“英语”列所示。

3. 数据条

利用数据条功能，能够非常直观地查看选定区域中数值的大小情况。

例如，在图 4-36 所示的表格中，将“高等数学”列数据设置为数据条的显示方式，数据条越长，表示数值越大，具体操作步骤如下：

第 1 步：选定“高等数学”列单元格区域。

第 2 步：单击“开始”选项卡下“样式”组中的“条件格式”按钮。

第 3 步：在下拉列表中执行“数据条”→“渐变填充”→“蓝色数据条”命令，如图 4-40 所示。

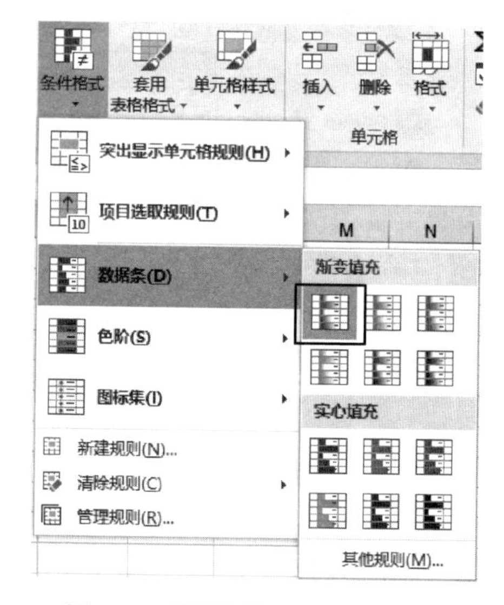

图 4-40　设置条件格式——数据条

4. 色阶

色阶功能可以利用颜色的变化表示数据值的高低，帮助用户迅速地了解数据的分布趋势。Excel 2016 提供了 12 种色阶供用户使用。

例如，在图 4-36 所示的表格中，将“体育”成绩设置为“白-绿”色阶，分数越高的单元格底纹越接近白色，分数越低的单元格底纹越接近绿色。具体操作步骤如下：

第 1 步：选定“体育”列单元格区域。

第 2 步：单击“开始”选项卡下“样式”组中的“条件格式”按钮。

第 3 步：在下拉列表中执行“色阶”→“白-绿”命令，如图 4-41 所示。

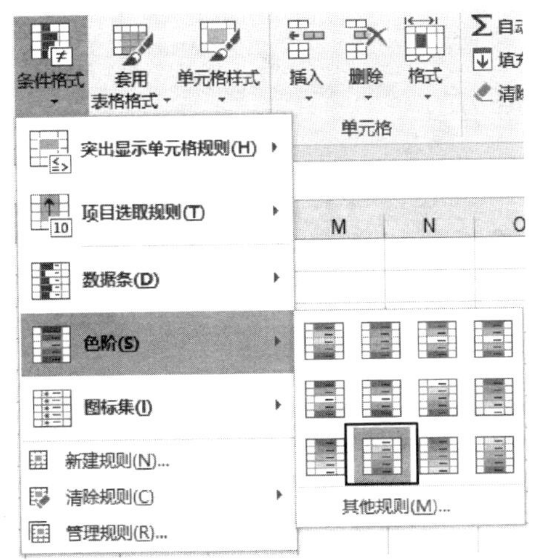

图 4-41　设置条件格式——色阶

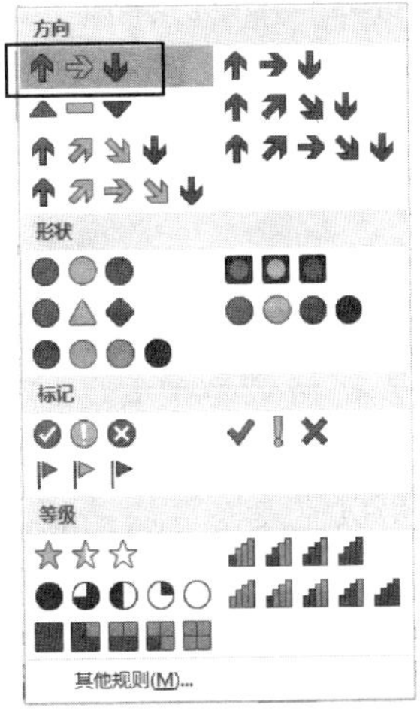

图 4-42　设置条件格式——图标集

5. 图标集

利用图标集标识数据就是把单元格内数值按照大小进行分级，然后根据不同的等级，用不同方向、形状的图标进行标识。

例如，在图 4-36 所示的表格中，将“机械制图”列数据以“三向箭头（彩色）”的图标集形式表现，具体操作步骤如下：

第 1 步：选定“机械制图”列单元格区域。

第 2 步：单击“开始”选项卡下“样式”组中的“条件格式”按钮。

第 3 步：在下拉列表中执行“图标集”→“三向箭头（彩色）”命令，如图 4-42 所示。

6. 修改和清除规则

若要修改条件格式的规则，则选择“条件格式”中的“管理规则”命令，打开“条件格式规则管理器”对话框，如图 4-43 所示。单击“编辑规则”按钮可以对现有的条件格式规则进行修改；单击“删除规则”按钮可以删除选中的条件格式规则。

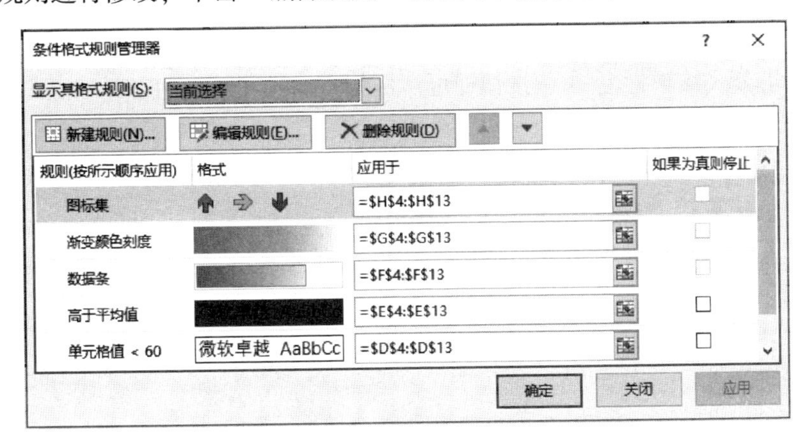

图 4-43　“条件格式规则管理器”对话框

除此以外，还可以使用“条件格式”中的“清除规则”，一次性地清除所选单元格规则或者整个工作表格式规则等。

4.3.4 套用表格格式

套用表格格式是把 Excel 中预先设置好的格式集合应用到指定的单元格区域，可以使表格更加美观，易于浏览。Excel 提供了许多外观精美的预定义的表格格式，具体操作步骤如下：

第 1 步：选中需要设置格式的表格区域。

第 2 步：单击“开始”选项卡“样式”组中的“套用表格格式”按钮 。

第 3 步：打开如图 4-44 所示的下拉列表，单击选择合适的表格格式即可。

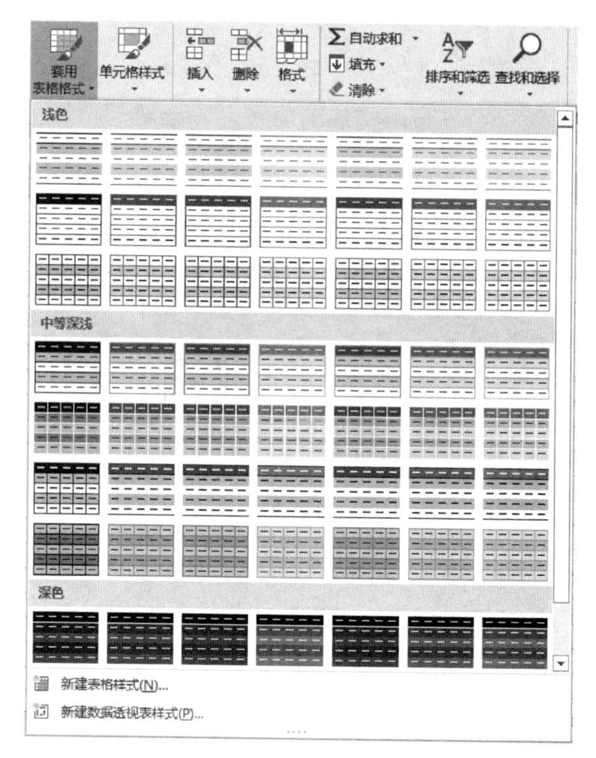

图 4-44 “套用表格格式”按钮的下拉列表

4.4 Excel 的公式与函数

4.4.1 使用公式

Excel 最突出的特点就是可以使用公式进行数据处理。公式可以由运算符、常量、单元格引用以及函数组成。

在输入公式时，必须以“=”开头。普通公式在输入完成后直接按下【Enter】键，或用鼠标单击公式编辑栏上的 按钮即可。例如，输入“=A1+B2”。

1. 运算符

Excel 中常用的运算符有数值运算符、字符运算符和关系运算符。

（1）数值运算符

数值运算符的运算对象主要是数值类型的数据。数值运算符主要有“+”、“-”、“*”、“/”和“^”。由数值运算符、数值类型的数据以及相关函数组成的数值表达式，返回结果为数值类型。

（2）字符运算符

字符运算符的运算对象为文本类型的数据，只有一种连接运算“&”，连接运算的结果类型仍为文本类型。文本类型的常量在连接运算时需要加上双引号，但纯数字文本外的引号可以省略。例如，“123” & “456” 与 123&456 的结果都为文本 123456。

(3) 关系运算符

关系运算符的运算对象是两个相同类型的数据。关系运算符包括：“=”“<>”“>”“>=”“<”“<=”。关系表达式的运算结果为逻辑型，即其值只能是“TRUE”或“FALSE”。

文本数据的大小约定为：汉字比字母大；字母比数字大；字母“A”最小，“Z”最大；同一个字母大小写相等；汉字以对应的拼音字母大小顺序为准；数字“0”最小，“9”最大。

数值数据的大小与数学中的约定相同。逻辑型数据中的“TRUE”比“FALSE”大。日期、时间的大小以转换为数值后的大小为准。

2. 单元格的引用

在公式中经常要用到工作表中的单元格或单元格区域，用于指明公式中处理的数据所处的位置。在公式中不但可以引用同一工作表中的单元格，也可以引用不同工作表中的单元格以及不同工作簿中的单元格。

单元格的引用有三种方法：相对引用、绝对引用和混合引用。默认情况下，Excel 使用相对引用。

在引用单元格区域时，可以用到引用运算符冒号“:”与逗号“,”。若有单元格区域“A1:C4”，则表示以 A1 单元格与 C4 单元格为顶点的一个矩形区域。若有单元格区域“A1,C4”，则表示只有 A1 单元格与 C4 单元格的区域。

引用运算符除了冒号与逗号之外，还有空格运算符。空格运算符的含义是求前后两个单元格区域的交集，即既包含在第一个区域中，也包含在第二个区域中的单元格区域。若两个单元格区域无重叠区域，则公式将返回“#NULL!”的错误。

(1) 相对引用

直接给出列号与行号的引用方法为相对引用，如 A1、C5 等。

(2) 绝对引用

在列号与行号的前面加符号“$”的引用方法为绝对引用，如 $A$2、$C$5 等。

(3) 混合引用

有时希望公式中的单元格地址一部分固定不变，另一部分随目标单元格的变化而自动变化，这时可以使用混合引用。混合引用有两种：行绝对列相对，如 A$1；行相对列绝对，如 $A1。

(4) 不同工作表中单元格的引用

同工作簿不同工作表间的单元格引用格式为

工作表名![$]列标[$]行号

例如，在工作表 Sheet1 的 A1 单元格中计算工作表 Sheet2 的 A1 与 A2 单元格的和的具体操作步骤如下：

第 1 步：选定工作表 Sheet1 的 A1 单元格。

第 2 步：输入公式“=Sheet2!A1+Sheet2!A2”后按下【Enter】键。

更简单的操作为：在输入公式中“=”后，用鼠标单击 Sheet2 的标签，切换到

Sheet2 工作表中。用鼠标单击 A1 单元格，然后输入“+”号，再单击 A2 单元格，最后按下【Enter】键。

（5）不同工作簿中单元格的引用

不同工作簿间的单元格引用格式为

[工作簿文件名] 工作表名! [$] 列标 [$] 行号

例如，在当前工作表中 A4 单元格统计工作簿“招生统计 . xlsx”中的 A1 和 A2 单元格数值和的具体操作步骤如下：

第 1 步：选中当前工作表 A4 单元格。

第 2 步：输入“=”，然后单击任务栏上“招生统计 . xlsx”工作簿任务按钮，单击 A1 单元格后按下“+”，再单击“招生统计 . xlsx”工作簿中的 A2 单元格，最后按下【Enter】键。

此时，在当前工作表 A4 单元格中的公式为“= [招生统计 . xlsx] Sheet1!$A$1+[招生统计 . xlsx] Sheet1!$A$2”。

引用不同工作簿中的单元格时，默认是用绝对引用，也可以在编辑栏中选定公式中单元格引用部分，然后按【F4】快捷键进行切换。

3. 公式的移动和复制

含有公式的单元格被复制后，在目标位置粘贴，真正被复制的并不是单元格的内容，而是单元格的公式。

在公式复制过程中，需要注意单元格的相对引用与绝对引用。公式中单元格地址的引用方式不同，虽然不会影响当前单元格的计算结果，但是复制该单元格的公式到目标单元格时，若是相对引用或混合引用，目标单元格的公式会有所变化；若是绝对引用，则目标单元格的公式保持不变。

例如，在图 4-45 中，如果需要计算各商品的“金额”，可以在 D2 单元格中输入公式“=B2 * C2”。当使用填充柄将 D2 单元格中的公式填充至 D8 单元格时，会发现公式变成“=B8 * C8”，这是因为使用了相对引用。也就是说，当复制一个包含相对引用的公式时，公式中的相对引用会自动调整，保持与结果单元格的相对关系不变。

	A	B	C	D	E
1	商品名称	数量	单价	金额	销售比例
2	彩色显示器	30	1100		
3	喷墨打印机	10	3800		
4	键盘	45	125.5		
5	黑白显示器	20	450		
6	打印共享器	12	132		
7	软驱	50	156		
8	鼠标	50	58.5		

图 4-45　某公司销售业绩

又如，在图 4-45 中，若需要计算每种商品的销售额占年度总销售额的比例，作为分母总销售额是固定的，无论将公式复制到或填充至什么位置，都不希望它发生改变，此时就需要使用单元格的绝对引用。操作步骤如下：

第 1 步：在 E2 单元格中输入公式“=D2/SUM（D2:D8）”。

第 2 步：在编辑栏中选中公式中的“D2:D8”，按一次【F4】快捷键，设定为绝对引用。

第 3 步：在输入完成后直接按下【Enter】键，或用鼠标单击公式编辑栏上的 ✔ 按钮。

第 4 步：设置 E2 单元格格式为百分比样式，保留一位小数。

第 5 步：使用 E2 单元格右下角的填充柄，将公式填充至 E8 单元格。

当拖动填充柄完成填充后，在填充区域的右下角会出现“自动填充选项”智能标记。单击智能标记会弹出一个智能标记选项，如图 4-46 所示。可以在此选项中选择拖动填充柄后要执行的操作。需要注意的是，此选项的菜单内容是动态变化的。

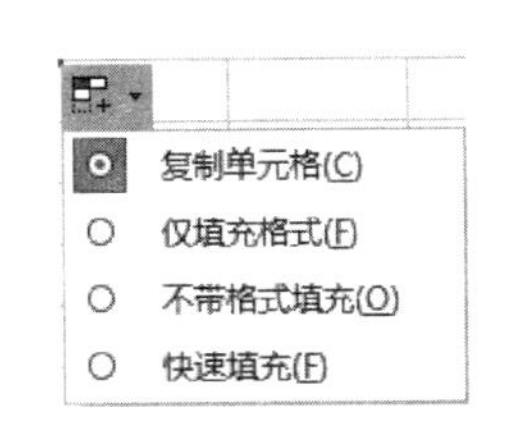

图 4-46　智能标记选项

4.4.2　使用函数

Excel 中提供了很多类函数，如数学和三角函数、日期和时间函数、逻辑函数、文本函数、查找与引用函数、统计函数、数据库函数等。

1. 函数的形式

Excel 函数是预先定义好的表达式。每个函数包括函数名和参数，一般形式为

函数名（参数列表）

其中函数名决定了函数的功能和用途，函数名的大小写等价。函数参数提供了函数执行相关操作的数据来源或依据。一个函数可以使用多个参数，参数与参数之间使用西文逗号进行分隔。参数可以是常量、逻辑值、数组、错误值或单元格引用，甚至可以是另一个或几个函数。

2. 插入函数

插入函数有以下三种方法：

方法 1：手工输入。

在编辑栏中手工输入函数，前提是用户必须熟悉函数名的拼写、函数参数的类型、次序以及含义。

方法 2：使用“插入函数”按钮。

为方便用户输入函数，Excel 提供了函数向导功能，单击编辑栏上的“插入函数”按钮 *fx* 或单击“公式”选项卡中的“插入函数”按钮 *fx* 打开“插入函数”对话框（图 4-47）。

在该对话框中的“或选择类别”下拉列表中选择所需要的函数类型，单击“选择函数”列表中所需要的函数名，单击“确定”按钮，出现“函数参数”对话框，如图 4-48 所示。由于不同函数的参数个数或类型都会有所不同，因此“函数参数”对话框内容也不尽相同（个别函数没有参数，故不会出现“函数参数对话框”，如 Now 函数）。分别输入各个参数后，单击“确定”按钮即可。

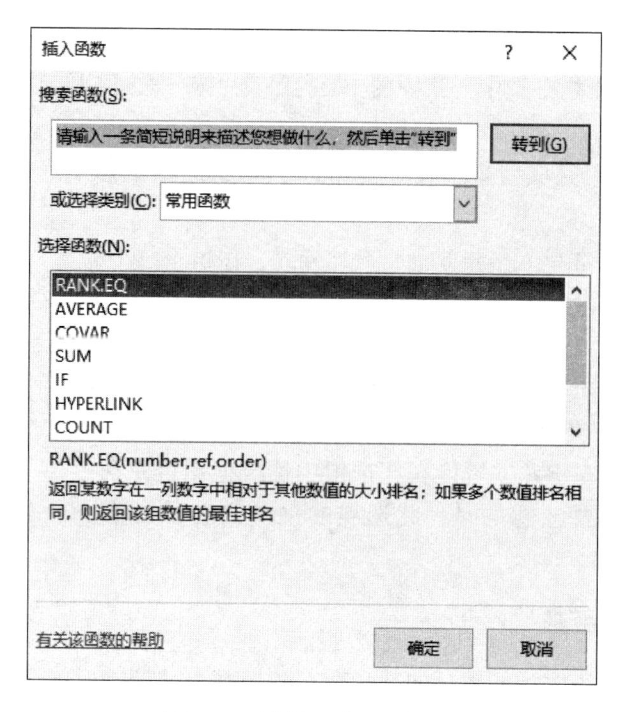

图 4-47 “插入函数”对话框

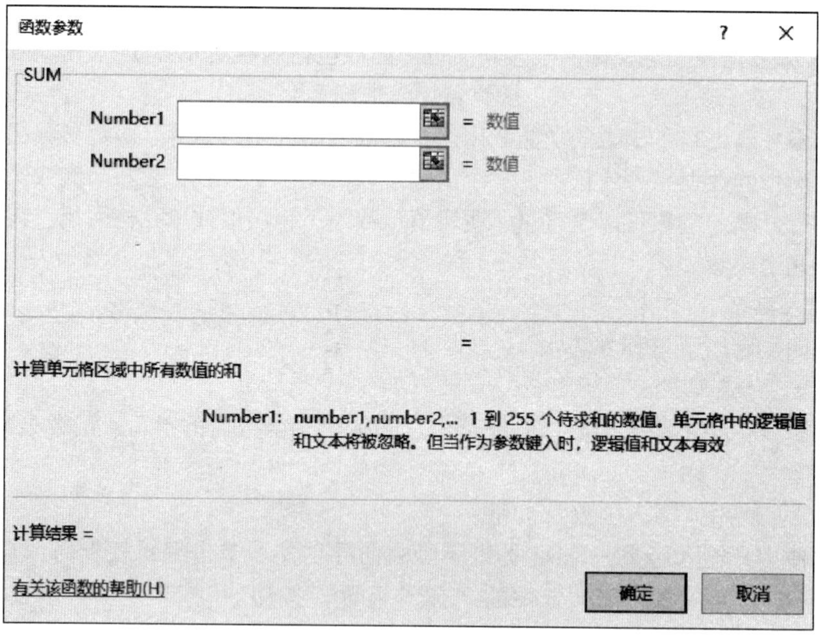

图 4-48 “函数参数”对话框

方法 3：使用功能区快捷函数按钮。

Excel 2016 将不同类别的函数封装成了不同的按钮，放置在“公式”选项卡下的“函数库”组中。用户可以选择不同类别的函数按钮，在下拉列表中选择需要的函数，即可打开对应的函数对话框，设置函数参数即可。

3. 函数嵌套

一个函数作为另一个函数的参数，叫函数的嵌套。Excel 的函数最多可嵌套七层。在进行函数嵌套时，一定要注意参数的配对，否则会导致函数使用错误。

4.4.3 常用函数介绍

1. SUM 函数

语法：SUM（参数 1，参数 2，…）

功能：求各参数之和。

例如，在图 4-49 所示的表格中，计算“总计”列数据，操作步骤如下：

	A	B	C	D	E	F
1	销售地区	交换机	电话机	传真机	电脑	总计
2	华东地区	100	50	80	77	
3	华南地区	200	67	100	68	
4	西北地区	75	40	30	43	
5	华北地区	34	20	18	30	

图 4-49　销售统计表

第 1 步：选中 F2 单元格。

第 2 步：在“公式”选项卡“函数库”组中单击“自动求和”按钮。

第 3 步：Excel 在 F2 单元格中自动添加了 SUM 函数：“=SUM（B2:E2）”，其中的参数 B2:E2 为默认的求和范围，可以根据需要用拖动鼠标的方式重新选择求和的范围。

第 4 步：完成后直接按下【Enter】键，或用鼠标单击公式编辑栏上的 ✔ 按钮。

2. AVERAGE 函数

语法：AVERAGE（参数 1，参数 2，…）

功能：求各参数的平均值。

3. MAX 函数

语法：MAX（参数 1，参数 2，…）

功能：求若干参数中的最大值。

4. MIN 函数

语法：MIN（参数 1，参数 2，…）

功能：求若干参数中的最小值。

5. COUNT 函数

语法：COUNT（参数 1，参数 2，…）

功能：统计参数中数值数据的个数，非数值数据与空单元格不计算在内。

6. COUNTA 函数

语法：COUNTA（参数 1，参数 2，…）

功能：统计参数中非空白单元格的个数。与 COUNT 函数相比，COUNTA 函数在计算单元格个数时，将所有数值型和非数值型单元格都计算在内。

7. COUNTBLANK 函数

语法：COUNTBLANK（参数 1，参数 2，…）

功能：统计参数中空白单元格的个数。

8. COUNTIF 函数

语法：COUNTIF（条件区域，条件）

功能：统计条件区域中满足指定条件的单元格的个数。

COUNT、COUNTA 和 COUNTIF 函数的示例如图 4-50 所示。在“应考人数”中使用了 COUNTA 函数，将 D5 单元格的“缺考”也计算在内，而“实考人数”中使用 COUNT 函数，则不计算 D5 单元格。

	A	B	C	D	E
1	学号	姓名	性别	语文	
2	2008060301	王勇	男	89	
3	2008060302	刘田田	女	78	
4	2008060303	李冰	女	80	
5	2008060304	任卫杰	男	缺考	
6	2008060305	吴晓丽	女	90	
7	2008060306	刘唱	男	67	
8	2008060307	王强	男	88	
9	2008060308	马爱军	男	95	
10	2008060309	张晓华	女	67	
11	2008060310	朱刚	男	94	
12					
13	应考人数：	10	=COUNTA(D2:D11)		
14	实考人数：	9	=COUNT(D2:D11)		
15	85分以上人数：	5	=COUNTIF(D2:D11,">=85")		

图 4-50 函数示例

例如，统计图 4-51 所示的某班成绩表中各等级的人数及比例，结果以百分比样式显示，保留一位小数。

	A	B	C	D	E	F	G
1	学号	姓名	分数	等级	等级	人数	比例
2	02051101	赵江一	88	良好	优秀		
3	02051102	万春	67	及格	良好		
4	02051103	李俊	48	不及格	中等		
5	02051104	石建飞	85	良好	及格		
6	02051105	李小梅	70	中等	不及格		
7	02051106	祝燕飞	75	中等			
8	02051107	周天添	92	优秀			
9	02051108	伍军	63	及格			
10	02051109	付云霞	76	中等			
11	02051110	费通	79	中等			
12	02051111	李立扬	73	中等			
13	02051112	钱明明	85	良好			
14	02051113	程坚强	78	中等			
15	02051114	叶明放	86	良好			
16	02051115	黄永抗	63	及格			

图 4-51 某班成绩表

具体操作步骤如下：

第 1 步：选中 F2 单元格，选择“公式”选项卡下“函数库”组中的“其他函数”

按钮，在下拉列表中执行“统计”→“COUNTIF”命令，打开 COUNTIF 函数的“函数参数”对话框。

第 2 步：“函数参数”对话框的参数设置如图 4-52 所示。

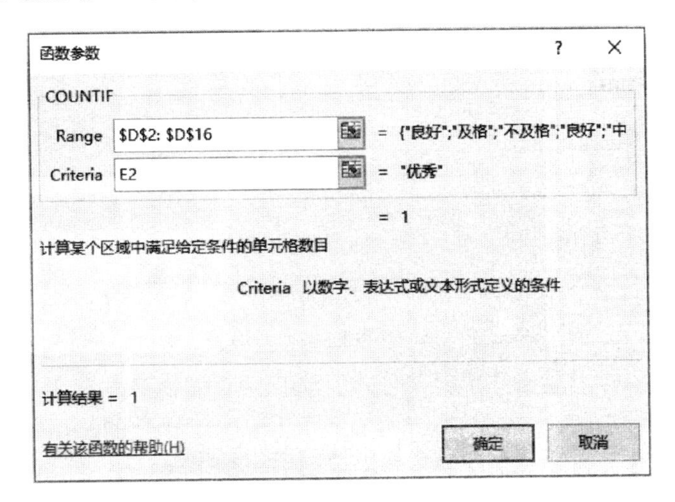

图 4-52　COUNTIF 函数参数对话框

注意：在“Range”参数中一定要选中 D2:D16 单元格区域，再使用快捷键【F4】进行绝对引用，否则在使用填充柄向下填充数据时，将会出现错误。

第 3 步：单击“确定”按钮关闭“函数参数”对话框，此时 F2 单元格中的公式为“=COUNTIF($D$2:$D$16,E2)”。

第 4 步：拖动 F2 单元格的填充柄至 F6 单元格。

第 5 步：选中 G2 单元格，输入公式“= F2/SUM ($F$2:$F$6)”后按下【Enter】键。

第 6 步：选中 G2 单元格，单击“开始”选项卡下“数字”组中的百分比样式按钮，再单击增加小数位数按钮，设置数据显示一位小数。

第 7 步：拖动 G2 单元格的填充柄至 G6 单元格。

9. IF 函数

语法：IF（条件，表达式 1，表达式 2）

功能：若条件成立则返回表达式 1 的结果，否则返回表达式 2 的结果。

10. SUMIF 函数

语法：SUMIF（条件区域，条件［，求和区域］）

功能：条件区域中的单元格若满足指定的条件，则计算相应求和区域中的单元格的总和。若求和区域缺省，则表示求和区域与条件区域为同一区域。

例如，计算图 4-53 所示的表格中每次交易的销售额，并计算每种商品的总销售额和业绩评价。评价方法为：总销售额在 30 000 元及以上的为“优秀”，在 10 000 元及以上的为“一般”，其他均为“较差”。具体操作步骤如下：

	A	B	C	D	E	F	G	H	I
1	序号	品种	单价	销售数量	销售额		品种	总销售额	业绩评价
2	1	MP3	¥576.00	5			MP3		
3	2	硬盘	¥1,234.00	9			硬盘		
4	3	显示器	¥773.00	2			显示器		
5	4	硬盘	¥869.00	3			音箱		
6	5	MP3	¥456.00	9					
7	6	MP3	¥575.00	8					
8	7	显示器	¥870.00	2					
9	8	硬盘	¥1,130.00	16					
10	9	音箱	¥456.00	9					

图 4-53　某公司销售情况表

第 1 步：选中 E2 单元格，输入公式“=C2*D2”后按下【Enter】键。

第 2 步：拖动 E2 单元格右下角的填充柄至 E10 单元格。

第 3 步：选中 H2 单元格，单击“公式”选项卡下“函数库”组中的“数学和三角函数”按钮，在下拉列表中选择“SUMIF”，打开 SUMIF 函数的“函数参数”对话框。

第 4 步：“函数参数”对话框的参数设置如图 4-54 所示，注意其中单元格区域的绝对引用部分。

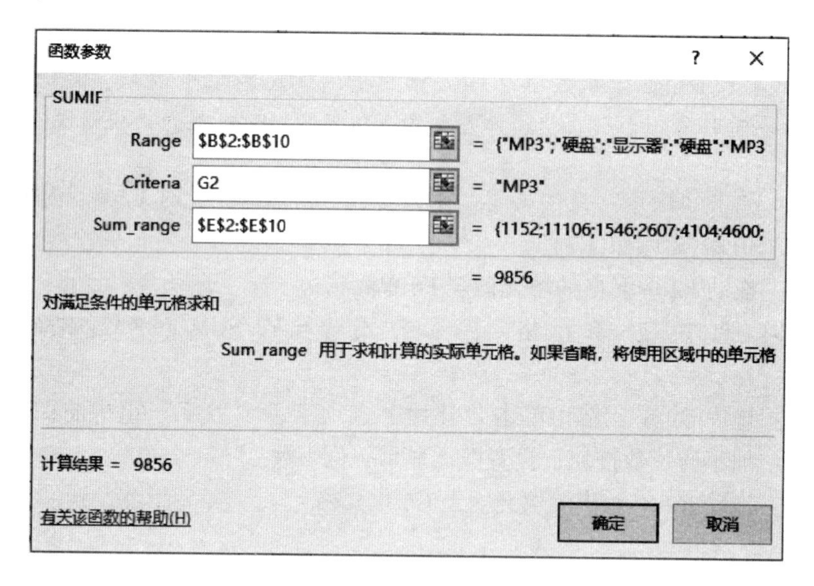

图 4-54　SUMIF 函数参数对话框

第 5 步：单击“确定”按钮关闭“函数参数”对话框，此时 H2 单元格中的公式为“=SUMIF($B$2:$B$10,G2,$E$2:$E$10)”。

第 6 步：拖动 H2 单元格的填充柄至 H5 单元格。

第 7 步：选中 I2 单元格，单击“公式”选项卡下“函数库”组中的“逻辑”按钮，在下拉列表中选择“IF”，打开 IF 函数的“函数参数”对话框。

第 8 步：“函数参数”对话框的参数设置如图 4-55 所示。

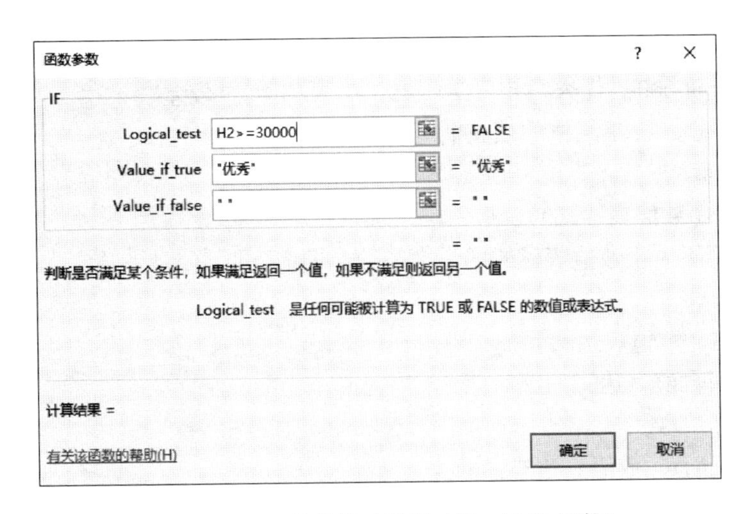

图 4-55　IF 函数参数对话框（第一层 IF 函数）

注意：在“Value_if_false”参数文本框中，一定要输入一对英文状态下的双引号，否则第二层嵌套的 IF 函数将不能使用“函数参数”对话框来进行设置。

第 9 步：单击“确定”按钮后，选中 I2 单元格，在编辑栏中选中 IF 函数的第三个参数，如图 4-56 所示。

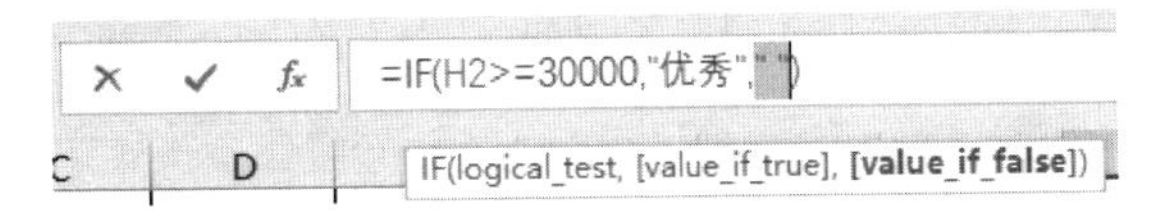

图 4-56　选中 IF 函数的第三个参数

第 10 步：再次单击“公式”选项卡下“函数库”组中的“逻辑”按钮，在下拉列表中选择“IF”，打开 IF 函数的“函数参数”对话框。

第 11 步：“函数参数”对话框的参数设置如图 4-57 所示。

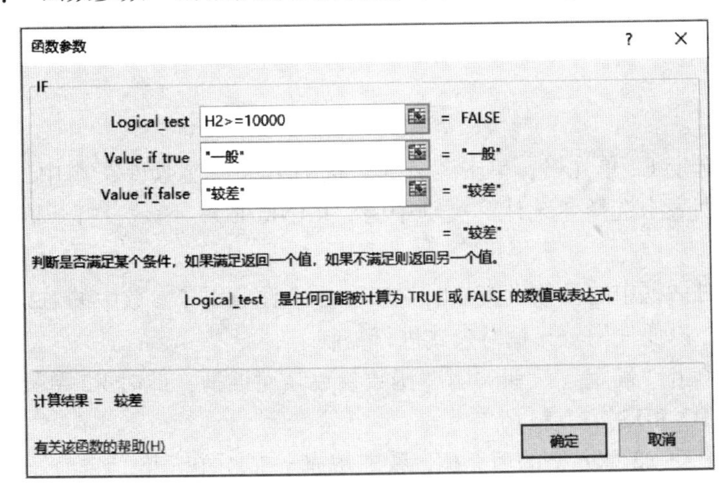

图 4-57　IF 函数参数对话框（第二层 IF 函数）

第 12 步：单击“确定”按钮关闭“函数参数”对话框，此时 H2 单元格中的公式为“=IF(H2>=30000,"优秀",IF(H2>=10000,"一般","较差"))”。

第 13 步：拖动 I2 单元格的填充柄至 I5 单元格。

11. INT 函数

语法：INT（数值表达式）

功能：返回不大于数值表达式的最大整数，即向下取整。

12. ABS 函数

语法：ABS（数值表达式）

功能：返回数值表达式的绝对值。

13. ROUND 函数

语法：ROUND（数值表达式，n）

功能：对数值表达式四舍五入，返回精确到小数点后第 n 位的结果。n>0 表示保留 n 位小数；n=0 表示只保留整数部分；n<0 表示在整数部分从右到左的第 n 位上四舍五入。

14. RANK. EQ 函数

语法：RANK. EQ（待排数据，数据区域［，n］）

功能：该函数对应于 Excel 2003 中的 RANK 函数，返回待排数据在数据区域中的序号。缺省 n 或 n=0，表示降序排列；若 n 为非 0 的值，表示按升序排序。

例如，在图 4-58 所示的成绩表中，根据“语文”列的数据，按照从高分到低分的顺序，填入学生的名次。操作步骤如下：

	A	B	C	D	E
1	学号	姓名	性别	语文	名次
2	2016060301	王勇	男	89	3
3	2016060302	刘田田	女	78	7
4	2016060303	李冰	女	80	5
5	2016060304	任卫杰	男	80	5
6	2016060305	吴晓丽	女	40	10
7	2016060306	刘唱	男	67	8
8	2016060307	王强	男	88	4
9	2016060308	马爱军	男	95	1
10	2016060309	张晓华	女	45	9
11	2016060310	朱刚	男	94	2

图 4-58　成绩表

第 1 步：选定 E2 单元格，单击“公式”选项卡下“函数库”组中的“其他函数”按钮，在下拉列表中选择“统计”类别中的“RANK. EQ”函数，打开该函数的参数对话框。

第 2 步：对话框中的参数设置如图 4-59 所示。注意 Ref 参数中的 D2:D11 单元格区域要绝对引用，以便使用填充柄对公式进行复制。

第 3 步：单击“确定”按钮关闭“函数参数”对话框，此时 E2 单元格中的公式为“=RANK. EQ(D2,$D$2:$D$11)”。

第 4 步：拖动 E2 单元格的填充柄，快速填充至 E11 单元格。

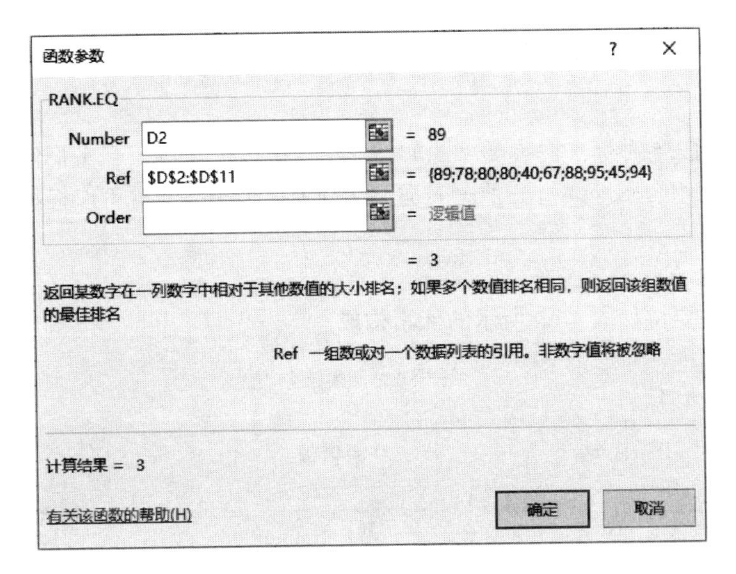

图 4-59　RANK. EQ 函数参数对话框

4.4.4　关于错误信息

在单元格中输入或编辑公式后，有时会出现诸如#NAME?或#VALUE!等错误信息。错误信息一般以“#”开头，常见的错误信息及其产生的原因见表 4-3。

表 4-3　常见错误信息

错误信息	原因
#DIV/0!	被除数为 0
#N/A	公式中引用了无法使用的数值
#NAME?	不能识别的名称
#NULL!	为两个不相交的区域设置交叉点
#NUM!	公式中某个数值出现问题
#REF!	引用的单元格不存在
#VALUE!	公式中的参数出现错误
########	单元格宽度不够，或日期、时间中出现负值

4.5　图表操作

使用 Excel 中便捷的图表生成技术，用户可以根据工作表中的数据方便地生成各种直观的图表。利用这些图表可以对数据的变化情况、变化周期、变化幅度和发展趋势有一个形象直观的了解。

4.5.1 图表的类型及元素

1. 图表类型

Excel 提供了 15 种标准图表类型，如柱形图、折线图、饼图、条形图、面积图、雷达图、直方图、组合图等。每一种图表类型又分为多个子类型，可以根据需要选择不同的图表类型。

2. 图表元素

一个图表主要由如图 4-60 所示的元素构成。

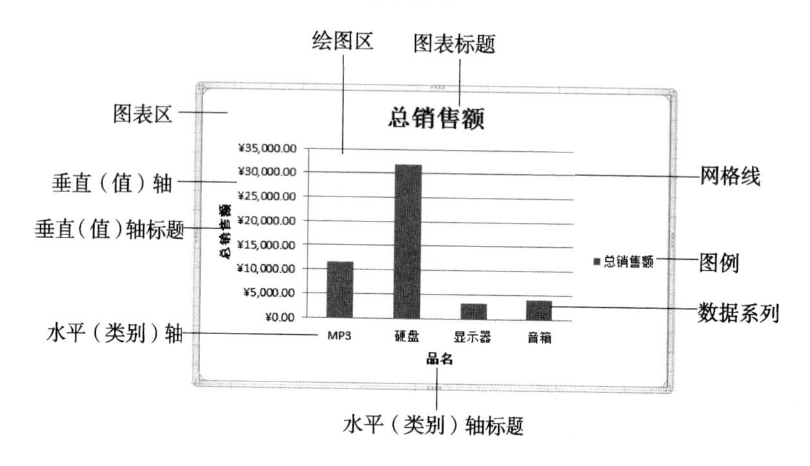

图 4-60 图表的构成

(1) 图表标题

描述图表的名称，默认在图表的顶端。

(2) 坐标轴

坐标轴分为水平（类别）轴与垂直（值）轴。

(3) 图例

包含图表中相应的数据系列的名称和数据系列在图中的颜色。

(4) 绘图区

以坐标轴为界的图形绘制区域。

(5) 数据系列

工作表中选定区域的一行或一列数据。

(6) 网格线

从坐标轴刻度延伸出来并贯穿整个绘图区的线条。

4.5.2 创建图表

根据工作表中已有的数据列表创建图表有两种方法：

方法 1：使用快捷键。操作步骤如下：

第 1 步：选中要创建图表的源数据区域（若只是单击数据列表中的一个单元格，则系统自动将紧邻该单元格的包含数据的所有单元格作为源数据区域）。

第 2 步：按快捷键【F11】，即可基于默认图表类型（柱形图）迅速创建一张新工作表，用来显示建立的图表（图表与源数据不在同一个工作表中）；或者使用【Alt】+【F1】组合键，在当前工作表中创建一个基于默认图表类型（柱形图）的图表。

方法 2：使用“插入”选项卡的按钮。具体操作步骤如下：

第 1 步：选中要创建图表的源数据区域。

第 2 步：在“插入”选项卡下的“图表”组中选择需要的图表按钮，如图 4-61 所示。

第 3 步：在打开的子类型中，选择需要的图表类型，“柱形图”的子类型如图 4-61 所示，即可在当前工作表中快速创建一个嵌入式图表。也可以单击右下角的对话框启动器按钮，打开如图 4-62 所示的“插入图表”对话框，在该对话框中选择合适的图表类型后，单击“确定”按钮即可。

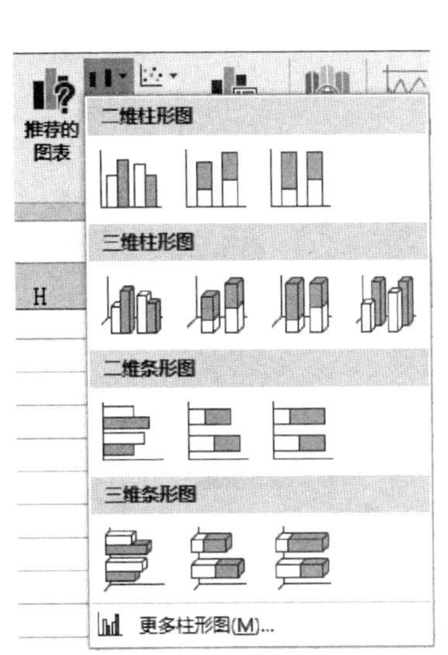

图 4-61 “图表”组的按钮

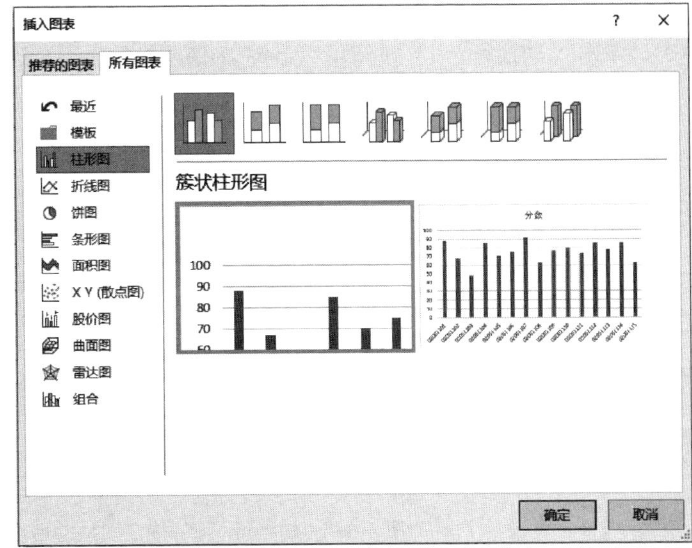

图 4-62 “插入图表”对话框

4.5.3 编辑图表

图表创建好了之后，对图表中的各个元素进行必要的修改与装饰，可使图表更美观。

双击图表元素，弹出与该图表项相关的属性设置对话框，可以在属性设置对话框中修改图表元素的属性。

选中创建好的图表后，会动态增加“图表工具-设计”和“图表工具-格式”两个选项卡，提供了对图表的布局、类型、格式等方面的设置。

1. “图表工具-设计”选项卡

在“图表工具-设计”选项卡中，可以更改图表类型、图表数据源、图表布局、图表区格式和图表位置等，如图 4-63 所示。

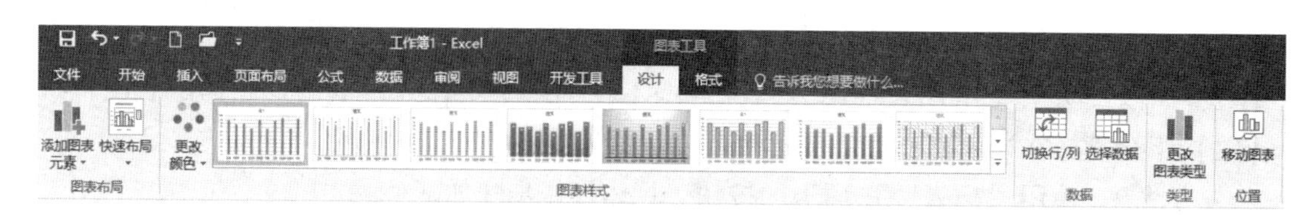

图 4-63 “图表工具-设计”选项卡

(1)“更改图表类型”按钮

单击“类型”组中的“更改图表类型”按钮，将弹出“更改图表类型”对话框，该对话框与图 4-62 所示的“插入图表”对话框一致，选择需要的图表类型即可改变图表类型。

也可以在图表区空白处右击，在弹出的快捷菜单中选择“更改图表类型”命令，同样可以弹出“更改图表类型”对话框。

(2)“切换行/列”按钮

单击“切换行/列”按钮可以将图表中的水平（类别）轴与图例进行切换，如图 4-64 所示为切换前后的效果。

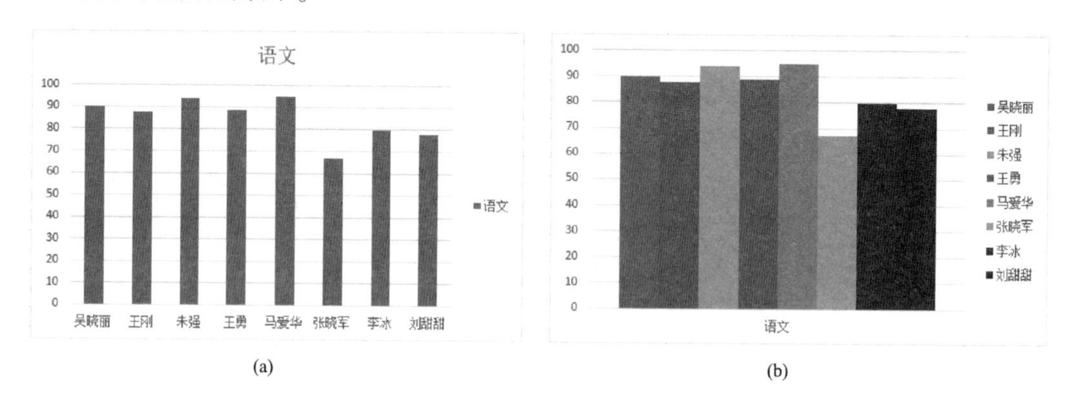

(a) (b)

图 4-64 “切换行/列”按钮切换前后效果对比

(3)“选择数据”按钮

单击“选择数据”按钮可以打开“选择数据源”对话框，如图 4-65 所示。在该对话框的“图表数据区域”中可以重新选择生成图表的数据源。“切换行/列”按钮也可以切换图例与水平（类别）轴中的数据。

在左侧“图例项”中可以修改图例，最常见的操作是更改图例显示的名称。例如，在图 4-64（a）的图表中，要将图例名称设置为“成绩”，则在图 4-65 的“图例项”中选中“语文”，单击“编辑”按钮打开“编辑数据系列”对话框，如图 4-66 所示，在“系列名称”选择框中输入“成绩”后单击“确定”按钮即可。

(4)“图表布局”组

在“图表布局”组中根据不同的图表类型，提供了若干种不同的布局方式，对图表各元素如图表标题、图例、坐标轴、数据系列、网格线等进行了预定义。通过选择不同的布局方式，可以设置图表的外观。图 4-67 显示了“布局 4”的图表效果，图 4-68 显示了“布局 5”的图表效果。

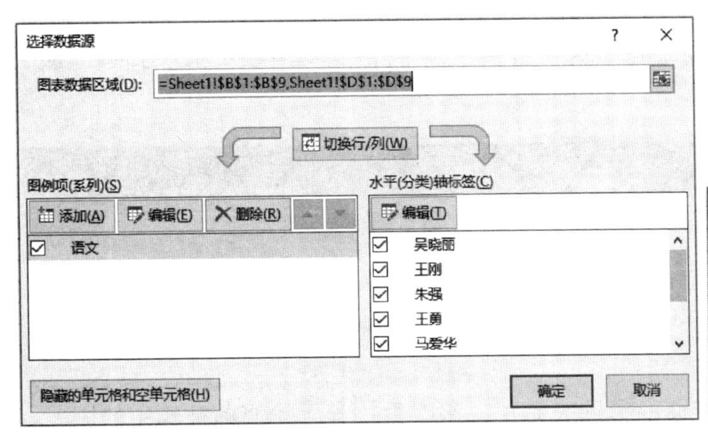

图 4-65　“选择数据源”对话框

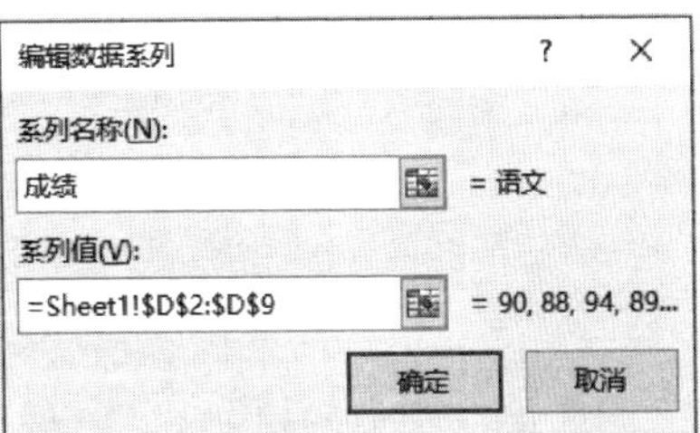

图 4-66　“编辑数据系列”对话框

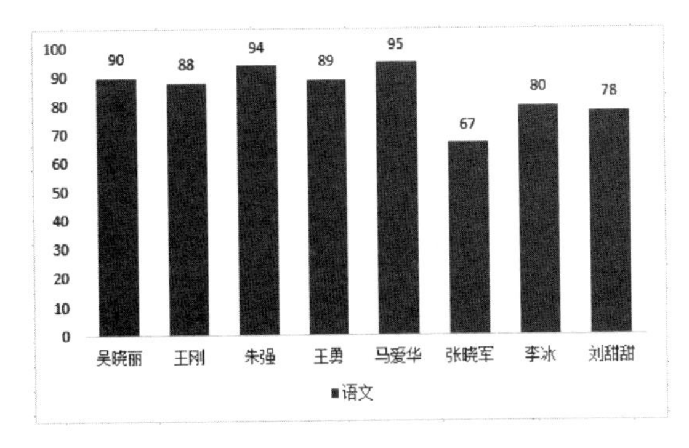

图 4-67　“布局 4”的图表效果

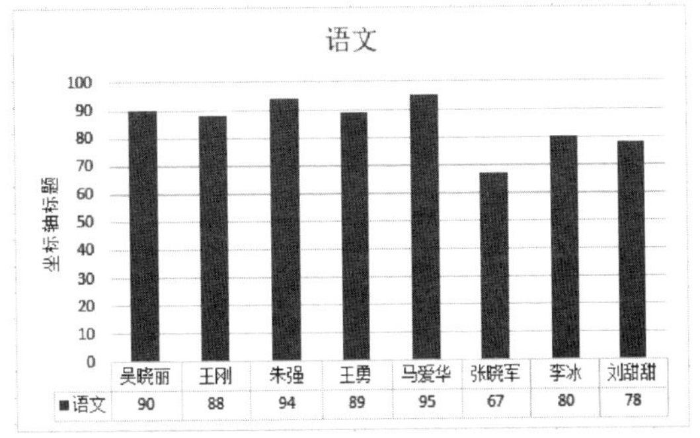

图 4-68　“布局 5”的图表效果

（5）“图表样式”组

在“图表样式”组中提供了 16 种不同的图表样式，选择不同的样式，可以设置数据系列、图表区背景、绘图区背景等图表外观格式。

（6）“移动图表”按钮

单击“移动图表”按钮会打开如图 4-69 所示的“移动图表”对话框，用于设置图表的位置。

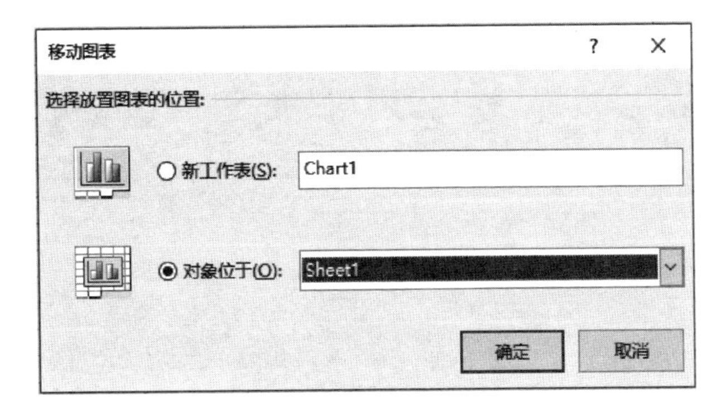

图 4-69　“移动图表”对话框

2. “图表工具-格式”选项卡

在“图表工具-格式”选项卡中，可以修改图表的标题、图例、坐标轴等，如图 4-70 所示。

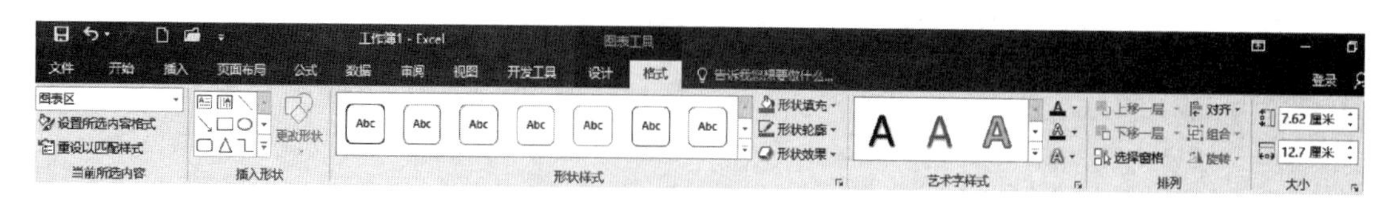

图 4-70 “图表工具-格式”选项卡

(1)“设置所选内容格式”按钮

在“当前所选内容”组最上面的“图表元素”组合框中显示了当前被选中的图表元素，也可以通过单击下拉按钮打开组合框的下拉列表，在下拉列表中选择需要设置格式的图表元素。单击“设置所选内容格式”按钮，将打开一个窗格来设置“图表元素”组合框中对象的格式。在“设置图表区格式”窗格中选择“图表选项”后如图 4-71（a）所示，下方出现“填充与线条”按钮、“效果”按钮和“大小属性”按钮，可以分别设置相应的格式。选择“文本选项”后如图 4-71（b）所示，下方出现“文本填充与轮廓”按钮、“文字效果”按钮和“文本框”按钮，可以分别设置相应的格式。其他对象的格式设置窗格与此相似。

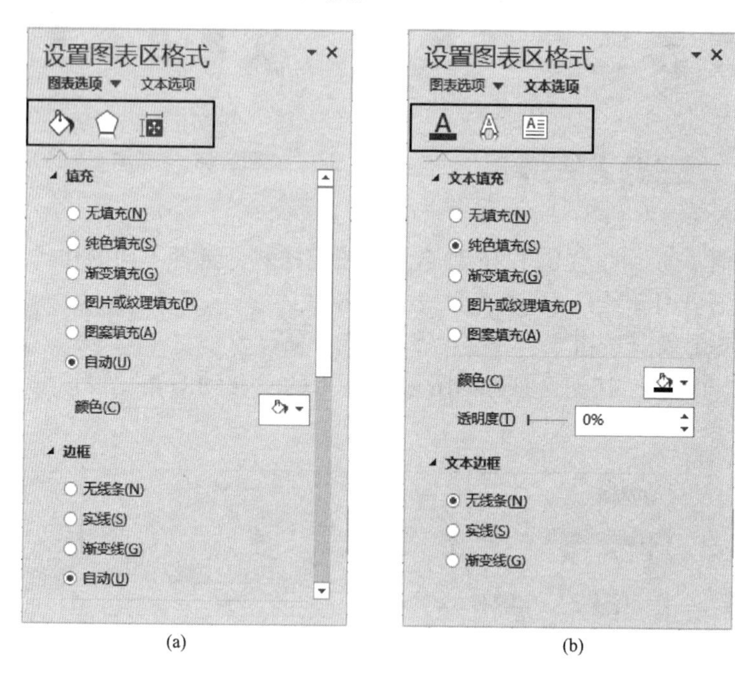

图 4-71 “设置图表区格式”窗格

注意：在图表中对应元素上双击，也可以弹出该元素对应的格式设置窗格。

(2)“插入形状”组

“格式”选项卡“插入形状”组，可用于在图表区中插入需要的形状或者文本框。具体操作与 Word 中类似，在此不再赘述。

(3)“形状样式”组

在“形状样式”组中预设了多种样式，如图 4-72 所示。选择图表中的某个元素后，可以直接设置合适的预设样式，也可以通过右侧的三个下拉按钮，设置需要的自定义样式。

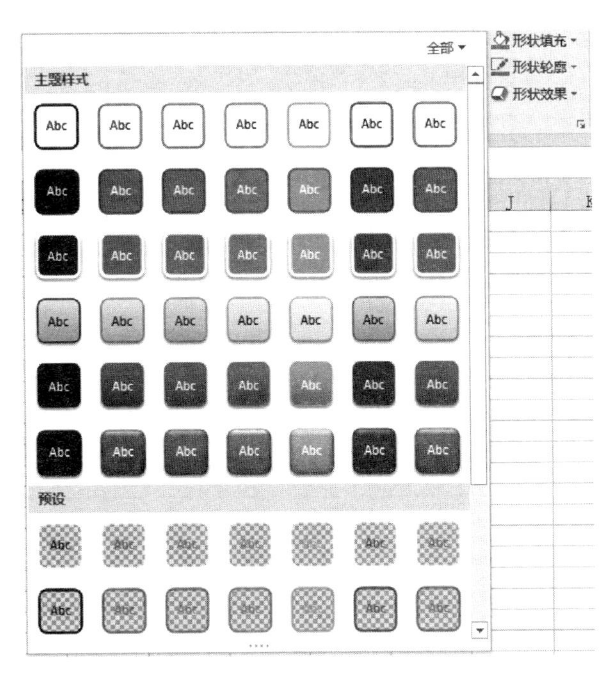

图 4-72　“形状样式”组

4.6　数据管理

Excel 提供了强大的数据库管理功能，准确地说，是以管理数据库的方式来管理数据。不仅能够通过记录单来增加、删除、移动和查询数据，还可以按照数据库的管理方式对数据列表进行排序、筛选、分类汇总、统计和建立数据透视表等操作。

4.6.1　数据列表与记录单

1. 数据列表

数据列表是指包含一组相关数据的若干工作表数据行。数据列表的有关概念以及一些约定如下：

① 每个数据列表相当于一张二维表，由标题行（表头）和数据两部分组成。

② 数据列表中的每一列称为一个字段，用于存放相同类型的数据。标题行中的每一项即为字段名。

③ 数据列表中的每一行称为一个记录，存放一组相关的数据。

④ 一个数据列表最好单独占用一张工作表。

⑤ 一张数据列表中应该避免出现空行或空列。

2. 创建数据列表

创建数据列表的一般步骤如下：

第 1 步：选定当前工作簿中某张工作表来存放要创建的数据列表。

第 2 步：在数据列表的第一行输入各列的字段名。

第 3 步：输入各记录的内容。

第 4 步：设定数据列表的格式。

第 5 步：保存数据列表。

3. 使用记录单编辑数据列表

数据列表中的数据行可单击单元格直接编辑，但是当数据量较大时，频繁在行列之间切换，很容易出错，因此可以选择使用记录单来编辑数据。记录单是数据列表的一种管理工具，使用记录单不仅可以向数据列表中添加数据，还可以修改、删除、移动和查询数据记录。

使用记录单编辑数据列表的具体操作步骤如下：

第 1 步：在“文件”选项卡中，单击“选项”命令，打开“Excel 选项”对话框。

第 2 步：在对话框左侧选择“快速访问工具栏”，如图 4-73 所示。

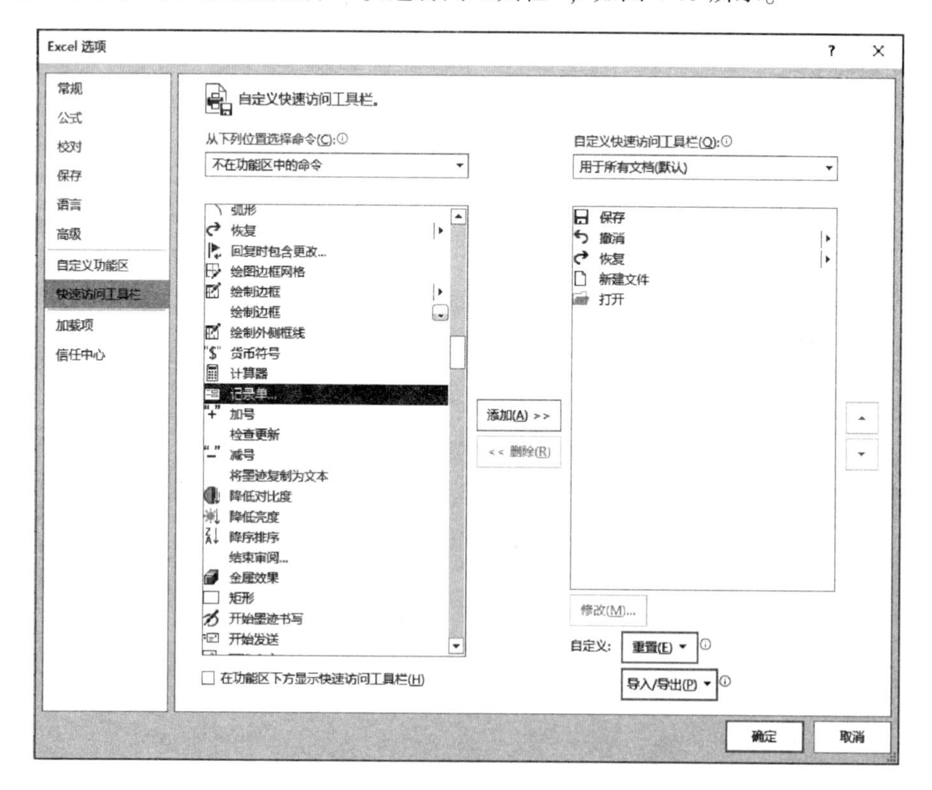

图 4-73 “Excel 选项”对话框

第 3 步：在“从下列位置选择命令”下拉列表中选择“不在功能区中的命令”。

第 4 步：在下方的列表中选择“记录单”命令，单击“添加”按钮。

第 5 步：单击“确定”按钮关闭对话框，在 Excel 的快速访问工具栏中添加了“记录单”按钮 。

第 6 步：选中数据列表中任意一个单元格，单击“记录单”按钮，打开如图 4-74 所示的对话框。

第 7 步：在对话框中，对数据进行编辑即可。

在记录单对话框中，单击“上一条”或“下一条”按钮可浏览数据列表中的各行数据；单击“删除”按钮则可删除当前正在查看的一条记录。

> 注意：使用记录单删除的数据，不能通过“撤消”命令恢复，所以在删除时需小心谨慎。

图 4-74 “Sheet1”记录单对话框

若要修改数据，则直接在文本框中编辑修改，然后单击“关闭”按钮，退出记录单对话框之后可以看到修改的效果；在修改的过程中，若要取消修改并恢复原始数据，单击“还原”按钮即可。

4. 使用记录单查找数据

当数据量很大时，可以使用记录单的“条件”按钮实现快速查找。具体操作步骤如下：

第 1 步：选中数据列表中任一单元格，单击“记录单”按钮，打开如图 4-74 所示的对话框。

第 2 步：单击“条件”按钮，此时文本框中各项内容被自动清除，“条件”按钮变为“表单”按钮，如图 4-75 所示。

第 3 步：选择某一个字段项输入查询条件，例如，在“姓名:”文本框中输入“李冰”。

第 4 步：单击“表单”按钮，系统将查找出所有姓名为“李冰”的记录。

第 5 步：若查找结果为多条记录，则可单击“上一条”或“下一条”按钮逐一浏览。

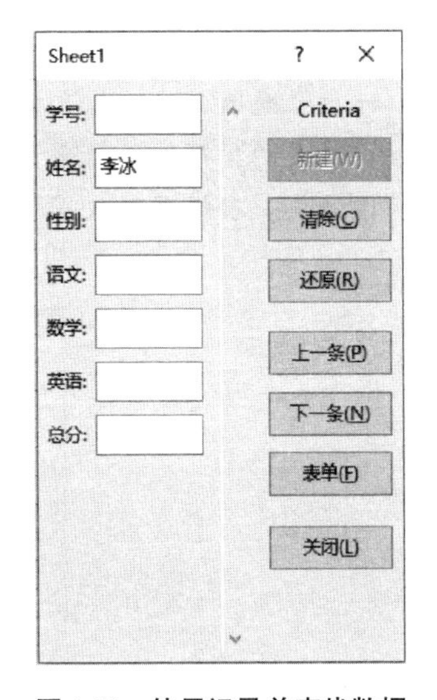

图 4-75 使用记录单查找数据

4.6.2 数据排序

Excel 提供了两种操作进行排序：一种是通过单击功能区上的 或 按钮，进行快速排序；一种是通过单击“数据”选项卡下“排序和筛选”组中的“排序”按钮 ，打开“排序”对话框进行排序。

Excel 的排序规则如下：

① 数值数据按数学上的大小规则进行排序。

② 文本数据按字符的 ASCII 进行排序，数字小于大写字母，大写字母小于小写字母，小写字母小于汉字，汉字按字母顺序排。

③ 日期、时间数据按日期、时间对应的数值的大小进行排序。

若在同一列中有多种数据，则排序的规则如下：

① 按降序排列时，顺序为：错误值、逻辑值、汉字、字母、数字、空格。

② 按升序排列时，顺序为：数字、字母、汉字、逻辑值、错误值、空格。

> 注意：不管是升序排列还是降序排列，空格总是在最后。

除了按照上述规则排序以外，也可以按照自定义的顺序进行排序。

1. 利用排序按钮排序

具体操作步骤如下：

第 1 步：将光标定位在需要排序的列的任何一个单元格中，注意这个单元格一定要在数据列表内。

第 2 步：单击“数据”选项卡下“排序和筛选”组中的 A↓Z 或 Z↓A 按钮，对数据进行降序或升序排列。也可以单击“开始”选项卡下“编辑”组中的“排序和筛选”按钮，在下拉列表中单击 A↓Z 或 Z↓A 按钮。

> 注意：用这种方法进行排序时，只需要将光标定位在需要排序的列中即可，不需要选中整个列。若选中某列数据，Excel 会给出如图 4-76 所示的“排序提醒”对话框，此时用户可以只排序当前列，也可以选择“扩展选定区域”来实现对整个数据列表的排序。但是若只对当前列排序，则会造成数据行中的数据对应关系紊乱，因此，一般情况下，不建议选中某列数据进行排序。

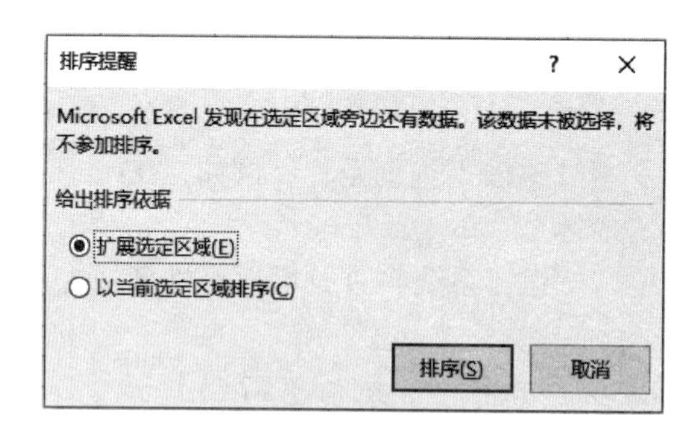

图 4-76 “排序提醒”对话框

2. 利用对话框排序

具体操作步骤如下：

第 1 步：将光标定位在数据列表的任意一个单元格中。

第 2 步：单击“数据”选项卡下“排序和筛选”组中的“排序”按钮，打开如图 4-77 所示的“排序”对话框。

第 3 步：在“主要关键字”中选择排序的关键字，如“数学”。

第 4 步：在“排序依据”中选择排序的依据，如“数值”。

第 5 步：在“次序”中选择排序的方式，如“升序”。

第 6 步：单击“确定”按钮，即可将数据列表中的数据按照“数学”的数值升序排列。

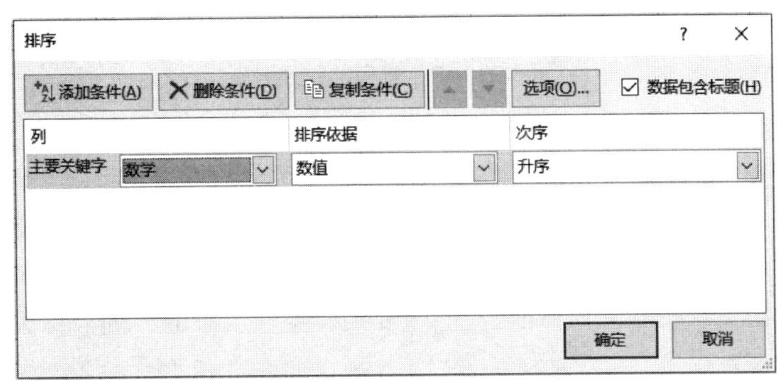

图 4-77　**“排序”对话框**

3. 多关键字排序

对数据列表中的数据按两个或两个以上关键字进行排序，具体操作步骤如下：

第 1 步：单击“数据”选项卡下“排序和筛选”组中的“排序”按钮，打开如图 4-77 所示的“排序”对话框。

第 2 步：添加排序的“主要关键字”并设置其排序方式。

第 3 步：单击“添加条件”按钮，对话框中将多出一行“次要关键字”。

第 4 步：根据排序需求，设置次要关键字及其排序依据等信息。

第 5 步：若需要继续增加排序关键字，重复上述步骤即可。图 4-78 设置了三个排序关键字，还可以根据需要继续增加。若要删除某个条件，则选中该条件后单击“删除条件”按钮即可。

第 6 步：单击“确定”按钮关闭对话框。

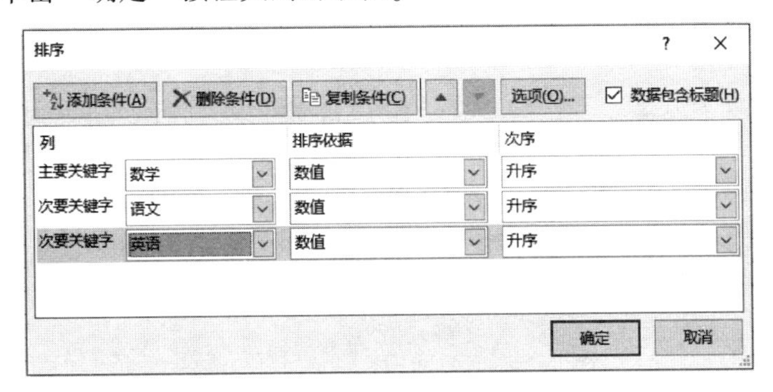

图 4-78　**多关键字“排序”对话框**

4. 按行排序

有些数据列表的第一列是字段标题，其他列中存放了具体数据，如图 4-79 所示。

例如，将图 4-79 中的数据列表按照“电脑”的销售量升序排列，具体操作步骤如下：

	A	B	C	D	E
1	销售地区	交换机	电话机	传真机	电脑
2	华东地区	100	50	80	77
3	华南地区	200	67	100	68
4	西北地区	75	40	30	43
5	华北地区	34	20	18	30

图 4-79 按行排序的数据列表

第 1 步：选中数据列表中 B1:E5 单元格区域。

第 2 步：单击“数据”选项卡下“排序和筛选”组中的“排序”按钮，打开“排序”对话框，再单击“选项”按钮，打开“排序选项”对话框，如图 4-80 所示。

第 3 步：在“方向”中选择“按行排序”单选按钮，单击“确定”按钮。

第 4 步：回到“排序”对话框中，“主要关键字”上方的“列”变为“行”，表示此时的排序为按行排序。

第 5 步：“电脑”的销售量数据在数据列表中的行号为 5，因此，在“主要关键字”列表框中选择“行 5”，“排序依据”为“数值”，“次序”为“升序”，如图 4-81 所示。

第 6 步：单击“确定”按钮关闭对话框，此时数据列表按照“电脑”的销售量升序排列。

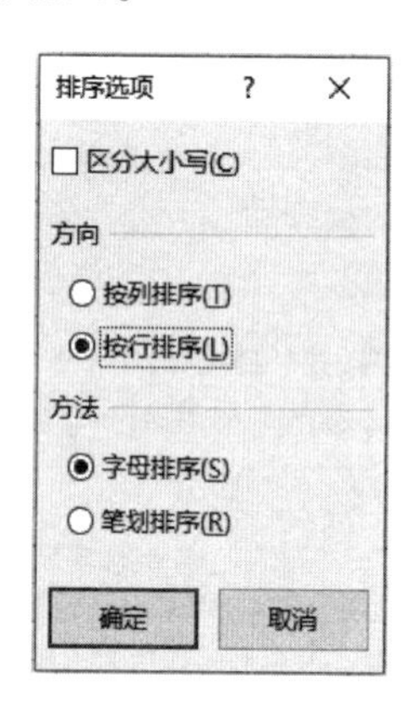

图 4-80 “排序选项”对话框

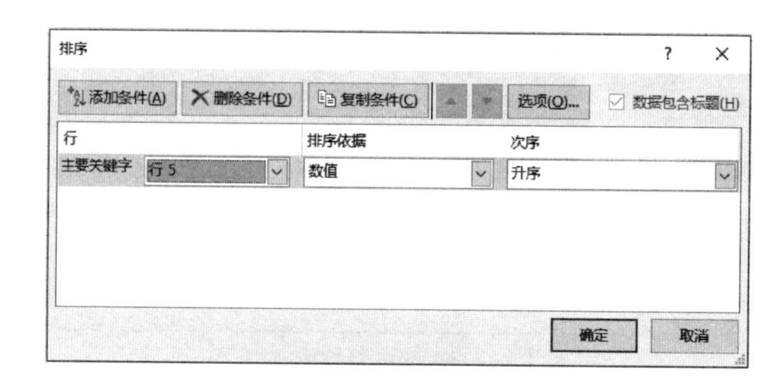

图 4-81 按行排序时的“排序”对话框

注意：第 1 步操作中选择的单元格区域不能包括第一列标题列，也不可以像按列排序一样，选择数据列表中的任意一个单元格，因为在按行排序时，Excel 不会自动识别标题列，而是会将标题列也当作数值列来处理，即将标题列和数值列一起按照排序规则进行排序，导致标题列被移动位置。

5. 自定义序列排序

有时候，不希望按照 Excel 提供的标准顺序进行排序，而是希望按照某种特殊的顺序来排列，如职称、部门等数据。

例如，在图 4-82 所示的员工信息表中，将数据按照学历从高到低的顺序排序，即按照“博士-硕士-本科-大专”的顺序排列。具体操作步骤如下：

	A	B	C	D	E	F	G
1	员工信息表						
2							
3	编号	姓名	学历	性别	年龄	部门	职位
4	XSB001	马爱华	本科	女	28	销售部	经理
5	XSB002	马勇	硕士	男	33	销售部	经理
6	XSB003	王传	大专	男	21	销售部	助理
7	XSB004	吴晓丽	本科	女	20	销售部	骨干
8	XSB005	张晓军	硕士	男	43	销售部	骨干
9	XSB006	朱强	博士	男	29	销售部	骨干
10	XSB007	朱晓晓	本科	女	30	销售部	骨干
11	XSB008	包晓燕	本科	女	39	销售部	助理
12	XSB009	顾志刚	硕士	男	28	销售部	助理
13	XSB010	李冰	博士	女	34	销售部	骨干
14	XSB011	任卫杰	博士	男	39	销售部	经理
15	XSB012	王刚	本科	男	27	销售部	骨干
16	XSB013	吴英	大专	女	28	销售部	骨干
17	XSB014	李志	博士	男	31	销售部	骨干
18	XSB015	刘畅	大专	男	23	销售部	骨干

图 4-82　员工信息表

第 1 步：选中数据列表中的任意一个单元格，利用“排序”按钮打开“排序”对话框。

第 2 步：在“主要关键字”列表框中选择“学历”，“排序依据”为“数值”，“次序”为“自定义序列”，打开如图 4-83 所示的“自定义序列”对话框。

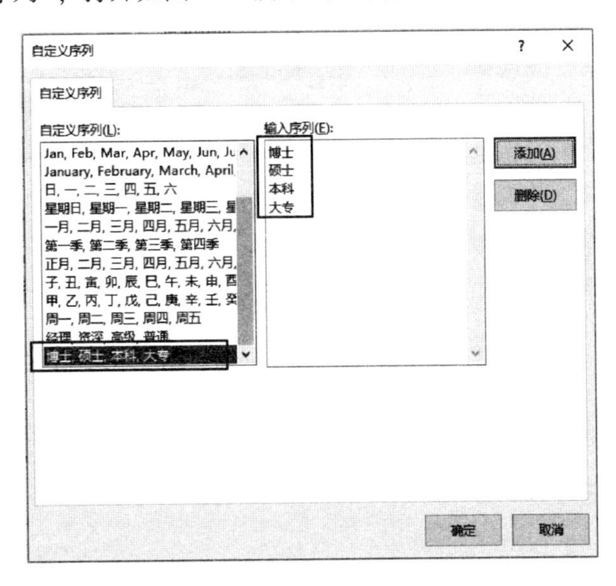

图 4-83　“自定义序列”对话框

第 3 步：在右侧的“输入序列”中输入“博士－硕士－本科－大专”序列，按【Enter】键或用西文逗号分隔。

第 4 步：单击“添加”按钮，将序列添加到左侧的“自定义序列”中。

第 5 步：选中已经添加的序列，单击“确定”按钮关闭对话框。此时“排序”对话框如图 4-84 所示，单击“确定”按钮即可。

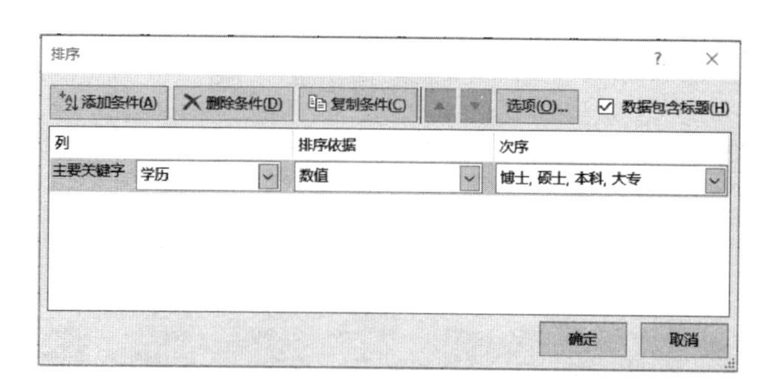

图 4-84 “排序”对话框

第 6 步：筛选结果如图 4-85 所示。

	A	B	C	D	E	F	G
1	员工信息表						
2	编号	姓名	学历	性别	年龄	部门	职位
3	XSB006	朱强	博士	男	29	销售部	骨干
4	XSB010	李冰	博士	女	34	销售部	骨干
5	XSB014	李志	博士	男	31	销售部	骨干
6	XSB011	任卫杰	博士	男	39	销售部	经理
7	XSB005	张晓军	硕士	男	43	销售部	骨干
8	XSB002	马勇	硕士	男	33	销售部	经理
9	XSB009	顾志刚	硕士	男	28	销售部	助理
10	XSB004	吴晓丽	本科	女	20	销售部	骨干
11	XSB007	朱晓晓	本科	女	30	销售部	骨干
12	XSB012	王刚	本科	男	27	销售部	骨干
13	XSB001	马爱华	本科	女	28	销售部	经理
14	XSB008	包晓燕	本科	女	39	销售部	助理
15	XSB013	吴英	大专	女	28	销售部	骨干
16	XSB015	刘畅	大专	男	23	销售部	骨干
17	XSB003	王传	大专	男	21	销售部	助理

图 4-85 某文化用品公司销售情况表

4.6.3 数据筛选

数据筛选的功能是查询出满足条件的数据。Excel 中主要有两种方法可以实现数据的筛选功能：自动筛选和高级筛选。

1. 自动筛选

选中数据列表，单击“数据”选项卡下“排序和筛选”组中的“筛选”按钮 ，此时数据列表的标题行中的每个单元格右侧出现筛选按钮 。单击需要筛选的字段旁的筛选按钮，可以在下拉列表中选择相关筛选项进行筛选。

例如，在图 4-86 所示的“某文化用品公司销售情况表”中，筛选出所有品牌为“三普牌”且销售额在 10 000 元及以上的数据，具体操作方法如下：

文化用品公司销售情况表

	日期	业务员	商品代码	品牌	克重	规格	单价	数量	销售额	订货单位
3	2000/01/04	方依然	SG80A3	三工牌	80g	A3	260	97	¥ 25,220.00	明月商场
4	2000/01/04	方依然	JD70B4	金达牌	70g	B4	260	40	¥ 10,400.00	开缘商场
5	2000/01/04	张一帆	SP70A4	三普牌	70g	A4	220	46	¥ 10,120.00	开心商场
6	2000/01/04	高嘉文	SG80A3	三工牌	80g	A3	295	70	¥ 20,650.00	白云出版社
7	2000/01/05	高嘉文	JN70B5	佳能牌	70g	B5	189	24	¥ 4,536.00	阳光公司
8	2000/01/05	何宏禹	SP70A4	三普牌	70g	A4	225	40	¥ 9,000.00	星光出版社
9	2000/01/05	高嘉文	SG80A3	三工牌	80g	A3	295	117	¥ 34,515.00	白云出版社
10	2000/01/06	张一帆	SP70A4	三普牌	70g	A4	220	70	¥ 15,400.00	开心商场
11	2000/01/07	高嘉文	JN70B5	佳能牌	70g	B5	189	67	¥ 12,663.00	阳光公司
12	2000/01/07	高嘉文	SG80A3	三工牌	80g	A3	295	78	¥ 23,010.00	白云出版社
13	2000/01/07	何宏禹	XL70A4	雪莲牌	70g	A4	290	123	¥ 35,670.00	蓝图公司
14	2000/01/07	何宏禹	XL70A4	雪莲牌	70g	A4	290	72	¥ 20,880.00	蓝图公司
15	2000/01/08	叶佳	JD70B5	金达牌	70g	B5	210	22	¥ 4,620.00	蓝图公司
16	2000/01/08	李良	FG80A4	富工牌	80g	A4	330	52	¥ 17,160.00	海天公司
17	2000/01/08	高嘉文	FG80A4	富工牌	80g	A4	330	59	¥ 19,470.00	白云出版社
18	2000/01/08	何宏禹	FG80A4	富工牌	80g	A4	330	53	¥ 17,490.00	白云出版社
19	2000/01/09	高嘉文	JN70B5	佳能牌	70g	B5	189	39	¥ 7,371.00	阳光公司
20	2000/01/09	叶佳	FG80A4	富工牌	80g	A4	330	44	¥ 14,520.00	白云出版社

图 4-86　某文化用品公司销售情况表

第 1 步：单击数据列表中任意一个单元格，或者选中数据列表 A2:J20，单击“数据”选项卡下“排序和筛选”组中的“筛选”按钮，此时数据列表的标题行中的每个单元格右侧出现筛选按钮，也可以单击“开始”选项卡下“编辑”组中的“排序和筛选”按钮，在下拉列表中选择“筛选”命令。

第 2 步：单击“品牌”单元格右侧的筛选按钮，在展开的下拉列表中取消“全选”复选框，再勾选“三普牌”。

第 3 步：单击“销售额”单元格右侧的筛选按钮，在展开的下拉列表中，选择“数字筛选”子菜单中的“大于或等于”命令，打开如图 4-87 所示的对话框，对话框具体设置如图 4-87 所示。

第 4 步：单击“确定”按钮即可，筛选后的数据表如图 4-88 所示，有筛选条件的列标题上会显示按钮。

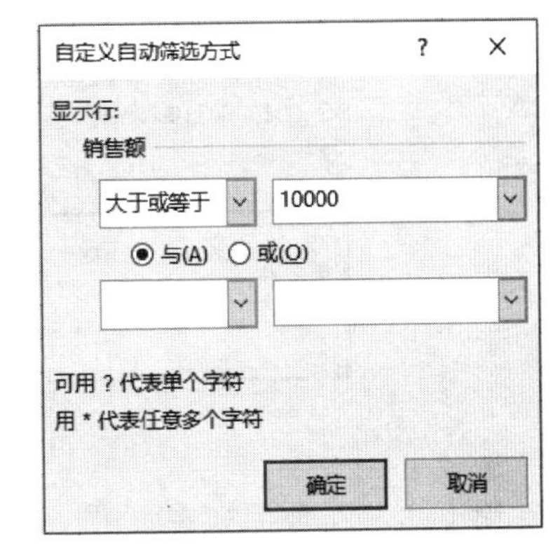

图 4-87　“自定义自动筛选方式”对话框

文化用品公司销售情况表

	日期	业务员	商品代码	品牌	克重	规格	单价	数量	销售额	订货单位
5	2000/01/04	张一帆	SP70A4	三普牌	70g	A4	220	46	¥ 10,120.00	开心商场
10	2000/01/06	张一帆	SP70A4	三普牌	70g	A4	220	70	¥ 15,400.00	开心商场

图 4-88　自动筛选结果

2. 高级筛选

高级筛选一般可以在以下两种情况下使用：

① 对筛选条件涉及两个字段的“或”运算的筛选。

② 指定特殊计算条件的筛选。

另外，高级筛选还可以将筛选的结果复制到其他单元格区域，而自动筛选的结果只能显示在原来位置上。

要使用高级筛选，需要按如下规则建立条件区域：

① 条件区域必须位于数据列表区域外，即与数据列表之间至少间隔一个空行和一个空列。

② 条件区域的第一行是高级筛选的标题行，其名称必须和数据列表中的标题行名称完全相同。条件区域的第二行及以下行是条件行。

③ 同一行中条件单元格之间的逻辑关系为“与”，即条件之间是“并且”的关系。

④ 不同行中条件单元格之间的逻辑关系为“或”，即条件之间是“或者”的关系。

例如，在如图 4-89 所示的成绩表中筛选出语文、数学和英语有不及格科目的男生，使用高级筛选的具体操作步骤如下：

	A	B	C	D	E	F	G
1	高三（3）班学生成绩登记表						
2							
3	学号	姓名	性别	语文	数学	英语	总分
4	2016060301	王勇	男	89	98	70	257
5	2016060302	刘田田	女	55	67	90	212
6	2016060303	李冰	女	80	90	78	248
7	2016060304	任卫杰	男	67	78	59	204
8	2016060305	吴晓丽	女	90	88	96	274
9	2016060306	刘唱	男	67	89	76	232
10	2016060307	王强	男	88	97	89	274
11	2016060308	马爱军	男	95	80	79	254
12	2016060309	张晓华	女	67	89	98	254
13	2016060310	朱刚	男	94	89	87	270
14							
15							
16							
17	语文	数学	英语	性别			
18	<60			男			
19		<60		男			
20			<60	男			

图 4-89　成绩表

第 1 步：在数据列表之外，按照条件区域的建立规则创建条件区域，如 A17:D20 区域，如图 4-89 所示。

第 2 步：单击数据列表中任一单元格，选择“数据”选项卡“排序和筛选”组中的“高级”按钮 高级，打开“高级筛选”对话框，如图 4-90 所示。

第 3 步：在“列表区域”选择 A3:G13，“条件区域”选择 A17:D20 的单元格区域。

第 4 步：选择筛选结果的存放方式。“在原有区域显示筛选结果”是将筛选结果放置在原来数据列表处，隐藏不符合条件的数据行。“将筛选结果复制到其他位置”是将筛选结果复制到当前活动工作表的其他位置。若选择“将筛选结果复制到其他位置”，则在“复制到”文本框中选择一个需要存放筛选结果的起始单元格。

第 5 步：单击“确定”按钮关闭对话框，筛选结果如图 4-91 所示。

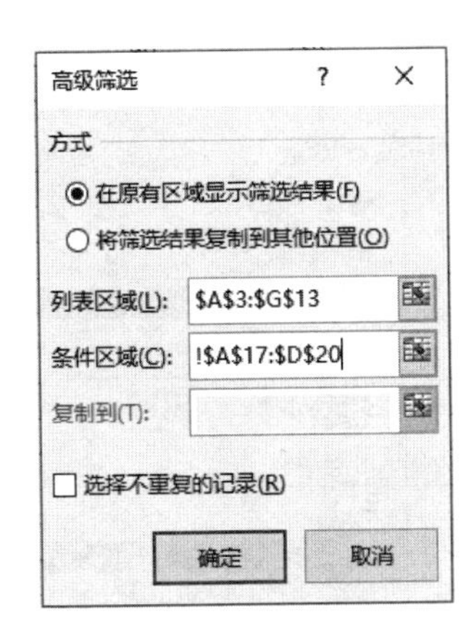

图 4-90　“高级筛选”对话框

	A	B	C	D	E	F
1	学号	姓名	性别	语文	数学	英语
5	2016060304	任卫杰	男	80	78	59
9	2016060308	马爱军	男	55	80	79

图 4-91　高级筛选结果

4.6.4　数据分类汇总

分类汇总可以实现对数据的分类合计，即将分类字段中字段值相同的所有对应的记录合并为一个组，然后按某一种汇总方式进行合并计算。

Excel 在检查分类字段时，每遇到一个不同的字段值就会认为一个分组结束，因此在执行分类汇总操作之前，一定要对分类字段进行排序，将字段值相同的记录排列在一起。

例如，在图 4-92 所示的人事档案表中，统计各个职称人员的平均工资，具体操作步骤如下：

	A	B	C	D	E	F	G	H
1	人事档案表							
2	职工号	部门	姓名	性别	出生日期	职称	婚姻	基本工资
3	1003	经贸系	徐园	女	1963/12/03	副教授	已婚	1320
4	1004	经贸系	张山	女	1961/01/03	教授	已婚	1480
5	1005	经贸系	陈林	男	1978/08/02	讲师	已婚	1260
6	1006	经贸系	钱进	男	1972/08/12	副教授	已婚	1450
7	1007	经贸系	赵川	男	1983/11/28	助教	未婚	1230
8	3002	金融系	余昊昱	女	1970/01/08	讲师	已婚	1300
9	3005	金融系	吴昊	男	1958/09/07	教授	已婚	1500
10	3010	金融系	李宁宁	女	1965/04/06	副教授	已婚	1318
11	4001	财会系	张乐	女	1960/02/21	副教授	已婚	1342
12	4002	财会系	高俊	男	1962/10/08	副教授	已婚	1325
13	4003	财会系	李阳	男	1970/10/01	副教授	已婚	1304
14	4004	财会系	张进明	男	1980/05/10	讲师	未婚	1260
15	4005	财会系	陆小东	男	1986/06/08	助教	未婚	1200
16	4006	财会系	胡方	男	1948/10/23	教授	已婚	1560
17	4007	财会系	杨玲	女	1967/10/01	副教授	已婚	1331
18	4008	财会系	林泰	男	1970/03/25	讲师	已婚	1280

图 4-92　人事档案表

第 1 步：单击“职称”列中的任意一个单元格，使用“排序”按钮，将数据列表按照“职称”升序或降序排列。

第 2 步：单击“数据”选项卡下“分级显示”组中的“分类汇总”按钮，打开

“分类汇总”对话框，如图 4-93 所示。

第 3 步：在对话框中设置“分类字段”为“职称”，“汇总方式”为“平均值”，在“选定汇总项”列表框中勾选“基本工资”复选框。

第 4 步：单击“确定”按钮关闭对话框，分类汇总结果如图 4-94 所示。

在分类汇总结果中，左侧出现了分级按钮 1 2 3，若单击 1 按钮，则显示总的汇总结果，单击 2 按钮可以显示各职称的平均值，单击 3 按钮可以显示明细数据。

此外，也可以单击左侧的 − 按钮来隐藏相关的数据，同时按钮变为 +。单击 + 按钮可以显示相关数据，同时按钮变为 −。

若要删除分类汇总结果，单击“数据”选项卡下“分级显示”组中的“分类汇总”按钮，打开“分类汇总”对话框，单击对话框左下角的“全部删除”按钮即可。

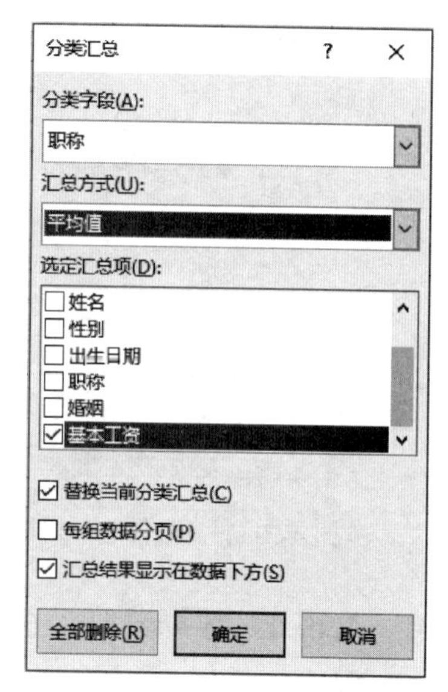

图 4-93 “分类汇总”对话框

	A	B	C	D	E	F	G	H
1	人事档案表							
2	职工号	部门	姓名	性别	出生日期	职称	婚姻	基本工资
3	1003	经贸系	徐园	女	1963/12/03	副教授	已婚	1320
4	1006	经贸系	钱进	男	1972/08/12	副教授	已婚	1450
5	3010	金融系	李宁宁	女	1965/04/06	副教授	已婚	1318
6	4001	财会系	张乐	女	1960/02/21	副教授	已婚	1342
7	4002	财会系	高俊	男	1962/10/08	副教授	已婚	1325
8	4003	财会系	李阳	男	1970/10/01	副教授	已婚	1304
9	4007	财会系	杨玲	女	1967/10/01	副教授	已婚	1331
10						**副教授 平均值**		1341.429
11	1005	经贸系	陈林	男	1978/08/02	讲师	已婚	1260
12	3002	金融系	余昊昱	女	1970/01/08	讲师	已婚	1300
13	4004	财会系	张进明	男	1980/05/10	讲师	未婚	1260
14	4008	财会系	林泰	男	1970/03/25	讲师	已婚	1280
15						**讲师 平均值**		1275
16	1004	经贸系	张山	女	1961/01/03	教授	已婚	1480
17	3005	金融系	吴昊	男	1958/09/07	教授	已婚	1500
18	4006	财会系	胡方	男	1948/10/23	教授	已婚	1560
19						**教授 平均值**		1513.333
20	1007	经贸系	赵川	男	1983/11/28	助教	未婚	1230
21	4005	财会系	陆小东	男	1986/06/08	助教	未婚	1200
22						**助教 平均值**		1215
23						**总计平均值**		1341.25

Sheet1 Sheet2 Sheet3

图 4-94 分类汇总结果

4.6.5 数据合并计算

Excel 的合并计算功能可以方便地将多张工作表的数据合并计算，并存放到另一张工作表中。在 Excel 中，不但可以对同一张工作簿中的不同张工作表进行合并计算，还可以对不同工作簿中的数据进行合并计算，而且相关工作簿不需要打开。

例如，某工厂共三个生产车间，每个车间生产的产品型号和产量各不一样，如图 4-95 所示。若需要统计工厂中所有型号产品的总产量，则可以使用合并计算来完成。具体操作步骤如下：

	A	B
1	第一车间	
2	型号	月生产量
3	A29-DS	1200
4	A29-DK	1100
5	A25-DK	1600
6	A25-DS	1400
7	B25-FH	1000
8	B25-GG	800

第一车间

	A	B
1	第二车间	
2	型号	月生产量
3	A29-DS	1100
4	A29-DK	800
5	A25-DK	1200
6	A25-DS	1900
7	B21-DF	500
8	B25-FH	1200
9	B25-GG	1000

第二车间

	A	B
1	第三车间	
2	型号	月生产量
3	A29-DS	1000
4	A29-DK	1200
5	A25-DK	1400
6	A25-DS	1500
7	B21-WQ	100
8	B25-FH	500
9	B25-GG	480

第三车间

	A	B
1	总产量	
2	型号	月生产量
3		
4		
5		
6		
7		
8		
9		
10		

总产量

图 4-95　合并计算

第 1 步：选中“总产量”工作表中的 A3 单元格，单击“数据”选项卡下“数据工具”组中的“合并计算”按钮，打开“合并计算”对话框。

第 2 步：在“函数”下拉列表中选择“求和”。

第 3 步：单击“引用位置”文本框右侧的折叠对话框按钮，折叠“合并计算”对话框。

第 4 步：单击工作表标签，切换到“第一车间”工作表中，选择 A3:B8 区域，单击展开对话框按钮，重新打开“合并计算”对话框。

第 5 步：单击“添加”按钮，将已经选中的区域添加到“所有引用位置”列表框中。

第 6 步：重复上述步骤，将工作表“第二车间”和“第三车间”中的对应数据区域添加到“所有引用位置”列表中。

第 7 步：选中“标签位置”中的“最左列”复选框，完成后的对话框如图 4-96 所示。

第 8 步：单击“确定”按钮关闭对话框，合并计算结果如图 4-97 所示。

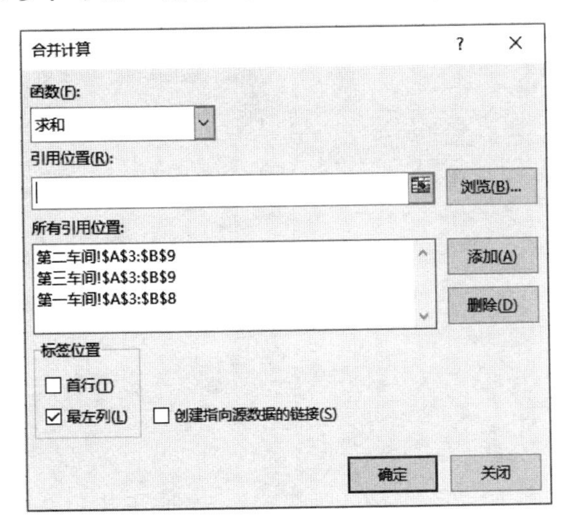

图 4-96　“合并计算”对话框

	A	B
1	总产量	
2	型号	月生产量
3	A29-DS	3300
4	A29-DK	3100
5	A25-DK	4200
6	A25-DS	4800
7	B21-DF	500
8	B21-WQ	100
9	B25-FH	2700
10	B25-GG	2280

图 4-97　合并计算结果

4.6.6 数据透视表

数据透视表是根据多张工作表或一张较长的数据列表，经过重新组织而建立起来的一个概括性表格。

数据透视表综合了数据排序、筛选和分类汇总等优点，并具有上述功能无法比拟的灵活性，可以方便地调整分类汇总的依据，灵活地以多种不同的方式来展示数据的特征。

1. 创建数据透视表

例如，为图 4-85 所示的“某文化用品公司销售情况表”建立数据透视表，显示各业务员、各品牌商品的总销售额情况。

第 1 步：选中数据列表中任意一个单元格，单击“插入”选项卡下“表格”组中的“数据透视表”按钮，打开“创建数据透视表”对话框，如图 4-98 所示。

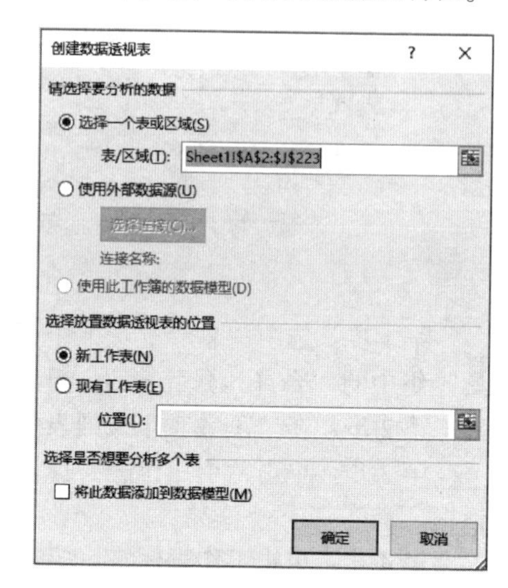

图 4-98 “创建数据透视表”对话框

第 2 步：在“表/区域”文本框中显示了已经选中的数据源，也可以重新选择。在对话框中可以选择创建的数据透视表要放置的位置。若选择“新工作表”，则将创建一张新的工作表来放置数据透视表；若选择“现有工作表”，则需要在“位置”框中选择一个单元格，数据透视表将从该单元格开始存放。本例选择“新工作表”作为存放位置。

第 3 步：设置完毕后，单击“确定”按钮。

新建的工作表如图 4-99 所示，右侧显示“数据透视表字段”，用鼠标将需要的字段拖动到“数据透视表字段”窗格下方的对应区域，如“行”、“列”或“值”区域。

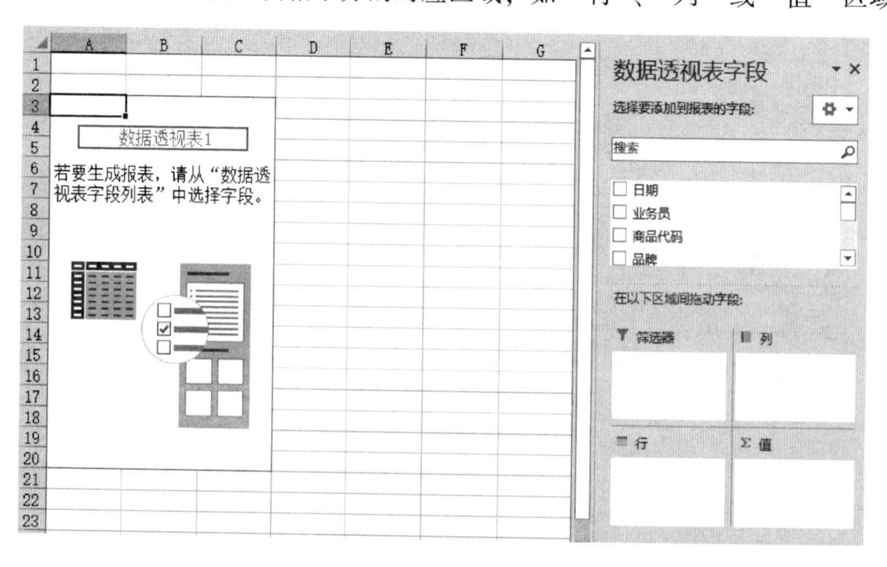

图 4-99 新建的数据透视表

例如，将“业务员”拖动到“行”，“品牌”拖动到“列”，“数量”拖动到“值”，则生成基于各品牌、各业务员的销售数量的数据透视表，如图 4-100 所示。

求和项:数量	列标签							
行标签	富工牌	佳能牌	金达牌	三工牌	三普牌	三一牌	雪莲牌	总计
方依然	24		774	224				1022
高嘉文	787	728	57	716			67	2355
何宏禹	53				834		1129	2016
李良	811	959		112		927		2809
林木森		83					898	981
孙建	56	38		919		126		1139
叶佳	807		937					1744
游妍妍	28		925				1253	2206
张一帆					1113			1113
总计	2566	1808	2693	1971	1947	1053	3347	15385

图 4-100　“销售数量”数据透视表

2. 更改和筛选数据透视表字段

根据分析数据的要求不同，若需要改变数据透视表的分析字段，可以使用鼠标将已经添加的字段拖回到“数据透视表字段列表”中，再重新拖动需要的字段到数据透视表中。

同时，对于行字段和列字段的数据，Excel 还提供了筛选功能。如在图 4-100 所示的数据透视表中，单击“列标签”的下拉箭头，打开如图 4-101 所示的下拉列表，根据需要勾选需要的品牌即可。

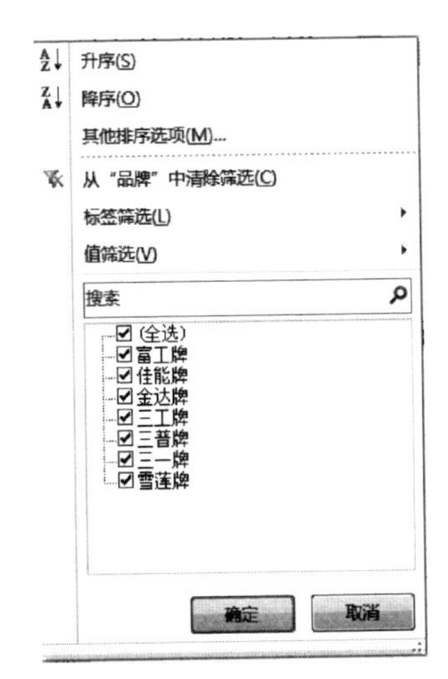

图 4-101　“列标签”下拉列表

3. 更改汇总方式

数据透视表默认的汇总方式为“求和”，若要改变为其他的汇总方式，如“最大值”，其操作步骤如下：

第 1 步：将鼠标移动到窗口右侧的“数值”框中，单击 求和项:数量 按钮，在下拉列表中选择“值字段设置”命令，打开如图 4-102 所示的“值字段设置”对话框。

第 2 步：在“计算类型”列表中选择“最大值”。

第 3 步：若需要设置数据的格式，则单击对话框的“数字格式”按钮，在打开的“设置单元格格式”对话框中设置合适的数字格式。

第 4 步：单击“确定”按钮关闭对话框。

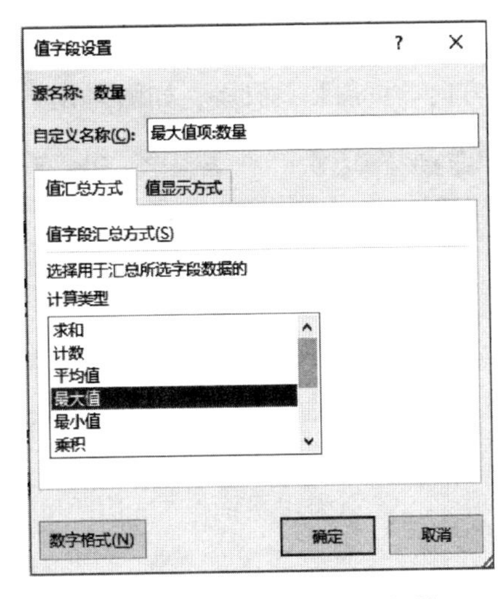

图 4-102　“值字段设置”对话框

4. 设置数据透视表格式

创建数据透视表后，增加了“数据透视表工具-分析”选项卡。和“数据透视表工具-设计”

选项卡。“数据透视表工具-分析”选项卡如图 4-103 所示，包含更改数据源、插入日程表、移动数据透视表等功能。“数据透视表工具-设计”子选项卡如图 4-104 所示，包含设置数据透视表布局、数据透视表样式等功能。

图 4-103 “数据透视表工具-分析”选项卡

图 4-104 “数据透视表工具-设计”选项卡

4.7 打印工作表

工作表创建后，经过相关格式设置，可以将其打印出来，还可以在工作表中创建超链接。

通常，打印工作表的基本过程是：打开工作表，选择打印输出纸张大小、走向（横向或纵向）、确定打印区域、设置页眉页脚、设置打印标题、预览输出效果，基本满意后才正式开始打印。

4.7.1 页面布局

Excel 2016 的“页面布局”选项卡中包括设置纸张方向、纸张大小、页边距、打印方向、页眉和页脚等，如图 4-105 所示。

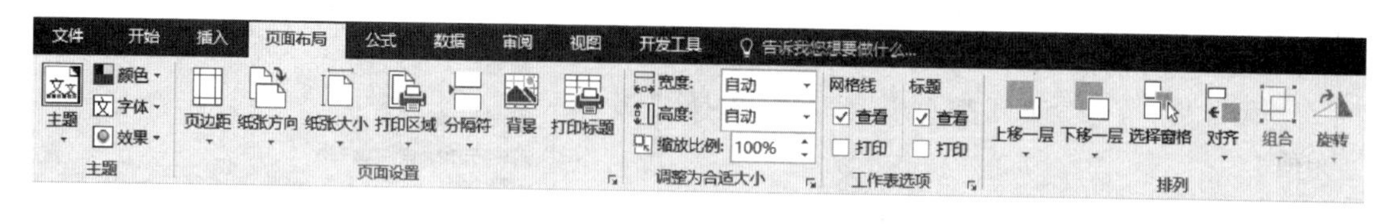

图 4-105 “页面布局”选项卡

选择各按钮可以完成对页面布局的相应设置，也可单击“页面设置”组右下角的对话框启动器按钮，打开“页面设置”对话框，如图 4-106 所示。该对话框包含四个选项卡，分别为“页面”“页边距”“页眉/页脚”“工作表”。

1. 页面

“页面”选项卡主要设置打印方向、纸张大小等。设置页面的具体操作步骤如下：

第 1 步：单击“页面设置”对话框中的“页面”选项卡。

第 2 步：在“方向”设置区中选择工作表的打印方向（纵向或横向）。

第 3 步：在“缩放”设置区中设置打印区域的缩放比例（百分比形式），或在“页宽”和“页高”编辑框中指定数值，使打印区域自动缩放到合适比例。

第 4 步：在“纸张大小”下拉列表中选择纸张的大小，如 A3、A4、B4 等。

第 5 步：单击“确定”按钮。

2. 页边距

页边距是指页面上的打印区域与纸张边缘之间的距离。设置页边距的步骤如下：

第 1 步：单击“页面设置”对话框中的“页边距”选项卡，如图 4-107 所示。

第 2 步：在“上”“下”“左”“右”编辑框中分别输入打印区域与纸张的上边缘、下边缘、左边缘和右边缘的距离。

第 3 步：在“页眉”“页脚”编辑框中分别输入页眉与纸张上边缘的距离、页脚与纸张下边缘的距离。

第 4 步：设置居中方式。若同时选中“水平”和“垂直”复选框，可将打印区域打印在纸张的中心位置。

第 5 步：单击“确定”按钮。

图 4-106　“页面设置”对话框——“页面”选项卡

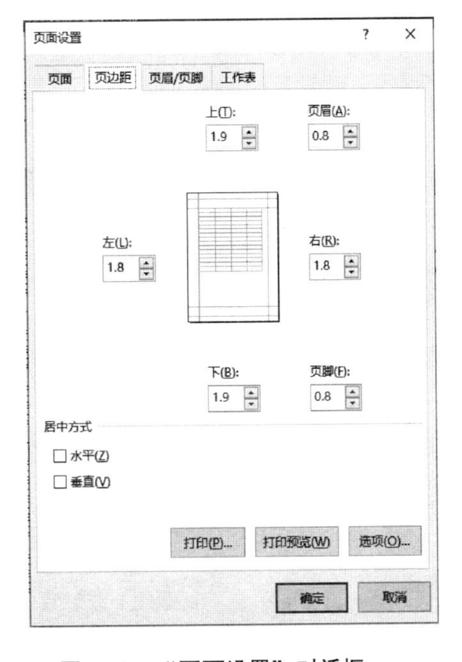

图 4-107　“页面设置”对话框——“页边距”选项卡

3. 页眉/页脚

设置页眉/页脚的具体操作步骤如下：

第 1 步：单击“页面设置”对话框中的“页眉/页脚”选项卡，如图 4-108 所示。

第 2 步：设置页眉。单击“页眉”下拉按钮，在下拉列表中选择一种系统预定义的页眉样式，或单击“自定义页眉”按钮来插入页码、日期、时间或图片等内容。

第 3 步：采用类似的方法设置页脚。

第 4 步：单击“确定”按钮。

4. 工作表

设置打印工作表选项的具体操作步骤如下：

第 1 步：单击“页面设置”对话框中的“工作表”选项卡，如图 4-109 所示。

第 2 步：设置打印区域。若不设置打印区域，则系统默认打印所有包含数据的单元格。如果只想打印部分单元格区域，则单击“打印区域”右端的压缩对话框按钮，选择打印区域范围。

第 3 步：设置打印标题。通过设置“顶端标题行”和“左端标题行”可将工作表中的前几行或前几列设置为打印时每页的标题。通常，当工作表的行数超过一页的高度时，需设置“顶端标题行”；当工作表的列数超过一页的宽度时，需设置“左端标题行”。

第 4 步：设置打印选项。选中需要打印的项目，如网格线、行号列标、草稿品质等。

第 5 步：单击“确定”按钮。

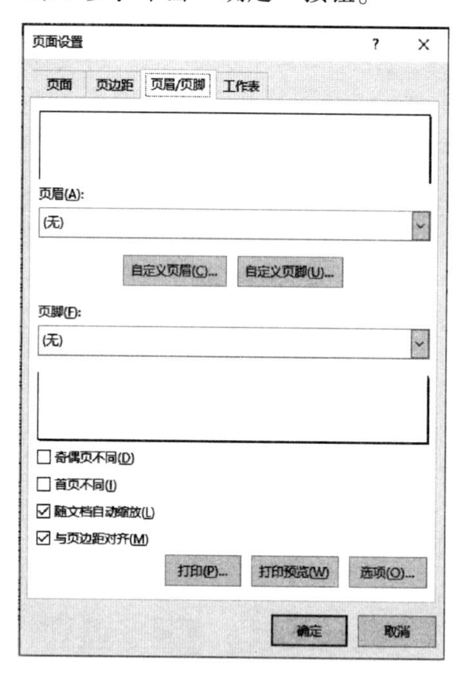

图 4-108 “页面设置”对话框——“页眉/页脚”选项卡

图 4-109 “页面设置”对话框——“工作表”选项卡

4.7.2 打印预览与打印

在正式打印之前，最好先进行打印效果的预览。打印预览的具体操作步骤如下：

第 1 步：选择“文件”菜单中的“打印”功能，在窗口右侧显示打印的相关设置和文档的预览效果，如图 4-110 所示。

第 2 步：在窗口的底部显示了当前的页码和总页数，可以输入页码来切换打印预览的对象。

第 3 步：单击窗口右下角的 按钮，可以对预览的文件进行放大和缩小。

第 4 步：单击窗口右下角的 按钮，可以在预览页面上以细实线显示页边距的距离，拖动鼠标可以改变页边距的大小。

第 5 步：在中间的窗格中，根据需要设置打印参数，如选择需要的打印机、设置打印份数、选择打印的范围等操作。

第 6 步：设置完成后，单击“打印”按钮即可打印该文档。

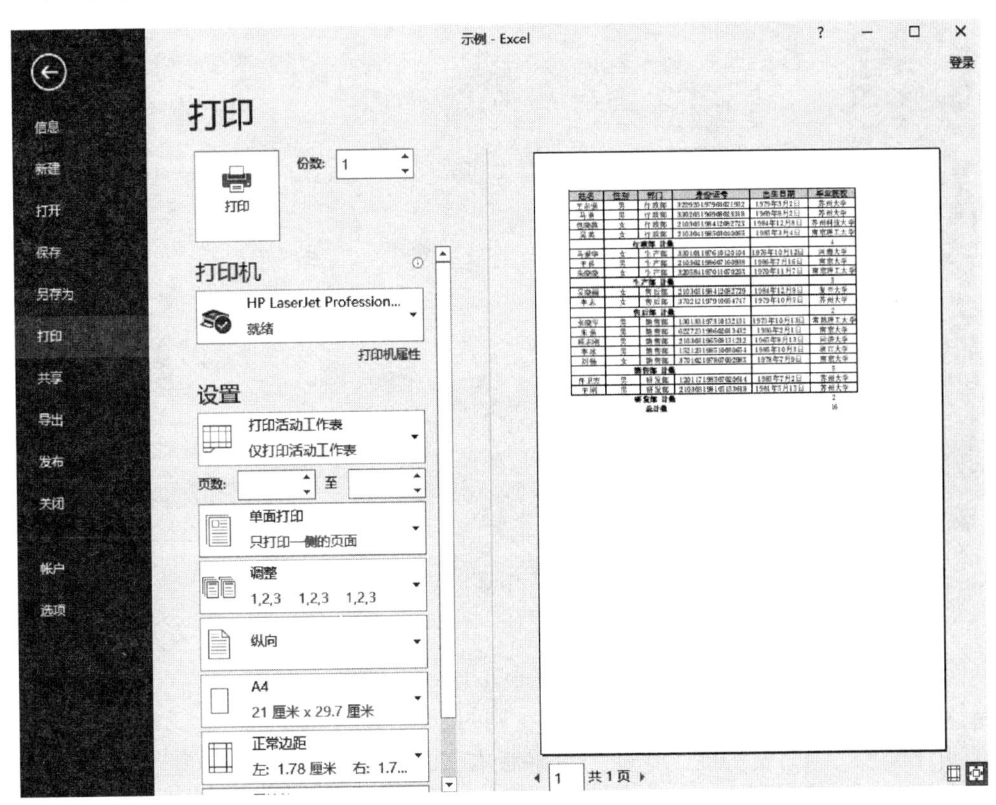

图 4-110 “打印”功能

4.8 保护单元格、工作表和工作簿

Excel 可以有效地对工作簿中的数据进行保护，如设置密码等，不允许无关人员访问；也可以保护某些工作表或工作表中某些单元格的数据，防止无关人员非法修改；还可以把工作簿、工作表、工作表某行（列）以及单元格中的重要公式隐藏起来。

4.8.1 保护工作簿和工作表

在实际工作中，为了防止他人打开或查看具有保密性质的数据（如公司的财务报表），可对工作簿、工作表或单元格设置一些保护措施。

单击“文件”选项卡中的“信息”按钮，在中间窗格中单击“保护工作簿”按钮，打开快捷菜单，如图 4-111 所示。

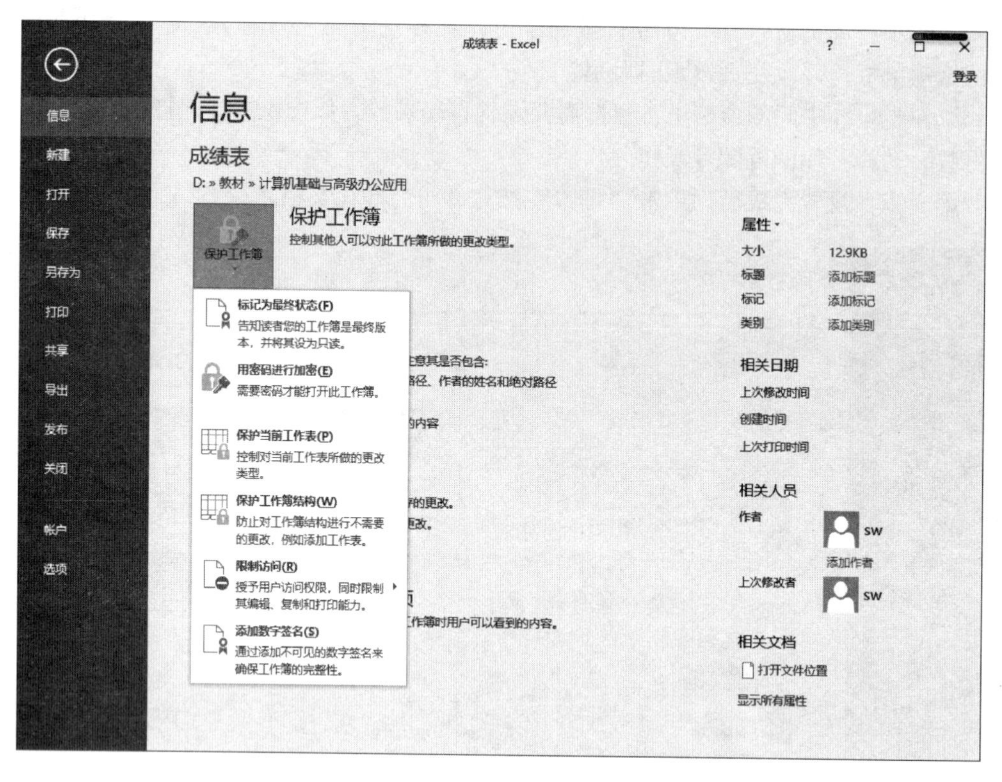

图 4-111 “保护工作簿”按钮的快捷菜单

其中常用选项的含义如下：

① 标记为最终状态：选择该选项，弹出“确认”对话框，若单击“确定”按钮，则再次打开 Excel 文档时提示该工作簿为最终版本，并且工作簿的属性设为只读，不支持用户修改。

② 用密码进行加密：选择该选项，弹出“加密文档”对话框，如图 4-112 所示，输入密码后单击“确定”按钮，弹出“确认密码”对话框，再次输入密码后单击“确定”按钮关闭对话框。设置完成后，在下次打开工作簿时将弹出密码输入框，输入正确的密码后才能打开工作簿。

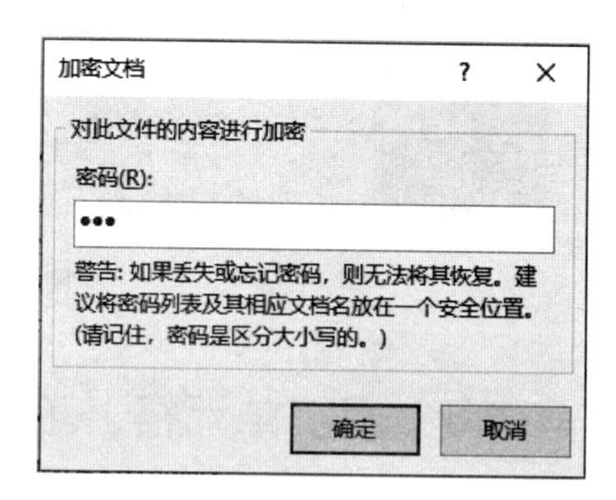

图 4-112 “加密文档”对话框

注意：取消工作簿文件密码的操作步骤与设置步骤类似，不同的是在输入密码的对话框中，将原来设置的密码删除即可。

③ 保护当前工作表：选择该选项，可以限制其他用户对工作表进行单元格格式修改、插入或删除行、插入或删除列、排序、自动筛选等操作，可对工作表实施保护。单击“保护当前工作表”后将打开如图 4-113 所示的对话框，根据需要勾选允许用户进行的操作即可。也可以设置“取消工作表保护时使用的密码”，通过授权的用户可以在某些特殊情况下修改工作表结构。

④ 保护工作簿结构：选择该选项，可以防止他人对打开的工作簿进行调整窗口大小或添加、删除、移动工作表等操作，可对工作簿设置保护。此操作将打开“保护结构和窗口”对话框，如图 4-114 所示。选中“结构”复选框，可使工作簿的结构保持不变，如对工作表进行插入、移动、删除、复制、重命名、隐藏等操作均无效。选中“窗口”复选框，则不能最小化、最大化、关闭工作表窗口，也不能调整工作表窗口的大小和位置。若填写了密码，可以根据需要使某些用户获得修改结构和窗口的权限。

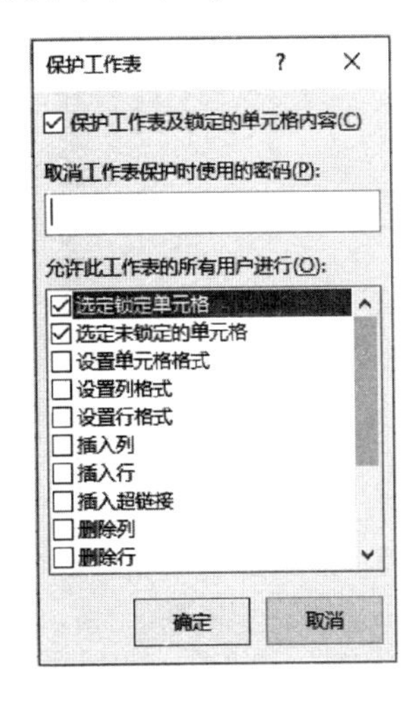

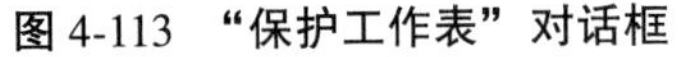
图 4-113　“保护工作表”对话框

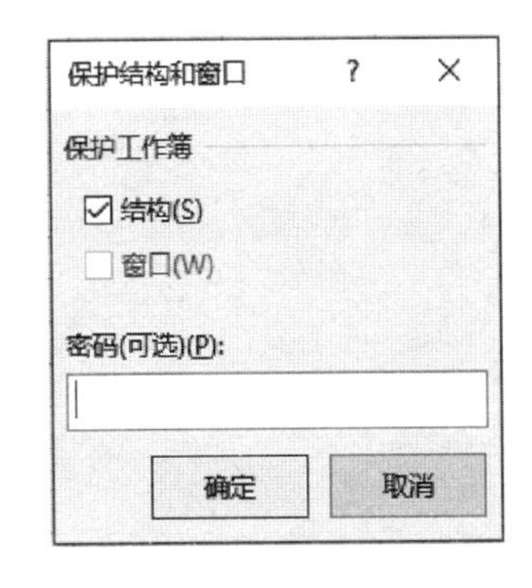

图 4-114　“保护结构和窗口”对话框

注意：要实现保护工作表和保护工作簿的操作，也可以单击“审阅”选项卡下“更改”组中的“保护工作表”按钮和“保护工作簿”按钮。

4.8.2　保护单元格

对工作表保护后，工作表中所有单元格都不能被修改。而在实际应用中，只需要对工作表中的某些单元格、图表等具有意义的内容实施保护，其他内容则不做保护。

对于所有单元格、图形对象、图表、方案以及窗口等，Excel 默认都是处于保护和可见状态，即“锁定”状态，但在工作表未保护之前是不生效的。

对工作表中单元格进行保护的操作步骤如下：

第 1 步：在 Excel 工作表中选中允许改动的单元格区域。

第 2 步：右击，在快捷菜单中选择“设置单元格格式”命令，打开“设置单元格格式”对话框。

第 3 步：选择对话框中的“保护”选项卡，取消勾选“锁定”复选框，如图 4-115

所示，单击“确定”按钮关闭对话框。

第 4 步：打开如图 4-113 所示的“保护工作表”对话框。

第 5 步：取消勾选“选定锁定单元格”复选框，单击“确定”按钮关闭对话框。

设置完成后，允许改动的单元格可以被选中并修改，除此以外，其他单元格均不允许被选中，因此用户也无法修改，从而达到保护单元格的目的。

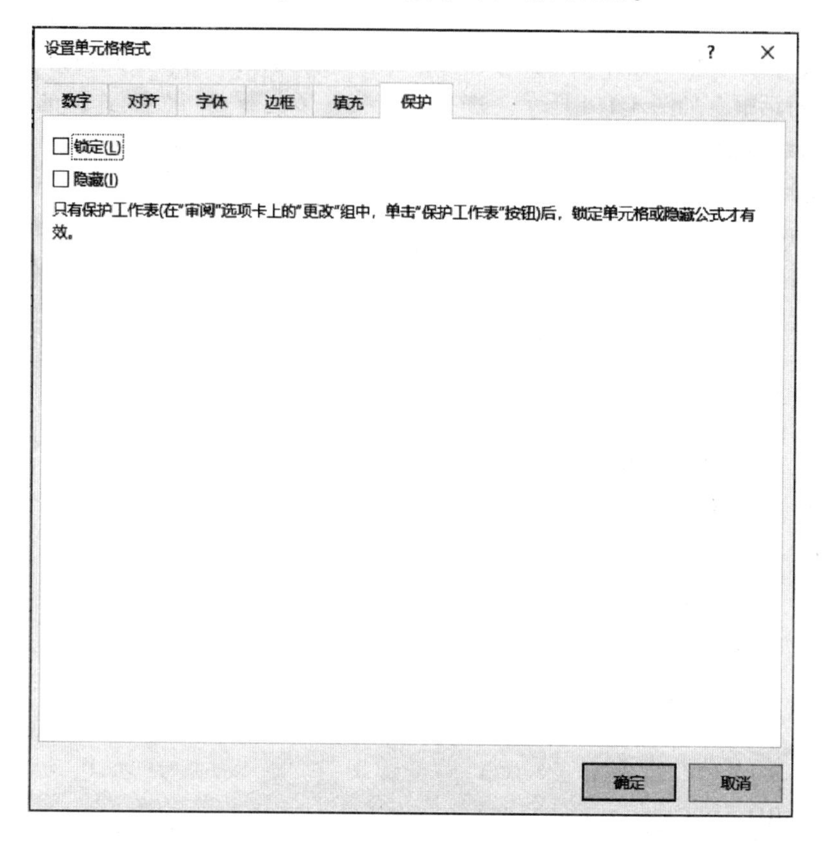

图 4-115 “设置单元格格式”对话框——“保护”选项卡

4.9 高级函数

4.9.1 查找和引用函数

1. ADDRESS 函数

语法：ADDRESS（row_num,column_num,abs_num,a1,sheet_text）

功能：按照给定的行号和列标，建立文本类型的单元格地址。

参数：

- row_num 为在单元格引用中使用的行号。
- column_num 为在单元格引用中使用的列标。
- abs_num 指定返回的引用类型（表 4-4）。

表 4-4　abs_num 的取值及意义

abs_num	指定返回的引用类型
1 或省略	绝对引用
2	绝对行号，相对列标
3	相对行号，绝对列标
4	相对引用

- a1 用以指定 A1 或 R1C1 引用样式的逻辑值。如果 A1 为 TRUE 或省略，函数 ADDRESS返回 A1 样式的引用；如果 A1 为 FALSE，函数 ADDRESS 返回 R1C1 样式的引用。
- sheet_text 为一文本，指定作为外部引用的工作表的名称，如果省略 sheet_text，则不使用任何工作表名。

例如，ADDRESS(3,4)的返回值为$D$3，ADDRESS(3,4,4)的返回值为 D3。

2. COLUMN 函数

语法：COLUMN(reference)

功能：COLUMN 函数返回给定引用的列标。

参数：reference 为需要得到其列标的单元格或单元格区域。

说明：如果省略 reference，则假定为是对函数所在单元格的引用。

例如，COLUMN(A3)的返回值为 1，即 A3 单元格所在的列标。

3. ROW 函数

语法：ROW(reference)

功能：ROW 函数返回给定引用的行号。

参数：reference 为需要得到其行号的单元格或单元格区域。

例如，ROW(A3)的返回值为 3，即 A3 单元格所在的行号。

4. LOOKUP 函数

函数 LOOKUP 有两种语法形式：向量和数组。本书仅介绍向量形式的 LOOKUP 函数。向量为只包含一行或一列的区域。

语法：LOOKUP(lookup_value,lookup_vector,result_vector)

功能：函数 LOOKUP 的向量形式是在单行区域或单列区域（向量）中查找数值，然后返回第二个单行区域或单列区域中相同位置的数值。

参数：

- lookup_value 为函数 LOOKUP 在第一个向量中所要查找的数值。
- lookup_vector 为只包含一行或一列的区域。
- result_vector 只包含一行或一列的区域，其单元格个数必须与 lookup_vector 相同。

说明：lookup_vector 的数值必须按升序排序，否则函数 LOOKUP 不能返回正确的结果。如果函数 LOOKUP 找不到 lookup_value，则查找 lookup_vector 中小于或等于 lookup_value的最大数值。

例如，利用 LOOKUP 函数在如图 4-116 所示的工作表中构造一个简单的查询。在 B13 单元格中输入要查询的学号，对应的 E13:E16 单元格中显示该学生对应的信息。具体操作步骤如下：

	A	B	C	D	E	F
1	学号	姓名	性别	语文	数学	英语
2	2008060301	王勇	男	89	98	70
3	2008060302	刘田田	女	78	67	90
4	2008060303	李冰	女	80	90	78
5	2008060304	任卫杰	男	67	78	59
6	2008060305	吴晓丽	女	90	88	96
7	2008060306	刘唱	男	67	89	76
8	2008060307	王强	男	88	97	89
9	2008060308	马爱军	男	95	80	79
10	2008060309	张晓华	女	67	89	98
11	2008060310	朱刚	男	94	89	87
12						
13	请输入学号	2008060303		姓名	李冰	
14				语文	80	
15				数学	90	
16				英语	78	

图 4-116　LOOKUP 函数示例

第 1 步：选中 B13 单元格，输入一个学号。

第 2 步：选中 E13 单元格，输入公式“=LOOKUP(B13,A2:A11,B2:B11)”后按回车键。

第 3 步：选中 E14 单元格，输入公式“=LOOKUP(B13,A2:A11,D2:D11)”后按回车键。

第 4 步：选中 E15 单元格，输入公式“=LOOKUP(B13,A2:A11,E2:E11)”后按回车键。

第 5 步：选中 E16 单元格，输入公式“=LOOKUP(B13,A2:A11,F2:F11)”后按回车键。

当改变 B13 单元格中输入的内容时，对应的数据也会跟着变化。

5. HLOOKUP 函数

语法：HLOOKUP(lookup_value,table_array,row_index_num,range_lookup)

功能：在表格的首行查找指定的数值，并由此返回表格中指定行的对应列处的数值。

参数：

- lookup_value 为需要在数据表第一行中进行查找的数值。
- table_array 为需要在其中查找数据的数据表。
- row_index_num 为 table_array 中待返回的匹配值的行号。
- range_lookup 为一逻辑值，指明函数 HLOOKUP 查找时是精确匹配还是近似匹配。如果 range_lookup 为 TRUE 或省略，则返回近似匹配值。也就是说，如果找不到精确匹配值，则返回小于 lookup_value 的最大数值。如果 range_lookup 为 FALSE，函数 HLOOKUP 将查找精确匹配值，若找不到，则返回错误值#N/A!。

例如，利用 HLOOKUP 函数在图 4-117 所示的表格中计算不同奖金所应得的提成比例。

	A	B	C	D	E	F
1	销售金额下限	¥0.00	¥100,001.00	¥200,001.00	¥300,001.00	¥5,000,001.00
2	销售金额上限	¥100,000.00	¥200,000.00	¥300,000.00	¥5,000,000.00	
3	提成比例	0.00%	0.75%	1.00%	1.50%	2.00%
4						
5	**销售金额**	150000				
6	**提成比例**	0.75%				

图 4-117　HLOOKUP 函数示例

具体操作步骤如下：

第 1 步：在 B5 单元格中输入一个金额，如 15 000。

第 2 步：设置 B6 单元格为百分比样式，保留两位小数。

第 3 步：选中 B6 单元格，输入公式“=HLOOKUP(B5,B1:F3,3)”后按回车键。

6. VLOOKUP 函数

语法：VLOOKUP(lookup_value,table_array,col_index_num,range_lookup)

功能：在表格或数值数组的首列查找指定的数值，并由此返回表格或数组当前行中指定列处的数值。

参数：与 HLOOKUP 函数类似。

7. INDEX 函数

返回表或区域中的值或值的引用。函数 INDEX 有两种形式：数组和引用。本书仅介绍数组形式的 INDEX 函数。

语法：INDEX(array,row_num,column_num)

功能：返回数组中指定行列交叉处的单元格的数值。

参数：

- array 为单元格区域或数组常量。
- row_num 为数组中某行的行号，函数从该行返回数值。
- column_num 为数组中某列的列标，函数从该列返回数值。

8. MATCH 函数

语法：MATCH(lookup_value,lookup_array,match_type)

功能：返回在指定方式下与指定数值匹配的数组中元素的相应位置。如果需要找出匹配元素的位置而不是匹配元素本身，则应该使用 MATCH 函数而不是 LOOKUP 函数。

参数：

- lookup_value 为需要在数据表中查找的数值。
- lookup_array 可能包含所要查找的数值的连续单元格区域。
- match_type 的取值和意义见表 4-5。

表 4-5　match_type 的取值及意义

match_type 的取值	意义
1 或省略	查找小于或等于 lookup_value 的最大数值，lookup_array 必须按升序排列
0	查找等于 lookup_value 的第一个数值，lookup_array 可以按任何顺序排列
-1	查找大于或等于 lookup_value 的最小数值，lookup_array 必须按降序排列

4.9.2 日期和时间函数

1. NOW 函数

语法：NOW( )

功能：返回当前日期和时间所对应的序列号。

2. TODAY 函数

语法：TODAY( )

功能：返回当前日期所对应的序列号。

3. YEAR 函数

语法：YEAR(serial_number)

功能：返回某日期对应的年份。返回值为 1 900~9 999 之间的整数。

参数：serial_number 为一个日期值，其中包含要查找的年份。

例如，YEAR("2015-5-6")的返回值为 2015。

4. MONTH 函数

语法：MONTH(serial_number)

功能：返回以序列号表示的日期中的月份。月份是介于 1（一月）~12（十二月）之间的整数。

参数：serial_number 为一个日期值，其中包含要查找的月份。

例如，MONTH("2015-5-6")的返回值为 5。

5. DAY 函数

语法：DAY(serial_number)

功能：返回以序列号表示的某日期的天数，用整数 1~31 表示。

参数：serial_number 为要查找的那一天的日期。

例如，DAY("2015-5-6")的返回值为 6。

6. DATE 函数

语法：DATE(year,month,day)

功能：返回代表特定日期的序列号。

参数：year 代表日期中年份的数字。month 代表日期中月份的数字。day 代表在该月份中第几天的数字。

例如，DATE(2015,10,1)的返回值为日期值 2015/10/1。

7. WEEKDAY 函数

语法：WEEKDAY(serial_number,return_type)

功能：返回某日期为星期几。默认情况下，其值为 1（星期天）~7（星期六）之间的整数。

参数：serial_number 是一个日期值。return_type 为确定返回值类型的数字（表 4-6）。

表 4-6　return_type 的含义

return_type	函数返回的数字含义
1 或省略	数字 1（星期日）~数字 7（星期六）
2	数字 1（星期一）~数字 7（星期日）
3	数字 0（星期一）~数字 6（星期日）

8. DATEDIF 函数

该函数是一个隐秘函数，在 Excel 的插入函数对话框和函数帮助中都没有 DATEDIF 函数，但是可以直接输入函数名称来使用 DATEDIF 函数。

语法：DATEDIF(start_date,end_date,unit)

功能：返回两个日期之间间隔的年数、月数或天数等。

参数：start_date 为时间段内的起始日期。end_date 为时间段内的结束日期。unit 为所需信息的返回类型（表 4-7）。

表 4-7　unit 的含义

unit	信息的返回类型
Y	时间段中的整年数
M	时间段中的整月数
D	时间段中的天数

例如，DATEDIF("1999-4-1","2007-7-12","Y")函数的返回值为 8，即两个日期之间相差了 8 年。DATEDIF("1999-4-1","2007-7-12","M")的返回值为 99，即两个日期之间相差了 99 个月。

4.9.3　逻辑函数

1. NOT 函数

语法：NOT(logical)

功能：对参数值求反。当要确保一个值不等于某一特定值时，可以使用 NOT 函数。

参数：logical 为一个可以计算出 TRUE 或 FALSE 的逻辑值或逻辑表达式。

说明：如果逻辑值为 FALSE，函数 NOT 返回 TRUE；如果逻辑值为 TRUE，函数 NOT 返回 FALSE。

2. AND 函数

语法：AND(logical1,logical2,…)

功能：所有参数的逻辑值为 TRUE 时，返回 TRUE；只要一个参数的逻辑值为 FALSE，即返回 FALSE。

参数：logical1,logical2,… 表示待检测的条件值。

3. OR 函数

语法：OR(logical1,logical2,…)

功能：在其参数中，任何一个参数的逻辑值为 TRUE，即返回 TRUE；所有参数的逻辑值为 FALSE，即返回 FALSE。

参数：logical1，logical2，…表示待检测的条件值，各条件值可为 TRUE 或 FALSE。

4. IF 函数

语法：IF(logical_test,value_if_true,value_if_false)

功能：根据对条件表达式真假值的判断，返回不同结果。

参数：

- Logical_test 是返回结果为 TRUE 或 FALSE 的任意值或表达式。
- value_if_true 是 logical_test 为 TRUE 时返回的值。
- value_if_false 是 logical_test 为 FALSE 时返回的值。

例如，计算如图 4-118 所示的成绩等第评定表中的等第评定。评定方法为：

若成绩在 90 分及以上，并且老师评价或同学打分中有 90 分及以上的同学，评为“优秀”；若成绩在 80 分及以上，并且老师评价或同学打分中有 80 分及以上的同学，评为“良好”；若成绩在 60 分及以上，并且老师评价或同学打分中有 60 分及以上的同学，评为“合格”；除此以外，其他都为“重修”。

	A	B	C	D	E
1	姓名	成绩	老师评价	同学打分	等第
2	王勇	92	98	85	优秀
3	刘田田	78	67	78	合格
4	李冰	80	90	92	良好
5	任卫杰	67	78	70	合格
6	吴晓丽	90	88	95	优秀
7	刘唱	77	89	85	合格
8	王强	88	97	88	良好
9	马爱军	95	80	80	良好
10	张晓华	67	55	50	重修
11	朱刚	94	89	90	优秀

图 4-118 IF 函数示例

具体操作步骤如下：

第 1 步：选定 E2 单元格，输入公式“=IF(AND(B2>=90,OR(C2>=90,D2>=90)),"优秀",IF(AND(B2>=80,OR(C2>=80,D2>=80)),"良好",IF(AND(B2>=60,OR(C2>=60, D2>=60)),"合格","重修")))”后按回车键。

第 2 步：选定 E2 单元格，拖动填充柄至 E11 单元格。

4.9.4 数据库函数

数据库函数主要用于对数据列表或数据库中的数据进行分析。简单来说，数据库函数就是将普通的统计函数与高级筛选合二为一。

数据库函数都具有相同的参数：

- database 构成列表或数据库的单元格区域。
- field 指定函数所使用的数据列，列表中的数据列必须在第一行具有标志项。
- criteria 为一组包含给定条件的单元格区域。可以为参数 criteria 指定任意区域，只要它至少包含一个列标志和列标志下方用于设定条件的单元格。

Excel 提供了 12 个数据库函数，具体见表 4-8。

表 4-8　Excel 中的数据库函数

函数	功能
DAVERAGE	返回列表或数据库中满足指定条件的列中数值的平均值
DCOUNT	返回数据库或列表的列中满足指定条件并且包含数字的单元格个数。参数 field 为可选项，如果省略，则函数 DCOUNT 返回数据库中满足条件 criteria 的所有记录数
DCOUNTA	返回数据库或列表的列中满足指定条件的非空单元格个数。参数 field 为可选项。如果省略，则函数 DCOUNTA 将返回数据库中满足条件 criteria 的所有记录数
DGET	从列表或数据库的列中提取符合指定条件的单个值。如果没有满足条件的记录，则函数 DGET 将返回错误值#VALUE!。如果有多个记录满足条件，则函数 DGET 将返回错误值#NUM!
DMAX	返回列表或数据库的列中满足指定条件的最大数值
DMIN	返回列表或数据库的列中满足指定条件的最小数值
DPRODUCT	返回列表或数据库的列中满足指定条件的数值的乘积
DSTDEV	将列表或数据库的列中满足指定条件的数字作为一个样本，估算样本总体的标准偏差
DSTDEVP	将列表或数据库的列中满足指定条件的数字作为样本总体，计算总体的标准偏差
DSUM	返回列表或数据库的列中满足指定条件的数字之和
DVAR	将列表或数据库的列中满足指定条件的数字作为一个样本，估算样本总体的方差
DVARP	将列表或数据库的列中满足指定条件的数字作为样本总体，计算总体的方差

例如，在图 4-119 所示的表格中，计算出三门课中不及格的人数，具体操作步骤如下：

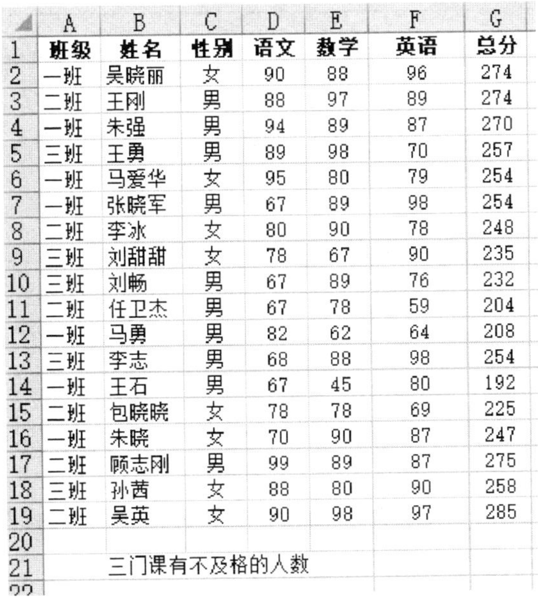

	A	B	C	D	E	F	G
1	班级	姓名	性别	语文	数学	英语	总分
2	一班	吴晓丽	女	90	88	96	274
3	二班	王刚	男	88	97	89	274
4	一班	朱强	男	94	89	87	270
5	三班	王勇	男	89	98	70	257
6	一班	马爱华	女	95	80	79	254
7	一班	张晓军	男	67	89	98	254
8	二班	李冰	女	80	90	78	248
9	三班	刘甜甜	女	78	67	90	235
10	三班	刘畅	男	67	89	76	232
11	二班	任卫杰	男	67	78	59	204
12	一班	马勇	男	82	62	64	208
13	三班	李志	男	68	88	98	254
14	一班	王石	男	67	45	80	192
15	二班	包晓晓	女	78	78	69	225
16	一班	朱晓	女	70	90	87	247
17	二班	顾志刚	男	99	89	87	275
18	三班	孙茜	女	88	80	90	258
19	二班	吴英	女	90	98	97	285
20							
21		三门课有不及格的人数					

图 4-119　数据库函数示例

第 1 步：在 I1:K4 区域中，构造筛选条件，如图 4-120 所示。

第 2 步：在 F21 单元格中输入公式："=DCOUNT(A1:G19,E1,I1:K4)"。

I	J	K
语文	数学	英语
<60		
	<60	
		<60

图 4-120　筛选条件

4.9.5　信息函数

1. IS 类函数

IS 类函数可以检验数据的类型，并根据参数值返回 TRUE 或 FALSE。

IS 类函数的功能见表 4-9。

表 4-9　IS 类函数的功能

函数	如果为下面的内容，则返回 TRUE
ISBLANK	值为空
ISERR	值为除#N/A 以外的任意错误值
ISERROR	值为任意错误值（#N/A、#VALUE!、#REF!、#DIV/0!、#NUM!、#NAME?或#NULL!）
ISLOGICAL	值为逻辑值
ISNA	值为错误值 #N/A（值不存在）
ISNONTEXT	值为不是文本的任意项（注意此函数在值为空白单元格时返回 TRUE）
ISNUMBER	值为数字
ISREF	值为引用
ISTEXT	值为文本

参数 value 为需要进行检验的数据，分别为：空白（空白单元格）、错误值、逻辑值、文本、数字、引用值或对于以上任意参数的名称引用。

IS 类函数的参数 value 是不可转换的。例如，在其他大多数需要数字的函数中，文本值"19"会被转换成数字 19。然而在公式 ISNUMBER("19")中，"19"并不由文本值转换成其他类型的值，函数 ISNUMBER 返回 FALSE。

IS 类函数在用公式检验计算结果时十分有用。当它与函数 IF 结合在一起使用时，可用来在公式中查出错误值。

2. CELL 函数

语法：CELL(info_type,[reference])

功能：返回某一引用区域左上角单元格的格式、位置或内容等信息。

参数：info_type 为一个文本值，指定所需要的单元格信息的类型。reference 表示要获取其有关信息的单元格。如果忽略，则在 info_type 中所指定的信息将返回给最后更改的单元格。info_type 的值与函数结果见表 4-10。

表 4-10　info_type 的值与函数结果

info_type	返回
"address"	引用中第一个单元格的引用，文本类型
"col"	引用中单元格的列标
"color"	如果单元格中的负值以不同颜色显示，则为 1，否则返回 0
"contents"	引用中左上角单元格的值，不是公式。
"filename"	包含引用的文件名（包括全部路径），文本类型。如果包含目标引用的工作表尚未保存，则返回空文本（""）
"format"	与单元格中不同的数字格式相对应的文本值。如果单元格中负值以不同颜色显示，则在返回的文本值的结尾处加“-”；如果单元格中为正值或所有单元格均加括号，则在文本值的结尾处返回“（）”
"parentheses"	如果单元格中为正值或全部单元格均加括号，则为 1，否则返回 0
"prefix"	与单元格中不同的“标志前缀”相对应的文本值。如果单元格文本左对齐，则返回单引号（'）；如果单元格文本右对齐，则返回双引号（"）；如果单元格文本居中，则返回插入字符（^）；如果单元格文本两端对齐，则返回反斜线（\）；如果是其他情况，则返回空文本（""）
"protect"	如果单元格没有锁定，则为 0；如果单元格锁定，则为 1
"row"	引用中单元格的行号
"type"	与单元格中的数据类型相对应的文本值。如果单元格为空，则返回“b”。如果单元格包含文本常量，则返回“l”；如果单元格包含其他内容，则返回“v”
"width"	取整后的单元格的列宽。列宽以默认字号的一个字符的宽度为单位

例如，函数 Cell("row",A5)所表示的含义为返回 A5 单元格的行号，即返回“5”。若在 A1 单元格中输入函数 Cell("address")，表示的含义为返回最后更改的单元格的地址，此时 A1 单元格为最后更改的单元格，因此返回值为“$A$1”；若此时选中 B1 单元格并按快捷键【F9】来刷新单元格，则 A1 单元格中的函数返回值立刻更改为“$B$1”。

4.10　使用宏操作

4.10.1　什么是宏

对于各行各业中的日常办公人员来说，几乎每天都要做创建报表、对报表进行格式设置以及一些数据的处理与分析等工作，这些工作基本都是一些重复的操作。为了节省时间，提高工作效率，就可以采用 Excel 中的宏来处理这些操作。

要使用 Excel 2016 中的宏，可以先做如下操作：

第 1 步：选择“文件”菜单中的“选项”命令，打开“Excel 选项”对话框。

第 2 步：在对话框左侧选择“自定义功能区”，如图 4-121 所示。

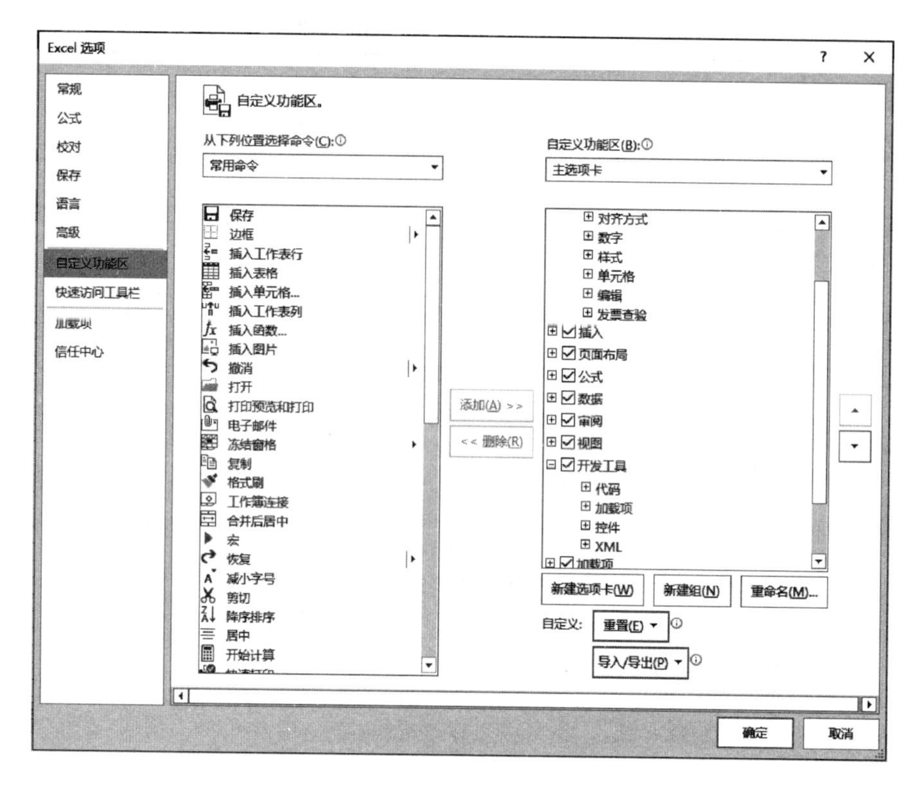

图 4-121 “Excel 选项”对话框

第 3 步：选中对话框右侧列表框中的“开发工具”复选框。

第 4 步：单击“确定”按钮关闭对话框。

完成上述设置后，在 Excel 功能区中增加了“开发工具”选项卡，如图 4-122 所示。

图 4-122 “开发工具”选项卡

4.10.2 录制宏

用户可以将一些常用的操作，比如设置字体、边框等格式，录制成一个宏操作，以备使用。录制宏的具体操作步骤如下：

第 1 步：单击“开发工具”选项卡下“代码”组中的“录制宏”按钮 录制宏，或者单击“视图”选项卡下“宏”组中的“宏”按钮，在下拉列表中选择“录制宏”命令，都可以打开“录制宏”对话框，如图 4-123 所示。

第 2 步：在“宏名”文本框中输入一个名称用来表示该宏，如“标题格式”，表示该宏用于设置标题的格式。

第 3 步：在“快捷键”区域的文本框中输入一个字母，可以为其创建快捷键。

第 4 步：在“保存在”下拉列表中选择宏的保存位置。宏的保存位置共三种，具体含义如下：

① 个人宏工作簿：表示可以在多个工作簿中使用录制的宏。

② 新工作簿：表示只有在新建的工作簿中，录制的宏才可以使用。

③ 当前工作簿：表示只有当前工作簿打开时，录制的宏才可以使用。

第 5 步：在“说明”文本框中可以输入对该宏的文字说明。

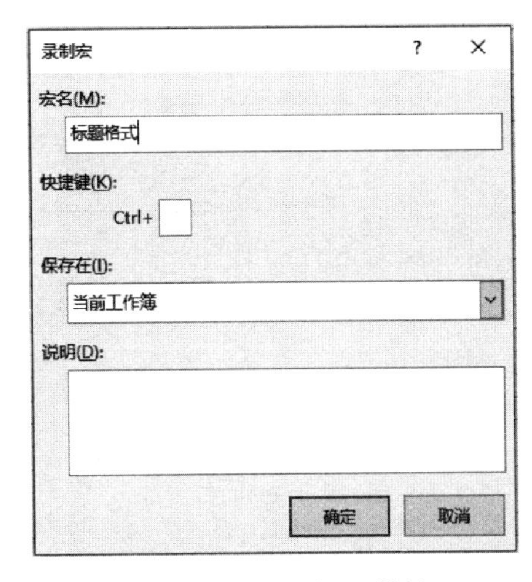

图 4-123　“录制宏”对话框

第 6 步：单击“确定”按钮关闭对话框，开始录制该宏的操作。

第 7 步：连续执行若干需要录制的操作，如设置字体、边框、对齐方式等。

第 8 步：需要录制的操作完成后，单击“开发工具”选项卡下“代码”组中的“停止录制”按钮，结束宏的录制。

4.10.3　执行宏

录制宏的操作完成后，若需要将同样的操作应用到其他工作表，则切换到其他工作表，通过执行已经录制的宏，就可以实现相同操作的复制，提高工作效率。执行宏的操作步骤如下：

第 1 步：切换到需要使用宏的工作表。

第 2 步：单击“开发工具”选项卡下“代码”组中的“宏”按钮，或者使用【Alt】+【F8】组合键，打开“宏”对话框，如图 4-124 所示。

第 3 步：在列表框中选择需要的宏，单击“执行”按钮即可。

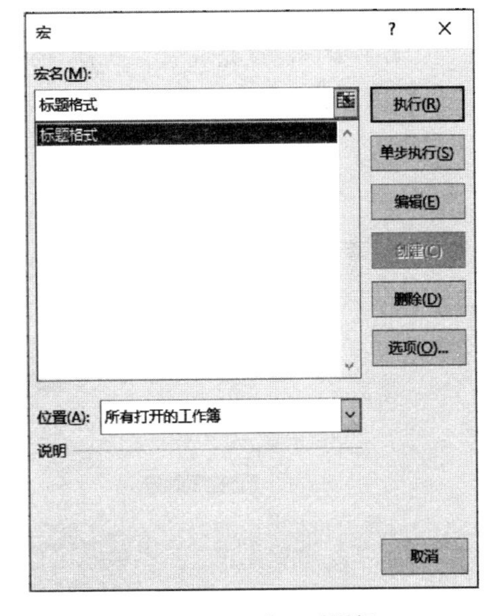

图 4-124　“宏”对话框

4.11　其他实用操作

1. 通过自定义快速录入数据

当用户经常需要在单元格中重复输入固定的某些内容时，可以使用自定义的方式，将常用的文本序列添加到 Excel 中。例如，在图 4-125 所示的 D3:D17 区域中，经常需要输入性别为“男”或“女”，使用自定义方式快速录入数据的具体步骤如下：

	A	B	C	D	E	F	G
1	员工信息表						
2	编号	姓名	学历	性别	年龄	部门	职位
3	XSB001	马爱华	本科	女	28	销售部	地区经理
4	XSB002	马勇	硕士	男	33	销售部	地区经理
5	XSB003	王传	大专	男	21	销售部	助理
6	XSB004	吴晓丽	本科	女	20	销售部	业务骨干
7	XSB005	张晓军	硕士	男	43	销售部	业务骨干
8	XSB006	朱强	博士	男	29	销售部	业务骨干
9	XSB007	朱晓晓	本科	女	30	销售部	业务骨干
10	XSB008	包晓燕	本科	女	39	销售部	助理
11	XSB009	顾志刚	硕士	男	28	销售部	助理
12	XSB010	李冰	博士	女	34	销售部	业务骨干
13	XSB011	任卫杰	博士	男	39	销售部	地区经理
14	XSB012	王刚	本科	男	27	销售部	业务骨干
15	XSB013	吴英	大专	女	28	销售部	业务骨干
16	XSB014	李志	博士	男	31	销售部	业务骨干
17	XSB015	刘畅	大专	男	23	销售部	业务骨干

图 4-125 员工信息表

第 1 步：选中 D3:D17 区域，在选中的区域右击，从快捷菜单中选择“设置单元格格式”命令，打开“设置单元格格式”对话框（图 4-126）。

第 2 步：选择“数字”选项卡，在“分类”列表中单击“自定义”选项。

第 3 步：在右侧“类型”文本框中输入“[=1]"男";[=2]"女"”，注意所有标点符号均为英文输入法中的标点符号。

第 4 步：单击“确定”按钮关闭对话框。

第 5 步：设置完成后，在性别列中输入“1”或“2”，按下【Enter】键即可输入“男”或“女”。

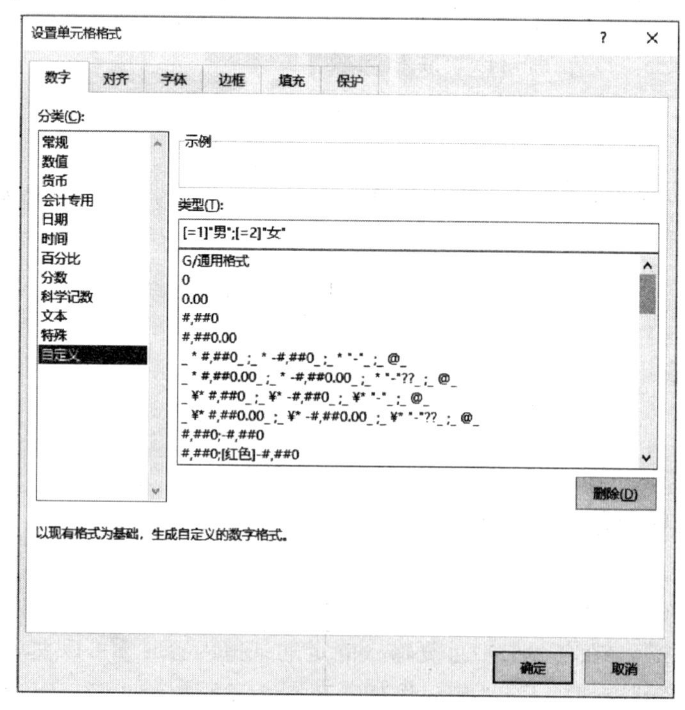

图 4-126 “设置单元格格式”对话框

使用同样的方法，也可以设置图 4-124 中“学历”“职位”等列的数据为快速录入方式。

2. 插入表单控件

在用 Excel 制作表格时，制作好一个数据表后，有时需要使用表单控件来丰富表格的使用功能，这里可以用软件自带的表单控件。

插入表单控件的操作同样也必须在“开发工具”选项卡中完成。若 Excel 中没有显示“开发工具”选项卡，请使用前文中的步骤添加。

插入表单控件的具体操作步骤如下：

第 1 步：选中需要插入表单控件的单元格，单击“开发工具”选项卡下“控件”组中的“插入”按钮，在下拉列表中选择需要插入的表单控件，如“选项按钮”◉。

第 2 步：在单元格中拖动鼠标绘制出一个大小合适的控件。

第 3 步：在控件上右击，在弹出的快捷菜单中选择“编辑文字”命令可以更改控件上显示的文字内容。

第 4 步：制作完成后单击其他单元格，此时控件为可以使用的状态，单击鼠标左键可以触发控件。若要重新修改控件的属性或删除控件，则需在控件上右击。

图 4-127 中的性别、学历和爱好后的单元格中分别添加了选项按钮控件和复选框控件。需要注意的是，性别和学历是两组独立的选项按钮，因此，在添加选项按钮之前，应该先添加“分组框”控件 ⌐¬，然后在不同的分组框中再添加选项按钮。

	A	B	C	D
1	姓名		年龄	
2	性别	◉男	○女	
3	学历	◉本科	○硕士	
4	爱好	☐篮球 ☐游泳	☑足球 ☐唱歌	☑乒乓球 ☑乐器

图 4-127 表单控件示例

3. 创建迷你图

在数据处理中，往往图表能比较直观形象地反映数据的变化，但是大图表所占空间比较大，排版费时，因此迷你图应运而生。

例如，在图 4-128 所示的数据列表中制作每种产品全年销售量的迷你图，具体操作步骤如下：

	A	B	C	D	E	F	G	H	I	J	K	L	M	N
1	全年销售量统计表													
2														
3	月份	一月	二月	三月	四月	五月	六月	七月	八月	九月	十月	十一月	十二月	迷你图
4	产品一	88	100	89	98	91	97	86	96	85	95	87	94	
5	产品二	98	98	87	96	79	94	76	92	68	89	75	84	
6	产品四	82	100	87	89	87	89	98	86	79	93	78	98	
7	产品五	85	97	85	99	97	90	96	84	74	87	96	89	
8	产品六	82	99	83	100	80	89	85	90	85	94	57	84	
9	产品七	89	100	92	96	88	90	80	99	81	86	68	94	
10	产品八	75	87	59	68	96	88	85	86	98	87	84	79	

图 4-128 全年销售量统计表

第 1 步：选中 N4 单元格，单击“插入”选项卡下“迷你图”组中的“折线图”按钮。

第 2 步：打开“创建迷你图”对话框，在数据范围中选中 B4:M4 单元格区域，如图 4-129 所示。

第 3 步：单击“确定”按钮关闭对话框。

第 4 步：使用填充柄，填充至 N10 单元格，制作好的迷你图如图 4-130 所示。

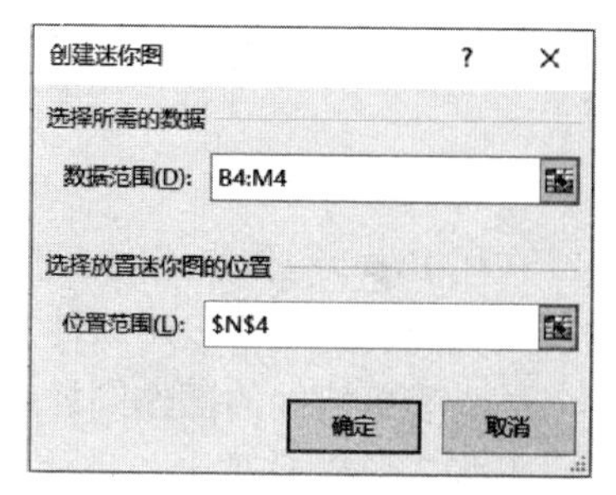

图 4-129 “创建迷你图”对话框

	A	B	C	D	E	F	G	H	I	J	K	L	M	N
1	全年销售量统计表													
2														
3	月份	一月	二月	三月	四月	五月	六月	七月	八月	九月	十月	十一月	十二月	迷你图
4	产品一	88	100	89	98	91	97	86	96	85	95	87	94	
5	产品二	98	98	87	96	79	94	76	92	68	89	75	84	
6	产品四	82	100	87	89	87	89	98	86	79	93	78	98	
7	产品五	85	97	85	99	97	90	96	84	74	87	96	89	
8	产品六	82	99	83	100	80	89	85	90	85	94	57	84	
9	产品七	89	100	92	96	88	90	80	99	81	86	68	94	
10	产品八	75	87	59	68	96	88	85	86	98	87	84	79	

图 4-130 “全年销售量统计表”工作表中的迷你图

注意：迷你图无法使用【Delete】键来删除。要删除迷你图，必须单击“迷你图工具-设计”选项卡下“分组”组中的“清除”按钮。

练习题

一、选择题

1. Excel 2016 中默认保存工作簿的后缀名为________。

A. .xls　　B. .xlx　　C. .xlsx　　D. .xlxs

2. Excel 2016 中的基本工作单位是________。

A. 工作簿　　B. 工作表　　C. 单元格　　D. 窗口

3. 下列对单元格的引用方法中，属于绝对引用的是________。

A. A1　　B. D$8　　C. $C$2　　D. $A3

4. 下列函数中，表示计算各个参数平均值的函数是________。

A. SUM　　B. COUNT　　C. AVERAGE　　D. MAX

5. 下列函数中，可以用来排名次的函数是________。

A. SUMIF　　B. RANK.EQ　　C. IF　　D. TEXT

6. 在同一个单元格中输入多行文字时，换行的组合键是________。

A. 【Ctrl】+【Enter】　　B. 【Shift】+【Enter】

C. 【Alt】+【Enter】　　D. 【Tab】+【Enter】

7. 下列关于创建图表的说法正确的是________。

A. 创建好图表后，用户不能改变其图表类型

B. 创建好图表后，用户不能改变生成图表的数据

C. 创建好图表后，用户不能向图表中再添加其他数据

D. 创建好图表后，用户可以将其移动到其他工作表中

8. 下列关于排序的说法正确的是________。

A. 对数据列表进行排序时，不能同时按照多个关键字进行排序

B. 对数据列表进行排序时，必须选好需要排序的列

C. 除了按照系统预定的顺序排序，还可以按照自定义顺序排序

D. 排序时只能在纵向上对列数据进行排序，而不能在横向上对行数据排序

9. 在对单元格添加了批注以后，该单元格的________出现红三角，鼠标指向该单元格后，显示批注信息。

A. 右下角　　B. 右上角　　C. 左下角　　D. 左上角

10. 在使用公式和函数时，当某单元格中显示“#DIV/0!”，表示________。

A. 单元格中的数字长度太长而无法显示

B. 函数名称使用错误

C. 引用了不存在的单元格或内容

D. 除数为0

11. 在Excel 2016中，一个完整的函数包括________。

A. “=”和函数名　　B. 函数名和变量

C. “=”和变量　　D. “=”、函数名和变量

12. 如果删除的单元格是其他单元格的公式所引用的，那么这些公式将会显示________。

A. #######　　B. #REF!　　C. #VALUE!　　D. #NUM

13. 若要在Excel 2016中输入分数形式：1/3，则下列方法正确的是________。

A. 直接输入1/3

B. 先输入单引号，再输入1/3

C. 先输入0，然后按空格键，再输入1/3

D. 先输入双引号，再输入1/3

14. 在Excel 2016中，进行分类汇总之前，必须对数据列表进行________。

A. 筛选　　B. 排序　　C. 建立数据库　　D. 有效计算

15. 在Excel 2016中，函数MIN(10,7,12,0)的返回值是________。

A. 10　　B. 7　　C. 12　　D. 0

16. 关于Excel 2016文件的保存，以下说法错误的是________。

A. Excel 2016文件可以保存为多种类型的文件

B. 高版本的 Excel 2016 的工作簿不能保存为低版本的工作簿
C. 高版本的 Excel 2016 的工作簿可以打开低版本的工作簿
D. 要将本工作簿保存在别处，不能选“保存”，要选“另存为”
17. 在 Excel 2016 中，若在工作表中插入一列，则一般插在当前列的________。
A. 左侧　　B. 上方　　C. 右侧　　D. 下方
18. 在 Excel 2016 的单元格中输入数值型数据，默认的对齐方式是________。
A. 右对齐　　B. 左对齐　　C. 居中对齐　　D. 分散对齐
19. 在 Excel 2016 的一个单元格中输入数据为 1.656E+05，它与________相等。
A. 1.656 05　　B. 1.656 5　　C. 6.656　　D. 165 600
20. 以下填充方式不属于 Excel 2016 的填充方式的是________。
A. 等差填充　　B. 等比填充　　C. 排序填充　　D. 日期填充

二、操作题

1. 抗洪救灾捐献统计表。

（1）根据下列数据建立一张抗洪救灾捐献统计表（存放在 A1:D5 的区域内），将当前工作表 Sheet1 更名为“救灾统计表”。

单位	捐款/万元	实物/件	折合人民币/万元
第一部门	1.95	89	2.45
第二部门	1.2	87	1.67
第三部门	0.95	52	1.3
总计			

（2）计算各项捐献的总计，分别填入“总计”行的相应列中。（结果的数字格式为常规样式）

（3）选“单位”和“折合人民币”两列数据（不包含总计），绘制部门捐款的三维饼图，要求图例在右侧，数据标志显示各部门捐款总数的百分比，图表标题为“各部门捐款总数百分比图”，并将其嵌入数据表格下方。

2. 股票价格表。

（1）将下列两种类型的股票价格随时间变化的数据建成一数据表（存放在 A1:E7 的区域内），其数据表保存在 Sheet1 工作表中。

股票种类	时间	盘高	盘低	收盘价
A	10:30	114.2	113.2	113.5
A	12:20	215.2	210.3	212.1
A	14:30	116.5	112.2	112.3
B	12:20	120.5	119.2	119.5
B	14:30	222	221	221.5
B	16:40	125.5	125	125

（2）对建立的数据表选择“盘高”“盘低”“收盘价”“时间”数据建立簇状柱形图，图表标题为“股票价格走势图”，并将其嵌入当前工作表中。

（3）将工作表 Sheet1 更名为“股票价格走势表”。

3. 费用统计表。

（1）根据下列已知数据建立一数据表格（存放在 A1:D5 的区域内）。

北京市朝阳区胡同里 18 楼月费用一览表			
门牌号	水费/元	电费/元	煤气费/元
1	71. 2	102. 1	12. 3
2	68. 5	175. 5	32. 5
3	68. 4	312. 4	45. 2

（2）在 B6 单元格中利用 RIGHT 函数取 B5 单元格中字符串右 3 位；利用 INT 函数求出门牌号为 1 的电费的整数值，将其结果置于 C6 单元格。

（3）绘制各门牌号各种费用的簇状柱形图，要求图例在底部，水平（类别）轴为门牌号，图表标题为“月费用柱形图”，将其嵌入数据表格下方。

4. 学生成绩表。

（1）根据下列学生成绩建立一数据表格（存放在 A1:F4 的区域内）。

序号	姓名	数学	外语	政治	平均成绩
1	王立萍	85	79	79	
2	刘嘉林	90	84	81	
3	李莉	81	95	73	

（2）计算每位学生的平均成绩。计算公式：平均成绩=(数学+外语+政治)/3，结果的数字格式为常规样式，保留 1 位小数。

（3）选“姓名”和“平均成绩”两列数据，绘制各学生的平均成绩的柱形图（三维簇状柱形图）。水平（类别）标题为“姓名”，垂直（值）轴标题为“平均成绩”，图表标题为“学生平均成绩柱形图”，将其嵌入数据表格下方。

5. 销售情况表。

根据下面的工作表，完成如下操作：

（1）对工作表内数据列表的内容进行筛选，筛选条件为“各分店第三和第四季度、销售额大于或等于 6 000 元的销售情况”。

（2）将筛选结果复制到新的工作表 Sheet2 中，并取消筛选。

（3）按照经销部门和图书名称，分类汇总出各部门每种图书的销售总额。

	A	B	C	D	E	F
1	某图书销售集团销售情况表					
2	经销部门	图书名称	季度	数量	单价	销售额(元)
3	第3分店	计算机导论	三	111	¥ 32.80	¥ 3,640.80
4	第3分店	计算机导论	二	119	¥ 32.80	¥ 3,903.20
5	第1分店	程序设计基础	二	123	¥ 26.90	¥ 3,308.70
6	第2分店	计算机应用基础	二	145	¥ 23.50	¥ 3,407.50
7	第2分店	计算机应用基础	一	167	¥ 23.50	¥ 3,924.50
8	第3分店	程序设计基础	四	168	¥ 26.90	¥ 4,519.20
9	第1分店	程序设计基础	四	178	¥ 26.90	¥ 4,788.20
10	第3分店	计算机应用基础	四	180	¥ 23.50	¥ 4,230.00
11	第2分店	计算机应用基础	四	189	¥ 23.50	¥ 4,441.50
12	第2分店	程序设计基础	一	190	¥ 26.90	¥ 5,111.00
13	第2分店	程序设计基础	四	190	¥ 26.90	¥ 5,111.00
14	第2分店	程序设计基础	三	205	¥ 26.90	¥ 5,514.50
15	第2分店	计算机应用基础	一	206	¥ 23.50	¥ 4,841.00
16	第2分店	程序设计基础	二	211	¥ 26.90	¥ 5,675.90
17	第3分店	程序设计基础	三	218	¥ 26.90	¥ 5,864.20
18	第2分店	计算机导论	一	221	¥ 32.80	¥ 7,248.80
19	第3分店	计算机导论	四	230	¥ 32.80	¥ 7,544.00
20	第1分店	程序设计基础	三	232	¥ 26.90	¥ 6,240.80
21	第1分店	计算机应用基础	三	278	¥ 23.50	¥ 6,533.00
22	第1分店	计算机导论	四	236	¥ 32.80	¥ 7,740.80
23	第3分店	程序设计基础	二	242	¥ 26.90	¥ 6,509.80
24	第3分店	计算机应用基础	三	278	¥ 23.50	¥ 6,533.00
25	第1分店	计算机应用基础	四	278	¥ 23.50	¥ 6,533.00
26	第2分店	计算机导论	三	281	¥ 32.80	¥ 9,216.80
27	第3分店	程序设计基础	一	301	¥ 26.90	¥ 8,096.90
28	第3分店	计算机导论	一	306	¥ 32.80	¥ 10,036.80
29	第3分店	计算机应用基础	二	309	¥ 23.50	¥ 7,261.50
30	第2分店	计算机导论	二	312	¥ 32.80	¥ 10,233.60
31	第1分店	计算机应用基础	一	345	¥ 23.50	¥ 8,107.50
32	第1分店	计算机导论	三	345	¥ 32.80	¥ 11,316.00
33	第1分店	计算机应用基础	二	412	¥ 23.50	¥ 9,682.00
34	第2分店	计算机导论	四	412	¥ 32.80	¥ 13,513.60
35	第2分店	计算机应用基础	三	451	¥ 23.50	¥ 10,598.50
36	第1分店	计算机导论	一	569	¥ 32.80	¥ 18,663.20
37	第1分店	计算机导论	二	645	¥ 32.80	¥ 21,156.00
38	第1分店	程序设计基础	一	765	¥ 26.90	¥ 20,578.50

6. 报刊统计表。

(1) 按照下列已知数据建立 Excel 数据表格。

年份	图书种数	期刊种数	报纸种数	报纸增长率
2010	14 987	930	186	
2011	21 621	2 191	188	
2012	45 603	4 705	1 445	
2013	80 224	5 751	1 444	
2014	101 381	7 583	2 089	
2015	112 813	7 916	2 163	
2016	120 106	7 918	2 149	
2017	130 613	7 999	2 053	
2018	141 831	8 187	2 038	
2019	143 376	8 725	2 007	
2020	154 526	8 889	2 111	

（2）利用公式分别计算各年报纸增长率，结果以百分比格式显示，保留 2 位小数［报纸增长率=（当年报纸种数-上年报纸种数）/上年报纸种数）］。

（3）设置数据区域外边框为双线、内边框为最细单线。

（4）根据工作表中相关数据，生成一张反映 2015 到 2020 年报纸种数的簇状柱形图，嵌入当前工作表中，要求报纸种数在垂直（值）轴，水平（类别）轴标志为年份，图表标题为“2015 至 2020 年报纸种数统计图”，不显示图例，数据标志显示值。

7. 日照时数统计表。

（1）按照下列已知数据建立一数据表格。

城市	1 月/时	2 月/时	3 月/时	4 月/时	5 月/时	6 月/时	半年/时
北京	110.7	161.6	271.4	210.6	187.4	197.7	
天津	99.1	144.3	247.7	193.2	201.0	213.3	
石家庄	53.5	146.4	258.7	255.4	221.6	272.9	
太原	76.5	168.3	257.4	264.4	220.2	245.2	
呼和浩特	97.1	151.7	271.9	257.8	250.4	269.3	
沈阳	156.9	150.8	194.6	186.1	245.5	171.6	
长春	167.8	164.2	223.8	221.0	268.8	195.0	
哈尔滨	111.4	153.8	180.7	176.7	261.7	192.7	
上海	81.0	90.5	162.1	160.9	153.2	130.3	
南京	94.5	90.1	190.1	159.8	186.6	171.3	
杭州	62.1	58.6	137.9	154.8	131.4	119.5	

（2）利用公式分别计算相应城市的半年日照时数。

（3）利用自动筛选功能，筛选出半年日照时数不少于 1 200 小时的城市。

（4）根据筛选出的“城市”和“半年”日照时数的数据，生成一张三维簇状柱形图，嵌入 Sheet1 工作表中，要求系列产生在列，图表标题为“日照最多的城市”，数据标志显示值，不显示图例。

8. 人口增长率。

（1）按照下列已知数据建立一数据表格。

年份	出生率/‰	死亡率/‰	自然增长率/‰
1996	16.98	6.56	
1997	16.57	6.51	
1998	15.64	6.5	
1999	14.64	6.46	
2000	14.03	6.45	
2001	13.38	6.43	
2002	12.86	6.41	
2003	12.41	6.4	

（2）计算各年度自然增长率（自然增长率=出生率-死亡率）。

（3）设置表格外框线为最粗实线、内框线为最细实线。

（4）将所有数据按自然增长率从高到低排序。

（5）根据自然增长率较高的前3位年度数据生成一张簇状柱形图，嵌入当前工作表中，要求水平（类别）轴标志为年份数据，图表标题为“人口自然增长率”，无图例。

9. 煤储量统计表。

（1）按照下列已知数据建立一数据表格。

国家	探明储量/万吨	可开采储量/万吨	估计储量/万吨	比例
中国	11 450 000	6 220 000	36 320 000	
印度	9 586 600	5 224 000	15 743 500	
印度尼西亚	344 800	172 100	603 500	
日本	476 800	35 500	629 800	
朝鲜	200 000	30 000	270 000	
韩国	13 800	8 200	27 200	
马来西亚	1 500	400	7 800	
缅甸	500	200	12 000	
巴基斯坦	100	100	500	
菲律宾	5 000	4 100	800	

（2）在最后一行添加“合计”，分别计算相应列数据的总和。

（3）利用函数分别计算表中各国“可开采储量”占所有国家“可开采储量”合计的百分比（要求使用绝对地址引用合计值），结果以百分比格式表示，保留4位小数。

（4）根据“国家”与“比例”两列数据，生成一张数据点折线图，嵌入当前工作表中，图表标题为“煤炭可开采储量比例”，设置水平、垂直坐标轴字号为8，无图例。

10. 卫生费用表。

（1）按照下列已知数据建立一数据表格。

地区	合计/万元	政府支出/万元	社会支出/万元	个人支出/万元	政府支出占比
北京		223.98	386.86	202.8	
天津		82.68	145.88	127.1	
河北		266.83	247.58	387.56	
山西		132.28	152.26	179.18	
内蒙古		139.47	105.91	191.58	
辽宁		176.35	291.58	304.57	
吉林		122.91	123.77	207.58	

续表

地区	合计/万元	政府支出/万元	社会支出/万元	个人支出/万元	政府支出占比
黑龙江		151.96	198.04	255.76	
江苏		293.87	533.25	405.18	
浙江		265.4	440.63	437.27	
安徽		214.21	257.39	249.52	
福建		140.62	186.64	145.49	
江西		180.17	112.41	150.36	

（2）利用公式分别计算各地区卫生费用合计（合计=政府支出+社会支出+个人支出）。

（3）利用公式分别计算各地区政府支出占比（政府支出占比=政府支出/合计），结果以带 1 位小数的百分比格式显示。

（4）利用条件格式，将“政府支出占比”排名前 5 位的数据设置为标准色-红色。

（5）根据“政府支出占比”排名前 5 位的数据，生成一张簇状柱形图，嵌入当前工作表中，图表上方标题为“政府卫生支出占比前五”，采用图表样式 4，无图例，显示数据标签，并放置在数据标签外。

第5章　PowerPoint 2016 的使用

5.1　PowerPoint 2016 概述

PowerPoint 2016 是微软公司 Microsoft Office 2016 软件包的组件之一，是目前最常用的演示文稿制作软件。本章主要介绍如何利用 PowerPoint 2016 创建演示文稿，以及制作、修饰并美化幻灯片的操作方法。

5.1.1　PowerPoint 2016 的功能

用户利用 PowerPoint 2016 可以轻松地制作图文并茂、声形兼备、变化效果生动丰富的演示文稿。PowerPoint 2016 集成了文字、表格、公式、图表、动态 SmartArt 图形、图片、艺术字、声音、视频等多种媒体元素于一身，配合主题、母版、版式、超链接、动作按钮、动画设置、幻灯片切换和幻灯片放映等丰富便捷的编辑设置技术，可以快速创建极具感染力和视觉冲击力的动态演示文稿。

在 PowerPoint 2016 中创建和编辑的一个画面称为幻灯片。幻灯片是演示文稿的组成部分，在幻灯片中可插入电子表格、图像、声音、文本等多媒体信息。

使用 PowerPoint 2016 创建的文档称为演示文稿，默认扩展名为“. pptx”，每个演示文稿通常由若干张相关的幻灯片组成。

5.1.2　PowerPoint 2016 的启动和退出

1. *PowerPoint 2016 的启动*

启动 PowerPoint 2016 有多种方法，下面介绍比较常用的三种方法：

方法 1：利用“开始”按钮。单击“开始”按钮，在弹出的菜单中拖动菜单右侧的滚动条，找到“PowerPoint 2016”并单击鼠标。

方法 2：利用桌面快捷方式。如果计算机桌面上存在 PowerPoint 2016 的快捷方式，则双击该快捷方式图标即可启动。

方法 3：直接打开文档。选择任意一个 PowerPoint 文档，双击它（如果计算机中还安装了 WPS，则可能会启动 WPS，此时可以通过选中文档并右击，在打开方式中选择 PowerPoint 2016）即可启动 PowerPoint 2016，并且自动加载该文档。

2. PowerPoint 2016 的退出

退出 PowerPoint 2016 应用程序，也就是关闭 PowerPoint 2016 窗口，主要有以下几种方法：

方法 1：单击窗口右上角的“关闭”按钮。

方法 2：选择“文件”选项卡中的“关闭”命令。

方法 3：按【Alt】+【F4】组合键。

方法 4：右击标题栏任意空白区域，在弹出的快捷菜单中选择“关闭”命令。

5.1.3 PowerPoint 2016 的窗口及视图窗口

1. PowerPoint 2016 的窗口

PowerPoint 2016 的窗口如图 5-1 所示，主要由快速访问工具栏、标题栏、选项卡、功能区、任务窗格、幻灯片编辑区、状态栏等组成。

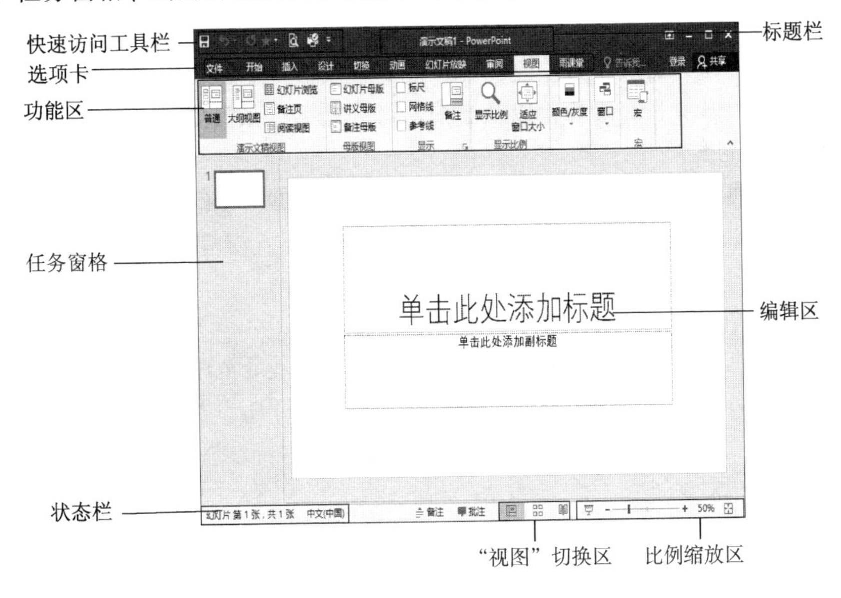

图 5-1　PowerPoint 2016 的窗口

(1) 快速访问工具栏

该工具栏位于工作界面的左上角，包含一组用户使用频率较高的工具，如“新建”“保存”“撤消”“恢复”等。用户可单击“快速访问工具栏”右侧的下拉箭头，在展开的列表中选择要在其中显示或隐藏的工具按钮。

(2) 标题栏

标题栏位于工作界面的顶端，显示当前正在编辑的演示文稿名称。其右侧有功能区显示选项、最小化、向下还原、关闭按钮，用于功能区的显示、隐藏，应用程序窗口的最大化、最小化和关闭操作等。

(3) 选项卡

选项卡位于标题栏的下方，常用的选项卡有文件、开始、插入、设计、切换、动画、幻灯片放映、审阅和视图 9 个不同的类别。选项卡中含有多个选项组，根据操作对象的不同，还会增加相应的选项卡，称为“上下文选项卡”。例如，只有在幻灯片插入某一图片，选择该图片时才会显示“图片工具-格式”选项卡。这些选项卡可以进行绝大多数的 PowerPoint 操作。

（4）功能区

功能区位于选项卡的下面，当选中某个选项卡后，其对应的多个选项组会出现在其下方，每个选项组内含有若干命令或按钮。例如，单击“开始”选项卡，其功能区包含“剪贴板”“幻灯片”“字体”“段落”“绘图”“编辑”等选项组。

（5）任务窗格

任务窗格位于窗口左侧，可用于组织和开发演示文稿中的内容。

（6）幻灯片编辑区

幻灯片编辑区是编辑幻灯片的主要场所，PowerPoint 在创建演示文稿时，默认给出的是一个标题幻灯片版式作为演示文稿的第一张幻灯片，也就是标题幻灯片。

（7）状态栏

状态栏位于工作界面最下方左侧，在不同的视图方式下显示的内容略有不同。主要显示当前文件包含多少张幻灯片，以及当前幻灯片是第几张等信息。

2. 幻灯片的视图

视图是当前演示文稿的不同显示方式。用户可以根据自己的实际需要选择合适的视图方式。PowerPoint 2016 中提供了普通视图、大纲视图、幻灯片浏览视图、备注页视图、阅读视图、幻灯片放映视图以及母版视图等。

（1）普通视图

普通视图是建立和编辑幻灯片的主要视图方式，也是最常用的视图方式。在此模式下，用户可以编写和设计演示文稿，也可以同时显示幻灯片、大纲和备注内容。

单击“视图”选项卡下“演示文稿视图”组中的“普通”按钮，即可打开普通视图方式，如图 5-2 所示。

普通视图是阅读视图、幻灯片视图和备注页视图 3 种模式的综合。它将工作区分为三个窗格，最左边为任务窗格，可以用来组织和开发演示文稿中的内容；右侧上面显示的是幻灯片窗格，可以用来查看、编辑、设计每张幻灯片中的文本外观，并能够在单张幻灯片中添加图片、影片、声音等，还可以创建超链接及添加动画；视图下方为备注窗格，用户可以在此处添加备注信息。

（2）幻灯片浏览视图

在幻灯片浏览视图下可以在一屏中显示多张幻灯片。此时演示文稿中的幻灯片缩小，并按顺序整齐排列在窗口中，因此可以方便地对幻灯片的顺序进行排列和组织，还可以对幻灯片进行移动、复制、删除等操作。在此视图中，可以通过“视图”选项卡下“显示比例”组中的“显示比例”按钮来修改幻灯片的大小比例，在一屏中浏览更多的幻灯片或者让幻灯片显示得较大，还可以对幻灯片的背景、配色方案等进行调整。

单击“视图”选项卡下“演示文稿视图”组中的“幻灯片浏览”按钮，或单击状态栏中的“幻灯片浏览”按钮 ，即可打开幻灯片浏览视图方式，如图 5-3 所示。

如果在某张幻灯片上双击，即可切换到普通视图。

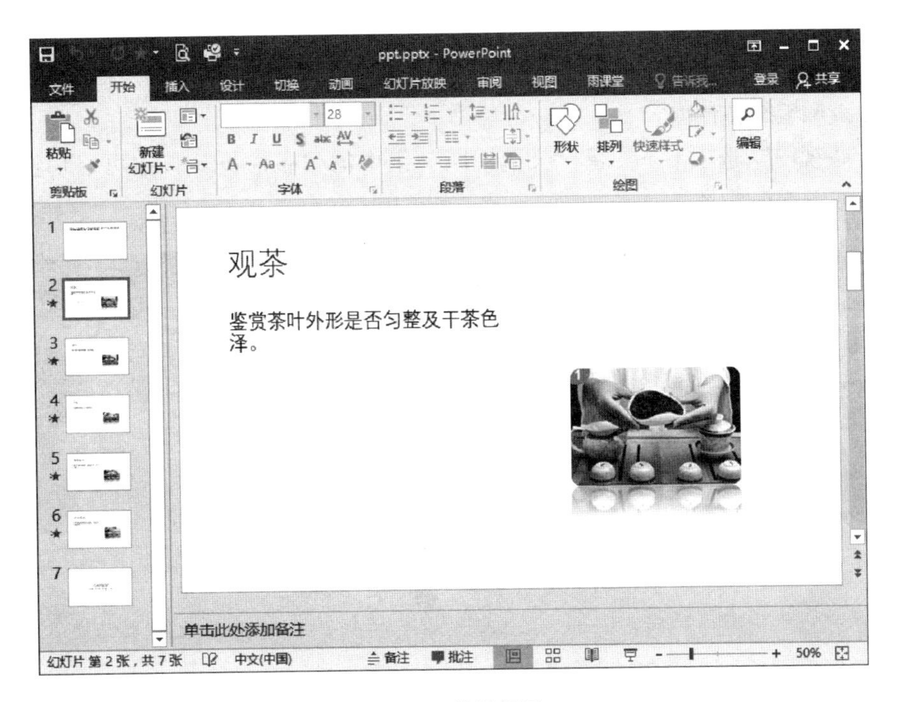

图 5-2　普通视图

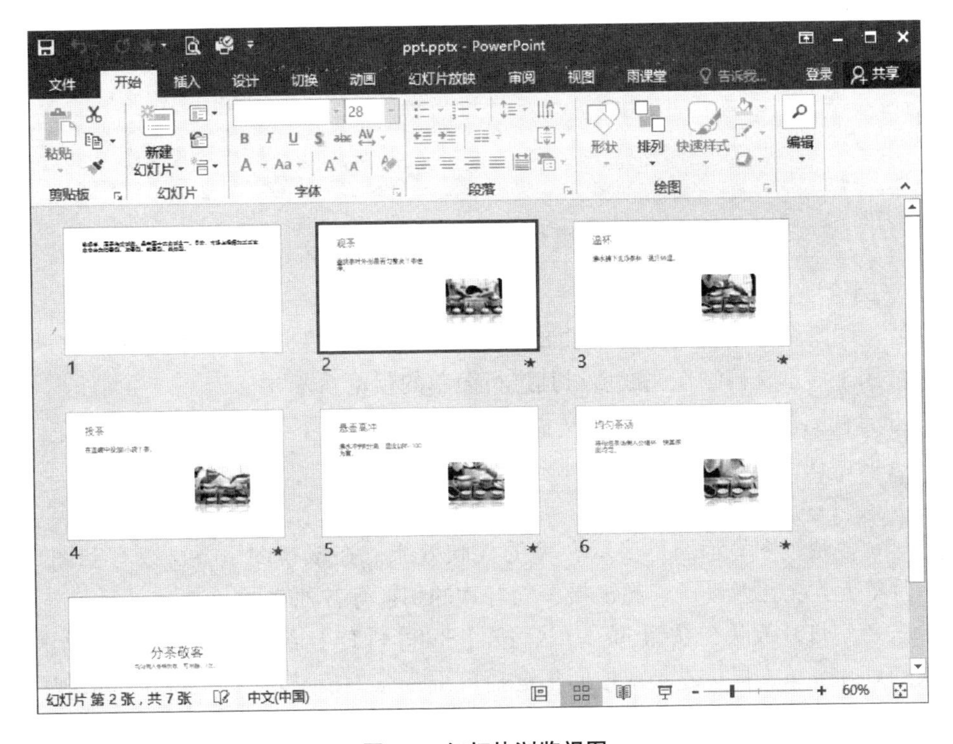

图 5-3　幻灯片浏览视图

(3) 备注页视图

备注页视图用于显示和编辑备注页。在该视图下既可插入文本内容，也可插入图片等其他信息，一般供演讲者使用。

备注页视图的画面被分为上下两个部分，上面是幻灯片，下面是文本框，这个文本框用来输入和编辑备注内容。

单击“视图”选项卡下“演示文稿视图”组中的“备注页”按钮可以切换到备注页视图，如图 5-4 所示。

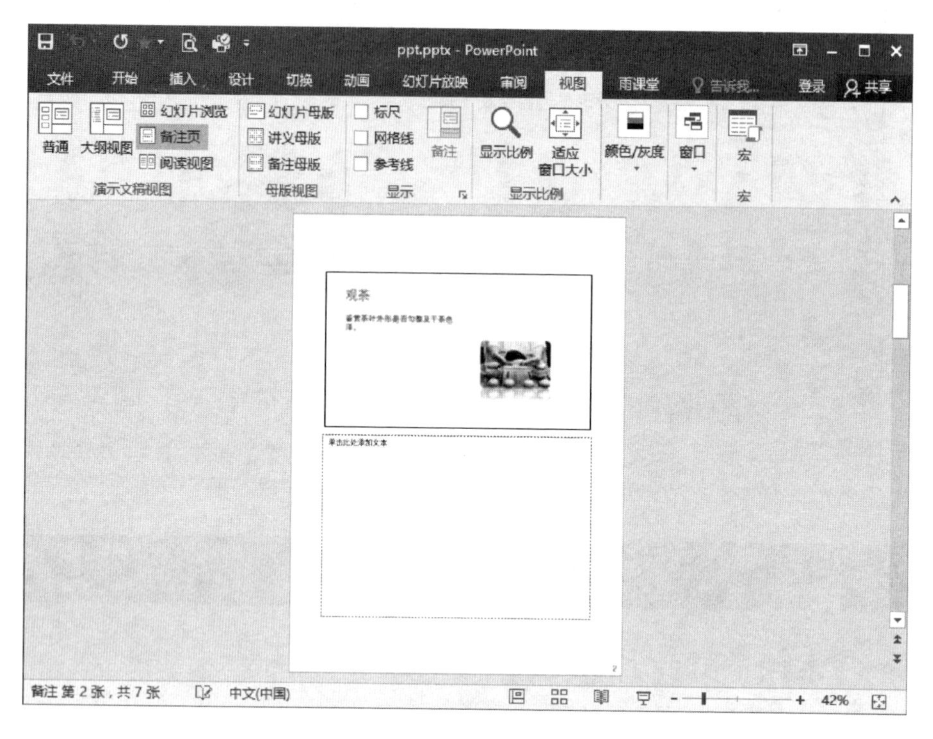

图 5-4　备注页视图

（4）阅读视图

阅读视图隐藏了用于幻灯片编辑的各种工具，仅保留标题栏、状态栏和幻灯片窗格，通常用于演示文稿制作完成后对其进行简单的预览。

单击“视图”选项卡下“演示文稿视图”组中的“阅读视图”按钮，或单击状态栏中的“阅读视图”按钮可以切换到阅读视图方式。

（5）幻灯片放映视图

幻灯片放映视图显示的是演示文稿的放映效果。在该视图下，可以看到图形、时间、影片等元素，以及动画、超链接、幻灯片的切换等各种效果。

单击“幻灯片放映”按钮 ，或者按【Shift】+【F5】组合键均可从当前幻灯片开始放映幻灯片。单击鼠标左键或按回车键播放下一张，按【Esc】键或全部放映完后恢复原样。

（6）母版视图

母版视图包括幻灯片母版视图、讲义母版视图和备注母版视图。使用母版视图可以对与演示文稿有关联的每张幻灯片、备注页或讲义的样式进行全局更改，包括背景、颜色、字体、效果、占位符的大小和位置等。

在“视图”选项卡下“母版视图”组中可选择相应的按钮进行不同母版视图的切换。

5.2　演示文稿基本操作

5.2.1　创建演示文稿

在启动 PowerPoint 2016 后，单击“空白演示文稿”，系统会自动新建一个空白演示文稿，用户可以直接利用此空白演示文稿，也可以自己新建演示文稿。

单击“文件”选项卡中的“新建”命令，系统将显示“新建”页面，如图 5-5 所示。在此页面中，用户可以选择空白演示文稿、Office 主题或者其他主题来创建自己的演示文稿。

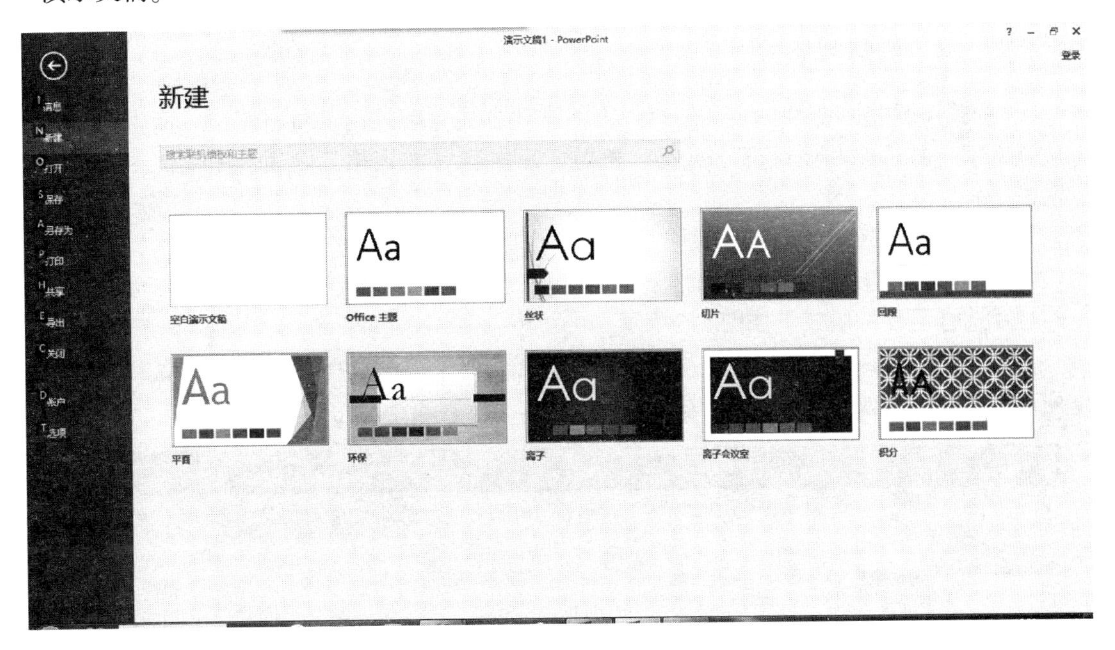

图 5-5　“新建”页面

如果选择空白演示文稿，则创建的是最简单的演示文稿，幻灯片中不包含任何背景图案、内容，用户可以充分利用 PowerPoint 提供的版式、主题、颜色等，创建自己喜欢的、有个性的演示文稿。

5.2.2　打开演示文稿

PowerPoint 2016 可以打开在该版本及之前任一版本下制作的演示文稿和演示文稿模板。常用的打开 PowerPoint 演示文稿的方法有两种：

方法 1：使用选项卡。单击“文件”选项卡，选择“打开”命令，在界面中单击“浏览”按钮，弹出“打开”对话框，在对话框中选择演示文稿文件所在的位置和文件名后，单击“打开”按钮。

方法2：双击演示文稿文件。直接双击要打开的演示文稿文件。

5.2.3 保存演示文稿

创建演示文稿并对其编辑后，需要将演示文稿保存到计算机的指定位置。

保存演示文稿的操作方法是：单击“文件”选项卡，选择“保存”或“另存为”按钮，将出现“另存为”页面（如果文件是第一次保存，也会出现“另存为”页面），单击“浏览”按钮，弹出“另存为”对话框，在对话框中选择保存的路径，输入保存的文件名（扩展名为 .pptx）。如果需要保存成其他类型，则单击“保存类型”列表，选择所需的文件格式。例如，有些时候我们需要将演示文稿转换为可以直接放映的格式，便于在没有安装 PowerPoint 应用程序的计算机上直接放映，此时，可以将演示文稿保存为“PowerPoint 放映（ *. ppsx）”格式，双击放映格式文件（ *. ppsx）即可直接放映该演示文稿。

5.2.4 幻灯片版式

“版式”是指幻灯片内容在幻灯片上的排列方式。版式由占位符组成，而占位符可放置文字（如标题和项目符号列表）和幻灯片内容（如表格、图表、图片、图形和剪贴画等）。

设置幻灯片版式的方法有两种：

方法1：单击“开始”选项卡下“幻灯片”组中的“版式”按钮 版式，可为当前幻灯片选择需要的版式，如图5-6所示。

方法2：在某一张幻灯片的空白处右击，在快捷菜单中选择“版式”命令，其下拉列表中也列出了如图5-6所示的版式列表。

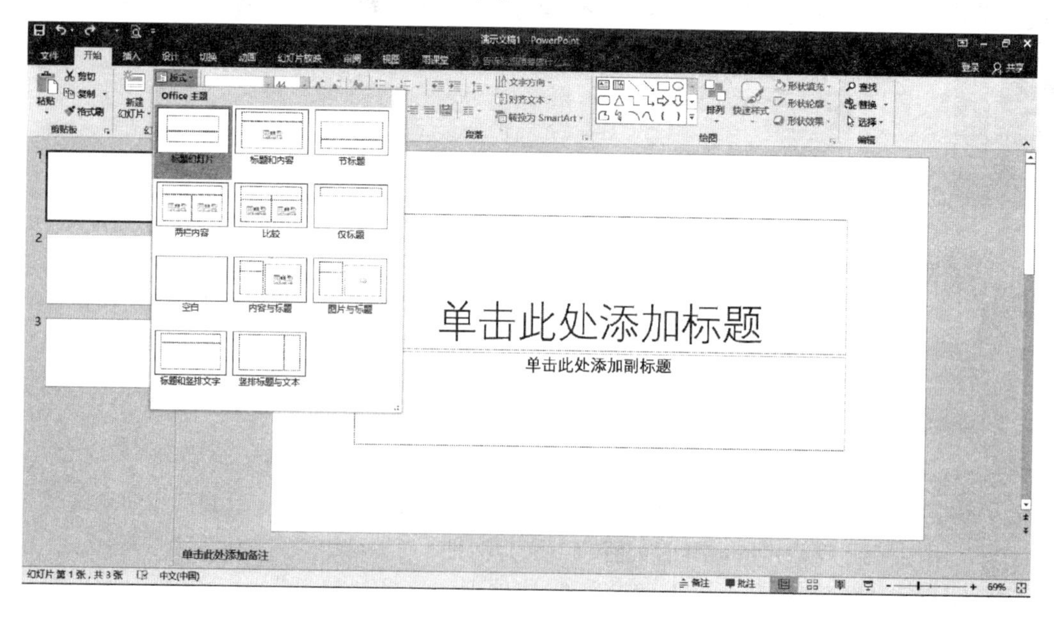

图5-6 幻灯片版式

5.2.5　选择幻灯片

在对幻灯片编辑之前，需要先选择幻灯片。

选择单张幻灯片。如果是在幻灯片浏览视图中进行操作，可以直接单击所需的幻灯片；如果是在普通视图中，则在左侧任务窗格中单击幻灯片，或者选择大纲视图，单击文字左侧的幻灯片标记图标即可。

如果需要选择连续的多张幻灯片，则先选中第一张，然后按住【Shift】键再单击要选择的幻灯片中的最后一张，就可以完成多张连续幻灯片的选择。

如果需要选择不连续的多张幻灯片，则可先选中第一张，然后按住【Ctrl】键再单击其他需要选择的幻灯片。

如果需要选中所有幻灯片，可以在普通视图或幻灯片浏览视图下，按住【Ctrl】+【A】组合键。

5.2.6　插入与删除幻灯片

1. 插入幻灯片

用户可以在任意位置插入新的幻灯片，具体操作步骤如下：

第 1 步：选中某张幻灯片，插入的新幻灯片将位于该幻灯片的下方。

第 2 步：单击“开始”选项卡下“幻灯片”组中的“新建幻灯片”按钮，则在当前幻灯片后插入一张新的幻灯片，该幻灯片具有与上一张幻灯片相同的版式。若单击“新建幻灯片”右侧的下拉箭头，则可在下拉列表中为新增幻灯片选择新的版式。

2. 删除幻灯片

选中需要删除的幻灯片，按【Delete】键，或右击，在弹出的快捷菜单中选择“删除幻灯片”命令，选中的幻灯片就会被删除，后面的幻灯片会自动向前排列。

5.2.7　复制与移动幻灯片

复制或移动幻灯片的操作方法有如下几种：

方法 1：在普通视图或幻灯片浏览视图下，拖动幻灯片至合适位置可实现幻灯片的移动，若在拖动的同时按住【Ctrl】键可实现幻灯片的复制。

方法 2：选中某张幻灯片，使用【Ctrl】+【C】组合键复制幻灯片，或使用【Ctrl】+【X】组合键剪切幻灯片，再将鼠标移至目标处，单击鼠标后，使用【Ctrl】+【V】组合键粘贴幻灯片。

方法 3：使用“开始”选项卡下“幻灯片”组中的“新建幻灯片”按钮。单击“新建幻灯片”按钮右侧的下拉箭头，在下拉列表中选择“复制所选幻灯片”，可以复制选中的幻灯片。

方法 4：在普通视图或幻灯片浏览视图下，右击选中的幻灯片，在弹出的快捷菜单中选择“复制幻灯片”命令，则在原有幻灯片后面直接复制一张同样的幻灯片。

5.2.8 重用幻灯片

重用是将其他演示文稿中的幻灯片插入当前演示文稿中，具体操作步骤如下：

第 1 步：在当前演示文稿中选定一张幻灯片，则其他幻灯片将插入该幻灯片之后。

第 2 步：选择“开始”选项卡，在“幻灯片”组中单击“新建幻灯片”右侧的下拉箭头，在下拉列表中选择“重用幻灯片”命令，此时可打开“重用幻灯片”任务窗格。

第 3 步：单击“浏览”按钮，其下拉列表中有“浏览幻灯片库”和“浏览文件”两个命令，可用于选择来自幻灯片库或其他演示文稿的幻灯片。若选择“浏览文件”，则打开“浏览”对话框，从中选择要使用的文件后单击“打开”按钮。这时“重用幻灯片”窗格中列出了该文件中所有的幻灯片，如图 5-7 所示，单击要使用的幻灯片即可将该幻灯片插入当前幻灯片之后。若选中“保留源格式”复选框，则插入的幻灯片保留其原有格式。

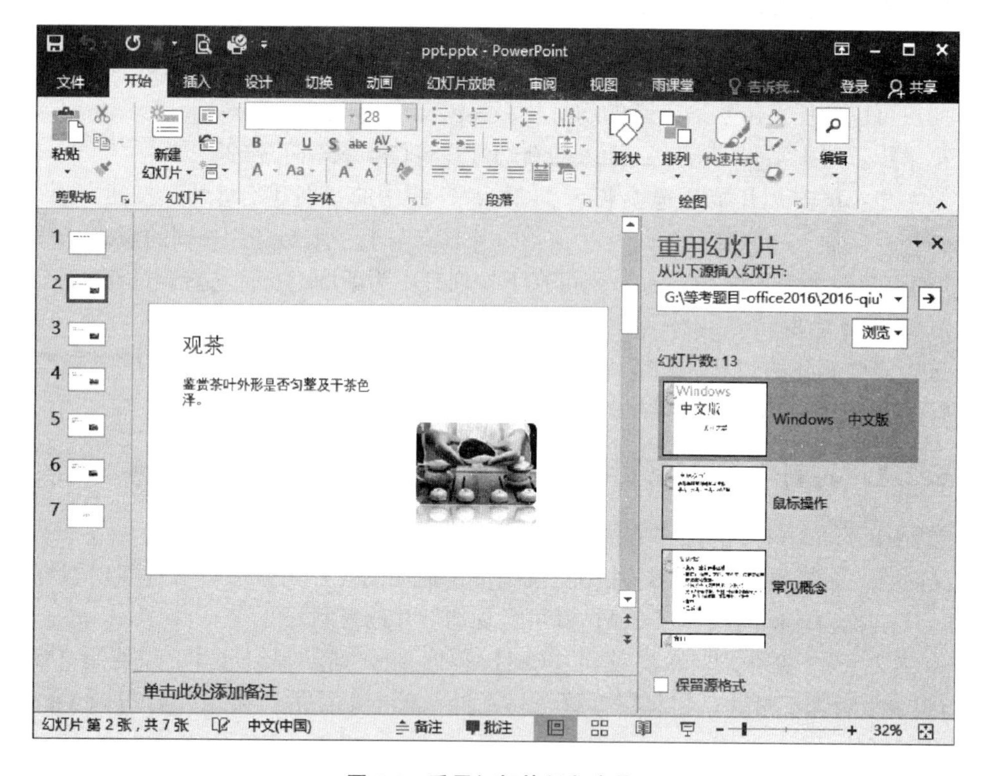

图 5-7 重用幻灯片任务窗格

5.3 在幻灯片中插入对象

在幻灯片中可以插入图片、艺术字、图形、表格、音频等，使演示内容更加丰富、演示效果更加生动。具体操作同 Word，本章不再详细描述，只列举简单的操作。

5.3.1 插入文本框

文本是构成演示文稿的最基本元素之一，是用来表达演示文稿主题和主要内容的。文本必须存在于占位符中，不同的幻灯片版式提供了不同布局的占位符，如图 5-6 所示的版式为“标题”，则提供了 2 个用于输入标题的占位符。

当需要在默认的文本占位符以外添加文本时，必须先插入一个文本框，再在文本框内输入文本。插入文本框的步骤如下：

第 1 步：在“插入”选项卡下“文本”组中，单击“文本框”按钮下面的下拉箭头。

第 2 步：根据要插入的文本框是横排或竖排，单击相应的菜单项。

第 3 步：拖动鼠标左键即可绘制文本框，在其中输入文本。

5.3.2 插入图片

在普通视图中，插入图片的具体操作步骤如下：

第 1 步：选中要插入图片的幻灯片。

第 2 步：单击“插入”选项卡“图像”组中的“图片”按钮，弹出“插入图片”对话框。

第 3 步：选择要插入的图片文件。

第 4 步：单击“插入”按钮即可。

在演示文稿中，对插入幻灯片中的图片进行编辑是图片处理的重要环节，关系到图片的实际应用效果。编辑图片的方法是选中待编辑的图片，然后单击“图片工具-格式”选项卡下“图片样式”组中的相关按钮，可以设置图片样式和图片效果等，如图 5-8 所示。

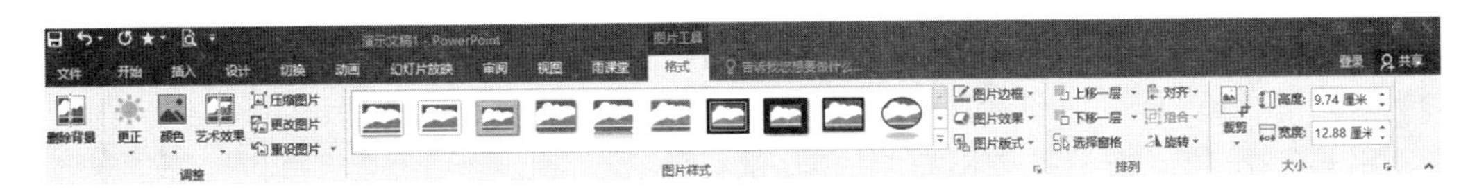

图 5-8 “图片样式-格式”选项卡

5.3.3 插入艺术字

插入艺术字的具体操作步骤如下：

第 1 步：选中要插入艺术字的幻灯片。

第 2 步：单击“插入”选项卡下“文本”组中的“艺术字”按钮，弹出艺术字样式列表（图 5-9）。

第 3 步：在列表中选择一种艺术字样式，插入艺术字。

第 4 步：默认生成一个文本为“请在此放置您的文字”的艺术字，按【Delete】键删除默认文本，输入需要的文字后可进一步设置文本的相应属性。

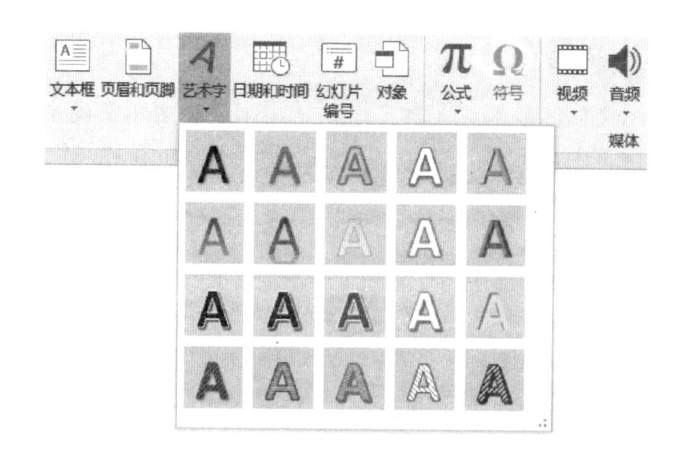

图 5-9 插入艺术字

5.3.4 插入形状

在幻灯片中，用户可以自行绘制图形。插入形状的具体操作步骤如下：

第 1 步：选中要插入形状的幻灯片。

第 2 步：单击“插入”选项卡下“插图”组中的“形状”按钮，弹出包含各类形状的下拉列表。

第 3 步：单击要插入的形状按钮。

第 4 步：此时鼠标指针变为“十”字型，按下鼠标左键拖动鼠标来绘制形状。

用户还可以对绘制的形状进行编辑。选中绘制好的形状后右击，在弹出的快捷菜单中选择“设置形状格式”命令，在窗口右侧会出现“设置形状格式”任务窗格，如图 5-10 所示。在“设置形状格式”任务窗格中可以对形状的填充颜色、线条颜色等效果进行设置。

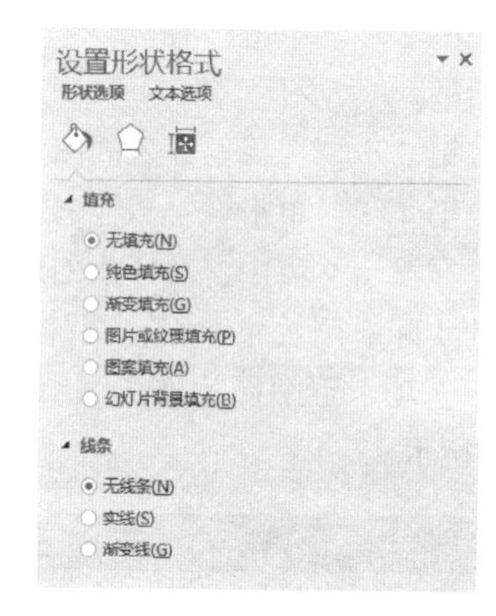

图 5-10 “设置形状格式”任务窗格

5.3.5 插入表格

插入表格的具体操作步骤如下：

第 1 步：选中要创建表格的幻灯片。

第 2 步：单击“插入”选项卡下“表格”组中的“表格”按钮，弹出表格的下拉列表。

第 3 步：在下拉列表中移动鼠标，在幻灯片中会显示相应行列数的表格预览。

第 4 步：单击鼠标，将表格插入幻灯片中。

在幻灯片上选中需要设置样式的表格，单击“表格工具-设计”选项卡下“表格样式”组中的相应表格样式按钮，即可完成表格样式的设置，如图 5-11 所示。

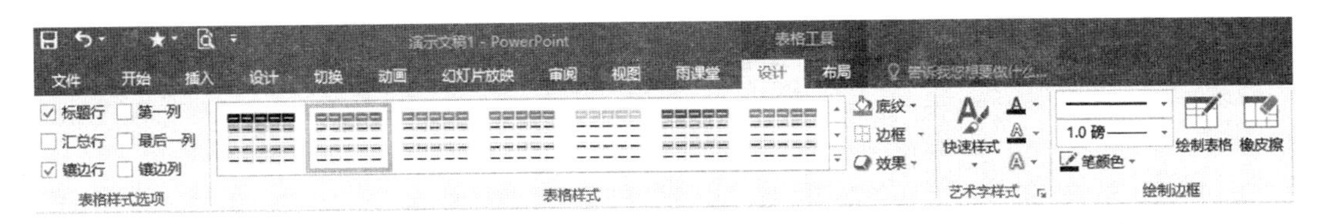

图 5-11　“表格样式-设计”选项卡

5.3.6　插入图表

在 PowerPoint 2016 中可以制作常用的图表，包括二维图表和三维图表，也可以链接或嵌入 Excel 文件中的图表，并在 PowerPoint 2016 提供的数据表窗口中进行修改和编辑。插入图表的具体操作步骤如下：

第 1 步：选中要创建图表的幻灯片。

第 2 步：单击“插入”选项卡下“插图”组中的“图表”按钮，弹出“插入图表”对话框，如图 5-12 所示。

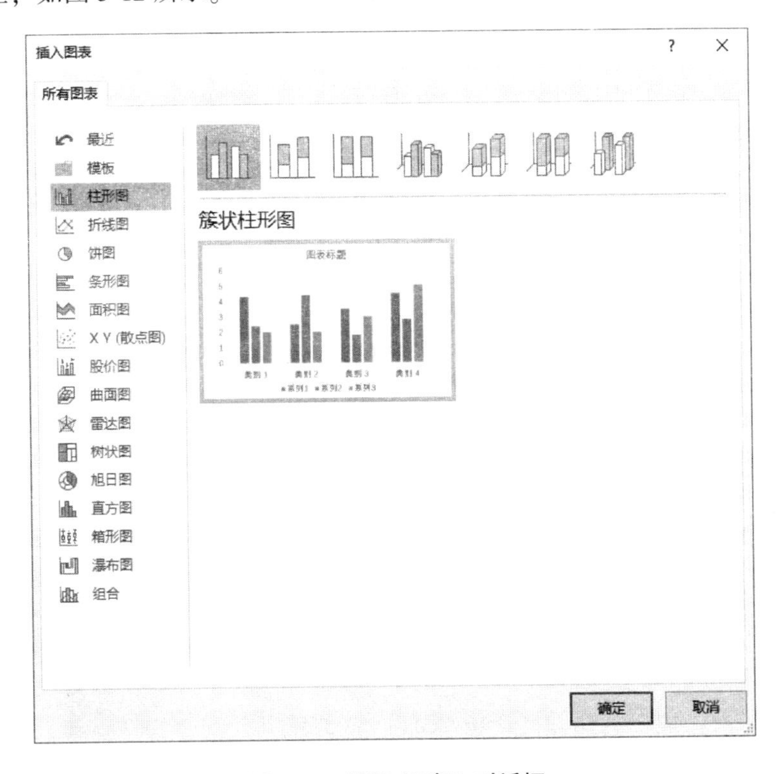

图 5-12　“插入图表”对话框

第 3 步：选择图表类型，单击“确定”按钮，即可插入选择的图表样式，同时系统会自动启动 Excel 2016 应用程序，在工作表中输入数据，PowerPoint 会根据工作表的内容在幻灯片中建立相应的图表。当修改表格和数据时图表会同步变化。

在幻灯片中选中需要编辑的图表，然后右击弹出快捷菜单，如图 5-13 所示，用户可根据需要选择相应命令对图表进行编辑。

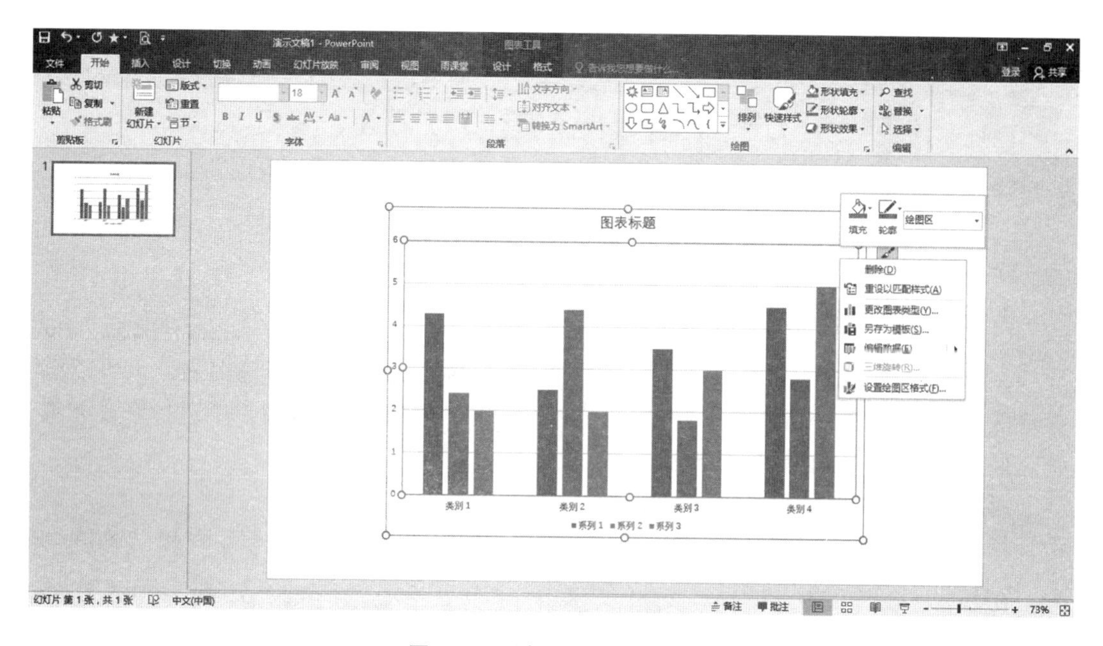

图 5-13　编辑图表快捷菜单

5.3.7　插入 SmartArt 图形

SmartArt 图形是信息和观点的视觉表示形式。使用 SmartArt 图形可以非常直观地说明层次关系、附属关系、并列关系、循环关系等各种常见关系，而且制作的图形漂亮精美，具有很强的立体感和画面感。插入 SmartArt 图形的具体操作步骤如下：

第 1 步：在普通视图中，选中要插入 SmartArt 图形的幻灯片。

第 2 步：单击“插入”选项卡下“插图”组中的“SmartArt”按钮，弹出“选择 SmartArt 图形”对话框，如图 5-14 所示。

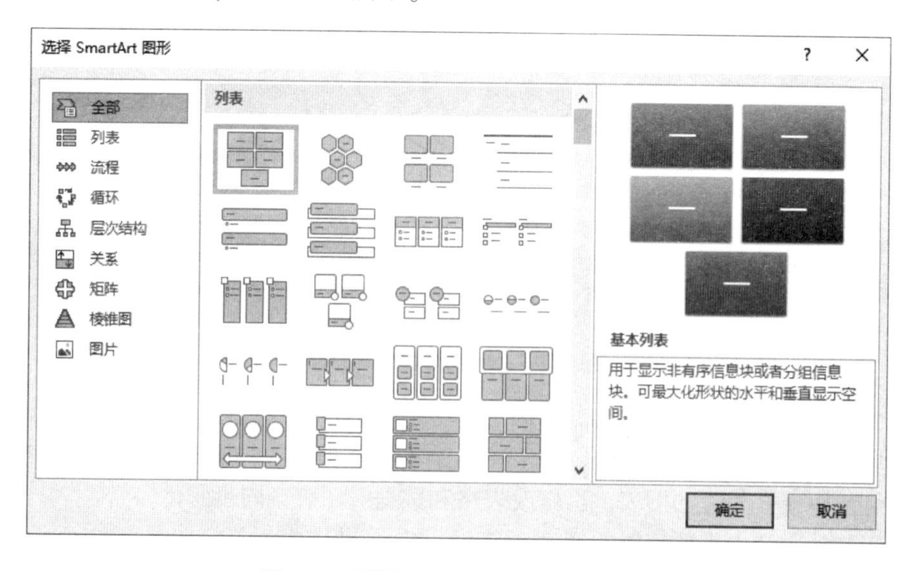

图 5-14　“选择 SmartArt 图形”对话框

第 3 步：在左侧列表框中选择一种类型，再从中部列表框中选择子类型，单击“确定”按钮即可在幻灯片中插入对应的 SmartArt 图形模板。

第 4 步：在各个“文本”区域中，输入实际的文字。

第 5 步：选中已经插入的 SmartArt 图形，功能区将显示“SmartArt 工具-设计”和“SmartArt 工具-格式”选项卡，分别如图 5-15 和图 5-16 所示。在这两个选项卡的功能区中，可以编辑图形、更改布局和样式的类型。

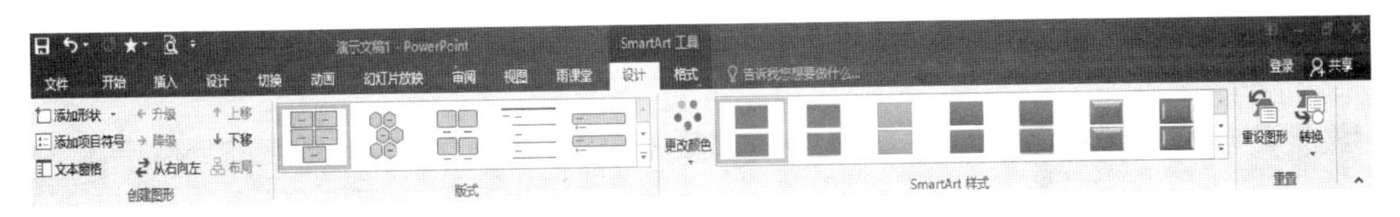

图 5-15　“SmartArt 工具-设计”选项卡

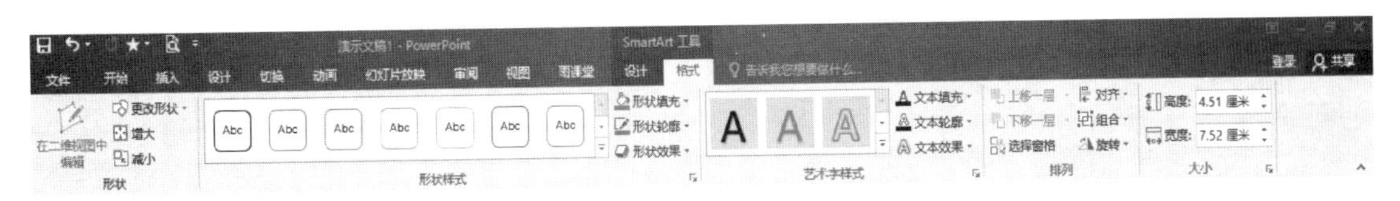

图 5-16　“SmartArt 工具-格式”选项卡

图 5-17 为 SmartArt 图形的一个实例。

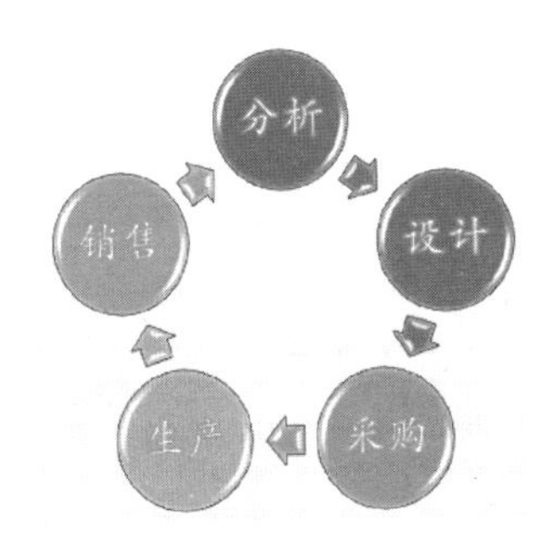

图 5-17　SmartArt 图形实例

5.3.8　插入音频

PowerPoint 2016 为用户提供了一个功能强大的媒体剪辑库，其中包含了“音频”和“视频”。为了改善幻灯片放映时的视听效果，用户可以在幻灯片中插入声音、视频等多媒体对象，从而制作出有声有色的幻灯片。

插入音频的具体操作步骤如下：

第 1 步：在普通视图中，选中要插入音频的幻灯片。

第 2 步：单击“插入”选项卡下“媒体”组中的“音频”按钮下的下拉箭头，从下拉列表中选择一种插入音频的方式，有“PC 上的音频”和“录制音频”两种方式。例如，选择“PC 上的音频”，将打开“插入音频”对话框，在本机中选择需要的音频文件（可以是 MP3 文件、WAV 文件、WMA 文件等），单击“插入”按钮，将该音频文件插入幻灯片中。也可以选择“录制音频”命令向幻灯片中插入新录制的音频，一般用于解说该幻灯片。

第 3 步：在幻灯片中插入声音后，幻灯片中会出现声音图标 ，选中声音图标后会出现浮动声音控制栏，单击控制栏上的播放按钮，可以预览声音效果。

单击幻灯片中的声音图标 ，将会出现“音频工具-格式”和“音频工具-播放”选项卡，如图 5-18 所示。单击“音频选项”组中的“开始”下拉列表框右侧的下拉箭头，可以从中选择一种播放方式；单击“音量”按钮下方的下拉箭头，可以从下拉列表中选择一种音量。

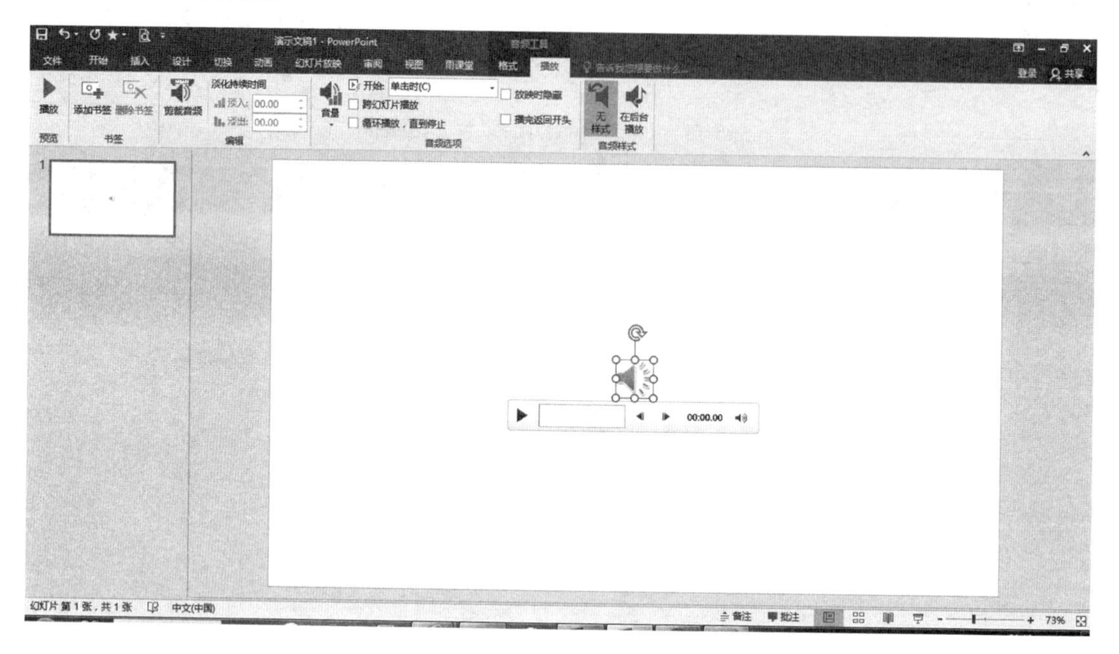

图 5-18　“音频工具-播放”选项卡

5.3.9　插入视频

插入视频的具体操作步骤如下：

第 1 步：在普通视图中，选中要插入视频的幻灯片。

第 2 步：单击“插入”选项卡下“媒体”组中的“视频”按钮下方的下拉箭头，从下拉列表中选择插入视频的方式，有“联机视频”和“PC 上的视频”两种。

第 3 步：在幻灯片中插入视频后，幻灯片中会出现视频图标。选中该图标后还会出现浮动视频控制栏，可以调整播放视频的幅面大小。单击控制栏上的播放按钮，可以预览视频效果。

选中插入的视频文件，将会出现“视频工具-格式”选项卡和“视频工具-播放”选项卡，如图 5-19 所示。单击“视频选项”组中的“开始”下拉列表框右侧的下拉箭头，可以从中选择一种播放方式；单击“音量”按钮下方的下拉箭头，可以从下拉列表中选择一种音量。

图 5-19　“视频工具-播放”选项卡

> 注意：由于演示文稿文件中只是记录了音视频文件的地址而不是存储音视频文件，所以在其他计算机上放映幻灯片时，可能会因为找不到添加的音频和视频文件而不能播放。

5.4　幻灯片格式设置

在制作好演示文稿中的各张幻灯片并添加了需要的对象后，我们还需要对演示文稿的格式进行设置，使其更加美观和个性化。PowerPoint 2016 提供了多种方式修饰和美化演示文稿，能帮助用户制作出精美的幻灯片，更好地展示用户要表达的内容。主要方式有使用主题、设置背景、幻灯片版式、设置页眉和页脚。此外，还可以设计更符合用户需求的母版使幻灯片外观一致。

5.4.1　设置主题

所谓主题，指的是含有演示文稿样式的文件，包含配色方案、背景、字体样式和占位符位置等。PowerPoint 2016 提供了多种内置的主题，用户可以轻松快捷地更改演示文稿的整体外观。在演示文稿中选择使用某种主题后，该演示文稿中使用此主题的每张幻灯片都会具有统一的颜色配置和布局风格。

1. 设置主题整体格式

设置演示文稿主题的具体操作步骤如下：

第 1 步：在“设计”选项卡下“主题”组中显示了部分主题列表，单击主题列表右下角的“其他”按钮 ▾，就可以显示全部内置主题，如图 5-20 所示。

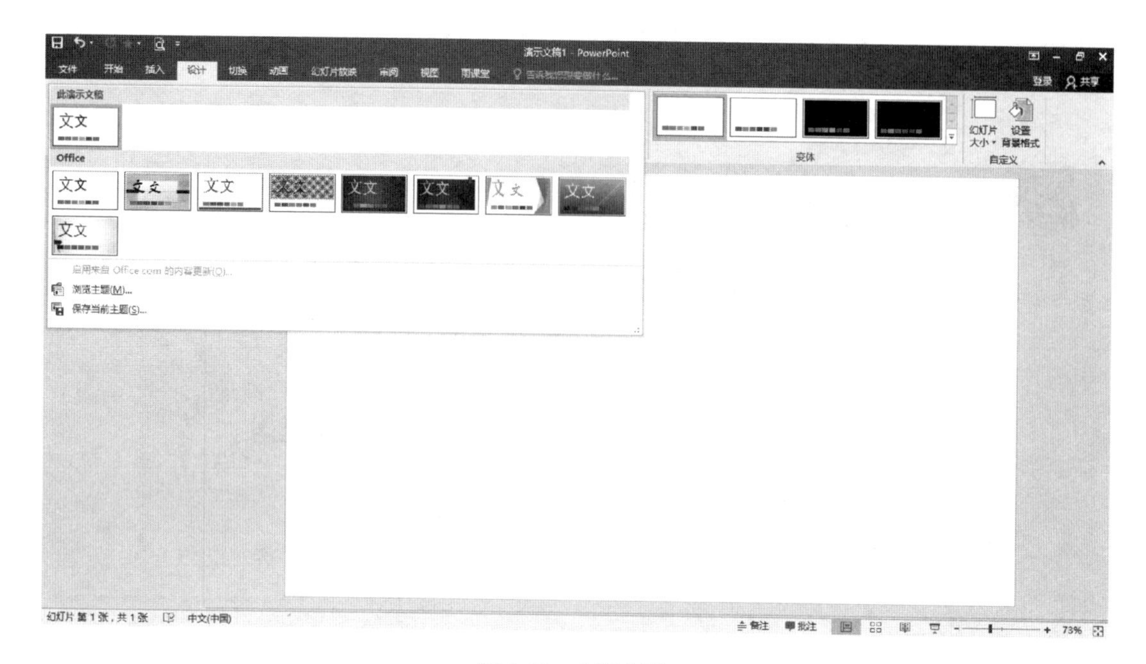

图 5-20　内置主题

第 2 步：将鼠标移到某主题，会显示主题的名称。此时可以选择以下几种操作：

① 单击该主题，会按所选主题的颜色、字体和图形外观效果修饰演示文稿。

② 右击该主题，弹出快捷菜单，选择快捷菜单中的“应用于选定幻灯片”命令，则所选幻灯片按该主题效果更新，其他幻灯片不变。

③ 右击该主题，弹出快捷菜单，选择快捷菜单中的“应用于相应幻灯片”命令，则原本与当前幻灯片相同主题的所有幻灯片将应用该主题，其他幻灯片不变。

④ 右击该主题，弹出快捷菜单，选择快捷菜单中的“设置为默认主题”命令，则当用户新建演示文稿时，幻灯片自动应用该主题。

注意：如果现有的主题不能满足用户的需求，可单击主题列表右侧的“其他”按钮 ，在弹出的下拉列表中选择“浏览主题”命令，并在“选择主题或主题文档”对话框中选取所需主题。

2. 设置主题颜色、主题字体和主题效果

主题是主题颜色、主题字体和主题效果三者的组合。上述设置主题的方法可以将主题中的所有效果应用于演示文稿，但有时用户可能需要单独设置主题的颜色、字体和效果。PowerPoint 2016 也提供了对主题颜色、字体和效果进行单独设置的功能。

主题颜色是指一组可以预设背景、文本、线条、阴影、标题文本、填充、强调和超链接的色彩组合。默认情况下，演示文稿的主题颜色是由用户使用的主题决定的，用户也可以根据需要更改颜色方案。设置主题颜色的操作步骤如下：

第 1 步：单击“设计”选项卡“变体”组中列表框右下方的 按钮，在展开的下拉列表中选择“颜色”，将出现颜色列表，显示了 Office 内置的各个主题效果的配色方案和名称，如图 5-21 所示。这些配色方案用于演示文稿的 8 种协调色的集合，包括文本、背景、填充、强调文字等所用的颜色，方案中的每种颜色都会自动用于幻灯片上的不同组件。

第 2 步：单击“自定义颜色”命令，打开“新建主题颜色”对话框，如图 5-22 所示。该对话框中主题颜色包括 12 种颜色方案，前 4 种用于文本和背景，后 6 种为着色（强调文字颜色），最后两种颜色为超链接和已访问的超链接。

第 3 步：单击需要修改的颜色块右侧的下拉箭头，可对颜色进行修改。然后在“名称”文本框中输入主题颜色的名称，单击“保存”按钮，可对自定义配色方案进行保存，同时将该配色方案应用到演示文稿中。这样，当再次单击“颜色”按钮时，已保存过的主题颜色名称就会出现在下拉列表中。若对“示例”栏显示的效果不满意，单击“重置”按钮即可将所有颜色还原到原始状态。

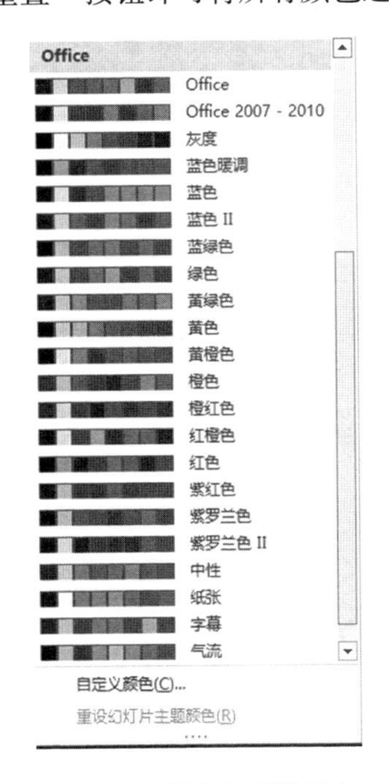

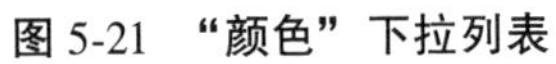

图 5-21　“颜色”下拉列表

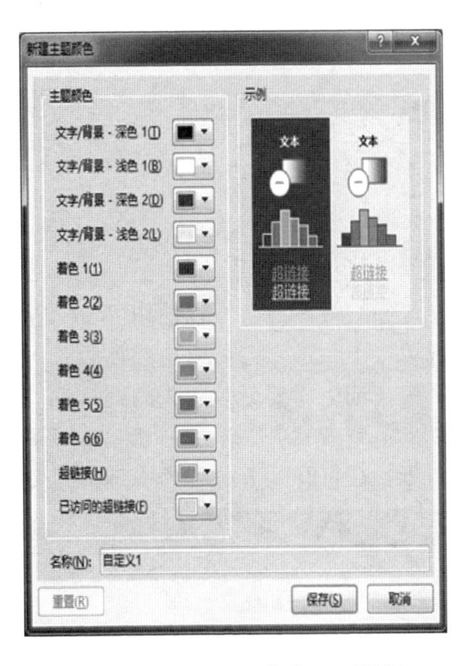

图 5-22　“新建主题颜色”对话框

注意：若要删除或再次编辑自定义的主题颜色，可在其上右击，在弹出的快捷菜单中选择“编辑”或“删除”命令。

设置主题字体及主题效果的操作步骤与设置主题颜色类似，在此不再赘述。

5.4.2　设置背景

演示文稿在应用主题以后，幻灯片会自动采用同一种背景。为了让某些幻灯片更具特色，可以专门为幻灯片设定背景。其操作步骤如下：

第 1 步：选中需要设置背景颜色的一张或多张幻灯片。

第 2 步：单击“设计”选项卡“自定义”组中的“设置背景格式”按钮，或在要设置背景颜色的幻灯片中任意位置（占位符除外）右击，在弹出的快捷菜单中选择“设置背景格式”命令。不论采用哪种方式，都将在当前幻灯片的右侧打开“设置背景格式”任务窗格，如图 5-23 所示。

第 3 步：在“填充”选项卡中选择所需的背景设置，若单击“渐变填充”单选按钮，可以进行预设效果的设置；若单击“图片或纹理填充”单选按钮，可为幻灯片设置纹理效果或用图片作为背景。

第 4 步：完成上述操作后，只是将背景格式应用于当前选定的幻灯片，如果单击“全部应用”按钮，则将背景格式应用于演示文稿中的所有幻灯片；如果单击“重置背景”按钮，则将对话框中的设置还原到打开对话框时的状态。

注意：勾选对话框中的“隐藏背景图形”选项，可使幻灯片不显示当前主题中的背景图形。

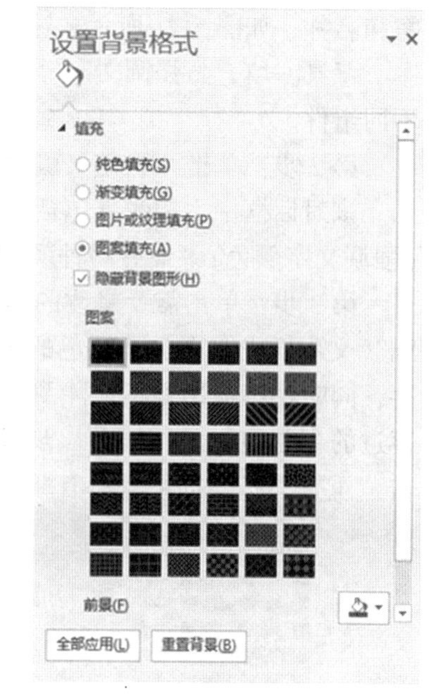

图 5-23 “设置背景格式”任务窗格

5.4.3 幻灯片版式

在创建新幻灯片时，可以使用 PowerPoint 2016 的幻灯片自动版式。创建幻灯片后，如果发现版式不合适，也可以更改该版式。更改幻灯片版式的具体操作步骤如下：

第 1 步：选中需要更改版式的幻灯片。

第 2 步：单击“开始”选项卡“幻灯片”组中的“版式”按钮右侧的下拉箭头。

第 3 步：在打开的下拉列表中选择想要的版式即可，如图 5-24 所示。

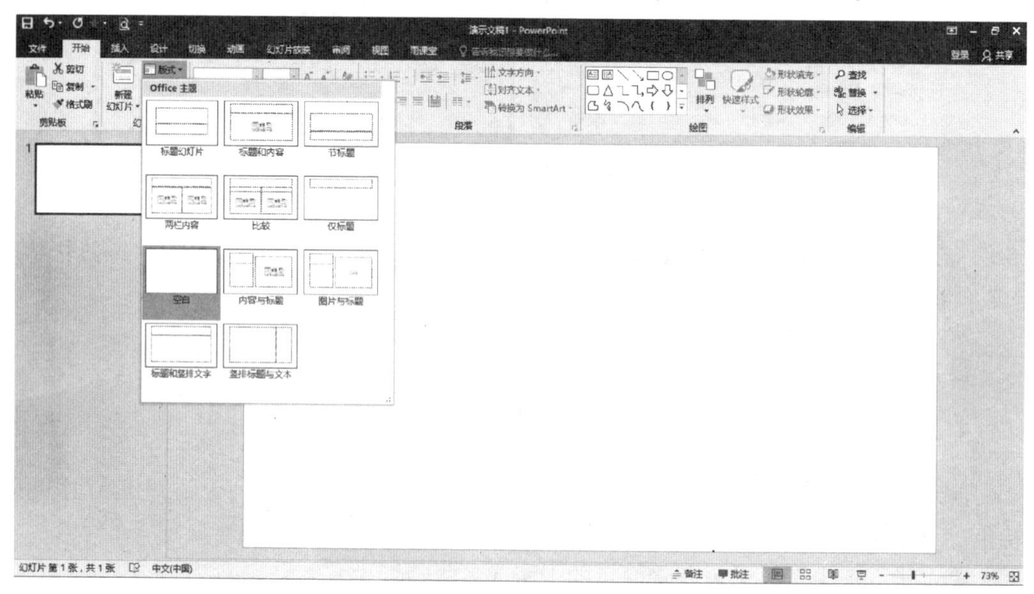

图 5-24 幻灯片版式

注意：在需要修改版式的幻灯片上右击，在弹出的快捷菜单中选择“版式”命令，其子菜单中也列出了如图5-24所示的版式列表。

5.4.4 设置页眉和页脚

在幻灯片上添加页眉和页脚，可以使演示文稿中的幻灯片上显示幻灯片编号或作者、单位等信息。其具体操作步骤如下：

第1步：单击“插入”选项卡“文本”组中的“页眉和页脚”按钮，打开“页眉和页脚”对话框，如图5-25所示。

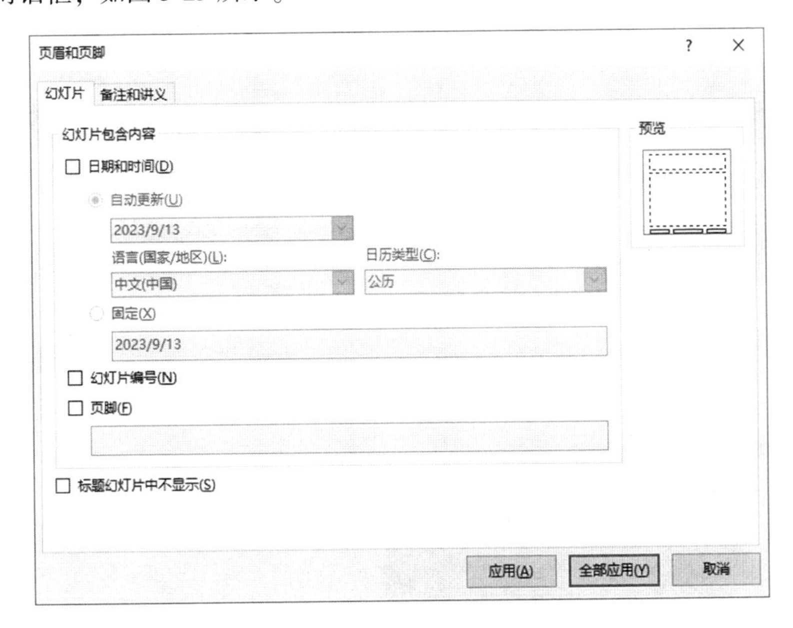

图5-25 “页眉和页脚”对话框

第2步：选择对话框的“幻灯片”选项卡。其中的常用设置选项如下：

- 勾选“日期和时间”复选框后，根据需要选择“自动更新”或“固定”方式，用于在幻灯片中添加当前日期或指定的日期。
- 勾选“幻灯片编号”复选框，用于在幻灯片中添加幻灯片的编号。
- 勾选“页脚”复选框，并在下方的文本框中输入文字，用于在幻灯片中添加页脚。
- 勾选“标题幻灯片中不显示”复选框，则所有幻灯片版式为“标题”的幻灯片中，不显示在“页眉和页脚”对话框中所设置的日期和时间、幻灯片编号、页脚等内容。

第3步：单击“全部应用”按钮，对演示文稿中的所有幻灯片都设置页眉和页脚。也可单击“应用”按钮，仅对当前幻灯片设置页眉和页脚。

注意：对话框的“备注和讲义”选项卡中的设置与“幻灯片”选项卡中的设置类似，区别在于“幻灯片”选项卡中的设置效果是在幻灯片中显示，而“备注和讲义”选项卡中的设置效果是在打印“备注页”时显示。

5.4.5 使用幻灯片母版

PowerPoint 中有一类特殊的幻灯片，称之为母版。母版是当前演示文稿中所有幻灯片的蓝本，凡是在某版式的母版中所做的任何设置与修改都将影响整个演示文稿的同一版式的所有幻灯片，这样可以使整个演示文稿保持一致的风格和布局，同时提高了编辑效率。

PowerPoint 的母版有幻灯片母版、讲义母版和备注母版三种。最常用的是幻灯片母版，它是所有母版的基础，控制演示文稿中所有幻灯片的默认外观。

制作幻灯片母版的具体操作步骤如下：

第 1 步：单击“视图”选项卡下“母版视图”组中的“幻灯片母版”按钮，进入“幻灯片母版”视图，同时打开“幻灯片母版”选项卡，如图 5-26 所示。

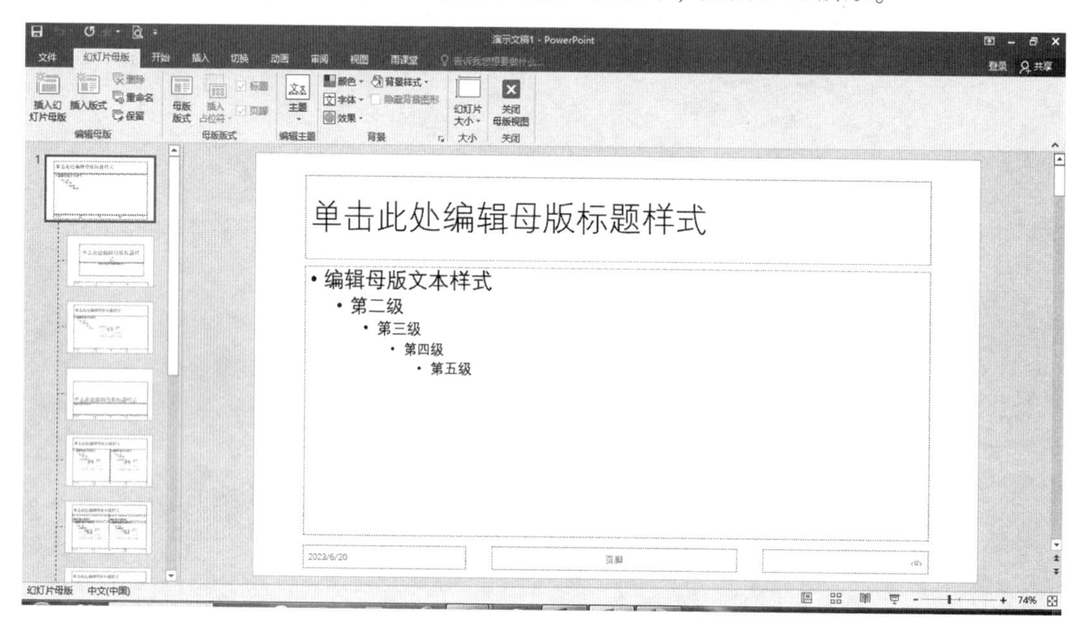

图 5-26 “幻灯片母版”视图

第 2 步：在“幻灯片母版”视图中，左侧的窗格中显示不同类型的幻灯片母版缩略图，如选择“标题幻灯片”，在右侧的编辑区中可对标题母版进行编辑。在“幻灯片母版”视图中可以进行各种格式的设置和对象的插入，其操作与在普通幻灯片上的操作一致。还可以调整占位符的位置，如在母版中将页码的占位符拖到幻灯片的右上角，则在普通视图中，所有的页码均显示在页面右上角。

幻灯片母版中有 5 个占位符，即标题区、文本区、日期区、页脚区、编号区。修改占位符可影响所有基于该母版的幻灯片。对幻灯片的编辑包括：

① 编辑母版标题样式：在幻灯片母版中选择对应的标题占位符或文本占位符，可以设置字体格式、段落格式、项目符号和编号等。

② 设置页眉、页脚和幻灯片编号：如果希望对页脚占位符进行修改，可以在幻灯片母版状态下，单击“插入”选项卡下“文本”组中的“页眉和页脚”按钮，将打开

“页眉和页脚”对话框，其设置方法与前面介绍的设置页眉和页脚的方法一样，这里不再赘述。

③ 向母版中插入对象：要使每一张幻灯片都出现某个对象（如图片），可以向母版中插入该对象，则在每一张幻灯片中都会自动拥有该对象。

第 3 步：完成幻灯片母版的修改后，单击“幻灯片母版”选项卡下“关闭”组中的“关闭母版视图”按钮，关闭该视图模式，切换到原来的视图模式，母版的改动就会反映在使用相应母版的幻灯片上。也可以单击窗口右下角的视图切换按钮，切换到“普通视图”方式来退出母版视图。

除了幻灯片母版外，PowerPoint 2016 的母版还有讲义母版和备注母版。讲义母版用于控制幻灯片以讲义形式打印时的格式，如页面设置、讲义方向、幻灯片大小、每张幻灯片数量等，还可以增加日期、页面（并非幻灯片编号）、页眉、页脚等；备注母版用来格式化演示者备注页面，以控制备注页的版式和文字格式。

注意：母版上的标题和文本只用于样式，实际的标题和文本内容应在普通视图的幻灯片上输入。对于幻灯片上要显示的作者名、单位名、日期和幻灯片编号等信息，应该在“页眉和页脚”对话框中输入。

5.5 演示文稿动态效果

5.5.1 幻灯片动画效果

用户可以对幻灯片上的各种对象，如文本、图片、表格、图表等，设置动画效果，这样就可以安排信息显示的顺序、突出重点、控制信息的流程、集中观众的注意力，增强视觉效果。

1. 添加动画

PowerPoint 2016 的动画分为进入、强调、退出、动作路径四种。“进入”动画可以设置文本或其他对象以多种动画效果进入放映屏幕。“强调”动画是为了突出幻灯片中的某部分内容而设置的特殊动画效果。“退出”动画可以设置幻灯片对象退出屏幕的效果。这三种动画的设置方法大体相同。“动作路径”动画可以指定文本等对象沿预定的路径运动。具体操作步骤如下：

第 1 步：选中幻灯片上某个对象，如一段文本或一幅图片。

第 2 步：单击“动画”选项卡下“动画”组中的一种动画效果，如“飞入”，即可将该对象设置为“飞入”的动画效果。若需要选择更多的动画效果，则单击“动画”组右侧的“其他”按钮 ⊡，打开如图 5-27 所示的动画效果列表，选择需要的动画效果即可。

除此以外，也可以在“动画”选项卡下“高级动画”组中单击“添加动画”按钮下方的下拉箭头，弹出四类动画选择列表，在下拉列表中选择“进入”“强调”“退出”“动作路径”中的某一种动画效果。

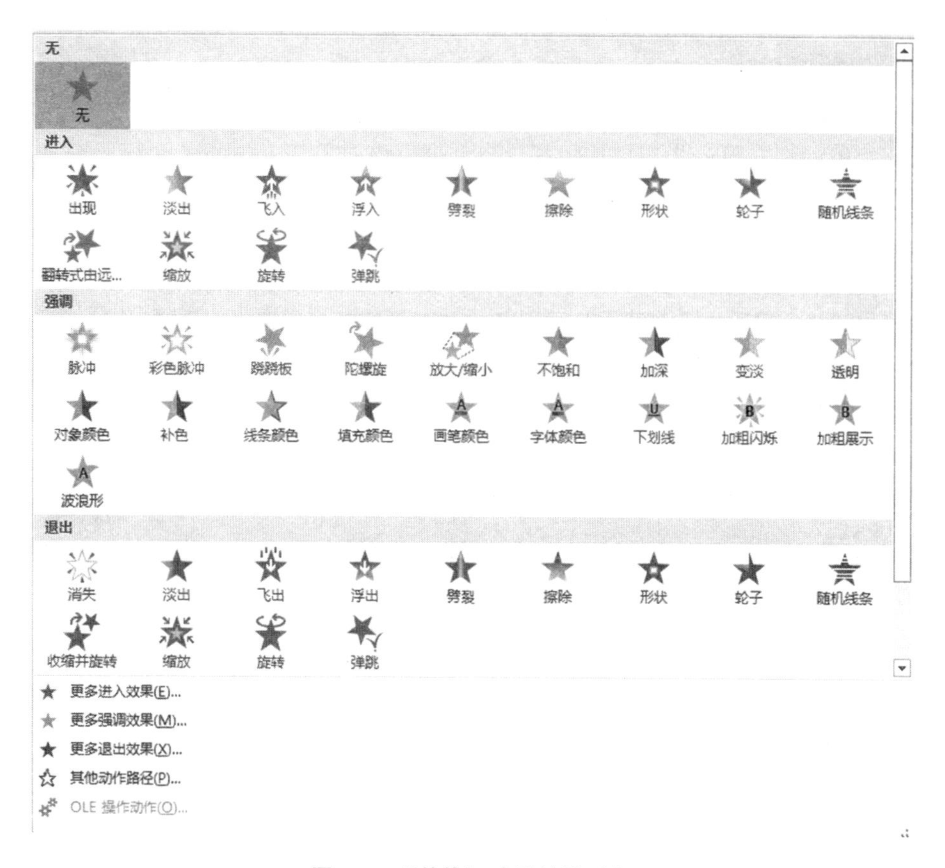

图 5-27 “其他”动画效果列表

2. 调整动画选项

为对象添加了动画效果后，该对象被设置为默认的动画格式，如总是从下方飞入等。若需要修改这些动画的效果，则需要调整动画选项来设置不同的动画格式。这些动画格式主要包括动画开始运行方向、变化方向、运行速度、延时方案、重复次数等。设置动画选项有以下两种方法：

（1）使用功能区按钮

在幻灯片中设置了动画效果后，“动画”选项卡如图 5-28 所示，在功能区中提供了一些调整动画选项的按钮，常用功能如下：

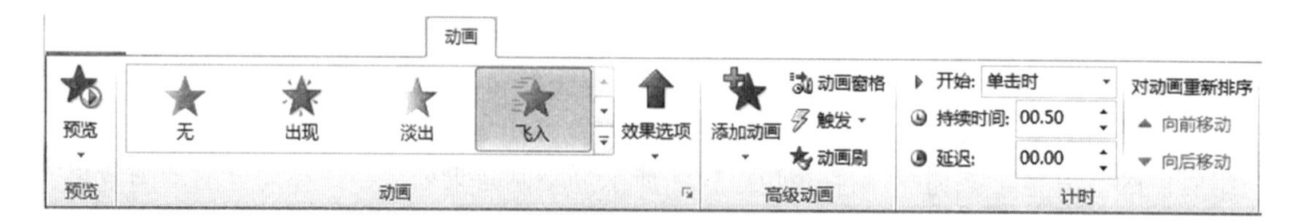

图 5-28 “动画”选项卡

- “效果选项”按钮 ，位于“动画”选项卡下“动画”组中。选中设置了不同动画效果的对象后，单击“效果选项”按钮，下拉列表中将提供该动画效果对应的可设置选项命令。如图 5-29 所示为“飞入”动画效果对应的选项命令。

图 5-29　“飞入”动画效果对应的选项命令

- “计时”选项组，如图 5-30 所示。在该选项组中可以设置动画开始的时间，如单击时（当鼠标单击时开始播放该动画效果），与上一动画同时（在上一个动画开始的同时自动播放该动画效果）或者上一动画之后（在上一个动画结束后自动播放该动画效果）等。还可以设置动画的持续时间和延迟时间，以及调整动画的先后顺序。

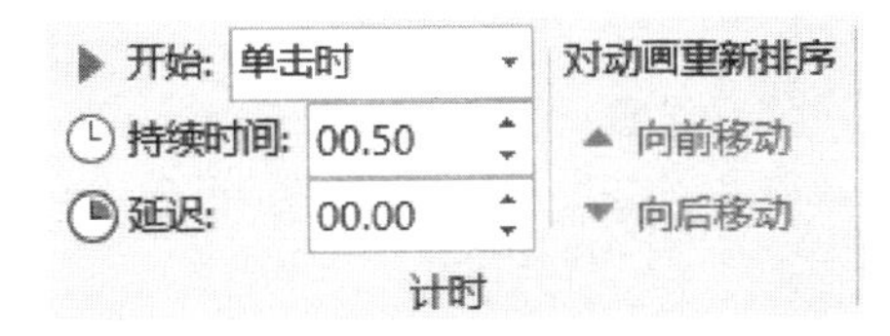

图 5-30　“计时”选项组

- “动画刷”按钮 动画刷 ，位于“动画”选项卡下的“高级动画”组中。“动画刷”按钮可以将一个对象中已经设置好的动画格式直接复制到另一个对象上。使用方法与“格式刷”按钮的使用方法一致，单击时复制一次格式，双击时复制多次格式。

（2）使用动画窗格

使用动画窗格，可以更为全面地设置动画格式，具体步骤如下：

第 1 步：单击“动画”选项卡下“高级动画”组中的“动画窗格”按钮 动画窗格，打开“动画窗格”任务窗格，列出了当前幻灯片中已经设置的所有动画，如图 5-31 所示。

图 5-31　“动画窗格”任务窗格

第 2 步：在“动画窗格”任务窗格中，各个对象按添加动画的顺序从上到下依次列出，并显示有标号。通常，标号从 1 开始，但当第一个添加动画效果的对象的开始效果设置为“与上一个动画同时”或“上一动画之后”时，则该标号从 0 开始。设置了动画效果的对象也会在幻灯片上标注出非打印编号标记，该标记位于对象的左上方，对应于列表中的效果标号，此标号在幻灯片放映视图中并不显示。

选中列表中带编号的对象后单击右侧的下拉箭头，或右击动画效果中的某一项可打开下拉列表，如图 5-32 所示。单击“效果选项”命令，会弹出如图 5-33 所示的“飞入”对话框（不同动画效果出现的对话框的内容是不完全相同的），在对话框中选择不同的选项卡对其中的项目进行设置。

单击开始(C)
从上一项开始(W)
从上一项之后开始(A)
效果选项(E)...
计时(T)...
隐藏高级日程表(H)
删除(R)

图 5-32　设置效果

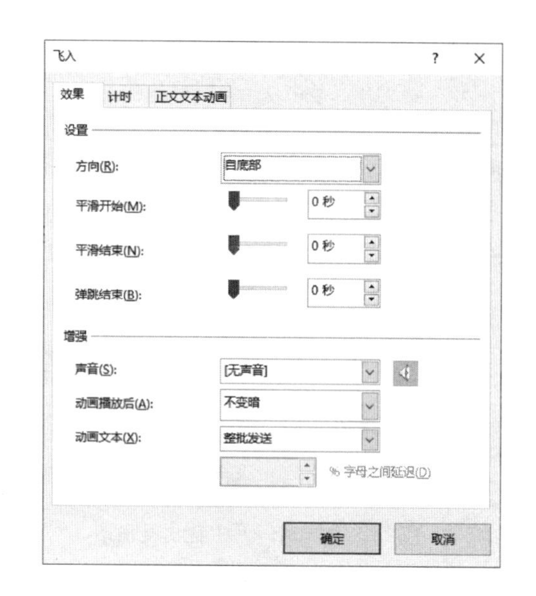

图 5-33　“飞入”对话框

第 3 步：在给幻灯片中的多个对象添加动画效果时，添加的顺序就是幻灯片放映时的播放次序。可以在动画效果添加完成后，单击窗格上方的上移按钮或下移按钮，对动画的播放次序进行重新调整。

第 4 步：如果要删除某一个动画效果，首先在动画窗格中选中该动画，然后按【Delete】键，或右击该动画，在弹出的快捷菜单中单击“删除”命令。

5.5.2　幻灯片切换

在放映演示文稿的过程中，从一张幻灯片切换到另一张幻灯片时，可以添加切换效果使得演示文稿更加美观和个性化。PowerPoint 2016 提供了多种不同的幻灯片切换方式，可以使演示文稿中幻灯片间的切换呈现不同的效果。具体操作步骤如下：

第 1 步：选择要设置幻灯片切换效果的一张或多张幻灯片。

第 2 步：在“切换”选项卡下的“切换到此幻灯片”组中，单击要应用于该幻灯片的切换效果即可。单击“切换到此幻灯片”选项组右下角的“其他”按钮，可以查看并选择更多切换效果，如图 5-34 所示。

第 3 步：若仅仅需要将切换效果应用在选定的幻灯片中，则只需要选中适合的切换效果即可。若需要将切换效果应用到整个演示文稿中的所有幻灯片上，则在功能区“切换”选项卡下的“计时”组中，单击“全部应用”按钮，可以将切换效果应用到演示文稿中的所有幻灯片。

对幻灯片的切换效果可以进行如下更具体的设置：

- 单击“切换”选项卡下“切换到此幻灯片”组中的“效果选项”按钮，可以设置幻灯片切换方向。
- 单击“切换”选项卡下“计时”组中“声音”栏的下拉箭头，可在下拉列表中选择切换时发出的声音。

- 在“切换”选项卡下“计时”组的“持续时间”栏可设置合适的切换速度。
- 在“切换”选项卡下“计时”组的“换片方式”栏选择合适的换片方式。

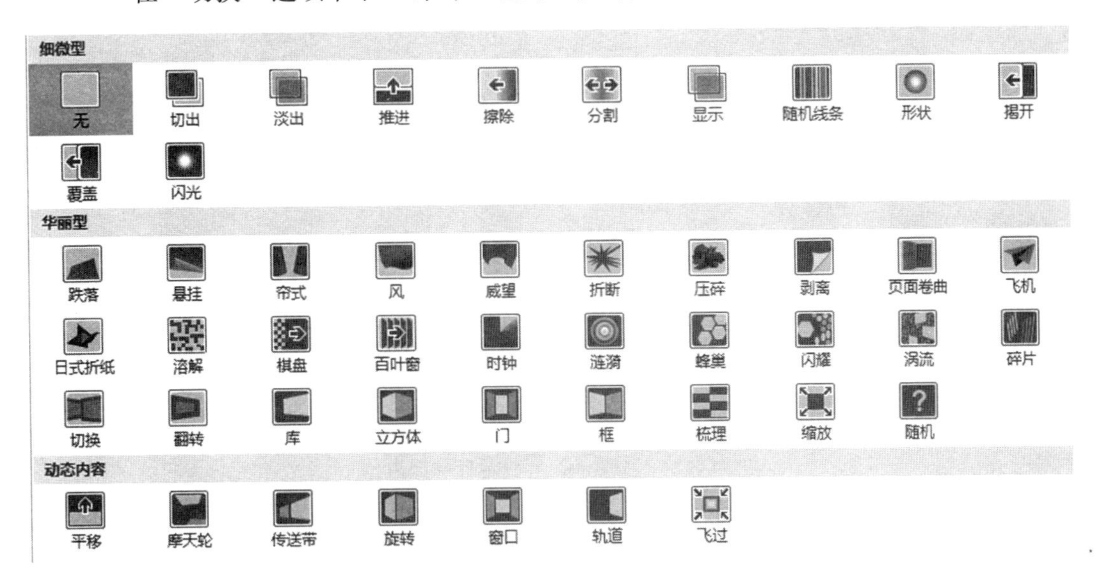

图 5-34　幻灯片切换效果

5.5.3　超链接

PowerPoint 2016 提供了功能强大的超链接功能，使用超链接可以在幻灯片与幻灯片之间、幻灯片与其他文件以及幻灯片与网络之间实现跳转。用户可以在幻灯片中添加超链接，然后利用它跳转到同一文档的某张幻灯片上，或者跳转到其他的文档，如另一演示文稿、Word 文档等，又或者跳转到一个网址或电子邮件地址。

超链接只有在放映幻灯片时才有效。当放映幻灯片时，用户可以在添加了超链接的文本、图形或动作按钮上单击，程序自动跳转到指定幻灯片页面或指定的程序。

1. 插入超链接

创建超链接的具体操作步骤如下：

第 1 步：选中要创建超链接的文本或图形对象。

第 2 步：单击“插入”选项卡下“链接”组中的“超链接”按钮，或者右击，在弹出的快捷菜单中选择“超链接”命令，打开“插入超链接”对话框，如图 5-35 所示。

第 3 步：在对话框左侧的“链接到”列表中可以选择“现有文件或网页”、“本文档中的位置”、“新建文档”或“电子邮件地址”，设置完成后单击“确定”按钮完成超链接的插入。

“链接到”列表中各选项的含义如下：

(1) 现有文件或网页

在对话框右侧选择或输入要链接到的文件或 Web 页的地址。

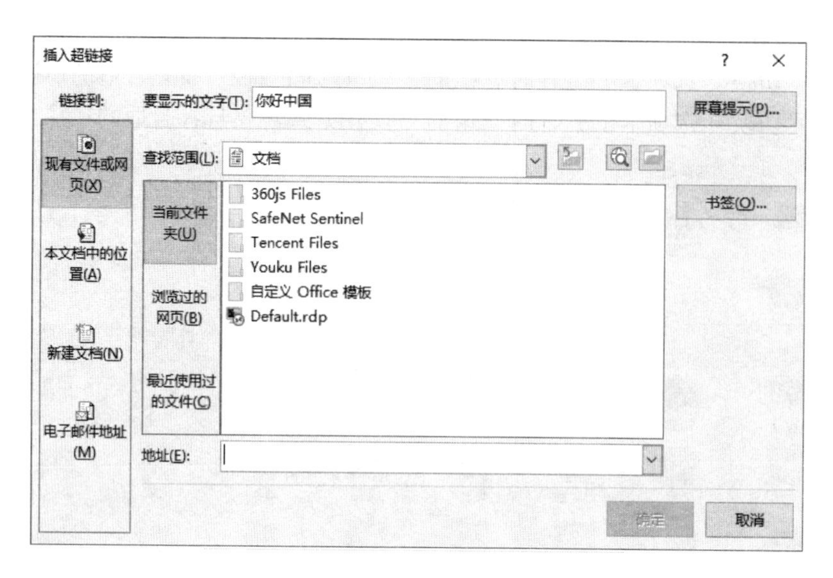

图 5-35　链接到：现有文件或网页

（2）本文档中的位置

可以指定超链接到本文档的某一张幻灯片，如图 5-36 所示，选择需要链接到的目标幻灯片标题即可。

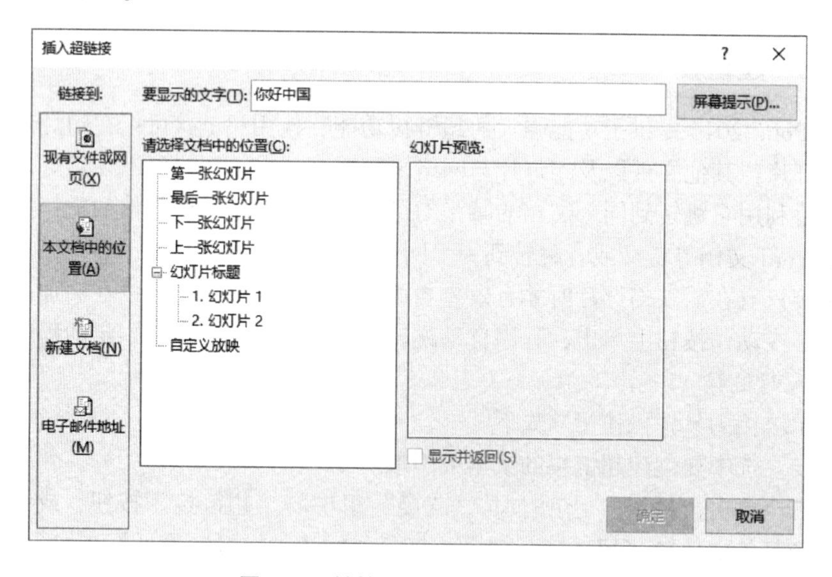

图 5-36　链接到：本文档中的位置

（3）新建文档

在“新建文档名称”文本框中输入新建文档的名称，单击“更改”按钮，设置新文档所在的文件夹名。再在“何时编辑”选项组中设置是否立即开始编辑新文档，如图 5-37 所示。

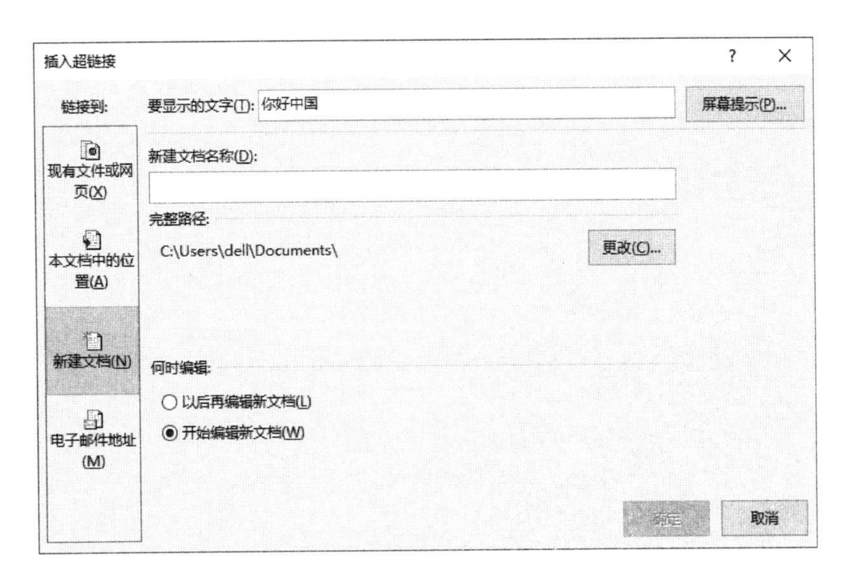

图 5-37　**链接到：新建文档**

（4）电子邮件地址

在“电子邮件地址”文本框中输入要链接的电子邮件地址，在“主题”文本框中输入邮件的主题。如果用户需要访问者给自己回信，并且将信件发送到自己的电子邮箱中时，可以创建一个电子邮件的超链接，如图 5-38 所示。

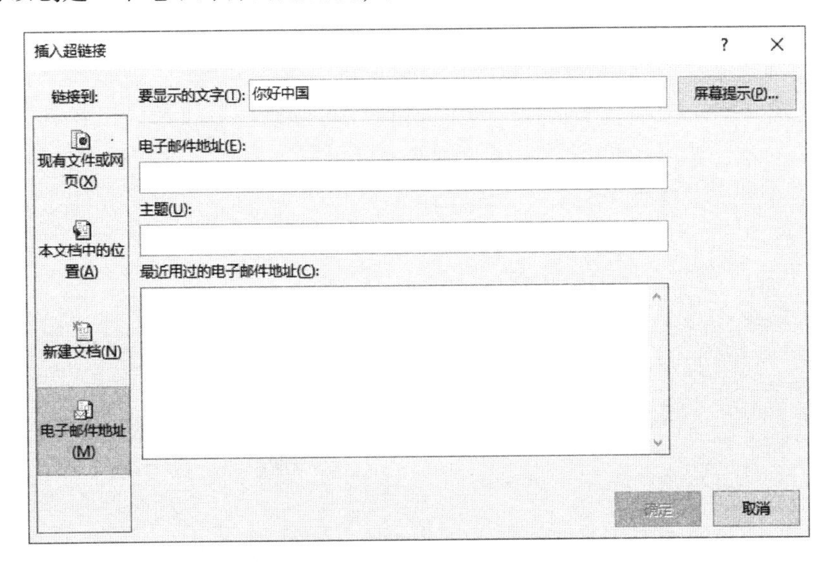

图 5-38　**链接到：电子邮件地址**

单击“屏幕提示”按钮，可以在“设置超链接屏幕提示”对话框中设置当鼠标指针置于超链接上时出现的提示内容。

进行上述超链接的有关设置后，作为超链接的文本被添加了下划线，并且字体颜色也发生了变化，表示该文本具有超链接。在播放幻灯片时，当鼠标停留在被设置了超链接的文本或对象上时，鼠标的形状变成一个手的形状，此时单击鼠标将触发超链接。

2. 删除超链接

如果要删除超链接，先选中链接文字或对象，再单击“插入”选项卡下“链接”组中的“超链接”按钮，系统会弹出“编辑超链接”对话框，单击右下角的“删除链接”按钮即可。

5.5.4 动作按钮

动作按钮是预先设置好的一组带有特定动作的图形按钮，这些按钮被预先设置为指向前一张、后一张、第一张、最后一张幻灯片，播放声音和播放电影等链接。应用这些预设好的按钮，可以实现在放映幻灯片时跳转的目的。

添加动作按钮并设置超链接的具体操作步骤如下：

第1步：打开要插入动作按钮的幻灯片。

第2步：在“插入”选项卡下“插图”组中单击“形状”按钮，弹出“形状”的下拉列表，最后一行就是“动作按钮”。

第3步：在“动作按钮”组中单击需要的动作按钮。

第4步：当鼠标指针变成“十”字型时，在幻灯片的合适位置拖动鼠标产生一个动作按钮对象。

第5步：释放鼠标左键后弹出“操作设置”对话框，如图5-39所示。

第6步：在对话框中根据需要设置完动作后，单击“确定”按钮即可。

“操作设置”对话框中有“单击鼠标”和“鼠标悬停”两个选项卡。“单击鼠标”选项卡设置的超链接是通过鼠标单击动作按钮时发生跳转；而“鼠标悬停”选项卡设置的超链接则是通过鼠标移过动作按钮时跳转的，一般用于提示、播放声音或影片。

无论在哪个选项卡中，当选择“超链接到”单选按钮后，都可以在其下拉列表中选择跳转目的地，如图5-40所示。跳转目的地既可以是当前演示文稿中的其他幻灯片，也可以是其他演示文稿或其他文件，或是某一个URL地址。

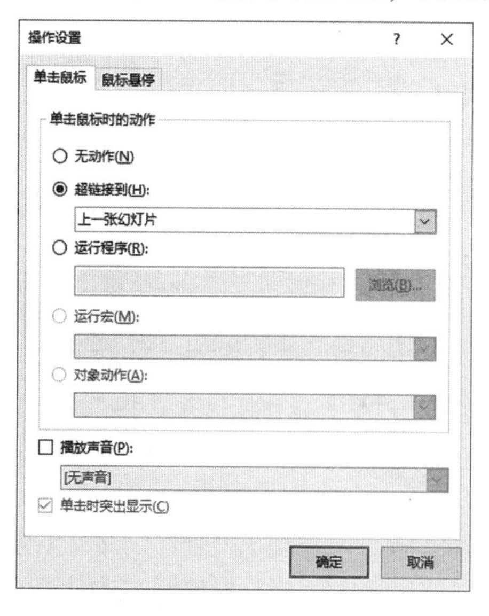

图5-39 “操作设置”对话框

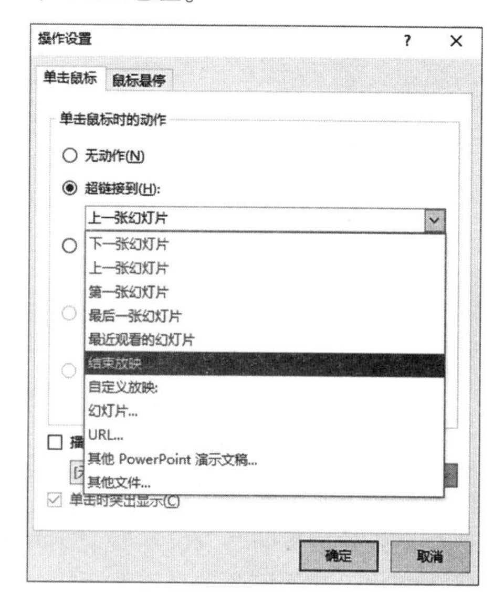

图5-40 “超链接到”下拉列表

选择“播放声音”复选框，在其下拉列表中可选择对应的声音效果。

也可以为幻灯片中的对象（如标题、图片等）设置动作，操作方法是：先选中要创建动作链接的对象，再单击“插入”选项卡下“链接”组中的“动作”按钮，系统将弹出图 5-39 所示的“操作设置”对话框，在该对话框中进行相应的设置即可。

注意：若要使整个演示文稿的每张幻灯片均可通过相应按钮切换到上一张幻灯片、下一张幻灯片、第一张幻灯片，不必对每张幻灯片逐一添加按钮，只要在“幻灯片母版”视图中对幻灯片母版进行一次设置即可。

5.6　幻灯片放映

5.6.1　设置放映方式

当演示文稿制作完成后，用户可以根据需要选择一种最合适的放映方式。单击“幻灯片放映”选项卡下“设置”组中的“设置幻灯片放映”按钮，打开如图 5-41 所示的“设置放映方式”对话框。

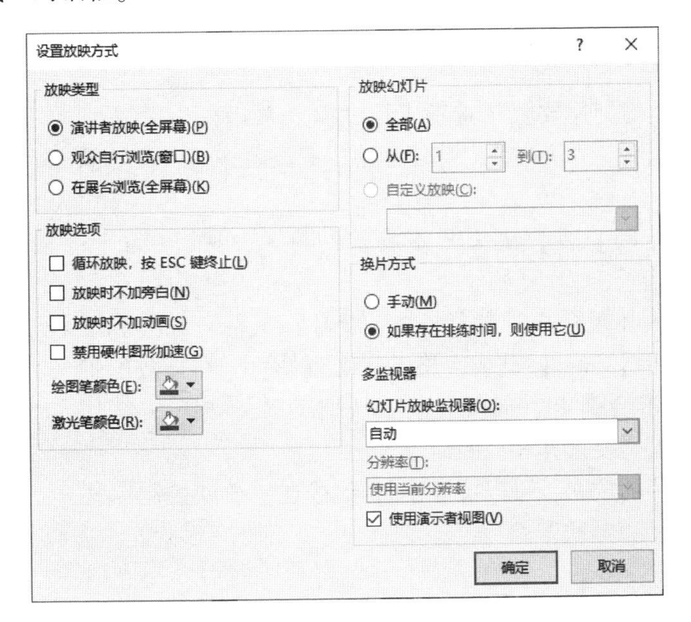

图 5-41　“设置放映方式”对话框

“设置放映方式”对话框中提供了三种放映方式：

① 演讲者放映（全屏幕）：是一种全屏幕的放映方式，适合会议或教学场合。演讲者在使用过程中对演示文稿有着完整的控制权。若想自动放映，则必须事先进行排练计时，使放映速度适中。

② 观众自行浏览（窗口）：在展览会上若允许观众自己操作，这种放映方式比较适合。通过操作滚动条，用户可以在窗口下观看到幻灯片的放映。

③ 在展台浏览（全屏幕）：这种方式采用全屏幕放映，适合无人看管的场合。与演讲者放映方式不同的是，无需用户操作演示文稿就能自动放映，这种放映方式一般已经设置了排练时间，否则幻灯片不会自动切换。

“放映选项”选项组中提供了四种放映选项：

① 循环放映，按【Esc】键终止：在放映过程中，当最后一张幻灯片放映结束后，会自动跳转到第一张幻灯片继续播放，按【Esc】键停止放映。

② 放映时不加旁白：在放映幻灯片的过程中不播放任何旁白。

③ 放映时不加动画：在放映幻灯片的过程中，先前设定的动画效果将不起作用。

④ 禁止硬件图形加速：硬件图形加速可以提升图形图像的显示效果，但是在配置较低的计算机上可能会造成计算机假死，所以需要设置禁止硬件图形加速。

在该对话框中，还可以选择部分幻灯片进行放映。在“放映幻灯片”栏的“从”“到”文本框中指定开始到结束的幻灯片编号。例如，某演示文稿有 100 张幻灯片，通过设置放映幻灯片的范围，可以在放映时只播放第 30 至 80 张幻灯片。

5.6.2 放映幻灯片

放映幻灯片的操作方法主要有以下几种：

方法 1：单击演示文稿状态栏中的幻灯片放映按钮 ，从当前幻灯片开始放映。

方法 2：在“幻灯片放映”选项卡下“开始放映幻灯片”组中，单击“从头开始”“从当前幻灯片开始”等放映按钮，按不同的方式进行放映。

方法 3：按【F5】键，从头开始放映幻灯片，按【Shift】+【F5】组合键从当前幻灯片开始放映。

在演讲者放映和观众自行浏览模式下，单击鼠标可以换到下一页，也可以使用【Enter】键或空格键来实现换页。在播放的幻灯片任意位置右击会弹出“放映控制”快捷菜单，如图 5-42 所示，用户可以根据需要选择相应的命令。

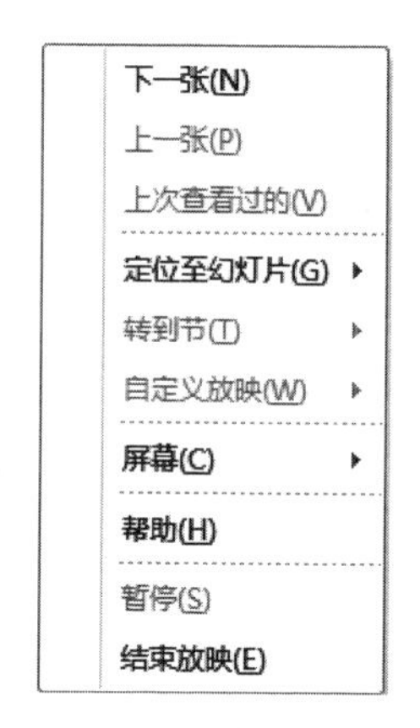

图 5-42 “放映控制”快捷菜单

要结束幻灯片的放映，可以按【Esc】键或在“放映控制”快捷菜单中选择“结束放映”命令。

5.6.3 排练计时

在放映演示文稿时，一般由演讲者通过单击鼠标来控制放映过程，但在无人控制的情况下自动播放或者不想手工切换幻灯片时，可以事先对幻灯片显示时间的长短进行预演，并把预演时每张幻灯片放映的时间记录下来，在自动放映时根据预演的时间进行放映，这就是排练计时。其具体操作步骤如下：

第 1 步：单击“幻灯片放映”选项卡下“设置”组中的“排练计时”按钮，则自第一张幻灯片起开始放映幻灯片，并在幻灯片左上角显示“录制”工具栏，如图 5-43 所示。

第2步：在幻灯片放映的同时，演讲者可以根据内容进行试讲，此时对话框中间的计时框中显示当前幻灯片所用的时间，其右边显示的则是总计时。

第3步：一张幻灯片试讲完后，单击“录制”工具栏中的“下一项”按钮，则接着显示下一张幻灯片，演讲者继续对下一张幻灯片进行试讲和计时。

第4步：若对试讲的效果不满意，可以单击“重复”按钮，重新对这一张幻灯片试讲并计时，直到满意为止。

第5步：当所有幻灯片试讲结束后，单击“录制”工具栏中的“关闭”按钮，或按【Esc】键，即出现如图5-44所示的对话框，显示演示文稿放映所需的时间，并询问是否保留幻灯片的排练时间。

第6步：单击“是”按钮，结束预演，系统自动切换到普通视图，并在浏览视图中每张幻灯片图标的右下角显示幻灯片放映时间。

图5-43 “录制”工具栏

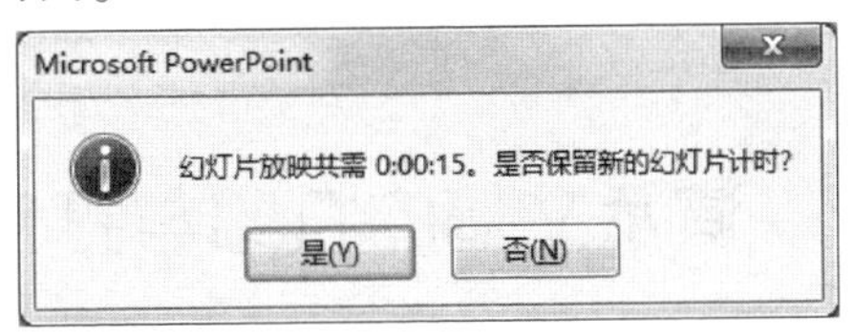

图5-44 保留排练时间提示框

5.6.4 画笔的使用

在演示文稿放映与讲解的过程中，对于文稿中的一些重点内容，有时需要勾画一下，以突出重点，引起观看者的注意。为此，PowerPoint 2016提供了“画笔”功能，可以在放映过程中随意在屏幕上勾画、标注重点内容。

在放映的幻灯片上右击，在弹出的快捷菜单中选择“指针选项”命令，弹出如图5-45所示的子菜单，其常用命令如下：

① 选择“激光指针”命令，可以像激光笔一样，在幻灯片上指出重点。

② 选择“笔”命令，可以画出较细的线形。

③ 选择“荧光笔”命令，可以为文字涂上荧光底色，加强和突出该段文字。

④ 选择“橡皮擦”命令，可以将画线擦除掉。

⑤ 选择“擦除幻灯片上的所有墨迹”命令，可以清除当前幻灯片上的所有画线墨迹。

⑥ 选择“墨迹颜色”命令，可以为画笔设置颜色。

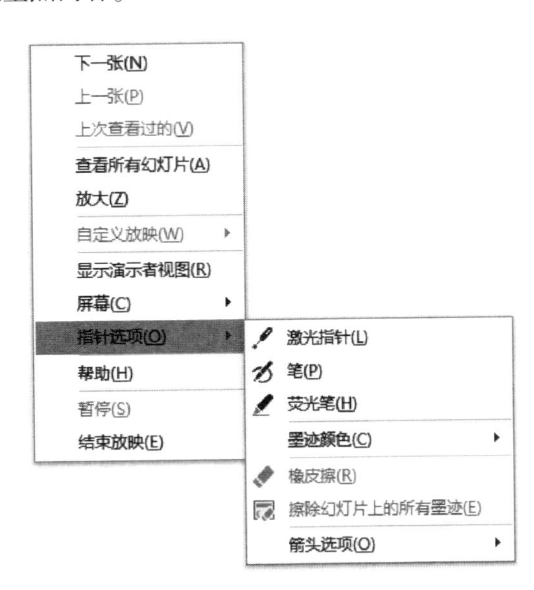

图5-45 “画笔”列表

5.6.5 隐藏幻灯片

在一份已经制作好的演示文稿中，有时需要隐藏某些幻灯片，即在放映时不显示该幻灯片。隐藏幻灯片的具体操作步骤如下：

第1步：选中需要隐藏的一张或多张幻灯片。

第2步：单击“幻灯片放映”选项卡下“设置”组中的“隐藏幻灯片”按钮，或者右击，在弹出的快捷菜单中选择“隐藏幻灯片”命令。

设置为隐藏的幻灯片，在普通视图中并没有消失，而是将幻灯片的数字编号上打了斜线，如 1 表示第1张幻灯片被隐藏。当放映该演示文稿时，被隐藏的幻灯片将不被播放。

若需要取消幻灯片的隐藏，只需选中被隐藏的幻灯片，再次单击“隐藏幻灯片”按钮即可。

5.7 演示文稿的打印与打包

5.7.1 打印演示文稿

演示文稿制作完成后，也可将其打印成为纸质稿。

1. 页面设置

在打印前可以对幻灯片的大小、方向等进行设置。

打开演示文稿，单击“设计”选项卡下“自定义”选项组中的“幻灯片大小”按钮，出现“标准（4∶3）”和“宽屏（16∶9）”两个选项，单击这两个选项下方的“自定义幻灯片大小”将弹出“幻灯片大小”对话框，如图5-46所示。

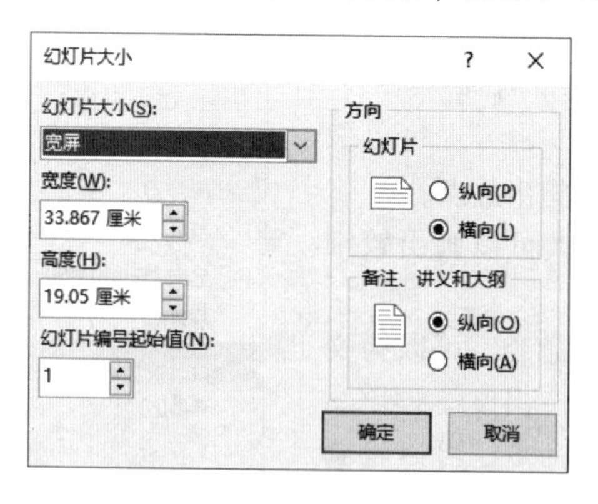

图5-46 “幻灯片大小”对话框

在“幻灯片大小”对话框中的“幻灯片大小”下拉列表中可选择幻灯片的尺寸；在“宽度”和“高度”文本框中可分别设置幻灯片的宽度和高度；在“幻灯片编号起始值”文本框中可设置演示文稿第一张幻灯片的编号；在“方向”栏中可设置幻灯片、备注、讲义和大纲的打印方向。

2. 打印设置

单击“文件”选项卡，选择“打印”命令，出现如图 5-47 所示的界面。

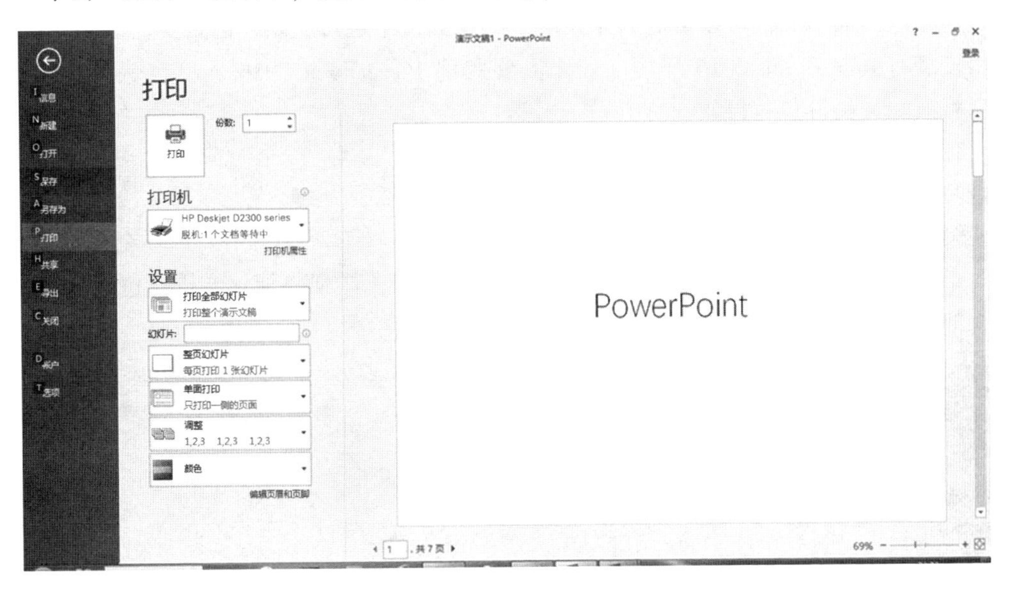

图 5-47　打印演示文稿

单击“设置”栏中的“打印全部幻灯片”命令，将打开如图 5-48 所示的下拉列表，在列表中可以选择打印的范围。也可以选择“自定义范围”后，在“幻灯片”文本框中输入幻灯片的编号来指定打印范围，如 1−3 表示打印第 1 张至第 3 张幻灯片。

单击“整页幻灯片”命令，打开如图 5-49 所示的下拉列表，在列表中设置需要的打印版式。还可以对每张纸上的打印内容进行选择。

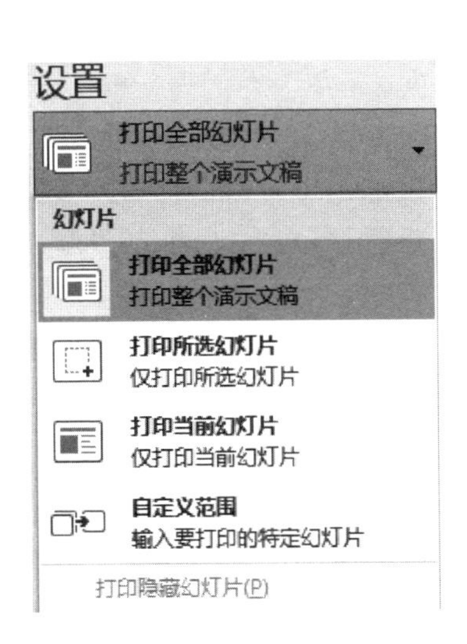

图 5-48　设置打印范围

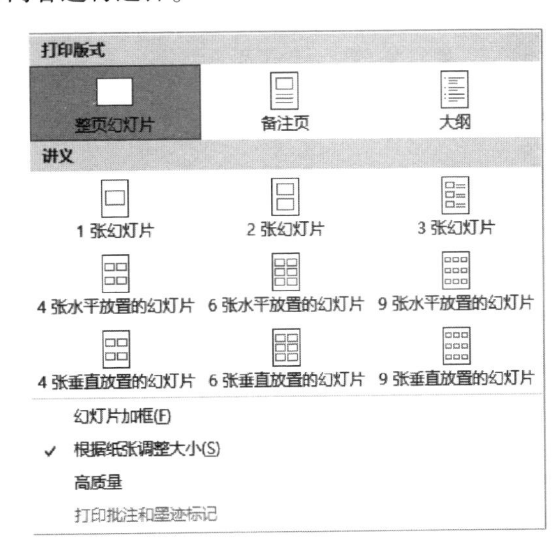

图 5-49　设置打印版式

5.7.2 打包演示文稿

制作好的演示文稿可以复制到需要演示的计算机中进行放映，但是要保证演示的计算机安装有 PowerPoint 2016 环境。如果需要脱离 PowerPoint 2016 环境放映演示文稿，可以将演示文稿打包后再放映。

1. 打包演示文稿

打包演示文稿的具体操作步骤如下：

第 1 步：打开需要打包的演示文稿。

第 2 步：单击“文件”菜单中的“导出”按钮，选择“将演示文稿打包成 CD”命令，如图 5-50 所示。

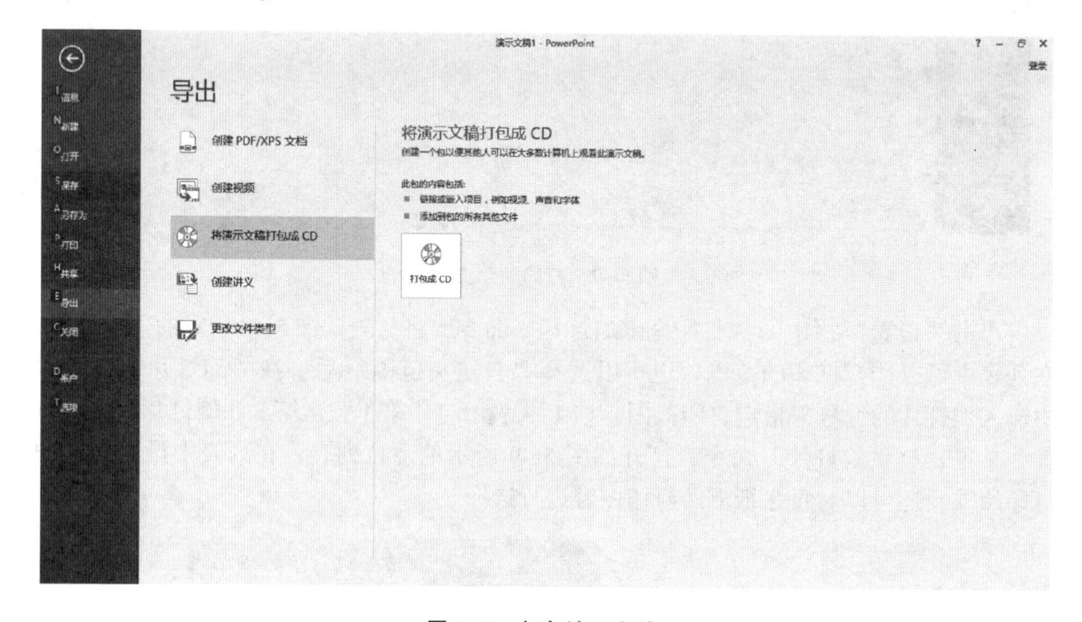

图 5-50 打包演示文稿

第 3 步：单击右侧的“打包成 CD”按钮，在“打包成 CD”对话框的列表框中显示了当前要打包的演示文稿，若还要对其他演示文稿进行打包，可以单击“添加”按钮，在弹出的对话框中选择要添加的演示文稿。

第 4 步：单击“选项”按钮，打开“选项”对话框。在“包含这些文件”选项组中根据需要选中相应的复选框，如图 5-51 所示。

如果选中“链接的文件”复选框，则在打包的演示文稿中含有链接关系的文件；如果选中“嵌入的 TrueType 字体”复选框，则在打包演示文稿时，可以确保在其他计算机上看到正确的字体；如果需要对打包的演示文稿进行密码保护，可以在“打开每个演示文稿时所用密码”文本框中输入密码，用来保护文件。

第 5 步：单击“确定”按钮，返回到“打包成 CD”对话框。

第 6 步：单击“复制到文件夹”按钮，可以将打包文件保存到指定的文件夹中；单击“复制到 CD”按钮，则直接将演示文稿打包到光盘中。

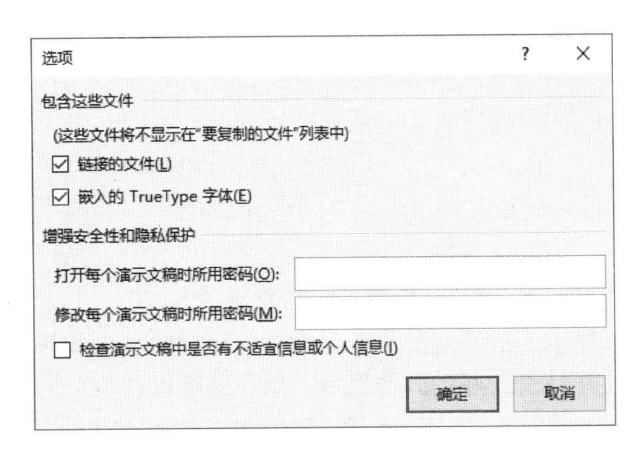

图 5-51　“选项”对话框

2. 运行打包文件

运行打包文件的具体操作步骤如下：

第 1 步：打开打包的文件夹下的子文件夹“PresentationPackage”。

第 2 步：在联网的情况下，双击该文件夹下的 PresentationPackage. html 文件，在打开的网页上单击“下载查看器”按钮，下载 PowerPoint 播放器并安装。

第 3 步：启动 PowerPoint 播放器，出现“Microsoft PowerPoint Viewer”对话框，定位到打包文件夹，选定演示文稿文件，单击“打开”按钮，即可放映该演示文稿。

练习题

一、选择题

1. PowerPoint 2016 是一个________软件。

A. 文字处理　　B. 图形处理　　C. 演示文稿　　D. 表格处理

2. PowerPoint 2016 在保存演示文稿时，默认的扩展名为________。

A. . ppt　　B. . pptx　　C. . ppx　　D. . ppsm

3. 在空白的幻灯片中，不可以直接插入的对象是________。

A. 文字　　B. 文本框　　C. 图片　　D. 表格

4. SmartArt 图形不可以制作________对象。

A. 流程图　　B. 层次结构图　　C. 循环图　　D. 图表

5. 下列选项中，________对象不可以设置超链接。

A. 图形　　B. 文字　　C. 剪贴画　　D. 背景

6. 若需要在幻灯片中选中多个不连续的幻灯片，应该按住________键后，单击鼠标选择幻灯片。

A. 【Ctrl】　　B. 【Shift】　　C. 【Alt】　　D. 【Tab】

7. 下列不属于 PowerPoint 2016 视图方式的是________。

A. 普通视图　　B. 备注页视图　　C. 幻灯片浏览视图　　D. Web 版式视图

8. PowerPoint 2016 中可以设置的母版样式不包括________。

A. 背景母版　　B. 讲义母版　　C. 幻灯片母版　　D. 备注母版

9. 幻灯片布局中的虚线框是________。

A. 占位符　　B. 文本框　　C. 图文框　　D. 表格

10. 下列关于设置幻灯片的动画效果的说法正确的是________。

A. 在同一张幻灯片中，所有对象只能被设置为同样的动画效果

B. 为幻灯片中的对象设置好动画效果后，用户还可以调整它们的先后顺序

C. 幻灯片的动画效果要在幻灯片浏览视图中才能显示

D. 用户只能为对象设置动画效果而不能添加播放动画时的声音

二、简答题

1. 如何使用动作按钮创建超链接？
2. 简述复制幻灯片的方法。
3. 如何实现排练计时？
4. 如何设置对象的动画效果？
5. 简述幻灯片母版的作用。

三、操作题

利用 PowerPoint 2016 创建一个含有 5 张幻灯片的演示文稿，如图所示。要求如下：

（1）将第一张幻灯片的版式改为“标题和内容”。

（2）输入各幻灯片中的文字，如图所示。

（3）将所有幻灯片的主题设置为“平面”。

（4）利用幻灯片母版，将所有幻灯片的标题设置为居中、红色、隶书、加粗、48 号字。

（5）为第一张幻灯片中的文字《三国演义》《西游记》《水浒传》《红楼梦》创建超链接，分别指向相应标题的幻灯片。

（6）为第一张幻灯片中的文字《三国演义》《西游记》《水浒传》《红楼梦》设置动画效果为“自左侧飞入”，并伴有“风铃声”。

（7）将演示文稿以“练习 . pptx”存放在 D 盘上。

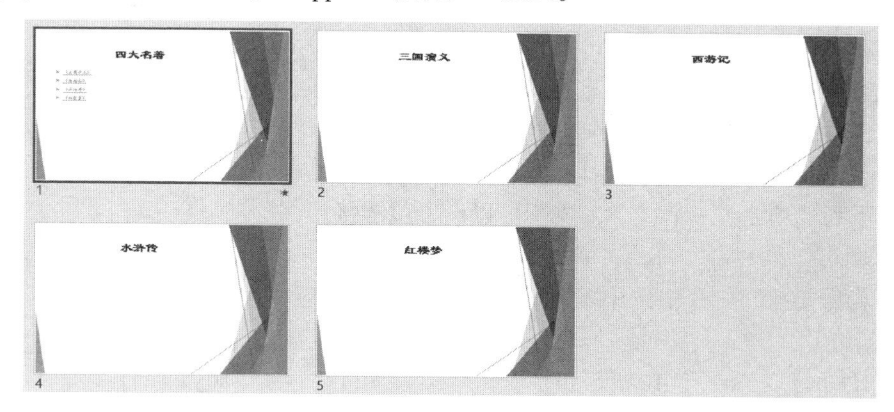

第 6 章　计算机网络基础知识

在信息社会中，计算机技术和通信技术在信息收集、传输、存储、处理等过程中具有非常重要的作用。近年来，计算机技术和通信技术不断发展并且相互渗透，计算机网络就是二者结合的产物。

6.1　计算机网络概述

6.1.1　通信基础知识

在计算机网络中，数据通信（Data Communication）是指在计算机之间、计算机与终端以及终端与终端之间传送表示字符、数值、语音、图像的二进制代码 0、1 比特序列的过程。

下面介绍几个有关数据通信的基本概念。

1. 信源与信宿

信源就是信息的发送端，是发出待传送信息的人或设备；信宿就是信息的接收端，是接收所传送信息的人或设备。大部分信源和信宿都是计算机或其他数据终端设备（Data Terminal Equipment，简称 DTE）。

2. 信号

数据通信中传输的信息是适合在通信信道上传输的电磁波编码，这就是信号。信号分为模拟信号与数字信号。

模拟信号是指信号的幅度随时间连续变化的信号。普通电视里的图像和语音信号是模拟信号。普通电话线上传送的电信号随着通话者的声音大小的变化而变化，这种变化的电信号无论在时间上或是幅度上都是连续的，也是模拟信号。模拟信号容易受到噪声、静电和其他因素干扰而导致信号变形，会使传输的数据发生错误。随着传输距离的增加，模拟信号会逐渐衰减，在对信号进行放大时，噪声信号也被放大，从而影响原始信号的质量。图 6-1(a) 是一个模拟信号的例子。

数字信号在时间上是不连续的、离散性的信号，一般由脉冲电压 0 和 1 两种状态组成。数字信号在一个短时间内维持一个固定值，然后快速变换为另一个值。数字信号是以电平的高低来表示的，只要噪声值不超过数字信号的门限值，就可以保证数字通信的可靠性。虽然数字信号也会随着传输距离的增加而发生衰减，但是由于采用再生中继方式，能使再生的数字信号和原来的数字信号一样，通信质量受传输距离的影响比模拟信号小，因此数字信号的传输可靠性比模拟信号高。大多数计算机网络采用数字信号的传输方式。图 6-1(b)是一个数字信号的例子。

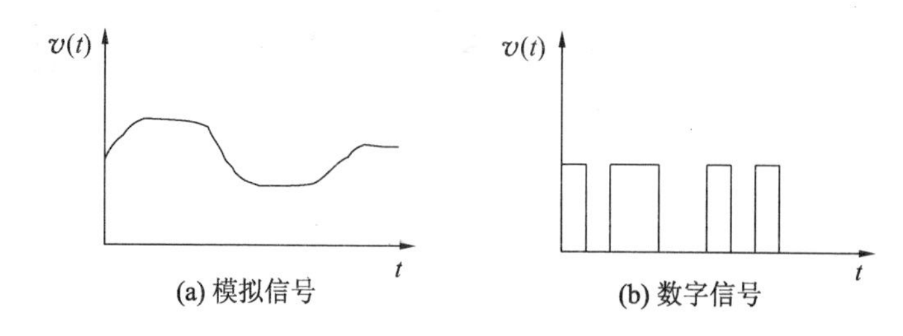

图 6-1　模拟信号与数字信号

3. 信道

信道简单地说就是信息传输的通道。它是通信双方以传输介质为基础的传输信息的通道，是建立在通信线路及其附属设备上的。

根据其中传输的信号不同，信道可以分为模拟信道与数字信道；根据传输介质的不同，可以分为有线信道与无线信道。常见的有线信道有双绞线、同轴电缆、光缆等。常见的无线信道有地面微波接力、短波、人造卫星中继等。

一个数据通信系统就是由信源、信宿和信道组成的。图 6-2 是一个简单的数据通信系统模型。

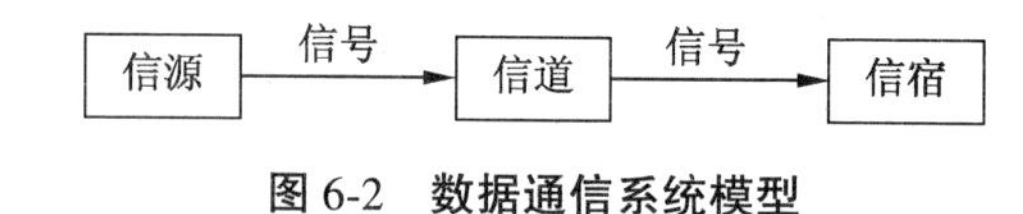

图 6-2　数据通信系统模型

4. 调制与解调

由于导体存在电阻，电信号直接传输的距离不能太远。研究发现，高频振荡的正弦波信号在长距离通信中能够比其他信号传送得更远，因此可以把这种高频正弦波信号作为携带信息的“载波”。信息传输时，利用信源信号去调整载波的某个参数（幅度、频率或相位），这个过程为“调制”（Modulation）。经过调制后的载波携带着被传输的信号在信道中进行长距离传输，到达目的地时，接收方再把载波所携带的信号检测出来恢复为原始信号的形式，这个过程称为“解调”（Demodulation）。

对调制与解调也有另一种简单说法：将信源发送的数字信号转换成模拟信号的过程叫调制；将模拟信号转换为数字信号的过程叫解调。

实现调制功能的信号转换器叫调制器，实现解调功能的信号转换器叫解调器。由于网络的通信一般都是双向的，在大多数情况下，会将调制与解调功能集于一体，这种设备叫调制解调器（Modem）。

目前，在大多数情况下，远程通信是利用现有的电话线和电话网。传统的电话通信信道只适合传输模拟信号，无法直接传输计算机的数字信号。为了利用电话交换网实现计算机的数字信号的传输，必须利用调制解调器，先把数字信号转变成音频范围内的模拟信号，然后通过电话线传递到接收端，再变回数字信号。

5. 带宽和频率

带宽是信道能传输的信号的频率宽度，是信号的最高频率和最低频率之差。带宽是模拟信道传输信息能力的一个重要指标，在一定程度上体现了信道的传输性能。

频率是周期的倒数，基本单位为赫兹（Hz），常用单位有 kHz、MHz、GHz。

在某一特定带宽的信道中，同一时间内，数据不仅能以某一种频率传送，而且还可以用其他不同的频率传送。因此，信道的带宽越宽，其可用的频率就越多，传输的数据就越大。

6. 传输速率

在数字信道中，用数据的传输速率（比特率）表示信道的通信能力，即数字信道每秒所能传输的比特位数。基本单位为比特/秒或位/秒，也写成 b/s。其他常用单位有 kb/s、Mb/s、Gb/s、Tb/s。其中：

$$1\ \text{kb/s} = 1\times10^3\ \text{b/s}$$

$$1\ \text{Mb/s} = 1\times10^6\ \text{b/s} = 1\times10^3\ \text{kb/s}$$

$$1\ \text{Gb/s} = 1\times10^9\ \text{b/s} = 1\times10^3\ \text{Mb/s}$$

$$1\ \text{Tb/s} = 1\times10^{12}\ \text{b/s} = 1\times10^3\ \text{Gb/s}$$

研究表明，信道的最大传输速率是与信道带宽有直接联系的，即信道带宽越宽，数据传输速率就越高。所以，人们经常用带宽来表示信道的传输速率，带宽和速率几乎成了同义词。平常人们所说的“宽带”是指带宽比较宽（3 400 Hz 以上）的信道。

带宽与数据传输速率是通信系统的主要技术指标之一。

7. 信道容量

信道容量是指信道传送信息的最大能力，用单位时间内最多可传送的比特数来表示。信道容量是信道的一个极限参数。

8. 误码率

误码率是指二进制比特流在数据传输系统中被传错的概率，它是衡量通信系统可靠性的重要指标。误码率的计算公式为

误码率 = 接收时出错的比特数/发送的总比特数

数据在通信信道传输中由于某种原因出现错误，这是正常且不可避免的，但误码率只要在一定的范围内都是允许的。在计算机网络中，一般要求误码率低于 10^{-6}，即百万分之一。

9. 延迟

传输延迟是指由于各种原因而使信息在传输过程中存在着不同程度的延误与滞后的现象。简单地说，延迟就是信宿接收到信息与信源发出信息的时间差。

6.1.2　计算机网络的定义、组成和功能

1. 计算机网络的定义

计算机网络是利用通信线路和通信设备，把地理上分散的且具有独立功能的多台计算机（或其他智能设备）及其外部设备互相连接起来，在网络操作系统、网络管理软件及网络通信协议的管理和协调下，实现数据通信和资源共享的系统。

2. 计算机网络的基本组成

计算机网络是一个非常复杂的系统。网络的组成根据应用范围、目的、规模、结构

以及采用的技术不同而不尽相同，但都必须有硬件与软件两大部分。

网络的硬件提供的是数据处理、数据传输和建立通信通道的物质基础；而网络软件是真正控制数据通信的，软件的各种功能必须依赖硬件去实现，二者缺一不可。

计算机网络的基本组成主要包括以下四个部分：

（1）计算机系统

计算机系统是网络的主体，是计算机网络不可缺少的硬件元素。

计算机系统可以是超级计算机、大型机、小型机、工作站、PC 以及笔记本电脑或其他数据终端。随着家用电器的智能化和网络化，越来越多的家用电器如手机、电视机顶盒、监控报警设备等都可以接入网络中，它们也是网络的组成部分。

（2）通信线路和通信设备

计算机网络通过通信线路和通信设备把计算机系统连接起来，在各个计算机之间建立物理通道，以便传输数据。

通信线路是指传输介质及其连接部件，如同轴电缆、光纤、双绞线等；通信设备是指网络连接设备、网络互联设备，如网卡、集线器、中继器、交换机、网桥、路由器等。

（3）网络协议

为了使网络中的计算机能正确地进行通信和资源共享，计算机和通信控制设备必须共同遵守一组规则和约定，这些规则、约定或标准就称为网络协议，简称协议。

（4）网络操作系统和网络应用软件

网络操作系统（Network Operating System，简称 NOS）是指能够对网络中一定范围内的资源进行统一调度和管理的操作系统。它是计算机网络软件的核心，是其他网络软件的基础。

网络应用软件是指为某一个应用目的而开发的网络软件（如电子邮件程序、即时通信软件、浏览器、远程教学软件等）。网络应用软件为用户提供访问网络的手段、网络服务、资源共享和信息的传输。

3. 计算机网络的基本功能

计算机网络的功能也就是计算机组网的目的。计算机网络最主要的功能是数据通信和资源共享，除此之外还有实现分布式处理和提高系统安全性与可靠性等功能。

（1）数据通信

这是计算机网络最基本的功能之一，也是建立计算机网络的主要目的。它可以为网络用户提供强有力的通信手段，使得分散在不同地理区域的计算机用户之间能够相互通信、交流信息。通信的形式有电子邮件、网上聊天、网络电话、网上视频会议等多种。

（2）资源共享

这是计算机网络最具有吸引力的功能。计算机系统中的许多资源是十分宝贵的，如大型计算机、大容量的硬盘、分布在各地的丰富的信息资源、某些应用软件、某些特殊设备等。利用计算机网络可以让网络中的用户共享分散在不同地点的资源。从原理上讲，只要允许，用户可以共享网络中其他计算机的软件、硬件和数据等资源，而不必考虑资源所在的地理位置。例如，使用浏览器浏览和下载远程 Web 网站上的信息、访问其他计算机中的文件等。通过资源共享，可使网络中不同地区的资源互通有无，分工协作，从而大大提高系统资源的利用率。

（3）实现分布式处理

有了计算机网络，许多大型信息处理任务可以借助于分散在网络中的多台计算机协同完成，解决单机无法完成的信息处理任务，也可以使分散在各地各部门的许多人通过网络合作完成一项共同的任务。特别是分布式数据库管理系统，它使分散存储在网络中不同计算机系统的数据在使用时好像集中管理一样方便。

（4）提高系统的可靠性与可用性

提高系统的可靠性表现在网络中的计算机可以通过网络彼此互为后备，一旦某台计算机出现故障，它的任务可由网络中其他计算机代为完成，避免了单机情况下可能造成的系统瘫痪。

提高系统的可用性是指网络中的工作负荷是均匀地分配给网络中的每台计算机的。当某台计算机的负荷过重时，通过网络和一些应用程序的控制与管理，可以将任务交给网络中其他较空闲的计算机进行处理，从而均衡各台计算机的负载，提高每台计算机的可用性。

6.1.3　计算机网络的形成和发展

计算机网络最早出现于20世纪50年代，它利用通信线路将远方终端上的资料传送给主计算机进行处理，形成一种简单的联机系统。从单台计算机与终端之间的远程通信，到现在世界上成千上万台计算机互联，计算机网络大致经历了四个阶段。

1. 第一代——面向终端的计算机网络

面向终端的计算机网络是以单个主机为中心的远程联机系统，又称联机系统，最早出现于20世纪50年代中期。系统由一台主机和若干个终端（键盘和显示器）组成，终端通过通信线路与主机连接，形成“终端—通信线路—主机”的简单通信系统。这种系统除了一台中心计算机外，其余的终端都不具有独立的处理功能，还不能称为真正的计算机网络。但它将计算机技术与通信技术结合，可以让用户以终端方式与远程主机进行通信，所以它应该是计算机网络的雏形。

第一代计算机网络的典型代表是美国军方于1954年推出的半自动地面防空系统（SAGE）。在该系统中，远程雷达和其他测量设备获得的信息通过通信线路与基地的一台IBM计算机连接，由这台主机进行集中的防空信息处理和控制。

2. 第二代——计算机通信网络

第二代计算机网络是以资源共享为目的的计算机通信网络。随着计算机应用的发展，出现了多台计算机互联的需求。人们希望将分布在不同地点的计算机通过通信线路互连成为“计算机—计算机”的网络，网络中的用户既可以使用本地计算机的软件、硬件与数据资源，也可以使用联网的其他计算机资源，以达到资源共享的目的。

第二代计算机网络的典型代表是美国国防部高级研究计划局于1968年建成的ARPANET（Advanced Research Projects Agency NET，简称ARPANET），它也是Internet的最早发源地。在ARPANET中，由通信控制端口（Communication Control Processor，简称

CCP）和通信线路构成网络的通信子网，由网络外围的主机和终端构成网络的资源子网，各主机之间通过 CCP 相连，各终端与本地的主机相连。

ARPANET 是计算机网络技术发展的一个重要里程碑，它的出现标志着以资源共享为目的的现代化计算机网络的诞生。它首次提出并实现了分组交换的数据交换技术，采用了层次化的网络体系结构模型，提出了通信子网和资源子网两级子网的概念。它的技术理论对网络技术的发展起到了重要作用，它使计算机的通信方式由终端与计算机之间的通信，发展到计算机与计算机之间的直接通信，并为 Internet 的形成奠定了基础。

3. 第三代——标准化网络

第三代计算机网络又称互联网络或现代计算机网络。由于 ARPANET 的成功，到 20 世纪 70 年代，不少公司也相继推出了自己的网络体系结构，如 IBM 公司的 SNA（System Network Architecture），DEC 公司的 DNA（Digital Network Architecture）。但是，这些不同体系结构的产品存在很大差异，很难实现互联。因此国际标准化组织 ISO 成立了计算机与信息处理标准化技术委员会，专门从事网络体系结构与网络协议国际标准化问题的研究，并在 1984 年正式颁布了“开放系统互联基本参考模型”（Open System Interconnection Basic Reference Model）的国际标准 OSI。

4. 第四代——高速互联网络

进入 20 世纪 90 年代，随着计算机网络技术的迅速发展，人们开始认识到信息技术的应用与信息产业发展将对各国经济的发展产生重要的影响。1993 年 9 月，美国宣布建立国家信息基础设施建设计划 NII（俗称信息高速公路）。随后，各个国家也纷纷开始制订各自的信息高速公路建设计划，这极大地推动了计算机网络技术的发展，使得计算机网络进入第四代高速互联网络阶段。

信息高速公路是一个高速度、大容量、多媒体的信息传输网络。其信息来源、内容和形式是多种多样的，而且网络用户可以在任何时间、任何地点以声音、数据、图像或影像等多媒体方式相互传递信息。显然，以传统电信网络为信息载体的计算机互联网不能满足信息高速公路对网速的要求，这就促使网络由低速向高速、由共享向交换、由窄带向宽带方向发展，即由传统的计算机互联网发展为高速互联网。另外，信息高速公路要求计算机网络覆盖到所有的企业、学校、科研部门、政府以及家庭，也就是用户分布在非常广泛而分散的网络中。如果要在大范围内实现资源共享和数据通信，就必须把这些分散的网络连接起来，这就是网络互连。最常见的网络互连方式是通过路由器等网络互联设备，把不同的网络连接在一起，形成可以相互访问的“互联网”。Internet 是目前世界上最著名的、最大的国际互联网。

6.1.4 计算机网络的分类

计算机网络的分类方法很多，如按传输介质可分为有线网和无线网；按数据交换方式可分为直接交换网、存储转发交换网和混合交换网；按通信传播方式可分为点对点式网和广播式网；按通信速率可分为低速网、中速网和高速网；按使用范围可分为公用网和专用网。更多情况下，人们按网络所覆盖的地域范围把计算机网络分为局域网、广域网和城域网。

1. 局域网（Local Area Network，简称 LAN）

局域网是将较小的地理区域内的计算机或数据终端设备连接在一起的通信网络。局域网覆盖的地理范围比较小，一般在几十米到几千米之间，最大不超过 10 km，常用于组建一个办公室、一栋楼、一个楼群或一个校园和一个企业的计算机网络。

局域网具有高数据传输速率（1 Mb/s～10 Gb/s）、低误码率、成本低、组网容易、易管理、易维护、使用灵活方便等特点。

有关局域网的详细介绍见本章 6.2。

2. 广域网（Wide Area Network，简称 WAN）

广域网又称远程网，是在一个广阔的地理区域内进行数据、语音、图像信息传输的计算机网络。作用范围通常为几十到几千千米，可以覆盖一个城市、一个国家甚至全球，形成国际性的计算机网络。

广域网常借用公用电信网络（电话交换网、微波、卫星通信等）进行通信，数据传输的带宽有限，一般在 64 kb/s～2 Mb/s 之间，最高达 45 Mb/s。但随着新的光纤标准和能够提供更快传输速率的全球光纤通信网络的引入，广域网的速度和可靠性将大大提高，传输速率可达 155 Mb/s，甚至 2.5 Gb/s。

广域网的主要特点有地理覆盖范围大、传输速率低、传输误码率高、网络结构复杂等。

常见的广域网主要有公用数据网（PDN），公共电话交换网（PSTN），数字数据网（DDN），帧中继网（FRN）、X.25，综合业务数字网（ISDN），千兆以太网和光以太网等。

因特网是广域网的一种，但它不是独立的网络，它把同类或不同类的物理网络互连，并通过协议实现不同类网络间的通信。

3. 城域网（Metropolitan Area Network，简称 MAN）

城域网也称市域网，地理覆盖范围介于局域网和广域网之间，一般为几千米至几万米。所采用的技术基本上与 LAN 相似，是一种大型的局域网。

城域网的覆盖范围一般在一个城市之内，它将位于一个城市内不同地点的多个计算机局域网连接起来实现资源共享。城域网所使用的通信设备和网络设备的功能要求比局域网高，以便有效地覆盖整个城市。一般在一个大型城市，城域网可以将多个学校、企事业单位、公司和医院的局域网连接起来共享资源。

城域网技术对通信设备和网络设备的要求比局域网高，在实际应用中被广域网技术取代，没有能够推广使用。

6.1.5　网络拓扑结构

拓扑学（Topology）是几何学中用来研究点、线、面组成的几何图形的方法，将物理实体抽象成与物理实体大小、位置和形状无关的点，将与实体相连接的线路抽象成线。

网络拓扑结构是计算机网络节点和通信链路所组成的几何形状。计算机网络有很多拓扑结构，最常用的网络拓扑结构有总线型拓扑结构、环型拓扑结构、星型拓扑结构、树型拓扑结构和网状拓扑结构（图 6-3）。

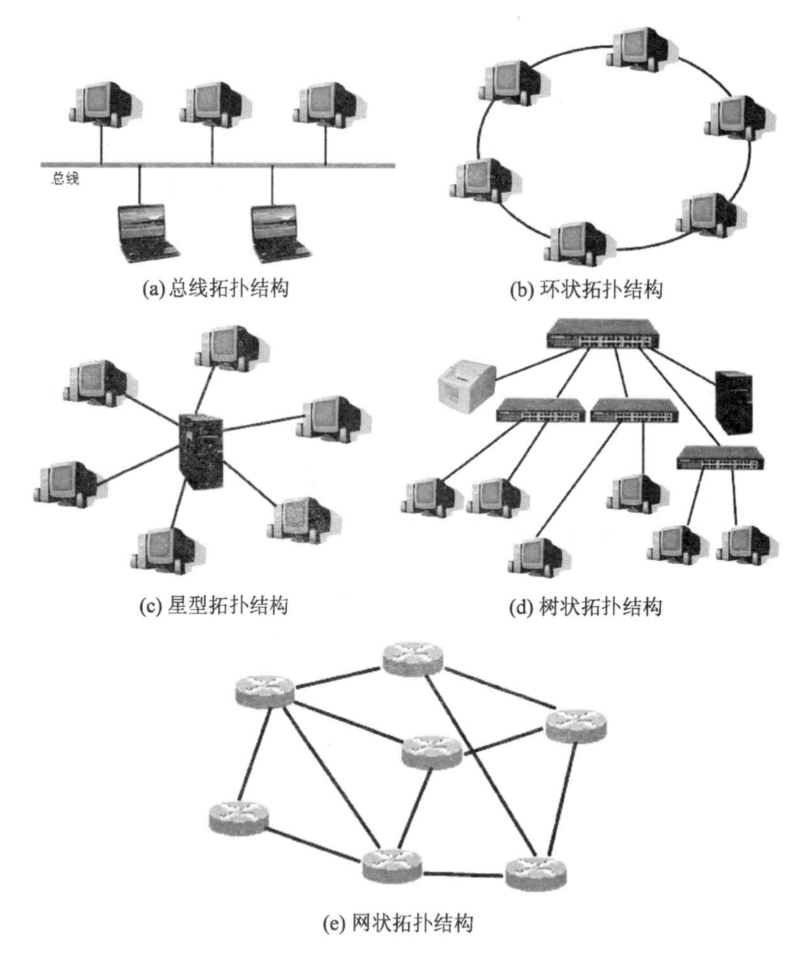

(a) 总线拓扑结构　(b) 环状拓扑结构

(c) 星型拓扑结构　(d) 树状拓扑结构

(e) 网状拓扑结构

图 6-3　网络拓扑结构

1. 总线型拓扑结构

总线结构是采用单根的通信线路（总线）作为公共的传输通道，所有的节点都通过相应的接口直接连接到总线上，并通过总线进行数据传输，如图 6-3(a)所示。

总线结构的网络采用广播方式传输数据，因此，连接到总线上的设备越多，网络发送和接收数据就越慢。

总线型拓扑结构具有如下特点：

① 结构简单灵活，增删节点容易，可扩充性较好，共享能力强，便于广播式传输。

② 局部站点的故障不会影响整个网络，可靠性较高，但所有节点都连接在总线上，一旦总线出现故障，将影响整个网络。另外，所有数据的传输均使用一根总线，因此实时性较差。

③ 轻负载时，网络响应速度快，一旦网络节点数增加或数据交换频繁时，网络响应速度将急剧下降。

④ 易于安装，费用低。

2. 环型拓扑结构

在环状拓扑结构中，各个节点通过环接口连在一条首尾相接的闭合环状通信线路中，如图 6-3(b)所示。每个节点设备只能与它相邻的一个或两个节点设备直接通信。如果与网络中其他节点通信，需要经过两个通信节点之间的每个设备。

环型网络中数据的传输可以是单向的也可以是双向的。单向环中的数据只能向一个方向发送，数据所到达的每个设备再把数据转发出去，直至到达目的节点；双向环中的数据可以向两个方向传输，一个方向中断了，可以沿另一方向继续传输，直至到达目的节点。

环型拓扑结构有两种类型：单环结构和双环结构，双环结构的可靠性高于单环结构。令牌环是典型的单环结构，光纤分布式数据接口 FDDI 是典型的双环结构。

环型拓扑结构具有如下特点：

① 在环型网络中，各工作站间无主从关系，结构简单；信息流在网络中沿环单向传递，延迟固定，实时性较好。

② 两个节点之间仅有唯一的路径，简化了路径选择，但可扩充性差。

③ 可靠性差，任何线路或节点的故障都有可能引起网络故障，且故障检测困难。

3. 星型拓扑结构

星型拓扑结构的每个节点都由一条点对点链路与中心节点（公共中心交换设备，如交换机、集线器等）相连，如图 6-3(c)所示。星型网络中的一个节点如果向另一个节点发送数据，首先将数据发送到中央设备，然后由中央设备将数据转发到目标节点。信息的传输是通过中心节点的存储转发技术实现的，并且只能通过中心节点与其他节点通信。目前，星型网络是局域网中最常用的拓扑结构。

星型拓扑结构具有如下特点：

① 结构简单，便于管理和维护；易实现结构化布线；结构易扩充，易升级。

② 采用专用通信线路，传输速度快，但成本高。

③ 星型结构的网络由中心节点控制与管理，中心节点的可靠性基本上决定了整个网络的可靠性。

④ 中心节点负担重，易成为信息传输的瓶颈，且中心节点一旦出现故障，会导致全网瘫痪。

⑤ 网络共享资源能力差，通信线路利用率不高。

4. 树型拓扑结构

树型拓扑结构是从总线型和星型拓扑结构演变而来，也称星型总线型拓扑结构。网络中的节点设备都连接到一个中央设备（如集线器）上，但并不是所有节点都直接连接到中央集线器，大多数节点首先连接到一个次级集线器，次级集线器再与中央集结器连接，如图 6-3(d)所示。

树型拓扑结构具有如下特点：

① 易于扩展，易故障隔离，可靠性高。

② 电缆成本高。

③ 对根节点的依赖性大，一旦根节点出现故障，将导致整个网络不能工作。

5. 网型拓扑结构

网型拓扑结构是指将各网络节点与通信线路互联成不规则的形状，节点的连接是任意的，没有规律的，但每个节点至少与其他两个节点相连，如图 6-3(e)所示。广域网中一般都采用这种结构。

网状拓扑结构具有如下特点：

① 可靠性高，结构复杂，不易于管理和维护。

② 线路成本高，适用于大型广域网。

③ 因为有多条路径，所以可以选择最佳路径，减少延时，改善流量分配，提高网络性能，但路径选择比较复杂。

6.1.6 网络的硬件与软件

与计算机系统类似，计算机网络系统由硬件设备与网络软件两大部分组成。本书主要介绍局域网的组网设备与网络互联设备。

1. 传输介质

局域网中常用的传输介质有双绞线、同轴电缆和光缆。随着对无线网的深入研究与广泛应用，无线技术也越来越多地用来进行局域网的组建。

（1）双绞线

双绞线是由两条彼此绝缘的铜导线按一定规则扭绞而成的。金属导线采用扭绞的方式既可以部分抵消线对之间的电磁干扰，又可以减少外界电磁波的干扰。实际使用时，会将多对双绞线捆绑在一起放在一个绝缘套管里。

双绞线可分为屏蔽双绞线 STP（Shielded Twisted Pair）和非屏蔽双绞线 UTP（Unshielded Twisted Pair）两种，如图 6-4 所示。屏蔽双绞线电缆的抗干扰性好，但价格较高，安装比较困难。非屏蔽双绞线价格比较便宜，安装和使用比较容易，但传输距离较短（≤100 m）、数据传输速率较低（≤1 000 Mb/s）。由于非屏蔽双绞线具有较高的性价比，所以使用还是比较广泛的，常用在局域网中。双绞线容易受到外部高频电磁波干扰，误码率较高，通常只在建筑物内部使用。

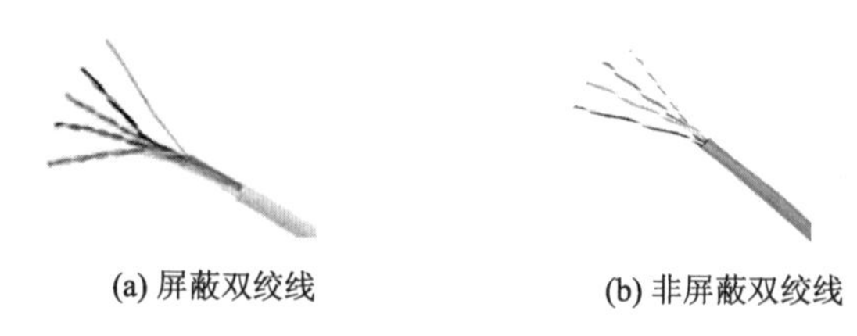

图 6-4 双绞线

（2）同轴电缆

同轴电缆由圆柱形金属网导体（外导体）及其所包围的单根金属芯线（内导体）组成，外导体与内导体之间由绝缘材料隔开，外导体外部还有一层绝缘保护套，如图 6-5 所示。

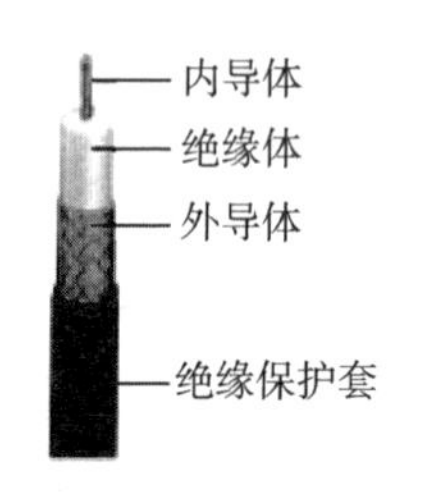

图 6-5 同轴电缆

同轴电缆有基带同轴电缆和宽带同轴电缆两种类型。基带同轴电缆电磁干扰屏蔽性能好，误码率低，适合传输距离短、速度要求较低的局域网。宽带同轴电缆的传输速率较高，传输的距离也较远，但它要附加信号处理设备，安装比较困难，成本也较高。它不仅能传输数据，还可以传输图像和语音信号，适用于长途电话网、电缆电视系统和宽带计算机网络。

同轴电缆是最传统的传输线，在局域网发展初期曾被广泛使用。现已基本被双绞线和光纤取代，目前主要在有线电视网（CATV）、长途电话网中使用。

（3）光缆

光纤也称光导纤维，是一种传输光束的细微而柔韧的介质。光纤一般分为三层：中心是高折射率的石英玻璃纤芯，中间为低折射率的硅玻璃包层，最外面是加强用的树脂涂层。光纤的传输原理是：当光线从高折射率的介质射向低折射率的介质时，其折射角将大于入射角，因此，如果折射角足够大，就会出现全反射，即光线碰到包层就会折射回纤芯。这个过程不断重复，光就沿着光纤传输下去。

根据性能不同，光纤分为单模光纤和多模光纤两大类。单模光纤的纤芯较细，只能传输一种模式的光，因此模间色散很小，带宽大，传输距离远。但单模光纤的价格高，邮电等通信部门远距离传输常使用单模光纤。多模光纤的纤芯较粗，可传输多种模式的光，但其模间色散较大，这就限制了传输数字信号的频率，而且随距离的增加会更加严重。因此，多模光纤传输的距离一般只有几千米。多模光纤比单模光纤价格便宜。

光纤的优点很多，如频带宽、传输距离远、抗电磁干扰性能好、不易被窃听和截取数据、保密性好、损耗小、误码率低、体积小、重量轻等。但光纤比较脆弱，容易断裂，一般不能直接与外界接触，通常把多条光纤组成一束，形成光缆来使用。

自 20 世纪 80 年代起，世界各国开始大规模铺设光纤通信线路，光纤传输网已经成为几乎所有现代通信的基础平台。

（4）无线传输介质

无线通信是利用自由空间的无线电波、微波、红外线和激光等电磁波进行通信，不需要铺设电缆，非常适合在高山、岛屿或临时场地联网。

① 无线电波。

无线电波按频率（波长）可以分为中波、短波、超短波和微波等。无线电波的传播特性与频率（或波长）有关。中波沿地球表面传播，绕射能力强，适用于广播和海上通信；短波趋于直线传播，具有较强的电离层反射能力，在到达地球大气层的电离层后能被反射回地球表面，但由于电离层的不稳定，使得短波信道的通信质量较差。短波适用于环球通信。

② 微波。

微波实际上是无线电波的一种，它的频率范围为 300 MHz~300 GHz。微波在空间主要是按直线传播，也可以从物体上得到反射。但不能像中波那样沿地球表面传播，因为地面会很快把它吸收掉。微波也不能像短波那样可以经电离层反射传播到地面很远的地方，因为它会穿透电离层，进入宇宙空间而不再返回地面。

微波通信主要有地面微波接力通信和卫星通信两种方式。

● 地面微波接力通信

地面微波是一种频率很高的电磁波，主要使用的是 2～40 GHz 的频率范围。地面微波一直沿直线传输，而地球表面是曲面，因此其传输距离会受到限制，一般为 40～60 km。为了实现远距离通信，需要在微波信道的两个端点之间（一般为 50 km 左右）建立若干个中继站。中继站负责把前一站送来的信号放大后再送到下一站，故称为“接力”，如图 6-6 所示。

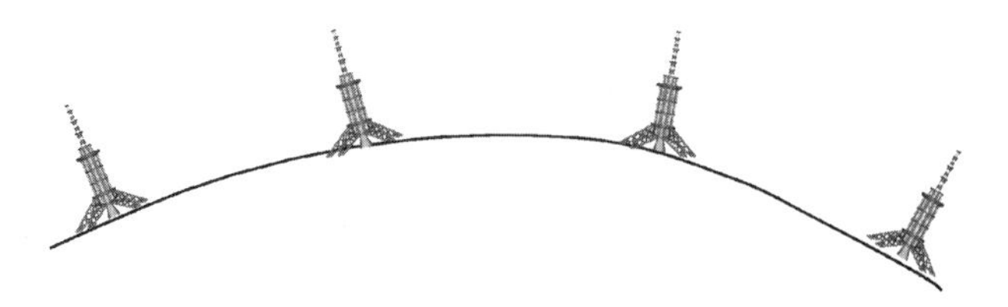

图 6-6　地面微波接力通信

地面微波接力通信具有频带宽、信道容量大、传输质量较高、应用范围广等优点，但它保密性差、抗干扰能力差。地面微波接力通信逐渐被很多计算机网络采用，有些大型互联网络一般将地面微波接力通信和有线介质一起使用。

● 卫星微波通信

卫星微波通信简称卫星通信，它是使用人造通信卫星作为中继站转发微波信号的，如图 6-7 所示。

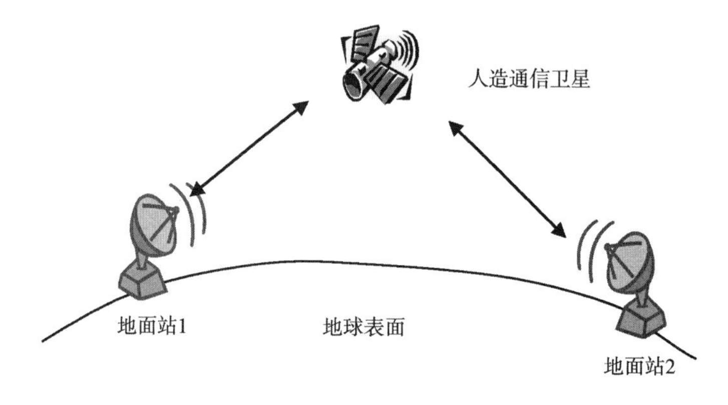

图 6-7　卫星通信

卫星通信的原理是：从地面站 1 发出的无线电信号被通信卫星接收后，首先被卫星的通信转发器放大、变频和功率放大，然后由卫星的通信天线发送给地面站 2。依此原理，就可以实现多个地面站的远距离通信。

卫星运行的轨道有三种：低轨道、中轨道和高轨道。低轨道和中轨道上运行的卫星相对于地面的位置是变动的，卫星天线的覆盖区域小。高轨道卫星距地面 35 800 km，运行周期和地球自转一周时间相同，因此从地面上看好像静止不动。高轨道卫星覆盖面广，理论上，地球上方只要有三颗高轨道卫星，就可以将信号传送到地球的任何地方。

卫星通信具有通信容量大、传输距离远、可靠性高、抗干扰能力强等优点。

- 移动通信

移动通信是指处于移动状态的对象之间的通信，也是微波通信的一种。

个人移动通信是最具代表性的移动通信，由移动台（手机）、基站、移动电话交换中心等组成。基站是与移动台（手机）联系的一个无线信号收发机，一般被固定架设在高处，每个基站负责与其周围区域内所有手机进行通信。基站和移动交换中心之间通过微波或有线信道交换信息，移动交换中心再与固定电话网进行连接。每个基站的有效区域既相互分割，又彼此交叠，整个移动通信就好像是蜂窝，所以也称为“蜂窝式移动通信”。

第 1 代个人移动通信采用的是模拟传输技术。到了第 2 代即 2G，使用的频段扩至 900~1 800 MHz。多年来，在我国广泛使用的 GSM 和 CDMA 都是第 2 代移动通信系统。第 2 代移动通信系统采用数字传输技术，在提供话音通信和低速数据业务（短消息）方面取得很大成功。

第 3 代移动通信 3G 的频谱利用率比 2G 高，使用的频段也成倍增长，因此数据传输能力比 2G 大幅度提高，其数据传输速率在室内可达几个 Mb/s，移动时也可达几百 kb/s，能提供较高质量的多媒体通信，如语音通信、数据通信和图像通信等。

4G 通信技术是第 4 代移动通信系统，是在 3G 技术上的一次改良，其相较于 3G 通信技术来说有一个更大的优势，是将 WLAN 技术和 3G 通信技术进行了很好的结合，使图像的传输速度更快，图像看起来更加清晰。在智能通信设备中应用 4G 通信技术可使用户的上网速度更快，速度可达 100 Mb/s。

第 5 代移动通信技术即 5G，是具有高速率、低时延和大连接特点的新一代宽带移动通信技术，5G 通信设施是实现人、机、物互连的网络基础设施。国际电信联盟（ITU）定义了 5G 的三大类应用场景，即增强型移动宽带、超高可靠低时延通信和海量机器类通信。增强型移动宽带主要面向移动互联网流量爆炸式增长，为移动互联网用户提供更加极致的应用体验；超高可靠低时延通信主要面向工业控制、远程医疗、自动驾驶等对时延和可靠性具有极高要求的应用需求；海量机器类通信主要面向智慧城市、智能家居、环境监测等以传感和数据采集为目标的应用需求。为满足 5G 多样化的应用场景需求，5G 的关键性能指标更加多元化。ITU 定义了 5G 的八大关键性能指标，其中高速率、低时延、大连接成为 5G 最突出的特征，用户体验速率达 1 Gb/s，时延低至1 ms，用户连接能力达 100 万连接/平方千米。2023 年 5 月 17 日，中国电信、中国移动、中国联通、中国广电宣布正式启动全球首个 5G 异网漫游试商用。

6G 即第 6 代移动通信标准，也被称为第 6 代移动通信技术，可促进产业互联网、物联网的发展。6G 潜在应用场景可分为全覆盖多样化智能连接应用、高保真扩展现实类应用和智能化行业类应用三类。在全球 6G 专利排行方面，我国以 40. 3%的 6G 专利申请量占比高居榜首。

③ 红外通信和激光通信。

红外通信和激光通信在传输之前，需要把传输的信号分别转换成红外线信号和激光信号。它们对环境和气候较为敏感，经常用于连接不同建筑物内的局域网。

2. 网络互联设备

使用各种网络互联设备可以将同一类型或不同类型的网络及其产品连接起来，组成地理覆盖范围更大、功能更强的网络。常用的网络互联设备主要有工作在物理层的中继器和集线器、工作在数据链路层的网桥和交换机、工作在网络层的路由器、工作在传输层以上的网关等。

（1）中继器

中继器（Repeater）是最简单也是较常用的网络互联设备，如图 6-8 所示。它的主要功能是将传输介质上衰减的电信号进行整形、放大和转发。因此，中继器实际上是一种数字信号放大器，仅用于延长局域网的长度。

图 6-8　中继器

中继器工作在物理层，只具有简单的放大、再生物理信号的功能，因此它只能连接具有相同协议和速率、类型完全相同的局域网。

中继器最典型的应用是连接两个以上的以太网电缆段，目的是延长网络的长度。但中继器只能在规定的信号延迟范围内进行工作，所以网络的延长是有限的。例如，在 10Base-T 以太网的组网中，每个电缆段最长为 500 m，最多可使用 4 个中继器连接 5 个电缆段，因此延长后的网络长度不超过 2 500 m。

（2）集线器

集线器（Hub）是局域网的基本连接设备，是一种特殊的中继器，如图 6-9 所示。与普通的中继器相比，它们的区别仅在于集线器有多个端口（如 8 口、16 口和 24 口等），能够提供更多的端口服务，所以集线器又叫多端口中继器。

图 6-9　8 口集线器

在传统的共享式以太网（拓扑结构为总线型）中，每台计算机通过网卡和网线（一般是 5 类双绞线）连接到集线器。在同一时间，只能有两台与集线器连接的计算机进行数据通信，各通信节点共享集线器的带宽。集线器用于连接双绞线介质或光纤介质以太网系统，是组成 10Base-T、100Base-T 以太网的核心设备。但由于交换式以太网的流行和交换机制造成本的降低，集线器正逐渐被交换机所取代。

（3）网桥

网桥（Bridge）将两个相同类型的网络连接起来，并对网络数据的流通进行管理。它工作在数据链路层，不但能延长网络的距离或扩展网络的范围，而且可以提高网络的性能、可靠性和安全性。网络 1 和网络 2 通过网桥连接后，网桥接收网络 1 发送的数据包，检查数据包中的地址，如果地址属于网络 1，就将其放弃；相反，如果是网络 2 的地址，就继续发送给网络 2。这样可以利用网桥隔离信息，将网络划分成多个网段，隔离出安全网段，防止其他网段内的用户非法访问。由于网络的分段，各网段相对独立，一个网段的故障不会影响另一个网段的运行。

（4）交换机

交换机（Switch）（图 6-10）是随着交换技术的发展而发展起来的网络互联设备，它是交换式以太网（拓扑结构为星型）的核心设备。在传统的共享介质局域网中，所有节点共享一条公共通

图 6-10　交换机

信传输介质，随着网络中节点数目的增加，每个节点分配到的带宽将会越来越少。为了解决网络规模与网络性能之间的矛盾，人们提出了将共享介质方式改为交换方式。

交换机通常有多个端口，如8口、12口、16口、24口、48口等。利用交换技术，交换机在同一时刻可进行多个端口组之间的数据传输，而且每个端口都可以视为独立的，相互通信的双方独自享有全部带宽。因此，交换机可以提高数据传输速率、通信效率和数据传输的安全性。

交换机和集线器外形相似，但工作方式差别很大。集线器采用广播技术将收到的数据向所有端口转发，交换机则采用交换技术将收到的数据向指定端口转发。

交换机和网桥都工作在数据链路层，但交换机比网桥具有更好的性能，因此，逐渐取代了网桥。目前，局域网内主要采用交换机连接计算机。

(5) 路由器

集线器、交换机都是网内互联设备，在一个局域网内对计算机进行互连。而路由器（Router，图6-11）可连接多个网络及多种不同类型的网络。当两个以上的网络互联时，必须使用路由器。路由器是实现局域网与广域网互连的主要节点设备。路由器通过路由决定数据的转发。转发策略称为路由选择（routing），这也是路由器名称的由来。

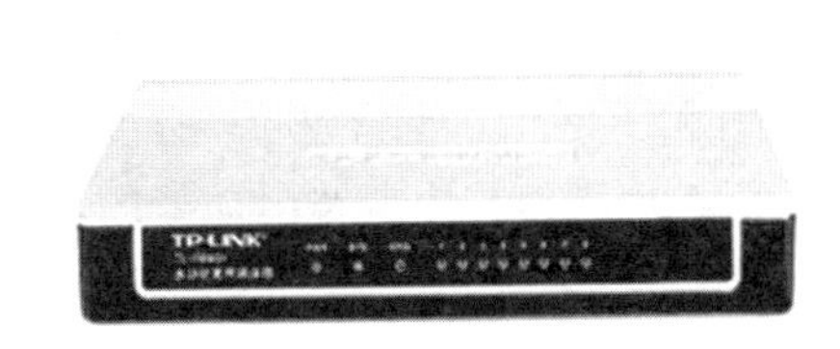

图6-11　路由器

作为不同网络之间互相连接的枢纽，路由器系统构成了基于TCP/IP的因特网的主体脉络。也可以说，路由器构成了因特网的骨架。它的处理速度是网络通信的主要瓶颈之一，其可靠性则直接影响网络互连的质量。

路由器的一个作用是连通不同的网络，另一个作用是选择信息传送的路径。选择通畅快捷的路径，能大大提高通信速度，减轻网络系统通信负荷，节约网络系统资源，提高网络系统畅通率，从而让网络系统发挥出更大的效益。

一般来说，异构网络互联与多个子网互联都应采用路由器来完成。

(6) 网关

网关（Gateway）也称协议转换器，作用于OSI参考模型的4~7层，即传输层到应用层，大多数网关运行在应用层。它可以用于广域网和广域网的互联、局域网和广域网的互联。

中继器、网桥和路由器等都是通信子网的网间互联设备，它们与应用系统无关。而应用系统间的互联需要使用网关，因为应用系统往往使用不同的协议，如果要通信，需要进行协议转换。网关的主要功能就是完成传输层以上的协议转换。

网关分为传输网关和应用程序网关。传输网关是在传输层连接两个网络的网关，应用程序网关则是在应用层连接两部分应用程序的网关。

网关结构复杂、执行效率低、价格昂贵，一般只有两个体系结构完全不同的网络互联时才使用。

(7) 无线AP

无线AP（Access Point）即无线接入点（也叫无线访问节点、会话点或存取桥接器)，它是用于无线网络的无线交换机，也是无线网络的核心，是传统有线局域网与无线局域网之间的桥梁。

通过无线 AP，任何一台装有无线网卡的计算机都可以去连接有线局域网。无线 AP 的含义很广，它不仅包含单纯性无线 AP，而且是无线路由器（含无线网关、无线网桥）等一类设备的统称。单纯性无线 AP 就是一个无线交换机，提供无线信号发射和接收的功能。单纯性无线 AP 的工作原理是将网络信号通过双绞线传送过来，经过 AP 产品的编译，将电信号转换成无线电信号发送出来，形成无线网的覆盖。

根据不同的功率，可以实现不同程度、不同范围的网络覆盖，一般无线 AP 的最大覆盖距离可达 500 m。多数单纯性无线 AP 本身不具备路由功能，包括 DNS、DHCP、Firewall 在内的服务器功能都必须有独立的路由器或由计算机来完成。目前，大多数无线 AP 都支持多用户（30~100 台计算机）接入、数据加密、多速率发送等功能，在家庭或办公室内，一个无线 AP 便可实现所有计算机的无线接入。单纯性无线 AP 也可对装有无线网卡的计算机做必要的控制和管理。单纯性无线 AP 可以通过 10BASE-T（WAN）端口与内置路由功能的 ADSL Modem 或 Cable Modem 直接相连，也可以在使用时通过交换机/集线器、宽带路由器再接入有线网络。无线 AP 跟无线路由器类似，按照协议标准本身来说，IEEE 802.11b 和 IEEE 802.11g 的覆盖范围是室内 100 m、室外 300 m。这个数值仅是理论值，在实际应用中，会碰到各种障碍物，其中玻璃、木板、石膏墙对无线信号的影响最小，而混凝土墙壁和铁对无线信号的屏蔽最大。所以，通常实际使用范围是室内 30 m、室外 100 m（没有障碍物）。

3. 网络软件

计算机网络的设计除了硬件设备外，还必须考虑网络软件。网络软件主要有网络操作系统、网络应用软件与通信协议。

网络操作系统是一种运行在网络硬件基础上的网络操作和管理软件，是向网络计算机提供服务的特殊的操作系统，一般分为客户网络操作系统和服务器网络操作系统两类。

网络应用软件是指为某一应用目的开发的网络软件，如电子邮件程序、即时通信软件、浏览器、远程教学软件等。

在计算机网络中，并不是把多台计算机用几条通信线路连接起来就可以实现网络通信，彼此就可以发送信息。网络中的计算机要想实现正确的通信，通信双方必须共同遵守一些约定和通信规则，这就是通信协议。网络通信协议的设计规范由国际标准化组织和厂商来制定，如国际标准化组织 1978 年提出的开放互联参考模型 OSI、因特网使用的 TCP/IP 协议等。

6.1.7 网络的工作模式

计算机网络有两种工作模式：对等模式（Peer to Peer，简称 P2P）和客户机/服务器模式（Client/Server，简称 C/S）。

对等模式下网络中的每一台计算机具有相同的功能，无主从之分，它们既是服务的请求者，又充当服务的提供者。也就是说，网络上任意节点的计算机既可以作为网络服务器为其他计算机提供资源，也可以作为工作站分享其他服务器的资源。对等模式的网络配置和维护简单，网络成本低，不需要网络管理员。但每台计算机独立管理自己的资源，所以很难集中控制网络中的资源和用户，安全性不高，网络性能较低，数据保密性差。对等模式一般适用于小型网络，Windows 操作系统中的“网上邻居”、QQ 即时通信等都是对等工作模式的例子。

客户机/服务器模式下网络中的每一台计算机都扮演着固定的角色，要么是客户机，要么是服务器。客户机用户需要先在服务器上注册，并由网络管理员分配给该用户访问服务器的权限。当用户需要获得服务器的服务时，要先登录，即输入用户名和口令并验证通过后才可以访问服务器资源。工作时，由客户机向服务器发出请求，服务器响应该请求并完成相应的处理，然后将结果返回给客户机。C/S 模式下的服务器通常是一些专门设计的性能较高的计算机。当然，如果一台普通 PC 安装并运行了服务器的相关软件，它也可以充当服务器，为其他计算机提供服务。Internet 上提供的多种服务，如 E-mail、FTP、Telnet、BBS、WWW 等都是采用客户机/服务器方式进行工作的。

6.2　计算机局域网

6.2.1　局域网概述

局域网是指在一个小的集中的区域，将计算机、终端和各种外围设备互联在一起的通信网络。局域网常见于学校、企业、家庭等，是目前计算机网络中最流行的一种形式。它的主要特点是：

① 地理范围有限。局域网通常分布在一幢建筑物或由相邻的几个建筑物构成的建筑群内，一般为一个单位所拥有。

② 使用专门的传输介质进行联网和数据通信。

③ 通信速率高，延迟时间短、误码率低（10^{-8} ~10^{-11}）。由于使用专用的传输线路并且传输距离较短，局域网通常具有较高的传输速率，一般为 10 Mb/s ~10 Gb/s。

6.2.2　局域网组成

局域网由网络服务器、网络工作站、网卡、传输介质、网络互联设备及共享的外围设备等组成，如图 6-12 所示。

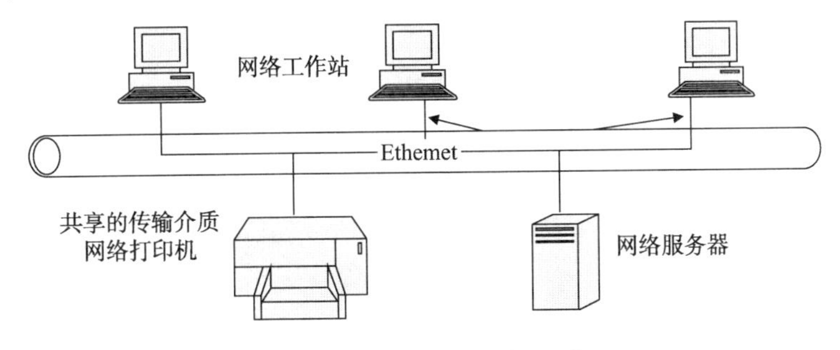

图 6-12　局域网的逻辑组成

1. 网络服务器

网络服务器是网络的服务中心，也是局域网的核心。它们通常是一些速度快、容量大的特殊计算机，安装网络操作系统的核心软件，拥有大量可共享的硬件资源和软件资源，并具有管理这些资源和协调网络用户访问这些资源的能力。

在计算机网络上有许多不同类型的服务器，如文件服务器、通信服务器、数据库服务器、名字服务器、Web 服务器、目录服务器和打印服务器等，不同类型的服务器提供不同的功能。

2. 网络工作站

在局域网中不具备服务器功能的计算机都称为网络工作站，简称工作站或客户机。工作站是连接在局域网上的一台计算机，它的主要作用是为网络用户提供一个访问网络服务器、共享网络资源、与其他节点交流的操作台和窗口。

3. 网卡

网卡（Network Interface Card，简称 NIC）又称网络适配器、网络接口卡，如图 6-13 所示。它是局域网中连接计算机和传输介质的接口，目前大多集成在主板的芯片组上。

图 6-13 网卡

局域网中的每台计算机都必须安装一个网卡。网卡能实现物理层和数据链路层的大部分功能，包括：与传输介质的物理连接、介质访问控制、帧的发送与接收、帧的封装与拆装、错误校验、数据的编码与解码、数据的串并行转换等。当源计算机需要发送数据时，网卡将数据分成一个一个的数据帧，然后将数据帧依次发送出去。网卡还能不断检查网络中是否有发送给本机的数据帧，如有，就把数据帧接收下来，从帧中取出数据并校验有无错误，确定无错误后再交给 CPU 处理。

网卡的 ROM 芯片中保存了一个全球唯一的网络硬件地址，这个地址称为媒体访问控制地址（Medium/Media Access Control，简称 MAC），也称为 MAC 地址、硬件地址或网卡物理地址。MAC 地址由网卡生产厂家在生产时写入网卡的存储器芯片中，由 12 个十六进制数来表示，每 2 个十六进制数之间用“-”分隔，如“00-25-64-89-E1-67”。其中前 6 个十六进制数代表网卡生产厂商的标识符信息，后 6 个十六进制数代表生产厂商分配的网卡序号。

在以太网中传输数据时，数据包中必须包含源节点和目标节点的 MAC 地址，网络中每台节点设备的网卡会检查所传输数据中的 MAC 地址是否与自己的 MAC 地址匹配，如果不匹配，网卡就会丢弃该数据包。

要获取本地计算机网卡的 MAC 地址，可以在“命令提示符”窗口中输入“ipconfig/all”或“getmac”命令。

4. 传输介质

传输介质是网络中计算机之间的物理通路。传输介质可以是同轴电缆、双绞线、光缆等有线介质，也可以是无线电波、红外线等无线介质。

5. 网络互联设备

局域网的互联设备主要用于延伸网络的传输距离，主要有中继器、集线器、网桥、交换机、路由器及网关等。

6. 共享的外围设备

局域网中最典型的可共享的外围设备是网络打印机。局域网中的服务器和工作站都可以像使用本地打印机一样使用网络共享打印机。除此之外，服务器连接的绘图仪、CD-ROM 等也都可以作为共享的外围设备。

6.2.3　常用局域网

局域网有很多类型。按照使用的传输介质，可分为有线网和无线网；按照网络中各种设备互联的拓扑结构，可分为总线型、环型、星型等；按照传输介质所使用的访问控制方法，可分为以太网（Ethernet）、FDDI 网和令牌网等。不同类型的局域网采用不同的 MAC 地址格式和数据帧格式，使用不同的网卡和协议。本书主要介绍以太网（使用广泛的有线网）和无线局域网。

1. 以太网

以太网最早由美国施乐（Xerox）公司于 1975 年创建，以假想中传播电磁波的以太（Ether）命名，1980 年由 DEC、Intel 和 Xerox 三家公司联合开发成为一个标准。以太网是目前应用最广泛、技术最成熟的局域网，从访问控制的角度可以分为共享式以太网和交换式以太网。

（1）共享式以太网

共享式以太网是最早使用的一种以太网，网络中所有计算机均通过以太网卡连接到一条公用的传输线，即总线上，计算机之间的通信都通过这条总线进行。人们常说的以太网就是共享式以太网。

共享式以太网采用的是基于总线的广播通信方式。局域网中每台计算机把要传输的数据分成很多小块，每一小块数据称为一个数据帧，一次只能传输 1 帧。网络中的每个节点都发送自己的数据帧到总线上，而总线上的所有节点也都可以接收到这个数据帧。为了在总线上能够实现一对一通信，数据帧中除了包含需要传输的数据（有效载荷）外，还要包含发送该数据帧的源计算机地址和接收该数据帧的目的计算机地址，只有目的计算机节点才能接受这个数据帧，其余节点一律丢弃这个数据帧。为了防止传输的数据可能被破坏或丢失，在数据帧中还要附加一些校验信息，以供目的计算机接收到数据后进行验证，如果数据错误，就可以向源计算机指出，并由源计算机重发这个数据帧。

由于总线是所有节点共享的，如果同一时刻有两个或两个以上的节点同时发送数据，就会使各个节点发送的数据产生冲突。为了解决这个问题，以太网采用了带有冲突检测的载波侦听多路访问控制（Carrier Sense Multiple Access with Collision Detection，简称 CSMA/CD）协议。CSMA/CD 的思想是：一个节点要发送数据，首先要侦听总线的忙闲状态，如果总线上有数据信号在传输，此时为总线忙，否则为总线空闲。当节点准备好数据帧，并且总线也处于空闲状态时，就可以通过总线把数据发送出去。但是，当有两个或两个以上的节点几乎在同一时刻都发送了数据，就会产生冲突，因此节点在发送数据时还要进行冲突检测。所谓冲突检测，就是发送节点在发送数据的同时，还要将发送的信号波形与从总线上接收到的波形进行比较：如果两个波形不一致，说明存在冲突，于是节点停止发送数据，计算出退避等待时间，然后使用 CSMA/CD 协议继续尝试发送；如果没有检测到冲突，就可以发送数据。

共享式以太网大多以集线器为中心，网络中的每台计算机通过网卡和网线连接到集线器上。在数据通信时，通常只允许一对计算机进行通信。当计算机数目较多且通信频繁时，网络会发生拥堵，数据传输速率也将急剧下降。

（2）交换式以太网

交换式以太网是以以太网交换机为中心构建的计算机网络。以太网交换机可以有多个端口，每个端口可以单独与一个节点连接，也可以与一个共享的以太网集线器连接，连接在交换机上的所有计算机都可以相互通信。

与共享式以太网不同的是，交换机从发送计算机接收了一个数据帧后，直接按接收计算机的 MAC 地址发送给指定的计算机，不再向其他无关计算机发送。另外，它还能支持多对计算机相互之间同时进行通信。因此，交换式以太局域网是一种星型拓扑结构的网络。

以太网交换机可以在它的多个端口之间建立多个并发连接，为每个端口提供专用的带宽，各个节点有一条专用链路连接到交换机的一个端口，每个节点独享带宽，如图 6-14 所示。独享带宽是交换式以太网与共享式以太网最重要的区别。

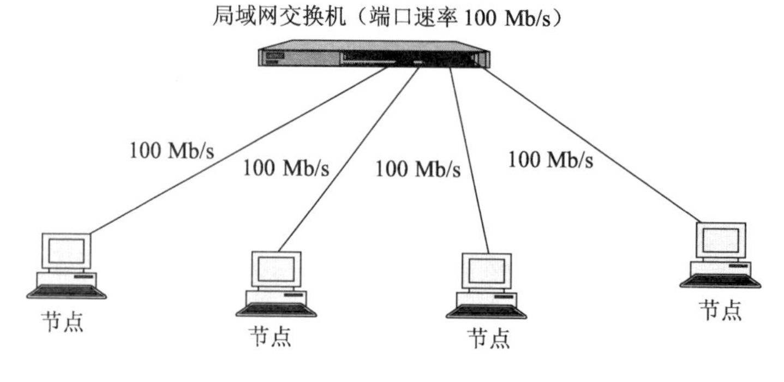

图 6-14　交换式以太网

（3）千（万）兆位以太网

千兆位以太网也叫吉位以太网（Gigabit Ethernet，简称 GE），于 1998 年推出。千兆位以太网信号系统的基础是光纤信道，网络中的数据传输速率为 1 Gb/s，由于支持全双工操作，最高速率可以达到 2 Gb/s。千兆位以太网可用作现有网络的主干网，也可以在高带宽的应用场合（如医疗图像等）连接工作站和服务器。

万兆位以太网也叫 10 吉位以太网（10 Gigabit Ethernet，简称 10 GE），于 2002 年推出。网络中的数据传输速率为 10 Gb/s。10 吉位以太网不使用铜线而只使用光纤作为传输介质，也不使用 CSMA/CD 协议。万兆位以太网并不仅是将千兆位以太网的数据传输速率提高了 10 倍，其主要目的是扩展以太网。由于 10 吉位以太网的出现，以太网的工作范围已经从局域网扩大到了城域网和广域网。

无论是共享式以太网还是交换式以太网，它们的数据帧格式和 MAC 地址格式都是相同的，因此它们的网卡没有区别。

2. 无线局域网

（1）无线局域网概述

无线局域网（Wireless Local Area Networks，简称 WLAN）是以太网与无线通信技术相结合的产物，它采用红外线或无线电波进行数据通信，能提供有线局域网的所有功能，工作原理与有线以太网基本相同，还能在难以布线或需要临时组网的场所实现网络互联。

按照无线传输技术的不同，无线局域网可分为红外线局域网、扩频局域网和窄带微波局域网三种。目前最常用的技术是扩频技术，它能将信号散布到更宽的带宽上，以减少拥堵和干扰。扩频局域网主要使用无线电波的 2.4 GHz 和 5.8 GHz 两个频段，不会对人体造成伤害。电波的覆盖范围较广，使用扩频方式通信时，具有抗干扰、抗噪声和抗信号衰减能力，这就使通信比较安全，基本避免了信息被窃取的风险，具有很强的可用性。

无线局域网采用的协议主要有 IEEE 802.11（俗称 Wi-Fi）及蓝牙（Bluetooth）等。IEEE 802.11 是无线局域网目前最常用的传输协议。其中 802.11a 和 802.11g 的传输速率均可达 54 Mb/s，能满足传输语音、数据、图像等任务的需要；802.11b 则采用了一种新的调制技术，使得传输速率能根据环境而调整，最大可达 11 Mb/s。

蓝牙和 Wi-Fi 一样都属于短距离无线数字通信技术，蓝牙的最高数据传输速率为 1 Mb/s（有效传输速率为 721 kb/s），传输距离仅为 10 cm~10 m，适合在室内构建无线网络。

（2）无线局域网接入设备

无线局域网需要使用无线网卡、无线访问接入点和无线路由器等设备构建。

① 无线网卡。

无线网卡同有线网卡一样，是计算机的无线网络接入设备，提供了丰富的系统接口，如 PCMCIA、PCI、USB 等。

② 无线访问接入点。

无线访问接入点（Access Point，简称 AP）的作用相当于局域网集线器，能在无线局域网和有线局域网之间接收、缓冲和传输数据。大多数 AP 都支持多用户接入、数据加密、多速率发送等功能，一些产品还提供了完善的无线网络管理功能。

无线访问接入点通常是通过标准以太网连接到有线以太网上，AP 的室外覆盖距离一般可达 100~300 m，但室内一般仅为 30 m 左右。对于家庭或办公室这样的小范围无线局域网而言，一般只需一台无线 AP 即可实现所有计算机的无线接入。目前，不少厂商的 AP 产品可以互联，以增加 WLAN 的覆盖面积，无线局域网客户端也可以在 AP 之间漫游。

③ 无线路由器。

无线路由器不仅具有无线访问接入点的功能，还具有路由器的功能，可以接入 Internet 中。

无线局域网通过无线网卡、无线 AP 等设备使无线通信得以实现，但是，目前无线局域网还不能完全摆脱有线网络，它只是有线网络的补充，如图 6-15 所示。图中每个无线节点都需要一块无线网卡，其数据传输速率有 11 Mb/s（IEEE 802.11b）和 54 Mb/s（IEEE 802.11g）之分，其接口有 PCI 无线网卡、USB 无线网卡等不同类型。现在许多笔记本电脑都贴有 Intel 公司的“Centrino”（迅驰）标记，表示该计算机使用了 Intel 公司的低功耗移动 CPU 和相应的芯片组以及集成的无线网卡，可实现无线局域网连接。

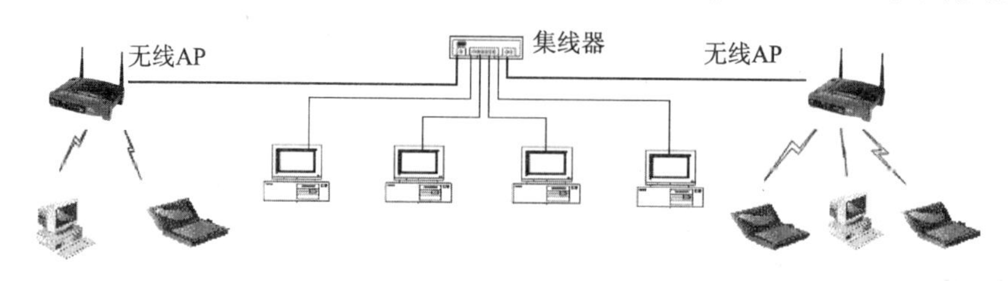

图 6-15　无线局域网

6.3　Internet 基础

Internet 也称因特网、国际互联网，是目前世界上最大、覆盖范围最广的网络。它是在美国 ARPANET 基础上通过 TCP/IP 协议，利用成千上万个路由器和各种通信线路，将全世界不同国家、不同地区、不同部门和不同类型的计算机、广域网、局域网等高速互联起来，并提供各种应用服务的全球性计算机网络。

6.3.1　Internet 简介

1. Internet 的产生与发展

Internet 最早起源于美国国防部高级研究计划局 1968 年建立的 ARPANET，ARPANET 最初主要用于军事研究目的，只有四个站点：加州大学洛杉矶分校 UCLA、加州大学圣巴巴拉分校 UCSB、犹他大学 UTAH 和斯坦福研究所 SRI。1970 年，ARPANET 已经广泛流行，并由一个实验性的网络转变为政府机构和大学间的研究性网络，有关网络协议的研究也在进一步推进。1982 年，ARPANET、MILNET 等几个计算机网络合并成为 Internet，并成为 Internet 的早期骨干网。1983 年，ARPANET 分裂为两部分：为科研教育服务的 ARPANET 和纯军事用的 MILNET，ARPANET 开始采用 TCP/IP 协议作为它的标准协议。这是 Internet 发展的第一阶段，称为“研究网”。

Internet 的真正发展是从 1986 年的 NSFNET 开始的。由于 ARPANET 受控于政府机构，把它作为 Internet 的基础非常困难。于是，1986 年美国国家科学基金会（National Science Foundation，简称 NSF）提出了建立自己的基于 TCP/IP 协议簇的计算机网络 NSFNET。1988 年，NSF 把在全国建立的五大超级计算机中心用通信干线连接起来，组成基于 IP 协议的 NSFNET，并以此作为 Internet 的基础，实现与其他网络的连接。1990 年 6 月，NSFNET 全面取代 ARPANET 成为 Internet 的主干网，许多其他联邦部门的计算机网络相继并入 Internet。此后，ARPANET 将 Internet 向全社会及全世界开放，Internet 开始飞速发展。

现在，Internet 已渗透到社会生活的各个方面，成为人们了解世界、学习研究、购物休闲、商业活动、结交朋友的重要途径。

2. Internet 在我国的发展

Internet 在我国的发展大致可以分为两个阶段：第一阶段是 1987—1993 年，一些科研机构通过 X. 25 实现了与 Internet 的电子邮件转发的连接；第二阶段是从 1994 年开始的，这一年，中国科学技术网（CSTNET）首次实现了与 Internet 直接连接，同时建立了我国最高域名服务器，这标志着我国正式接入 Internet。接着，又相继建立了中国教育科研网（CERNET）、中国公用计算机互联网（CHINANET）和中国金桥网（GBNET），从此我国的网络建设进入了大规模发展阶段。由中国互联网协会等单位主办的 2023 年（第二十二届）中国互联网大会公布的数据显示：我国互联网产业发展稳步增长，用户规模持续扩大，网民数量达 10.67 亿。而在 2000 年，我国上网用户数只有 1 690 万。

6.3.2　TCP/IP

TCP/IP 是 Transmission Control Protocol/Internet Protocol 的缩写，也称为传输控制协议、因特网互联协议、网络通信协议。当今规模最大、覆盖全球的 Internet 并未使用 OSI 标准，而是采用了 TCP/IP 协议，因此 TCP/IP 也被称为“事实上的国际标准”或“工业标准”。

TCP/IP 最早起源于 ARPANET，之所以能得到最广泛的应用，是因为它满足了世界范围内的数据通信需要。按照层次结构划分，TCP/IP 被分为 4 层，从下到上依次是网络接口与硬件层、网络层、传输层、应用层，如图 6-16 所示。每一层都包含若干协议，整个 TCP/IP 一共包含 100 多个协议，其中最重要、最基本的是 TCP（传输控制协议）和 IP（网络互连协议）两个协议，因此通常用 TCP/IP 来代表整个协议系列。

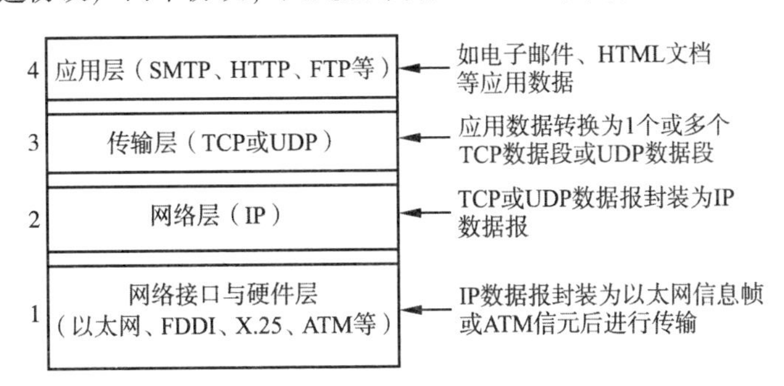

图 6-16　TCP/IP 的分层结构

1. IP

IP（Internet Protocol）是 TCP/IP 协议体系中的网络层协议，它的主要作用是将不同类型的物理网络互连在一起。相互连接的网络所使用的数据包（或帧）的格式可能是互不兼容的，因此不能直接将一个网络发送过来的包传给另一个网络。为了克服这种异构性，IP 定义了一种独立于各种网络物理网的数据包格式，称为 IP 数据报（IP Datagram）。该协议屏蔽了下层物理网络的差异，向上层传输层提供 IP 数据报，实现无连接传送服务。

IP 的另一个功能是路由选择，简单地说就是从网上某个节点到另一个节点的传输路径的选择，将数据从一个节点传输到另一个节点。

2. TCP

TCP（Transmission Control Protocol），即传输控制协议，位于传输层。TCP 协议向应用层提供面向连接的服务，确保网上所发送的数据可以完整地接收，一旦某个数据报丢失或损坏，TCP 发送端可以通过协议机制重新发送这个数据报，以确保发送端到目的地的可靠传输。

在因特网的 TCP/IP 环境中，联网计算机之间进程相互通信的模式主要采用客户机/服务器模式。

TCP/IP 标准的主要特点是：

① 适用于多种异构网络的互联。

② 确保可靠的端—端通信。

③ 与操作系统紧密结合。

④ 既支持面向连接服务（如 TCP），也支持面向无连接服务（如 UDP）。

6.3.3 IP 地址和域名

1. IP 地址

为了实现 Internet 上不同计算机之间的正确通信，除使用相同的通信协议 TCP/IP 之外，每台计算机都必须有一个不与其他计算机重复的地址，它相当于通信时每台计算机的名字。这个唯一的、不与其他计算机重复的地址，就是网络计算机的 IP 地址。在网络上发送的每个 IP 数据报中，都必须包含发送方的 IP 地址和接收方的 IP 地址。

IP 第 4 版（IPv4）规定 IP 地址使用 4 个字节（32 个二进位）表示，由网络号和主机号两个部分组成。网络号用来指明主机所从属的物理网络的编号，主机号是主机在物理网络中的编号。为了便于记忆，IP 地址通常用 4 个十进制数（0 ~255）表示，每相邻两个十进制数间以小圆点“.”分隔。如 192. 168. 229. 254 和 68. 127. 9. 10 均是合法的 IP 地址。

由于网络中既包含了一些规模很大的物理网络，也包含了许多小型网络，因此网络号与主机号的划分采取了一种能兼顾大网和小网的折中方案。这个方案将 IP 地址空间划分为三个基本类，如图 6-17 所示。

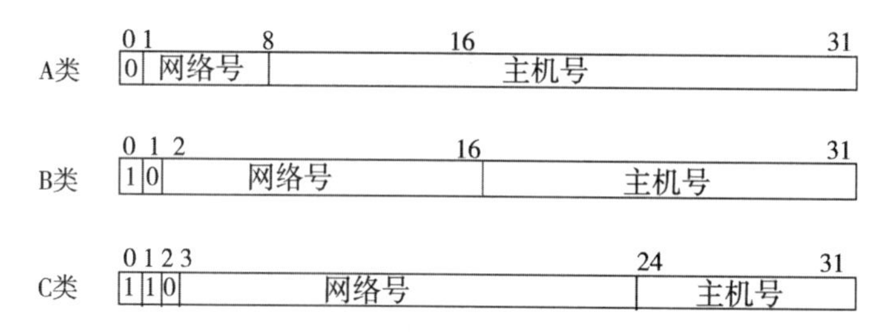

图 6-17　IP 地址的分类及格式

其中，A 类 IP 地址由“0”开头（首字节小于 128），用于表示拥有大量主机

(≤16 777 214)的超大型网络，全球只有 126 个网络可以获得 A 类地址；B 类 IP 地址由“10”开头（首字节大于等于 128 但小于 192），适用于规模适中的网络（主机数量≤65 534）；C 类 IP 地址由“110”开头（首字节大于等于 192 但小于 224），适用于主机数量不超过 254 台的小型网络。

有一些特殊的 IP 地址从不分配给任何主机使用。例如：主机号全为“0”的 IP 地址，称为网络地址，用来表示整个网络而非某一台主机。主机号全为“1”的 IP 地址，称为直接广播地址，当一个 IP 包中的目的 IP 地址是某个物理网络直接广播地址时，这个包将送达该网络中的每一台主机。

此外，IP 地址还有两类：以“1110”开头的 IP 地址为 D 类 IP 地址，通常用于已知的多点传送或者组的寻址（也叫组播地址）；以“1111”开头的 IP 地址为 E 类 IP 地址，是一个实验地址，它保留给将来使用。

以上介绍的是 IPv4 中对主机地址的规定。由于地址长度为 32 位，只有大约 36 亿个地址，在不久的将来将被分配完毕。新的 IPv6 已经把 IP 地址的长度扩展到 128 位，几乎可以不受限制地提供地址。

2. 域名

Internet 中的计算机使用 IP 地址来标识，但 IP 地址不容易记忆。从 1985 年起，在 IP 地址的基础上开始向用户提供域名系统（Domain Name System，简称 DNS）服务，用字符来标识网络上的计算机。

Internet 使用层次结构的域名系统，各层之间用圆点“.”分隔开。按照层次的次序，从右至左依次为一级域名（也叫顶级域名）、二级域名、三级域名等。如果一个域包含在另一域中，则称它是这个域的一个子域，子域的个数通常不超过 5 个。域名使用的字符是字母、数字和连字符，必须以字母或数字开头并结尾，在书写时不区分大小写，整个域名的长度不超过 255 个字符。

除美国以外的其他国家和地区的顶级域名是代表国家或地区的英文单词缩写，一般为两个字母，如中国（cn）、中国香港（hk）、中国台湾（tw）、日本（jp）、新加坡（sg）、韩国（kr）、英国（uk）、法国（fr）、澳大利亚（au）等。美国的顶级域名（其他国家的二级域名）是代表机构的英文单词缩写，通常由 3 个字母组成，如 com（商业机构）、edu（教育机构）、gov（政府机关）、mil（军事部门）、org（组织机构）、net（网络机构）等。所有的顶级域名都由 Internet 网络信息中心（Network Information Center，简称 NIC）控制。二级域名由 NIC 授权给其他单位或组织管理，一个拥有二级域名的单位或组织还可以再将二级域名分为更低级的域名授权给其他部门管理。

我国的互联网域名体系中，顶级域名是 cn，二级域名共 40 个，分别为类别域名和行政区域名。类别域名有 6 个，行政区域名有 34 个，对应我国的 34 个省、自治区和直辖市，采用两个字符的汉语拼音表示。如 js 表示江苏，bj 表示北京，hk 表示香港特别行政区。中国互联网络信息中心（China Internet Network Information Center，简称 CNNIC）是我国国家顶级域名 cn 的注册管理机构，负责 cn 域名根服务器的运行。

一个典型的域名可表示为：主机名.单位名.机构名.国家名，如 www.suda.edu.cn。

一台主机通常只有一个 IP 地址（一般只有一块网卡），但可以有多个域名。主机从一个物理网络移到另一个网络时，其 IP 地址必须更换，但原来的域名可以保留不变。

3. DNS

域名和 IP 地址都表示主机的地址，实际上是同一事物的不同表示。用户可以使用它的 IP 地址，也可以使用它的域名。从域名到 IP 地址的转换称为域名解析。

当使用域名访问某个资源的地址时，必须获得与这个域名对应的 IP 地址。域名解析的过程为：当用户请求一个域名地址时，首先由域名服务器接受用户的请求，然后在域名服务器中存储的域名与 IP 地址对照表中查找与域名对应的 IP 地址。找到 IP 地址后，在一个应答信息中将结果返回给用户。

请求域名解析服务的软件叫域名解析器，它运行在客户端，通常嵌套于其他应用程序内，负责查询域名服务器、解释域名服务器的应答，并将查询到的相关信息返回给请求程序。

当应用程序需要将一个域名转换成 IP 地址时，它首先向本地域名服务器发出请求，本地域名服务器如果找到相应的地址，就返回一个应答信息及 IP 地址；如果本地域名服务器不能回答这个请求，就要采用域名解析方式找到该地址。

完成域名解析的服务器叫 DNS（Domain Name Server），它负责管理、存放当前域的主机名和 IP 地址的数据库文件，以及域中的主机名和 IP 地址的映射。另外，它还包含了下级子域的信息。每个域名服务器只负责整个域名数据库中的一部分信息。网络中有很多域名服务器，它们分布在不同的地方，相互之间通过特定的方式进行联络，这些域名服务器形成一个大的协同工作的域名数据库。如果第一个处理 DNS 请求的 DNS 服务器没有域名和 IP 地址的映射信息，它可以向其他 DNS 服务器发出请求，这样，无论经过几步查询，最终都会找到正确的解析结果，除非这个域名不存在。

6.3.4 Internet 的接入

个人计算机用户和局域网接入 Internet 的入口是 Internet 服务提供商（Internet Service Provider，简称 ISP）。ISP 是向广大用户综合提供互联网接入业务、信息业务和增值业务的电信运营商，它是经国家主管部门批准的正式运营企业。所有用户都需要采用某种方式连接到 ISP 提供的某一台服务器上，然后再接入 Internet 中。可以说，ISP 是所有用户接入 Internet 的桥梁。

单位用户一般采用局域网接入，而家庭用户的接入方式一般有电话拨号接入、ADSL 接入、有线电视接入和光纤接入等。其中使用 ADSL 方式连接是目前最经济、最简单、应用最多的一种接入方式。此外，从连接方式上看，无线接入也成为当前流行的一种接入方式。不过，无线接入在大多数情况下是基于前面所说的几种接入方式进行的。

1. 电话拨号接入

家庭计算机用户连接 Internet 最简便的方法是利用本地电话网进行电话拨号接入，如图 6-18 所示。

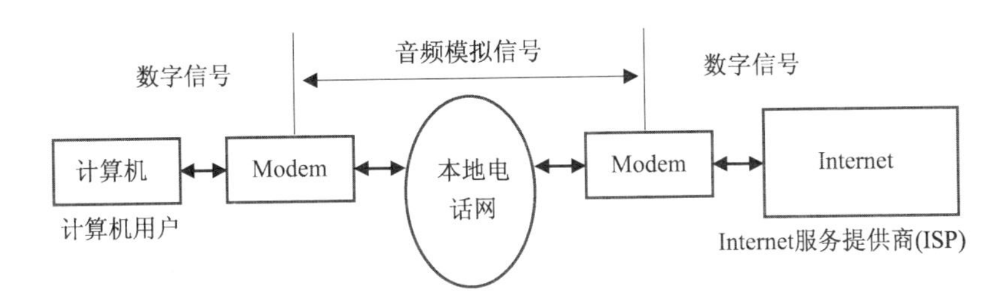

图 6-18　电话拨号接入 Internet

电话拨号接入费用低廉，只要一条可以连接 ISP 的电话线和一个账号就可以了。另外，由于计算机处理的是数据信号，而电话线传输的是模拟信号，因此，还需要利用调制解调器（Modem）来进行数模转换。但是目前 Modem 的数据传输速率都比较低，一般不超过 56 kb/s，再加上实际使用过程中，由于电话线路的质量不佳或网络服务商不能提供足够的带宽，或者所连接的网络发生拥堵等，都会使传输速率降低，实际上，拨号接入的传输速率是远低于 56 kb/s 的。电话拨号接入目前已很少使用。

2. ADSL 接入

通过电话线的本地环路（用户线）提供数字服务的新技术中，最有效的是一种不对称数字用户线（ADSL），它是为接收信息远多于发送信息的用户提供的优化技术。

ADSL 并不需要改装电话的本地环路，仍然利用普通电话线作为传输介质，只需要在两端加装 ADSL Modem 即可实现数据的高速传输。标准 ADSL 的数据上传速度一般只有 64~256 kb/s，最高达 1 Mb/s，而数据下行速度在理想状态下可以达到 8 Mb/s。有效传输距离一般在 3~5 km。

ADSL 的特点是：

① 一条电话线可同时接听、拨打电话并进行数据传输，两者互不影响。

② ADSL 传输的数据不经过电话交换机，所以 ADSL 不需要缴付额外的电话费。

③ ADSL 的数据传输速率是根据线路情况自动调整的，它以“尽力而为”的方式进行数据传输。

ADSL 利用普通电话线作为传输介质，通过一种自适应的数字信号调制解调技术，能在电话线上得到 3 个信息通道（图 6-19）：一个是为电话服务的语音通道，一个是上行数据通道，另一个是高速下行数据通道，它们可以同时工作。

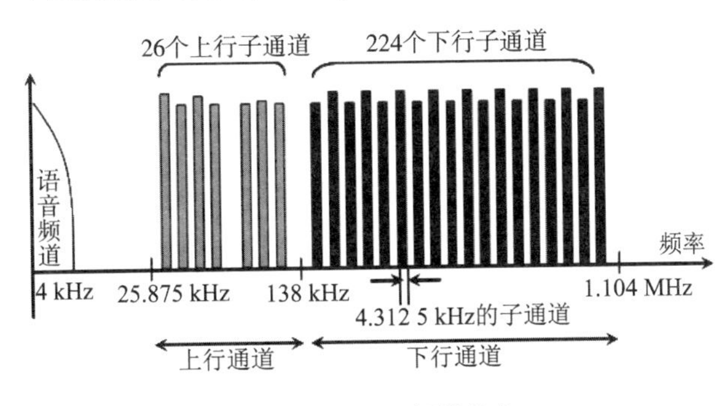

图 6-19　ADSL 频带分布

当用户需要安装ADSL时，只要在已有电话线的用户端配置一个ADSL Modem，在计算机中安装一块以太网卡，网卡与ADSL Modem之间用双绞线连接。

3. 有线电视接入

当前，有线电视（Cable TV或CATV）系统已经广泛采用光纤同轴电缆混合网（Hybrid Fiber Coaxial，简称HFC）进行信息传输。HFC主干线部分采用光纤连接到小区，然后在“最后1公里”时使用同轴电缆以树状总线方式接入用户家中。

借助HFC网络接入Internet时，大多采用传统的高速局域网技术，然后在同轴电缆到用户电脑端使用了电缆调制解调技术，相应的设备即为Cable Modem。Cable Modem技术根据连接方式不同可分为对称速率型和非对称速率型。对称型的上行速率与下行速率相同，都在500 kb/s~2 Mb/s之间；而非对称型的上行速率在500 kb/s~10 Mb/s之间，下行速率为2~40 Mb/s，目前一般采用非对称型。

Cable Modem接入技术有许多优点。一方面，我国CATV网用户已有上亿，特别是沿海地区及各省会城市，CATV网大多已改造成光纤同轴电缆混合网，充分利用现在的HFC网络资源可以大大降低联网成本；另一方面，CATV网比电话网的频带宽得多，因而可以达到较高的传输速率，提供基于音视频的宽带服务。另外，光纤同轴电缆在传输信号时，整个电缆带宽被分为3个部分，分别用于数字信号上传（数字点播）、数字信号下传（上网）和模拟信号下传（电视节目），看电视和上网互不影响。

由于Cable Modem所依赖的HFC系统的拓扑结构是分层的树状总线结构，多个终端用户共享连接线路的带宽，每个用户的加入都会占用一定频带。当同时上网的用户数量较多时，各个用户所得到的有效带宽将显著下降，噪声也会增加，可靠性也会受到影响。

4. 光纤接入

光纤接入是指使用光纤作为主要传输介质接入Internet中。光纤接入网属于城域网的范畴，它通过光纤将局域网接入城域网中，在实现与其他同城局域网高速连接的同时，共享与上级节点的Internet高速连接。

光纤接入的主要传输介质是光纤，主要硬件设备有光纤收发器、路由器和光缆网卡。光纤收发器用于实现光纤到双绞线的连接，并把光信号转换成电信号。路由器具有高速端口，既可以连接不同类型的网络，又可以实现网络安全保护。如果直接将光纤收发器连接到局域网交换机端口，可以不使用路由器。光纤收发器和路由器也称为光网络单元（Optical Network Unit，简称ONU）。

根据光纤深入用户群的程度，可将光纤接入网分为FTTC（光纤到路边）、FTTZ（光纤到小区）、FTTB（光纤到大楼）、FTTO（光纤到办公室）和FTTH（光纤到户），它们统称为FTTx。FTTx不是具体的接入技术，而是光纤在接入网中的推进程度或使用策略。我国目前采用“光纤到楼、以太网入户”（FTTx+ETTH）的做法，为宽带接入提供了新思路。

5. 无线接入

无线接入是指从交换节点到用户终端之间，部分或全部采用了无线手段。目前有三种无线接入技术：

(1) 无线局域网接入(WLAN)

在一些人流量比较大的公共场所如校园、宾馆、机场、酒店等，通常都建立了无线局域网 WLAN，用户可以由此接入 Internet。家庭或宿舍的多台计算机也可以通过无线路由器连接到 Internet 中。

WLAN 技术日益成熟，性能不断提高，数据传输速率在 11 Mb/s~100 Mb/s，价格也在逐步下降。

(2) GPRS 移动电话网接入

GPRS(General Packet Radio Service)即通用分组无线服务技术，它以分组的形式把数据通过手机信号传送给用户。用户可以使用手机上网，也可以利用 GPRS 无线网卡把笔记本电脑连接到 Internet 中。

目前，GPRS 的数据传输速率为 56~114 kb/s。

(3) 移动电话网接入

移动电话网接入技术由 3G 快速发展到 4G、5G 等。

3G(3rd-generation)即第 3 代移动通信技术，是指支持高速数据传输的蜂窝移动通信技术。3G 服务能够同时传送声音及数据信息，速率一般在几百 kb/s 以上。我国的 3G 移动通信采用不同的技术，各自使用专门的上网卡，相互之间不兼容。目前存在 3 种标准：CDMA2000(中国电信采用的标准)、WCDMA(中国联通采用的标准)、TD-SCDMA(中国移动采用的标准)。第 4 代移动通信技术 4G 包括 TD-LTE 和 FDD-LTE 两种制式。从严格意义上来讲，LTE 只是 3.9G，尽管被宣传为 4G 无线标准，但它其实并未被认可为国际电信联盟所描述的下一代无线通信标准，因此在严格意义上其还未达到 4G 的标准。只有升级版的 LTE Advanced 才满足国际电信联盟对 4G 的要求。4G 集 3G 和 WLAN 于一体，能够快速传输数据，高质量音频、视频和图像等。4G 能够以 100 Mb/s以上的速度下载，并能够满足几乎所有用户对于无线服务的要求。此外，4G 可以在 DSL 和有线电视调制解调器没有覆盖的地方部署，然后再扩展到整个地区。5G 网络是第 5 代移动通信网络，主要特点是速度快、延迟低、数据流量大，5G 网络的出现为我们的生活带来了巨大的变革。

6.4 Internet 提供的服务

Internet 上包含大量的计算机和信息资源，可以为网络用户提供丰富的功能，即网络服务。这些网络服务包括 WWW、电子邮件(E-mail)、文件传输(FTP)、即时通信等。

6.4.1 万维网

1. 基本概念

WWW 是 World Wide Web(环球信息网)的缩写，也称为 Web、万维网、3W 网、全球网等。WWW 不是独立于 Internet 的另一个网络，也不是普通意义上的物理网络，它是由欧洲粒子物理实验室(CERN)研制，建立在 Internet 上的全球性的、交互的、动态的、多平台的、分布式的、超文本超媒体信息服务系统，是 Internet 的一种具体应用。

WWW 由遍布在因特网中被称为 Web 服务器的计算机和安装了 Web 浏览器软件的客户计算机组成。它遵循超文本传输协议，将 Internet 上的各类信息在主页（Homepage）上以超文本的形式连接起来，这些信息包括文本、图形、声音和其他媒体形式。

现在，WWW 是 Internet 上最受欢迎的应用之一，它的出现和发展极大地推动了 Internet 的发展。

（1）超文本与超链接

超文本（Hypertext）是用超链接的方法，将各种不同空间的文字信息组织在一起形成的网状文本。超文本的格式有很多，目前最常使用的是超文本标记语言（HyperText Markup Language，简称 HTML）。

超链接是指在网页内部、网页间及不同站点的网页间进行跳转的指针，本质上仍属于网页的一部分。链接包括链源和链宿。链源可以是网页中的字、词或语句，也可以是图像；链宿可以是同一个或另一个 Web 服务器中的某个网页，也可以是本网页内的某段文字或某张图片等。当鼠标指向超链接的链源时，指针的形状会变成手指状，单击链源，浏览器就可以链接到链宿处。

在 WWW 中，超链接是网页之间、站点之间的主要导航形式，它使信息不仅能按线性方式浏览，还可以按交叉方式进行访问。

（2）网页

单位、组织或个人通过 Web 服务器发布的信息资源称为网页（Web page）。网页中的起始页称为主页或首页，主页中通常包含指向其他相关页面或其他节点的指针（超链接），用户通过访问主页就可以直接或间接地访问其他网页。

多数网页是采用 HTML 超文本标记语言描述的超文本文档，后缀为 .html 或 .htm。HTML 超文本标记语言不是程序设计语言，而是用于描述网页文档的一种标记语言。在 HTML 文档中，标记是最主要的元素。如：<a href="http://www.suda.edu.cn">苏州大学</a>，它代表在文字“苏州大学”上有超链接，链接到 http://www.suda.edu.cn。

HTML 文档可以使用 Dreamweaver 或 Frontpage 等软件进行制作，也可以从其他类型的文档（如 word 或 ppt）转换而成。

在逻辑上将视为一个整体的一系列页面的有机集合称为网站（Website 或 Site）。

（3）URL

统一资源定位符（Uniform Resource Locator，简称 URL）也被称为网页地址，是文档在 WWW 上的“地址”。

URL 的标准格式为：

Protocol://MachineAddress:Port/Path/Filename

说明：

① Protocol：所使用的访问协议，如 http、ftp、gopher、telnet、mailto 等。

② MachineAddress：文档所在的机器，可以是域名，也可以是 IP 地址。

③ Port：请求数据的数据源端口号，端口号通常是默认的，如 Web 的 80 端口，默认端口一般省略。

④ Path/ Filename：网页在 Web 服务器硬盘中的路径和文件名。URL 中可以不出现文件名，系统以 index. html 或 default. html 作为默认的文件名，即网站的主页。

例如，苏州大学 URL 为：http://www. suda. edu. cn。

（4） HTTP

HTTP（HyperText Transfer Protocol）即超文本传输协议，是一个专门用于在 WWW 服务器和 WWW 浏览器间交换数据的网络协议。HTTP 通过规定统一资源定位使客户端的浏览器和 WWW 服务器的资源建立链接，并通过客户机和服务器彼此互发信息的方式来进行工作。HTTP 提供的功能包括 WWW 客户机与服务器的连接、接收文件和关闭链接等。

2. WWW 工作原理

WWW 建立在客户机/服务器模型之上。当用户输入网页的 URL 后，WWW 客户端程序（浏览器）就使用 HTTP 协议与指定的 Web 服务器进行通信，向 WWW 服务器发出请求，WWW 服务器根据客户端请求内容，从硬盘中找到或临时生成相应的网页，然后利用 HTTP 协议回传给浏览器。浏览器在接收到该页面后先对其进行解释，然后将结果页面显示在客户机上。

WWW 服务器采用超文本链路来链接 Web 页。用户可以通过页面中的链接，方便地访问同一主机中的或不同主机中的网络信息资源。

3. Web 浏览器

Web 浏览器是用于浏览 WWW 的工具，用来帮助用户完成信息的查询、网页请求与浏览任务。Web 浏览器安装在客户端的机器上，是一种客户端软件，能够把用超文本语言描述的信息转换为便于人们理解的形式。此外，它还是用户与 WWW 之间的桥梁，把用户对信息的请求转换为网络上计算机能够识别的命令和程序。

世界上很多公司都推出了自己的浏览器产品，如 Microsoft 的 Internet Explorer（简称 IE）、Google 的 Google Chrome、360 公司的 360 安全浏览器等。

6.4.2　电子邮件

电子邮件简称 E-mail，简单地说就是通过 Internet 发送和接收信件，它是 Internet 上使用非常广泛的服务，是人们与其他用户进行联系的一种现代通信手段。与传统邮件相比，电子邮件具有速度快、价格低，可同时传送文本、图像、声音、动画、视频等多种信息的特点。

1. 电子邮件地址

使用电子邮件的首要条件是要拥有一个电子邮件地址。这个地址是用户向 ISP 申请的账号，实际上是在 ISP 的邮件服务器上为用户开辟一块专用的存储空间，用来存放该用户的电子邮件。每个 E-mail 账号都包括用户名和口令，只有提供正确的用户名和口令后才能查看电子邮箱内的邮件内容。

电子邮件的地址格式是固定的：用户标识@电子邮件服务器域名。用户标识是邮箱的用户名，用于鉴别用户身份。电子邮件服务器域名是电子邮件所在邮件服务器的域名。例如，david@163.com 就是一个电子邮件地址，它表示在“163.com”邮件服务器上有一个名为 david 的电子邮件用户。

2. 电子邮件组成

电子邮件一般由三个部分组成：信头、正文、附件。邮件信头由多项内容组成，如发件人的地址、邮件发送的日期和时间、收件人地址、抄送方地址、邮件主题等；正文就是信件的内容；邮件附件可以包含一个或多个文件，文件类型任意。

3. 常见的电子邮件协议

在 Internet 上传输邮件需要通过一些协议才能完成，如 SMTP、POP，它们都是由 TCP/IP 协议簇定义的。

SMTP（Simple Mail Transfer Protocol）即简单邮件传输协议，主要负责邮件系统如何将邮件从一台计算机传送至另外一台计算机，是发送邮件使用的协议。

POP（Post Office Protocol）即邮局协议，是把邮件从电子邮箱中传输到本地计算机的协议。POP 目前的版本是第 3 版，所以也称为 POP3，是接收邮件使用的协议。

4. 电子邮件系统的工作过程

电子邮件系统按客户/服务器模式工作，分为邮件服务器端和邮件客户端两部分，邮件服务器又分为接收邮件服务器和发送邮件服务器两种。接收邮件服务器中包含了众多用户的电子邮箱。使用电子邮件的用户需要在计算机中安装一个电子邮件客户端软件，如 Outlook、Windows Live Mail、Foxmail 等。客户端软件由两部分组成：一是邮件的读写程序，负责撰写、编辑和阅读邮件；二是邮件收发程序，负责发送邮件和从邮箱中取出邮件。

电子邮件的工作过程是：发信人在自己的计算机上通过电子邮件客户端软件撰写好邮件后，与发信人邮件服务器建立连接，按照 SMTP 协议将邮件传送到服务器中的发送队列。然后发信人邮件服务器与收信人邮箱所在的邮件服务器进行通信，如果收信人确实存在，才将邮件传送给收信人邮件服务器，并由收信人邮件服务器将邮件放入收信人的邮箱。收信人任何时间在任何连接到因特网的计算机上都可以检查并接收邮件。接收邮件时，收信人计算机上的电子邮件客户端软件会按照 POP3 协议向收信人邮件服务器提出收信请求，只要用户输入合法的身份信息，就可以从自己的邮箱中读出邮件或下载邮件。

注意：发送方将电子邮件发出后，通过什么路径到达接收方，这个过程十分复杂，但是不需要用户自己操作，所有的操作都是在 Internet 中自动完成的。

电子邮件服务的工作过程如图 6-20 所示。

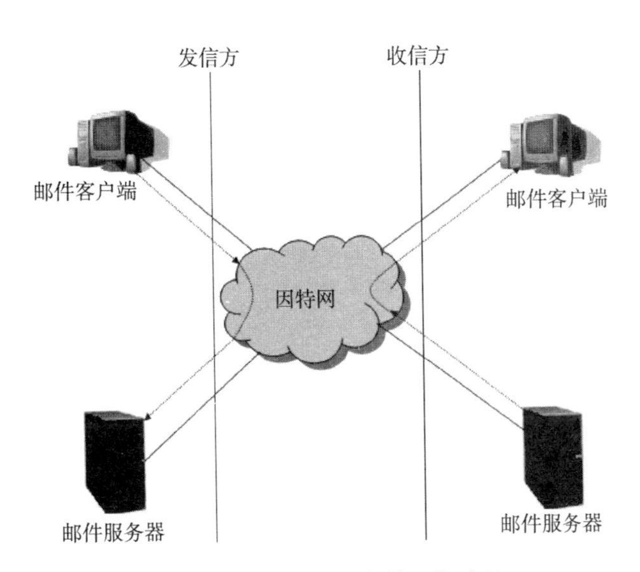

图 6-20　电子邮件服务的工作过程

6.4.3　文件传输

文件传输是指在不同的计算机系统之间传送文件。从远程计算机上复制文件到本地计算机上称为下载（Download），将本地计算机上的文件复制到远程计算机上称为上传（Upload）。

文件传输需要通过文件传输协议 FTP（File Transfer Protocol）来完成，FTP 是 TCP/IP 协议簇中应用层的基本协议之一。通常，也把它看作用户执行文件传输协议所使用的应用程序。无论两台计算机在地理位置上相距多远，只要它们都支持 FTP，它们之间就能相互传送文件，并且保证传输的可靠性。

文件传输的工作过程遵循客户/服务器模式。在 Internet 上有许多 FTP 服务器，它们存放着大量的可供下载的资源。FTP 服务器上运行着 FTP 服务器程序，需要进行远程传输的计算机如果安装了客户端 FTP 程序，就可以通过 FTP 客户程序访问 FTP 服务器。文件传输的过程如图 6-21 所示。

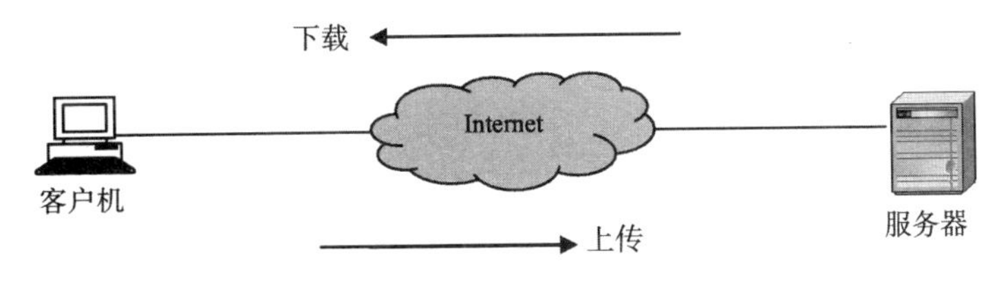

图 6-21　文件传输工作过程

Internet 上的 FTP 服务器有专用 FTP 服务器和匿名 FTP 服务器两种。

专用 FTP 服务器是供某些合法用户使用的资源。用户如果要成为它的合法用户，必须经过该服务器管理员的允许并获得一个账号，这个账号包括用户名和密码，否则无法访问这个服务器。

为了便于用户获取 Internet 上公开发布的各种信息，许多机构建立了匿名（Anonymous）FTP 服务器。当用户要登录到匿名 FTP 服务器时，可以用“anonymous”作为用户名。为了匿名服务器的安全，用户一般只能下载，不能上传。

FTP 客户程序可以通过浏览器窗口启动。在浏览器中都带有 FTP 程序模块，在浏览器的地址栏中输入 FTP 服务器的 IP 地址或域名，浏览器就会自动调用 FTP 程序完成连接，但是这种方法速度较慢。为提高 FTP 下载文件的速度，一般是在客户端安装专门的 FTP 下载工具，如 CuteFTP、LeapFTP、WSFTP、Netants 等，它们都提供了图形用户界面，功能较强，一般都支持断点续传、上传、文件拖放等。

6.4.4 即时通信

即时通信（Instant Messenger，简称 IM）就是实时通信，是基于 Internet 的实时、快速地交流信息的服务。与电子邮件通信方式不同的是，即时通信是同步通信，要求参与的双方或多方必须同时在线。

早期的即时通信主要是一个聊天工具，但现在即时通信的功能日益强大，集成了电子邮件、博客、音乐、电视、游戏和搜索等多种功能。即时通信不再是一个单纯的聊天工具，它已经发展成集交流、资讯、娱乐、搜索、电子商务、办公协作和企业客户服务等于一体的综合化信息平台。

即时通信的成本比传统通信要低很多，在异地通信时具有很大的优势。另外，即时通信十分方便，只要安装了相关的软件，就可以通过因特网实时地进行交流，传输各种信息，甚至玩在线游戏等。

常用的即时通信软件有微信、QQ、阿里旺旺、钉钉等。

6.5 网络信息安全

随着计算机技术的飞速发展，网络应用越来越广泛。网络涉及政府、军事、文教等诸多领域，存储、传输和处理的许多信息是政府宏观调控决策、商业经济信息、银行资金转账、股票证券、能源资源数据、科研数据等重要的信息。其中有很多是敏感信息，甚至是国家机密，所以难免会遭到他人攻击（如信息泄露、信息窃取、数据篡改、数据删添、计算机病毒等）。通常利用计算机犯罪很难留下犯罪证据，这也大大刺激了计算机高技术犯罪案件的发生。计算机犯罪率的增加，使各国的计算机系统特别是网络系统面临着很大的威胁，并成为严重的社会问题之一。

6.5.1 概述

1. 信息安全的概念

根据国际标准化组织 ISO 和西方信息基础结构安全问题最新文件的定义，信息安全是指“确保信息的保密性、完整性、可用性和可靠性，防止信息在存储、使用、传输过程中被故意的或偶然的非法授权泄露、更改、破坏，或使信息被非法系统辨识、控制”。其中保密性是指保障信息仅被合法授权用户获取，这是信息安全最重要的要求；完整性是指信息在存储、使用或传输过程中保持不被修改、不被破坏和不丢失的特性，保证信息的完整性是信息安全的基本要求；可用性是指保障合法授权用户对信息及资源的正常使用，允许其可靠而及时地获取信息和使用信息；可靠性是指保证信息系统以人们能够接受的质量水准持续运行的特性和能力。

保密性、完整性、可用性和可靠性作为信息安全的不同方面，既有区别，各有侧重，又相互联系，彼此制约。人们在采集、处理、存储、传输和认证信息时，要保护信息安全，既要权衡主次，区别对待，又要统筹全局，综合应用。只有这样，信息的采集、处理、存储、传输和认证才能安全有效，信息的安全才能最大限度地得到保障。

网络信息安全是一门涉及计算机科学、网络技术、通信技术、密码技术、信息安全技术、应用数学、数论、信息论等多种学科的综合性学科。它主要是指网络系统的硬件、软件及其系统中的数据受到保护，不因偶然的或者恶意的因素而遭到破坏、更改、泄露，系统连续、可靠、正常地运行，网络服务不中断。

2. 网络系统中的安全威胁

信息的安全威胁是指某个人、物、时间或概念对信息资源的保密性、完整性、可用性、可靠性或合法使用造成的危险。安全威胁可以分为故意的和偶然的。故意的威胁如假冒、篡改等。偶然的威胁如信息被发往错误的地址、误操作等。故意的威胁又可以分为被动攻击和主动攻击。被动攻击不会导致系统中所含信息的改动，主动攻击则会篡改系统中所含信息，或者改变系统的状态和操作，威胁信息的完整性、可用性和真实性。

处于网络中的计算机系统可能会受到假冒攻击、旁路攻击、非授权访问、拒绝服务攻击及恶意程序等威胁，也可能会受到仅属于网络安全范畴的威胁。常见的安全威胁有以下几种：

（1）截获/篡改

攻击者通过对网络中传输的数据进行截获或篡改，使得接收方无法收到数据或收到被篡改的数据。

（2）插入/重放

攻击者把网络中传输的数据截获后存储起来，延迟一段时间后重新传送，或把伪造的数据插入信道中，使得接收方收到不正确的数据。

（3）服务欺骗

服务欺骗是指攻击者伪装成合法系统或系统的合法组成部件，引诱并欺骗用户使用。这些攻击常常通过相似的网址或相似的界面欺骗用户。

（4）窃听和数据分析

窃听和数据分析是指攻击者通过对数据线路或通信设备的监听，或通过对通信量的大小、方向、频率的分析等做出推断，从而达到信息窃取的目的。

（5）网络拒绝服务

网络拒绝服务是指攻击者通过对数据或资源的干扰、非法占用、超负载使用等使系统永久或暂时不可使用。

6.5.2 网络信息安全技术

1. 数据加密技术

数据加密技术是计算机通信和数据存储中对数据采取的一种安全措施。通过加密可以将被传输的数据转换成表面上杂乱无章的数据，合法的接收者再通过解密把它恢复成原来的数据，而非法窃取得到的则是毫无意义的数据。传统的数据加密模型如图 6-22 所示。

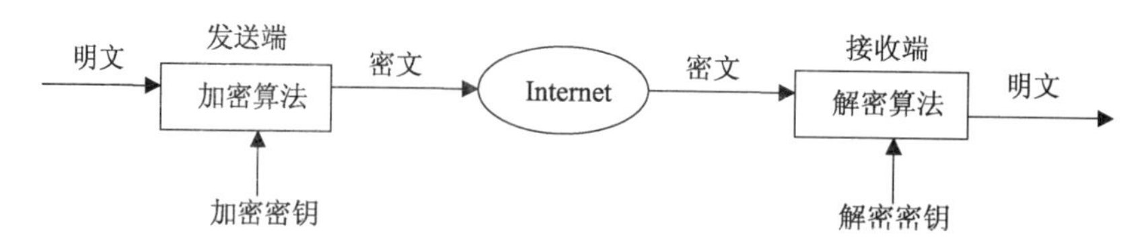

图 6-22 数据加密模型

说明：

① 明文：加密前的原始数据。

② 密文：加密后的数据。

③ 加密：把明文变换成密文。

④ 解密：把密文还原成明文。

⑤ 密钥：用于加工或还原数据的信息，可以是单词、短语或数字串。

加密和解密都需要有密钥和相应的算法，这些算法是作用于明文或密文以及对应密钥的一个数学函数。根据加密和解密过程是否使用相同的密钥，加密算法可以分为对称密钥加密算法（简称对称算法）和非对称密钥加密算法（简称非对称算法）两种。在实际应用中经常将两种加密算法结合在一起使用，形成混合加密系统，这样可以充分利用两种加密算法的优点，如采用对称加密算法来加密文件的内容，而采用非对称加密算法来加密密钥，这样就能很好地解决运算速度和密钥分配管理问题。

2. 身份鉴别技术

身份鉴别也称身份认证，包括用户向系统出示自己的身份证明和系统核查用户的身份证明两个过程。通信和数据系统的安全性常取决于能否正确地验证通信终端或用户的个人身份，有效的身份鉴别是信息安全的保障。

身份鉴别分为双向鉴别和单向鉴别。双向鉴别要求双方互相向对方证明自己的身份，一般适用于通信双方同时在线的情况；单向鉴别只需要一方向另一方证明自己的身份，如登录网上银行、接收或发送邮件等。

(1) 基于口令的身份鉴别技术

基于口令的身份认证是最简单也是最常用的身份认证方法。系统为每一个授权用户建立一个用户名/口令对，当用户登录系统或使用某项功能时，必须输入正确的用户名和口令。但这也是一种不太安全的身份认证方式，因为许多用户为了便于记忆，常选择名字的缩写、生日、电话号码等作为密码，这样的密码很容易被破译。为了增加口令破解难度，在设定密码时选择难以猜测的口令是比较好的方法。当然，系统也应限制口令错误重试次数。

为了保证存放在系统中的口令文件的安全，一方面要对口令文件的读取进行严格限制，只有特别授权的用户才可以访问；另一方面，口令要进行加密存储。常用的口令加密算法是 MD5 加密算法，即信息摘要算法，它是一种不可逆的算法，被广泛应用于身份认证。在 2004 年国际密码学会议上，来自中国山东大学的王小云教授公布了 MD 系列算法的破解结果，这宣告了固若金汤的世界通行密码标准 MD5 的轰然倒塌。

现在比较通行的做法是使用动态口令。动态口令根据专门的算法生成一个不可预测的随机数字组合，每个动态口令只能使用一次。由于动态口令技术采用一次一密的方法，有效地保证了用户身份的安全性。目前，用于生成动态口令的终端主要有硬件令牌、短信密码等。硬件令牌根据当前时间或使用次数生成当前密码；短信密码以手机短信形式发送动态口令。动态口令在网银、网游、电信运营商、电子政务、企业等应用领域被广泛运用。

（2）基于生物特征的身份鉴别技术

基于生物特征的身份鉴别技术以生物技术为基础，利用每个人都具有的独一无二的生物特征来验证用户身份。它的基本做法是：提取用户的生物特征并将其转化成数字代码，将这些代码组成特征模板。用户需要进行身份鉴别时，先获取其相应特征，然后与数据库中的特征模板进行比较。并不是所有的生物特征都可以用来进行身份鉴别，只有满足以下特点才可以作为身份鉴别的依据：

① 普遍性：每个人都具有该特征。

② 唯一性：每个人的特征值都不相同。

③ 稳定性：特征值稳定，不随环境、时间等发生改变。

④ 易采集性：特征值容易采集。

人类的指纹、虹膜、DNA 等都具备上述特点。

人体生物特征具有不可复制的唯一性，而且携带方便，这使得基于生物特征的身份鉴别技术比其他身份鉴别技术具有更强的安全性和便捷性。

（3）数字签名技术

数字签名（Digital Signature）是通过密码技术对电子文档形成签名。它与现实生活中的手写签名类似，但并不是手写签名的数据图像化，而是经过加密得到的一串数据。数字签名主要用于验证发送方的标识并保护数据的完整性，防止欺骗和抵赖行为的发生。

数字签名必须满足以下三个要求：

① 接收者能够确认发送者的真实身份并核实发送者的数字签名。

② 发送者事后不能抵赖自己的数字签名。

③ 接收者不能伪造签名和篡改消息，一旦消息被篡改后能立即检查出来。

数字签名具有不可否认、不可伪造的特点。由于只有签名者拥有签名的私钥，其他人无法伪造出能够通过相应公钥验证的签名，因此所有通过签名者公钥验证的签名必然是由签名者发出的。

（4）数字证书

数字证书是网络中用来标识和证明通信双方身份的数字信息文件。由权威机构证书授权中心（Certificate Authority，简称 CA）发行，包含申请者的信息和颁发者的信息。其中申请者的信息包括：证书序列号（类似于身份证号码）、证书主题（证书所有人的名称）、证书的有效期限、证书所有人的公开密钥等；颁发者的信息包括：颁发者的名称、颁发者的数字签名（类似于身份证上公安机关的公章）、签名使用的算法等。

数字证书采用公钥加密体制，可实现数字签名和信息的保密传输。每个用户自己设定一个特定的仅为本人所知的私钥，私钥用于签名和解密信息；同时设定一个公钥并将其公开，公钥用于验证签名和加密信息。

数字证书包含了用户的身份信息，类似于身份证。不同的是，它不是纸质证件，而是一份经过授权中心审核签发的电子数据文件。现在，数字证书被广泛应用在电子邮件、电子政务、电子商务中，以实现安全电子事务处理和安全电子交易活动。

在实际的身份鉴别系统中，往往不是单一地使用某种技术，而是将几种技术结合起来使用，兼顾效率和安全。

3. 防火墙技术

数据加密技术可以保护数据在传输过程中的安全，但是无法保护一个网络内部的安全。为了防止一个企业、公司等内部网络受外来者的入侵，需要采取有效的措施来提高内部网络的安全性，防火墙（Firewall）技术是目前采用得比较多的技术。尽管防火墙不能解决全部问题，但它的重要性已得到公认，防火墙技术已成为网络安全的关键技术之一。

（1）基本概念

防火墙是位于计算机与外部网络之间或内部网络与外部网络之间的一道安全屏障，它的实质是一个软件或一个硬件，或一个软件与硬件设备的组合。用户通过设置防火墙提供的应用程序和服务以及端口访问规则，过滤进出内部网络或计算机的不安全访问，从而提高网络和计算机系统的安全性与可靠性，如图 6-23 所示。

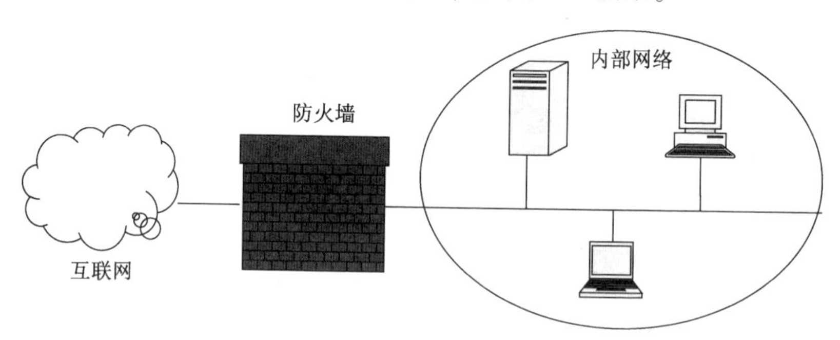

图 6-23　防火墙

防火墙的主要功能包括：检查所有从外部网络进入内部网络的数据包，保护内部网络的信息不被非授权访问、非法窃取或破坏；监控所有从内部网络流出到外部网络的数据包；执行安全策略，过滤不安全的服务，记录内部网络和外部网络通信的安全日志；限制内部网络用户访问某些特殊站点，进一步提高内部网络的安全；具有防攻击能力，保证自身的安全。

防火墙的出现，有效地限制了数据在网络内部的自由流动，控制了不安全的服务，只有安全有效的协议和服务才能通过防火墙。可以这么说，防火墙使网络规划清晰明了，最大限度地防止跨越权限的数据访问。如果网络接入 Internet 却没有设置防火墙，那就可能会遭到很多的非法入侵。当然，防火墙要起到保护作用必须做到以下几点：

① 所有进出内部网络的通信都必须经过防火墙。如果某些通信绕过了防火墙，防火墙将形同虚设，无法对它们进行检查。

② 所有通过防火墙的通信，都必须经过安全策略的过滤。即使所有进出内部网络的通信都经过了防火墙，但如果不按照安全策略对这些通信进行检查，或者安全策略存在漏洞，防火墙也无法起到保护作用。

③ 防火墙本身是安全可靠的。

（2）防火墙的类型

自美国数据设备（Digital）公司 1986 年推出全球第一个商用防火墙系统后，防火墙得到了十分迅速的发展。目前，防火墙有三种形态：纯软件、纯硬件和软硬件结合。纯软件防火墙简单易用、配置灵活，但数据处理能力和安全性能都比较低；纯硬件防火墙固化在专门设计的硬件上，数据处理能力和安全性能比较高，但安全策略和性能配置调整困难；软硬件结合的防火墙则兼具两种防火墙的优点。

（3）防火墙的发展趋势

防火墙技术一直在不断地发展以适应新的安全需求。

① 分布式防火墙。一般防火墙位于网络的边界，无法对网络内部计算机之间的通信进行控制，而分布式防火墙采用了新的体系结构，它位于内外网络边界、内部网络与各子网之间、关键主机等不同节点，通过管理中心进行统一监测和控制。

② 平衡安全与效率的矛盾。一般情况下，防火墙的安全性越高，效率就越低。防火墙作为网络边界的访问控制设备，其较低的效率将会导致网络性能无法提升，如何有效地解决日益严重的安全与效率问题成为防火墙的主要发展趋势。人们可以利用高性能、多处理器的并行处理硬件平台，将不同的处理任务分配给不同的处理器进行并行处理。

③ 各种安全技术的集成和融合。单一的防火墙技术无法满足日益变化的网络安全需求，防火墙技术需要与入侵检测技术、防病毒技术、VPN 技术等集成并融合，形成一个全面、完善的网络安全防御体系，才能更有效地保护内部网络的安全。

（4）防火墙的局限性

防火墙在防御网络攻击和非法入侵时是被动的，而且也具有一定的局限性，有一些安全威胁是它不能防范的。这些安全威胁主要包括：

① 防火墙不能防范不经过防火墙的攻击。如果在内部网络中通过拨号方式与外部网络通信，就会形成一条绕过防火墙的网络通道，使整个内部网络受到攻击的威胁。

② 防火墙不能防范来自网络内部的攻击。内部人员发起的攻击不经过防火墙，所以防火墙无法提供对这类攻击的防护。

③ 防火墙不能对病毒感染的程序或文件的传输提供保护。

④ 防火墙的配置是基于已知攻击设置的，因此无法对一种新的攻击进行防护，需要经常更新配置。

总之，防火墙不是万能的，不能认为安装了防火墙就可以解决内部网络的所有安全问题，防火墙技术需要结合其他安全技术，才能构建不同层次、不同深度的网络安全防御体系。

4. 虚拟专用网 VPN 技术

虚拟专用网络 VPN（Virtual Private Network）是指通过一个公用网络（通常是 Internet）建立一个临时的、安全的虚拟通道，连接异地的两个网络，构成逻辑上的虚拟子网。

虚拟专用网可以实现企业内部网的扩展，能够帮助远程用户、公司分支机构、商业伙伴与公司的内部网建立可信的安全连接，并保证数据的安全传输；也可用于不断增长的移动用户的全球因特网接入，以实现安全连接；还可作为企业网站之间安全通信的虚拟专用线路。

VPN 可以提供的功能有防火墙、信息认证和身份认证、数据加密、隧道化。

VPN 具有如下特点：

（1）成本低廉

VPN 不需要像传统的专用网那样租用专线、设置大量的数据机或远程存取服务器等设备，它是通过公共网络建立安全连接，只需一次性投入 VPN 设备，价格也比较便宜，大大节约了通信成本。

（2）安全可靠

VPN 对数据进行加密、鉴别，有效地保证数据通过公用网络传输时的安全性，保证数据不会被未授权的人员窃听和篡改。

（3）灵活性强

VPN 容易更改网络结构，方便增加新的节点以连接新的用户和网站。另外，它还支持多种类型的传输媒介，可以满足同时传输语音、图像和数据等新应用对高质量传输以及带宽增加的需求。

（4）易于管理维护

较少的网络设备和线路使 VPN 的管理和维护比较容易。

6.6 计算机病毒及其防范

根据 1994 年颁布的《中华人民共和国计算机信息系统安全保护条例》的定义：计算机病毒，是指编制或者在计算机程序中插入的破坏计算机功能或者毁坏数据，影响计算机使用，并能自我复制的一组计算机指令或者程序代码。依此定义，凡能够引起计算机故障，破坏计算机中数据的程序统称为计算机病毒，如逻辑炸弹、蠕虫等。

6.6.1 计算机病毒

1. 计算机病毒的特点

计算机病毒一般具有以下几个特点：

(1) 破坏性

破坏性是绝大多数计算机病毒最主要的特点。凡是软件能作用到的计算机资源(包括程序、数据甚至硬件),均可受到病毒的破坏。不同的病毒对系统的破坏性可能不同,但都会占用系统资源,使计算机效率降低,较为严重的甚至会破坏系统文件或导致系统崩溃。

(2) 传染性和传播性

传染性和传播性是计算机病毒最可怕的一种特性,它能够通过一个被感染的文件扩散到其他文件。计算机病毒之所以具有传染性,是因为它们一般都具有自我复制功能,能够将自身不断复制到其他文件中,达到不断扩散的目的。在网络时代,计算机病毒的传播性更强。

(3) 潜伏性

许多计算机病毒进入系统后并不会马上发作,而是潜伏在合法的程序中,在一定的条件下才被激活并开始进行传染和破坏活动。

(4) 隐蔽性

计算机病毒具有很强的隐蔽性,一般都不易被人察觉,它们大多隐蔽在正常的可执行程序或数据文件里,有的可以通过病毒软件检查出来,有的根本就查不出来,有的时隐时现、变化无常。

2. 计算机病毒的表现形式

计算机在中毒后一般都会出现一些异常现象,人们可以根据这些现象来判断自己的计算机是否中毒,以便及时采取措施来防止病毒的蔓延。常见的中毒现象有:

(1) 机器不能正常启动

加电后机器根本无法启动,或者可以启动,但所需要的时间比原来的启动时间变长了,有时会突然出现黑屏现象。

(2) 运行速度降低

如果发现在运行某个程序时,读取数据的时间比原来长,存文件或调文件的时间都增加了,那可能是由于病毒造成的。

(3) 内存空间迅速变小

由于病毒程序要进驻内存,而且又能繁殖,因此使内存空间变小甚至变为0,用户什么信息也调不进去。

(4) 文件内容和长度有所改变

一个文件存入磁盘后,本来它的长度和内容都不会改变,可是由于病毒的干扰,文件长度可能改变,文件内容也可能出现乱码,有时文件内容无法显示或显示后又消失了。

(5) 经常出现“死机”现象

正常的操作一般不会造成死机现象,如果机器经常死机,就可能是系统被病毒感染了。

(6) 外部设备工作异常

因为外部设备受系统的控制,如果机器中有病毒,外部设备在工作时可能会出现一些异常情况，如屏幕显示异常，出现特殊的画面或字符串，扬声器发出不是由正常程序产生的异常声响或乐曲，打印机突然工作不正常等。

一旦出现上述情况，建议立即利用一些反病毒公司网站提供的“免费在线查毒”功能确认计算机是否已感染病毒。

6.6.2 计算机病毒的防范

预防与消除病毒是一项长期的工作，应坚持不懈，而不是一劳永逸的。

1. 病毒的预防

培养良好的病毒预防意识，并充分发挥杀毒软件的防护能力，可以将大部分病毒拒之门外。

预防病毒的措施主要有：

① 对操作系统定期升级，及时安装最新补丁程序。

② 必须安装防毒软件，首次安装时，一定要对计算机做一次彻底扫描。

③ 及时更新病毒库，建议每周至少一次。

④ 在使用 U 盘、光盘或移动硬盘前，先进行病毒扫描。

⑤ 只从可靠的站点下载文件，文件下载后还要做病毒扫描。

⑥ 不打开来历不明的邮件，不轻易运行形迹可疑的邮件中的附件。

⑦ 禁用 Windows Scripting Host，否则有些病毒，特别是蠕虫，可以在用户未点击附件时也能自动打开被感染的附件。

⑧ 使用防火墙或采取过滤措施，增强对黑客和恶意代码攻击的免疫力。

⑨ 警惕带有欺骗性的病毒，记住“天下没有免费的午餐”。

⑩ 使用其他形式的文档，如 . wps 或 . pdf 文档以防止宏病毒。

⑪ 确保系统的安装盘和重要的数据盘处于“写保护”状态。

⑫ 经常备份重要的文件和数据。

⑬ 制作和使用干净的系统盘。

2. 病毒的清除

在计算机已经感染病毒以后，清除病毒的方法可以有以下三种：

（1）使用杀毒软件

长期以来，人们把杀毒软件作为最主要的反病毒工具。杀毒软件一般都具有实时监控功能，能监控所有打开的文件、网上下载的文件以及收发的邮件等。

（2）使用专杀工具

各个反病毒公司的网站上都提供了许多关于特定病毒的专杀工具，这些工具一般都是可以免费下载的。

（3）手动清除病毒

利用手动方式清除病毒的前提是在计算机的应用能力方面有很深的造诣，一般不建议普通用户使用这种方法清除病毒。

6.6.3　杀毒软件

1. 基本概念

杀毒软件，也称反病毒软件或防毒软件，是计算机防御系统的重要组成部分。

杀毒软件的主要任务是实时监控、病毒扫描、清除病毒等，它们通过在系统中添加驱动程序的方式，进驻系统，并且随操作系统启动。杀毒软件的实时监控方式因软件而异，有的是通过在内存里划分一部分空间，将内存的数据与反病毒软件自身所带的病毒库的特征码相比较，以判断是否为病毒；而有的则是在所划分的内存空间里虚拟执行系统或用户提交的程序，根据其行为或结果做出判断。大部分杀毒软件具有防火墙功能，有的杀毒软件还有数据恢复功能。

使用杀毒软件来检测和清除病毒，用户只需要按照提示进行操作即可完成，简单方便。但需要注意的是：由于病毒的防治技术一般滞后于病毒的制作，因此，并不是所有的病毒都能被马上清除。如果杀毒软件暂时无法清除某些病毒，一般会先将该病毒文件隔离起来，待以后升级病毒库后再做处理。

随着恶意程序的日益增多，来自互联网的主要威胁正在由电脑病毒转向恶意程序及“木马”，于是人们提出了“云安全（Cloud Security）”计划。“云安全”计划是网络时代信息安全技术的最新体现，它融合了并行处理、网格计算、未知病毒行为判断等新兴技术和概念，通过网状的大量客户端对网络中软件行为的异常进行监测，获取互联网中“木马”、恶意程序的最新信息，并将这些信息送到服务端进行自动分析和处理，再把病毒和“木马”的解决方案分发到每一个客户端。“云安全”技术应用后，识别和查杀病毒不再仅仅依靠本地硬盘中的病毒库，而是依靠庞大的网络服务，实时进行采集、分析以及处理。整个互联网就是一个巨大的“杀毒软件”，参与者越多，每个参与者就越安全，整个互联网也会更安全。目前，很多杀毒软件都实施了“云安全”解决方案。

2. 常用的杀毒软件

目前，我国计算机用户使用得较多的杀毒软件有腾讯电脑管家、360 杀毒、Kaspersky 卡巴斯基、McAfee 迈克菲、Avira 小红伞、Norton 诺顿。

练习题

一、选择题

1. 计算机联网的目的是________。

A. 数据处理　　B. 文献检索

C. 资源共享和信息传输　　D. 信息传输

2. 将发送端数字信号转换成模拟信号的过程称为________。

A. 链路传输　　B. 调制　　C. 解调　　D. 数字信道传输

3. 在计算机通信中，数据传输速率的基本单位是________。

A. Baud　　B. b/s　　C. Byte　　D. MIPS

4. 根据网络范围和计算机之间互联的距离，可以将计算机网络划分为三类，它们分别是________。

A. 逻辑网、物理网、总线型网　　B. 广域网、局域网、校园网

C. 星型网、总线型网、环型网　　D. 局域网、城域网、广域网

5. 局域网的网络拓扑结构有________。

A. 逻辑网、物理网、总线网　　B. 星型网、总线型网、环型网

C. 局域网、城域网、广域网　　D. 总线网、城域网、广域网

6. Internet 采用的协议是________。

A. SMTP　　B. FIP　　C. HTTP　　D. TCP/IP

7. 为了能在网络上正确地传送信息而制定了一组规则和约定，这组规则和约定被称为________。

A. 网络操作系统　　B. 网络通信软件

C. 网络协议　　D. OSI 参考模型

8. 局域网的英文缩写是________。

A. WAN　　B. LAN　　C. MAN　　D. Internet

9. 下面是一些常用的文件类型，其中________文件类型是最常用的 WWW 网页文件。

A. txt 或 text　　B. htm 或 html　　C. gif 或 jpeg　　D. wav 或 au

10. 下列选项不属于网络应用的是________。

A. Photoshop　　B. Telnet　　C. FTP　　D. E-mail

11. 在 Internet 中，通常不需要用户输入账号和口令的服务是________。

A. FTP　　B. E-mail

C. 远程登录　　D. HTTP（网页浏览）

12. 在计算机网络中，表示数据传输可靠性的指标是________。

A. 传输率　　B. 误码率

C. 信道容量　　D. 频带利用率

13. 通常把分布在一座办公大楼中的计算机网络称为________。

A. 广域网　　B. 专用网　　C. 公用网　　D. 局域网

14. 在域名系统中，为了避免主机名重复，因特网的名字空间被划分为许多域，下列指向教育站点的域名为________。

A. gov　　B. edu　　C. com　　D. net

15. TCP/IP 协议标准将计算机网络中的通信问题划分为________个层次。

A. 1　　B. 2　　C. 3　　D. 4

16. IP 地址分为 A、B、C、D、E 五类，若网络上某一台主机的 IP 地址为 210.224.120.134，则该地址是________ IP 地址。

A. A 类　　B. B 类　　C. C 类　　D. D 类

17. 在 TCP/IP 网络中，任何计算机必须有一个 IP 地址，而且________。

A. 任意两台计算机的 IP 地址不允许重复

B. 任意两台计算机的 IP 地址允许重复

C. 在同一城市的两台计算机的 IP 地址允许重复

D. 不在同一单位的两台计算机的 IP 地址允许重复

18. 下列选项为合法的 IP 地址的是________。

A. 190.220.5　　B. 206.53.7.78

C. 206.53.312.78　　D. 123,43,82,220

19. 下列关于电子邮件的说法正确的是________。

A. 收件人必须有 E-mail 地址，发件人可以没有 E-mail 地址

B. 收件人和发件人都必须有 E-mail 地址

C. 收件人和发件人都可以没有 E-mail 地址

D. 发件人必须知道收件人地址的邮政编码

20. 利用 Internet 可实现许多应用服务，其中用来发送电子邮件的一种服务是________。

A. E-mail　　B. Telnet　　C. WWW　　D. FTP

二、判断题

1. 计算机网络是一个非常复杂的系统，网络中所有设备必须遵循一定的通信协议才能正确地通信。（　　）

2. 接入局域网中的计算机台数不限。（　　）

3. Internet 中的一台主机只能有一个域名。（　　）

4. 计算机病毒是一种软件，所以它只能破坏计算机软件。（　　）

5. 使用杀毒软件可以清除计算机中所有病毒。（　　）

三、填空题

1. 数据通信系统由信源、________和信道三个要素组成。

2. 计算机网络是________与通信技术相结合的产物。

3. 根据计算机网络覆盖地理范围的大小，网络可分为________、广域网和城域网。

4. 计算机网络有两种基本的工作模式，它们是________模式和客户/服务器模式。

5. 传输介质可分为有线传输介质和________。